OD ISTE AUTORKE

U DRUŠTVU KURTIZANE

SVETA SRCA

KRV I LEPOTA – BORDŽIJE

Sara Dunant

U IME *porodice*

Prevela
Tatjana Milosavljević

Naslov originala

Sarah Dunant
IN THE NAME OF THE FAMILY

Roju Porteru 1946–2002

Zbog načina na koji je promišljao, podučavao i pisao o istoriji tako uzbudljivo kao da je reč o nekom romanu.

Italija 1502.
Alpi
Milano
MILANSKO VOJVODSTVO
(Francuska)
Venecija
(Mleci)
Mantova
MLETAČKA REPUBLIKA
SVETO RIMSKO CARSTVO
S
Ferara
Bolonja
Imola
Forli
Fazena
Čezena
REPUBLIKA ĐENOVA
VELIKO VOJVODSTVO TOSKANA
OSMANSKO CARSTVO
Firenca
Urbino
Sinigalja
Piza
Areco
VOJVODSTVO ROMANJA
Ligursko more
Sijena
La Mađone
Peruđa
Kamerino
Fermo
Pjombino
Jadransko more
Elba
PAPSKE DRŽAVE
Apenini
Rim
KORZIKA
(Đenova)
NAPULJSKO KRALJEVSTVO
(Španija)
Gaeta
Napulj
Taranto
SARDINIJA
(Španija)
Tirensko more
0 50 100 milja
0 50 100 150 km
Jonsko more

Uspon i pad Bordžija

1492. Kardinal Rodrigo Bordžija postaje papa Aleksandar VI.

1493. Osamnaestogodišnji Čezare Bordžija postaje kardinal.
Trinaestogodišnja Lukrecija Bordžija udaje se za Đovanija Sforcu, vojvodu od Pezara.
Šesnaestogodišnji Huan Bordžija ženi se u Španiji devojkom iz španske kraljevske porodice.

1494. Na zahtev milanskog vojvode Ludovika Sforce, Francuzi napadaju Italiju.

1496. Za vreme okupacije Napulja izbija epidemija nove polne bolesti, sifilisa.
Papina Sveta liga poražava u bici kod Fornovoa Francuze, koji potom odlaze iz Italije.
Huan Bordžija predvodi napad na porodicu Orsini, zbog njihove izdaje za vreme francuske invazije.

1497. Nepoznati napadači ubijaju Huana. Sumnja pada na Orsinije.
Brak Lukrecije Bordžije poništava se na temelju nekonzumacije.

1498. Čezare Bordžija napušta Crkvu da bi stao na čelo papske vojske.

Zarad učvršćenja španske alijanse, Lukreciju udaju za plemića iz vladajuće porodice u Napulju.

1499. Čezare odlazi u Francusku, prihvata bračni i vojni savez, posle čega s francuskim kraljem napada Italiju i zauzima Milano.
U savezu s Francuzima, Čezare kreće u pohod na Papske države.

1500. Rođenje Lukrecijinog sina Rodriga.
Lukrecijin brak postao je strategijski nepogodan; Čezareova desna ruka, Mikeloto, ubija njenog muža.

1501. Dogovorena je udaja Lukrecije u porodicu D'Este u Ferari.

1502. Lukrecija putuje u Feraru da se uda za Alfonsa d'Estea, naslednika vojvodskog prestola.
Čezare zauzima Urbino.
Lukrecijina bolest, bliska smrt i rađanje mrtvorođenčeta.
Zavera Čezareovih plaćenika i Orsinija, pobuna.
Čezare pobeđuje u Sinigalji, sveti se porodici Orsini.

1503. Papa Aleksandar VI umire od malarije.
Ista bolest umalo odnosi i Čezarea.
Izabran je papa Pije III; njegova vladavina traje dvadeset tri dana.
Na papski presto, kao Julije II, seda zakleti neprijatelj Bordžija Đulijano dela Rovere.

1505. Umire Erkole d'Este. Alfonso i Lukrecija postaju vladari Ferare.

1507. Čezareova smrt posle tamnovanja u Španiji.

1513. Nikolo Makijaveli piše *Vladaoca*. Knjiga će biti objavljena posthumno, 1532. godine.

1519. Lukrecija Bordžija umire na porođaju, u svojoj trideset devetoj godini.

Kao što orao može leteti noseći kornjaču u kljunu,
a onda je ispustiti na zemlju tako da joj se
oklop razbije od pada...

Di fortuna, Nikolo Makijaveli

Treća dimenzija istorije uvek je fikcija.

Igra staklenih perli, Herman Hese

Prolog

Firenca, januar 1502.

Nikako se nije moglo reći da je visok; bio je jedva palac viši od nje i žilava stasa. Kosa crna poput čađi bila mu je ošišana starinski kratko, a lice, široko u predelu očiju, sužavalo se duž tankog nosa u šiljatu, glatko izbrijanu bradu. Kada ga je upoznala, lasica je bila prva reč koja joj je pala na pamet. Začudo, to je nije odbilo. Marijeta Korsini je odranije znala da je njen budući muž pametan čovek (bio je u državnoj službi, a svi su znali da bi takvim ljudima bila potrebna čitava kolica da natovare svoje misli), a već u roku od nekoliko minuta uspeo je da je nasmeje. Takođe je uspeo da je natera da porumeni, jer nešto u njegovoj živoj usredsređenosti, u njegovoj gotovo životinjski treperavoj energiji, kao da ju je napola razodevalo. Kad su se napokon oprostili, bila je opčinjena njime, a šest meseci njihovog braka ničim nije doprinelo da se to promeni.

Svakog jutra je još zorom odlazio na posao. U početku se nadala da će ga svojim primamljivim telom dovesti u iskušenje da se zadrži malo duže. Firenca obiluje pričama o oženjenim muškarcima koji pod izgovorom kako su ranoranioci odlaze svojim ljubavnicama, a njega je bio glas čoveka koji uživa u životu. No sve i da je bilo tako, nije tu mogla ništa, između ostalog i zato što je njen muž u mislima odlazio od nje mnogo pre no što zaista ode iz kuće.

U stvari, Nikolo Makijaveli nije napuštao toplinu bračne postelje ni zbog kakve druge žene (to može da uradi i u povratku kući), već zato što prve depeše stižu vrlo rano u Palatu sinjorije,[1] a ne samo da mu je bila dužnost nego mu je i pričinjavalo neizmerno zadovoljstvo da bude među prvima koji će ih pročitati.

Put ga je vodio niz Vija Gvičardini u južnom delu grada i potom preko Ponte Vekija na drugu obalu reke Arno. Sneg koji beše neuobičajeno napadao pretvorio se u prljavu ledenu koru, pa mu je tlo prštalo pod nogama poput životinjskih koščica. Na mostu su upravo istovarivali trupla friško zaklanih životinja, namenjena kasapnicama. Kroz otvorene kapke tu i tamo video je reku, srebrnonarandžastu na izlazećem suncu. Ulično pseto mu pretrča put da ukrade komad iznutrica što leži pored točka tovarnih kola. Zaradilo je udarac nogom u rebra zbog svoje drskosti, ali nije ispustilo plen iz čvrsto stisnutih čeljusti. Lešinar koji vreba priliku, pomisli Nikolo, ne bez izvesnog poštovanja. Natakni mu na glavu šešir s peruškom i daj mu mač, i eto ti polovine zemlje. Koliko je prošlo od onoga u Fermu? Dogodilo se o Božiću, zar ne? Lično je otvorio tu depešu: vojvodin „voljeni" sestrić pozvao je ujaka na prazničnu večeru, a onda je zabravio vrata i pobio i njega i sve njegove savetnike, i potom prigrabio titulu. U kancelariji, njegovo osoblje je polagalo opklade koliko će proći do naredne večere koja će se završiti ubistvom, ali Nikolo je bio spreman da se kladi na uzurpatora. Možda taj čovek i jeste najobičniji ubica, ali istovremeno je i najamnik koji predvodi vojsku Čezarea Bordžije, što ga čini – najobičnijim ubicom s moćnim saveznicima.[2]

Prešavši most, prošao je pored Crkve Svetog Petra na kanalu[3] i izbio na prostranu Pjacu dela Sinjorija, kojom je dominirala palata vlade sa svojim parapetom. Levo od glavnog ulaza stajala je bronzana statua nagrizena zubom vremena; Judita, smirena i usredsređena, s podignutim mačem u desnoj ruci, spremnim da zaseče vrat Holofernu, koji joj sav u bolnom grču sedi pod nogama. Nikolo je nemo pozdravi. Poznavao je ljude iz vlasti koje prizor žene koja presuđuje muškarcu svakog dana iznova uznemiri, ali oni nisu shvatali poentu. Donatelova statua, oteta pre osam godina iz palate Medičija, postavljena je na to mesto kao namerno podsećanje kako firentinska republika nikad više neće dozvoliti diktaturu jedne porodice.

Avaj, jaz između ideala i stvarnosti u politici toliki je da se većini ljudi zavrti u glavi. Da Judita sada podigne glavu, gledala bi pravo ka mestu na pjaci gde su spalili dominikanskog fratra Savonarolu, koga je fanatična odanost božjim zakonima pretvorila u drugu vrstu tiranina. Kad god prođe pored kakve taverne u kojoj je neka budala od kuvara izgorela meso na ražnju, Nikola je taj mučno slatkasti miris pocrnele masnoće i mesa vraćao u onu rulju, kad je izvirivao preko ramena viših ljudi ne bi li video lomaču. Nikada dotad nije prisustvovao javnom spaljivanju – Firenca je bila nesklona takvom varvarizmu – a Savonarola je bio zadavljen garotom pre no što su potpalili svežnjeve suvog pruća, ali ipak, Nikolu se želudac okretao od tog prizora.

Još tada je znao da Firencu čeka težak zadatak da posle sveg tog ludila ponovo uspostavi dejstvenu republiku. I premda je u javnosti ispoljavao uverenje u to – zato što mu je to posao – privatno je gajio ozbiljne sumnje.

Ušao je u palatu na sporedni ulaz, našalivši se s pospanim stražarom, i potom se popeo uz spiralno stepenište koje je vodilo kroz veličanstveni centralni hol i potom jedan sprat više, u prostorije veća sinjorije i kancelarije. Njegov radni sto nalazio se u malom predvorju ispred glavnog salona s pozlaćenom drvenom tavanicom i motivom ljiljana. Unutra je bilo gotovo isto tako hladno kao napolju. Kad se izabrani članovi veća okupe tamo, potpaljivala se vatra u mangalima, ali on je, kao službenik na plati, imao sopstveni zemljani sud i morao je da ga redovno šalje da ga iznova napune žarom ako nije hteo da mu se stopala pretvore u led. No time će se tek kasnije pozabaviti: neće osećati hladnoću pošto slomi pečate na depešama od toga dana.

Nikolov posao, kao šefa druge kancelarije i sekretara Veća desetorice za slobodu i mir, bio je da prati sva pomeranja i promene u političkom pejzažu zemlje. Te stvari su ga odvajkada opčinjavale. Nije imao ni punih trinaest godina kad je otac stavio pred njega tek odštampani primerak Livijeve *Istorije Rima* i, poput svake velike prve ljubavi, ona je zauvek obojila njegov pogled na svet.

„*Ovo je najveće blago koje ova kuća sad ima, čuješ li me?*" Njegov otac se uvek šalio smrtno ozbiljnog lica. „*Izbije li požar, bolje gledaj kako ćeš sačuvati glavu, jer ću ja prvo njega da spasavam.*"

Ponekad se pitao šta bi veliki Livije rekao za ovu današnju Italiju. On sam je pak zamišljao poluostrvo kao veliku pohabanu čizmu što visi s Alpa, od kože umrljane i izbledele od prevrtljivosti istorije. Sever je, po drugi put za deset godina, okupirala francuska vojska, koja je vladala Milanom i kontrolisala najmanje deset okolnih državica. Na jadranskoj obali, Mletačka republika je bila opijena sopstvenim bogatstvom i bitkama s Turcima, dok su se divlji predeli na jugu nalazili pod vlašću Španaca, s izuzetkom nekolikih starih francuskih uporišta.

Međutim, Livija bi svakako najviše fasciniralo ono što se dešava u sredini.

Svi su bili zatečeni brzinom i žestinom uspona porodice Bordžija. Rim je, dabome, i pre imao beskrupuloznih papa, ljudi koji su ćutke gurali napred svoje „nećake" i „nećakinje". Ali ovo, ovo je nešto drugo. Ovaj papa, Aleksandar VI, otvoreno je priznavao i koristio svoju nezakonitu decu kao oruđe novog dinastičkog bloka moći; njegov najstariji sin Čezare, nekadašnji kardinal, marširao je na čelu najamničke vojske osvajajući niz gradova-država koji su kroz istoriju pripadali Crkvi, dok je njegova kćerka Lukrecija služila kao cenjeni porodični bračni zalog.

Dve današnje depeše donosile su nove vesti o planu Bordžija. Lukrecija je, praćena svitom veličine omanje vojske, dosad već bila prevalila pola Italije na putu ka svom novom mužu, vojvodi od Ferare. U međuvremenu, papa i njegov sin, u pobedničkom obilasku novoosvojenih teritorija, grada-države Pjombina i ostrva Elbe, spremali su se za rano isplovljavanje broda kojim će se vratiti u Rim. Koliko će proći dok ne stignu? Posluži li ih vetar, morem će po ovoj zimi putovati brže no ijednim drumom, iako to nije bilo putovanje koje bi Nikolo sam odabrao. No barem će ostatak Toskane izvesno vreme lakše disati; vojnik na moru ne može biti i vojvoda na čelu vojske na kopnu.

Upravo je povezivao pantljikom depeše spremne za jutarnji sastanak veća, kada záču kako veličanstvena zvona Santa Marije del Fjore označavaju prvi dnevni čas. Misli mu nakratko odoše do radionice u katedrali, gde je firentinski vajar Mikelanđelo Buonaroti proveo poslednjih devet meseci oblikujući dletom komad mermera od kojeg je, po porudžbini države, trebalo da iskleše veličanstvenu statuu Davida, predviđenu da se postavi na fasadu katedrale. Nikome nije bilo dozvoljeno da priđe ni blizu tom umetničkom delu, ali glasine što su procurile više su se bavile njegovom veličinom nego lepotom. Hoće li biti dovoljno moćan da zaštiti grad od Golijata Bordžija, to će se tek videti.

Pošto su utihnuli i poslednji zvuci zvona, odnekud iz blizine začuše se grčeviti krici nekog muškarca; malo kasnog parenja pod čaršavima ili nekoliko ranih uboda nožem u stomak? On se osmehnu. Takvi su zvuci njegovog voljenog grada – štaviše, takvi su zvuci cele Italije.

ZIMA 1501–02.

Nema toga zla ni opačine koji se ne upražnjavaju u Vatikanskoj palati bez stida i srama. Papa Bordžija je bezdan poroka, podrivač svake pravde... Vlada opšti strah od njega i njegovog sina Čezarea, koji se od kardinala preobratio u ubicu, i po čijim se naređenjima ljudi ubijaju, bacaju u Tibar i otima im se imovina.

Anonimno pismo koje je kružilo Rimom
Decembar 1501.

Prvo poglavlje

Poslepodne beše dobrano poodmaklo, a papske galije mirovale su pod nebom bez oblačka. Iz Pjombina su isplovili u zoru, nošeni hirovitim vetrom koji je prečesto menjao raspoloženje da bi im to prijalo, sve dok ih naposletku nije sasvim izneverio, ostavivši ih da plutaju poput sanjara što se ljuljaju na mirnom moru. Zdesna, obala Toskane bila je debela, kao ugalj crna linija na horizontu. Oko pedeset hvati razdvajalo je brodove; papa Aleksandar je bio u drugom, dok se u prvom nalazio Čezare, vojvoda Valentino.[4]

Uprkos hladnoći, Aleksandar je silno uživao na palubi, umotan u krzna. Kakvo veličanstveno putovanje; narod je oduševljeno pozdravljao svog papu, od eremita smrdljiva daha pa do nebrojenih lepotica što su žudele da mu poljube odeždu i upijale svaku njegovu reč. Drage volje bi ostao i duže, ali Čezare ga je požurivao, kao i uvek. Aleksandar će uživati u još jednom zalasku sunca nad morem, mada se ovaj teško mogao meriti s onim što ih je pre pet dana dopratio u pjombinsku luku. Uprkos životu provedenom u loše osvetljenim odajama i u raspravama o politici Crkve, ovaj krupni muškarac još je umeo da se divi prirodi, pa je kao začaran posmatrao sunce dok je poput džinovskog, usijanog metalnog diska koga neki snažni magnet povlači ispod površine lagano tonulo u more. Kako je samo uživao u sopstvenim poetičnim rečima! Trebalo bi da češće odlazi iz Rima. Čak i princ hrišćanskog sveta zaslužuje malo predaha od tereta svog posla.

Na galiji koja je prednjačila, Čezarea je morio još gori nespokoj. Najstrašniji ratnik Italije na moru nije bio u svom najboljem izdanju. Kad je vreme bilo mirno, beskraj praznine mu je unosio nelagodu, a kad se digne vetar i ustalasa more, pa paluba počne da mu se bacaka pod nogama, i njegov želudac se bacakao s njom. Naći se na milosti i nemilosti vlastite utrobe predstavljalo je za njega poniženje koje je lako mrknulo u agresiju. Bilo mu je potrebno malo opasnosti ne bi li mu živci zapevali glasnije od creva.

Prešao je desnom stranom palube do kapetana, koji je stajao i posmatrao nebo na zapadu. Stao je pokraj njega, raskoračivši se i spustivši jednu ruku na ogradu broda nesvesno ga podražavajući. „Šta vidiš tamo?"

„Ništa, gospodaru. Samo vreme." Sa svojom bronzanom kožom i kuštravim crnim kovrdžama, čovek je izgledao kao da je isklesan od trupca indijskog abonosa. Da mu nije papskih insignija na leđima, pomislio bi kogod od njega da je kakav nevernik.

„Kakvo vreme? Nema ničega. Zadrži li se ova bonaca, cele noći ćemo ostati ovde. Zašto još ne koristimo vesla?"

„Veslači su umorni. Treba im počinak", odvrati kapetan ne skidajući pogled sa horizonta.

Vazduh je bio nepomičan, bez i najmanjeg nagoveštaja povetarca. Sem vode koja je lenjo oplakivala drvo, činilo se kao da je svet prestao da se pomera. Čezare zaćuta, žmirkavo zagledan ni u šta. Jedino njegovo iskustvo s ovakvom nepomičnošću bilo je iščekivanje na bojnom polju pre no što opali prvi top. Može li biti da se tamo negde, tik izvan domašaja njegovog pogleda, nalaze nekakva jedra? Je li to ono što kapetan vidi?

Poslednjih dana su ga opsedale misli o gusarima. Priče o tome kako stanovnici njegove nove države Pjombina i ostrva Elbe žive u stalnom strahu od napada nevernika, koji ih zaskaču s mora i zauzimaju čitava sela ubijajući muškarce i odnoseći prestravljene žene i decu na svoje brodove. I kako onda, godinama kasnije, čuju da su ta odvedena deca, prodata na pijaci robova u Veneciji, i potom dospela u kuću u kojoj su, kroz izmaglicu vremena, prepoznala melodiju majčine uspavanke ili reči Očenaša, mada su se tada već uveliko klanjala samo paganskim bogovima. Oči njegovog oca su, u tom trenutku pripovesti, svetlucale ispunjene suzama sažaljenja. Čezare je, naprotiv, ključao zamišljajući osvetu.

Blagi bože, kako bi voleo da se pobije s njima. Da im prospe pogana turska creva i zapali im jedra, pa da ih tako rasplamsala odnese natrag do Konstantinopolja. Da se njihove galije sada pojave na horizontu, videli bi oni šta je čak i šačica hrišćanskih ratnika u stanju da uradi. Već je razgledao topove na bokovima broda, znao im je domet i mogućnosti, i raspitao se kod članova posade u vezi s nišanjenjem preko vode. Rado bi video kako izgleda kada topovsko đule probije drveno korito. Nije li njegov imenjak Cezar pobedio čitavu egipatsku flotu i poslao je na dno mora? Ili je to možda bio imperator Avgust? U poslednje vreme, njegovo poznavanje istorije sve se više stapalo s ubrzanim stvaranjem njegovog sopstvenog mita.

„Plove li gusari ovako daleko na jug?“

„Nismo ni u kakvoj opasnosti, vojvodo Valentino. Papske galije su sagrađene tako da preteknu sve što plovi morima, ako se oni za veslima potrude."

„Nećemo da stanemo i da se borimo?"

„Ne."

„Strah nas je nekoliko nevernika?"

„Nije reč o strahu, gospodaru", odvrati ovaj jednoličnim tonom. Kapetan broda nije delio zapovedništvo ni sa kim i s mukom je prikrivao odvratnost prema tom mladom papskom kopilanu koji je umislio da je pametniji od svih oko sebe. „Reč je o dragocenom teretu koji nosimo."

Preko palubnih greda do nogu im dotrča bubašvaba. Čezare, koji je i te kako umeo da razabere kritiku u komplimentu, smesta je smrska nogom uživajući u zvuku.

„Zašto ne priđeš bliže obali i ne spustiš čamac u more? Korveto ne može biti daleko. Moji ljudi i ja mogli bismo se već ujutru vratiti natrag u Rim."

„Nije bezbedno, gospodaru. Obala je ovde puna podvodnih grebena. Talasi bi mogli da nateraju čamac na neki od njih."

„Kakvi talasi? Površina je ravna poput grudi časne sestre."

„Jeste, ovog časa", na to će kapetan, istovremeno pažljivo zagledajući palubu i još jednu bubašvabu u mahnitom trku. „Samo što to u ovim vodama ume da se promeni bez ikakve najave." Iza one bubašvabe trčalo ih je još nekoliko.

„Tvoja gamad se dobro snalazi na brodu", ljutito će Čezare, ponovo naglo spuštajući čizmu. „Ili joj je možda dozlogrdilo da čeka."

Ne obrativši pažnju na uvredu, kapetan ponovo podiže pogled prema horizontu i žurno se udalji u pravcu krme.

Da li ju je već tada naslutio, taj čovek koji je bolje poznavao more nego telo svoje najdraže ljubavnice? Po čemu?

Po čudnom mirisu soli u vazduhu? Po uzbibanoj površini mora u daljini? Ili su mu možda kazale bubašvabe, jer Bog neretko baš svoja najprezrenija stvorenja obdari neočekivanim darovima.

Šta god da je bilo posredi, bio je svestan da snaga ovih veslača nije dovoljna da joj uteknu. Još nikad nije video ovako bednu, žgoljavu družinu galiota. On posla poruku mornaru na osmatračnici da zastavicom dojavi papskom brodu da ubrza i da se izjednači s njima. Ako se približe, biće bezbedniji.

Aleksandar je osetio trzaj kad vesla počeše da zaranjaju u vodu i da je odguruju. U mislima je bio negde nasred Italije, putujući sa kćerkom dok je prelazila iz jednog gradića u drugi i zavodila osmehom svakoga koga sretne. Njegova mila Lukrecija. Jedva je nekoliko nedelja otkako su se rastali, a njeno odsustvo mu je već otvorilo ranu na srcu. Bože, njenom mužu bi bilo bolje da je poštuje, inače ima da pošalje vojsku da je vrati.

Galija je sve više ubrzavala i on se okrete da posmatra galiote na delu. S gornje palube video im je pognute glave i ramena, čuo stenjanje, gotovo osećao istezanje i nadimanje žila i mišića. Kad je u poslednji čas odlučeno da se deo puta do Pjombina i iz njega pređe brodom (Čezareov kapric, kao i uvek), brodovi papske flote bili su dokovani,[5] na opravci, pa je njegov ceremonijar satima prigovarao zbog toga što će većinu veslačke posade sačinjavati ljudi dovedeni iz rimskih zatvora. Ubogi stvorovi. Čak i zločinci koji služe svoga papu zaslužuju da im ruke ne budu iščupane iz ramena, pomisli on. Kad se ovo putovanje završi, blagosloviću ih. On, koji bi mirne duše smestio desetorici kardinala ako će im tako iznuditi više novca, oduvek je bio slab prema onima očigledno slabijim od sebe.

Ovo, međutim, nije bio dobar čas za razmišljanje o nežnim osećanjima. Udar vetra u lice natera ga da pogleda prema horizontu. Na zapadu, tamo gde je nebo doskora bilo čisto kao suza, pomaljao se sada širok, mrgodan oblak bremenit kišom. Kretao se brzo, podizao, rasprostirao, mrčio, i pred očima mu progutao zimsko sunce što je već ležalo nisko nad horizontom. Temperatura je padala i voda je sada bila železnosiva, sve jači vetar dizao je talase. Kako je more postajalo nemirnije, galija poče da mu se valja pod nogama. On se uhvati za ogradu. Da brze li promene! Kao da je Neptun naduvao svoje džinovske obraze i sada jednim jedinim neizmernim dahom podigao silovitu oluju na kraju sveta.

Kapelani su već bili pored njega, požurujući ga prema kućici na krmi dok su se prve kapi kiše već spuštale, krupne poput ptičjeg izmeta, natapajući sve što dotaknu. Nad njihovim glavama, nebo propara nazubljena munja. On se još čvršće uhvati za ogradu. Dobro je znao šta su oluje na moru i kakvu pustoš mogu da ostave za sobom. Kad se pre dvadeset – ne, mora biti da tome ima i trideset godina – kao papski izaslanik vraćao iz Španije, njegovo brodovlje nalazilo se nedaleko od ove iste obale kad je voda počela da se valja i šišti, i samo je bespomoćno posmatrao kad su talasi odbacili prateću galiju prema obali i razbili je o podvodne grebene poput naramka drva za potpalu. Mesecima posle toga u snovima je čuo urlanje vetra pomešano s kricima davljenika. Gospod je tog dana pribavio sebi mnoštvo sveštenih lica i dvorjana, pokoj im duši. A on i dan-danas pamti imena većine njih, i kadar je da prizove u sećanje nekoliko lica. Prokleta Čezareova nestrpljivost, pomisli potom. Boljka je mladosti, to brkanje brzine sa strategijom. Trebalo je da proborave još jedan dan u Pjombinu, umesto što je popustio njegovom navaljivanju da krenu natrag put Rima.

„Recite svojim ljudima da odu u zaklon“, doviknu kapetan vodećeg broda Čezareu prolazeći pored njega na putu do kormilarnice. „Paluba mora da se raščisti, da posada može da radi svoj posao.“

„Rekao sam ti da je trebalo da upotrebimo vesla! Dosad smo mogli da budemo na pola puta do Rima“, besno će Čezare, dok je jarbol iznad njih cvileo pod udarima vetra. „Koliko će ovo trajati?“

„Koliko Gospod nađe za shodno“, promrsi kapetan odgovor, pa se žurno prekrsti pre no što je ponovo krenuo u susret buri.

U odajama dodeljenim joj u vojvodskoj palati u Urbinu, Lukreciju su bolele noge. Tabani su je pekli dok je hodala, a noću, kad su joj stopala bila oslobođena stege, i dalje je imala osećaj da su joj prsti okovani. Za te muke nije bila kriva samo hirovita moda: cipele koje je dobila kao deo nevestinske opreme, dvadeset sedam pari od najfinije, naparfimisane španske kože, napravljene prema otisku njenih stopala, sve odreda ručno šivene, optočene zlatom i dragim kamenjem, i potom poslate brodom iz Valensije, stigle su u Rim prekasno da ih isproba pre upotrebe.

Bilo bi bolje kad ne bi toliko plesala. Ali kako da odoli? Ona, koja obožava da pleše i provodi se na gozbama i svečanostima iz večeri u veče, i kojoj toliko kliču da se njeni plesni partneri katkada zateturaju pretvarajući se da ih probada u slabinama, a sve kako bi naglasili njenu gracioznost i izdržljivost. Ne, Lukrecija Bordžija je morala da pleše; ples je bio jedna od njenih životnih radosti. I više od toga – od nje se to i očekivalo.

Da je makar manje milja između svečanosti. Za dvanaest dana, otkako su otišli iz Rima, posetili su gotovo isto toliko varoši, a tek su na pola puta do Ferare. To bi i po najlepšem vremenu bio naporan raspored, jer ovo nije bilo toliko putovanje koliko pohod; papina kćerka osvajala je jedan grad za drugim, ali šarmom, a ne topovima. U početku se bila umotala u krzna i tako borila s ledenim vazduhom. Tih prvih dana padao je sneg – sneg, u Rimu! – i bila je zapanjena mnoštvom koje se jatilo da je vidi. Mahala im je i slala osmehe, i slala još osmeha. Ako oni mogu da trpe hladnoću, valjda može i ona. Sneg se, međutim, u međuvremenu pretvorio u neprekidni pljusak i odvratnu bljuzgavicu, u toj meri da se odnedavno povukla u svoju nosiljku. Bilo joj je prilično udobno na ravnim drumovima, ali na obroncima Apenina i u gradovima kao što su Gubio i sad Urbino, nosiljka se na strmim zavojitim putevima toliko zanosila u stranu i drmusala da su kosti sad već počinjale da joj se bune.

Smestila se na jastučad na sedištu pod prozorom u ovoj najnovijoj spavaćoj odaji. U kaminu je gorela vatra, a zidovi su bili zastrti tapiserijama. Kako je divno ponovo se naći u toplom. Čula je kako u hodniku tegle kovčege preko kamenog poda. Treba mnogo vremena da se smesti čitavo domaćinstvo dvorjana i slugu koje je putovalo s njom. Ovaj večerašnji smeštaj bio je naročito raskošan. Vojvodska palata u Urbinu bila je na glasu u celoj Italiji kao dragulj nove kulture. Imaće tako malo vremena da joj se dive, pomisli ona s uzdahom. Samo što pootvaraju kovčege, moraće da ih iznova spakuju i utovare u kola, a ovo veče postaće nalik svim ostalima: pir predusretljivosti, dobrog raspoloženja i razmene darova, naklona, poljubaca, licemernih reči, komplimenata i, razume se, plesa. Stopala joj se javiše bolom, kao da saosećaju s njom. Čeznula je za danom kada će moći da prespava zoru ili da provede nekoliko sati čitajući ili perući kosu; kada će imati priliku da neko vreme bude sama sa sobom, zlovoljna, pa čak i tužna.

Iznad mermernog kamina nalazio se friz na kom su goli heruvimi veselo paradirali držeći u rukama zlatne rogove i daire. Bucmasta tela čudesno isklesana u kamenu. Pre no što je rodila Rodriga, jedva je uopšte i primećivala takva stvorenja. Sad je posvuda videla male bebe i heruvime. Vajar je sigurno imao mušku decu kad je tako uspeo da udahne život svakom telašcu ponaosob. Ona zamisli kako joj se jedan uzverao na krilo i zagrlio je debeljušnim ručicama. Mermerna koža postade joj u mislima podatna i topla. Ona nevoljno prignu glavu da omiriše kožu na njegovoj glavici, koju već krase gusti plavi uvojci, tako različiti od tamne kose njegovog oca.

„Gospo Lukrecija? Ne uznemiravam vas?"

„Ne, ne, sinjor Poci", reče ona otresajući sa svojih sukanja zamišljeno malo telo dok je vraćala prisustvo duha. „Uživam u ovom okruženju. Još ne shvatam zašto ne možemo ostati duže. Vojvoda i vojvotkinja od Urbina tako su velikodušni u svom gostoprimstvu – iselili su se iz sopstvene palate da nam naprave mesta. Čini mi se da je neučtivo da ostanemo samo jednu noć."

Izaslanik Ferare poče da se premešta s noge na nogu. Nadao se da je ovaj razgovor davno završen.

„Gospo, uveravam vas da u potpunosti razumeju ograničenja koja nam nameću putovanje i ovo vreme. Do Ferare imamo da pređemo još mnogo milja, a datum vašeg venčanja je..."

„Znam ga isto tako dobro kao vi. Leži mi na srcu i u ovom grozničavom iščekivanju da upoznam svog dragog supruga dala bih sve da je taj datum već došao." Kako je lepo rekla ovo, ko bi mogao posumnjati u iskrenost njenih reči? „Međutim." Ona načas zaćuta. „Da bi ga moj dolazak obradovao onako kao što želim, mora mi biti dopušteno da malo predahnem."

Rođen kao Đanluka Poci, ovaj iskusni diplomata je svima u Bordžijinoj sviti bio poznat kao „Štula", zbog nesrazmerno dugačkih nogu u odnosu na telo, usled čega je morao da pravi krute, sitne korake kako dame ne bi morale da trče da ga sustignu. Već je mesecima bio uz Lukreciju i svome gospodaru, vojvodi od Ferare, slao izveštaje o tome kakvog je karaktera i je li dostojna udaje u kuću Este. Sada je njegov zadatak bio da se postara da ona blagovremeno stigne na zakazano venčanje.

„Takođe, ne samo da je Urbino vezan dinastičkim brakom s mojim novim domom, Ferarom", nastavi ona s naglašenom ozbiljnošću, „već je i u savezu s Njegovom svetošću papom Aleksandrom. Mislim da bi oba moja oca podržala kao dobar politički potez ako malo duže uživamo u dobrodošlici koju nam je ovaj grad iskazao, zar ne?"

Izaslanik je zamišljeno grickao obraz. Kad god se papa uvede u igru, to je bio znak da je ova nežna mlada žena, koja izgleda kao da ne razmišlja ni o čemu drugom do o tome šta će sledeće obući, rešila da bude tvrdoglava. Napolju je kiša nervozno dobovala po oknima s olovnim rešetkama. Palata Urbino bila je poznata po svojoj modernosti, ali nisu baš sve njene prostorije bile tako dobro zaštićene od promaje. Ovog časa je bila puna ljudi koji su otresali mokru odeću i smeštali se da tu i ostanu.

„Gospo draga, morate mi malo pomoći. Ja sam..."

„I" – glas joj i pored povišenog tona ostade ljubak – „zacelo ste primetili da se nekoliko mojih dama bori sa flegmom[6] i groznicom. Anđela je jutros bila toliko bolesna da je malo nedostajalo da ne može da nastavi put. A prenese li tu svoju boljku na mene... dakle... Vojvoda Erkole, moj novi otac, nikad vam neće oprostiti ako u Feraru stignem slabašna poput mačeta."

Poci se sumorno osmehnu. Njegov poslodavac biće još manje sklon praštanju stigne li ona tamo sa zakašnjenjem, budući da su astrolozi još pre šest meseci odredili datum i ovog časa je pola Italije bilo u pokretu s namerom da tog dana bude u Ferari. Što se pak tiče zdravlja gospe Lukrecije, štošta je mogao da joj predloži: da manje pleše i više spava, ili da skrati vreme koje troši na svakodnevnu toaletu. No ne bi imalo nikakve svrhe. Papa je svima jasno stavio do znanja da sada, kad je već platio čitavo bogatstvo da uda kćerku, namerava da dobije punu protivvrednost tako što će iskoristiti ovo putovanje da se svima pohvali njome.

Doduše, ona svakako neće nikoga razočarati. U to je bio siguran. U Italiji zacelo ima i lepših žena, ali u ovoj mešavini lepote i temperamenta – naročito u balskoj dvorani, gde je izgledalo da joj stopala gotovo ne dodiruju pod – bilo je nečega što je zavodilo sve u njenoj blizini.

Poput tolikih drugih, stigao je u vatikanski dvor s glavom u kojoj je brujalo od tračeva, očekujući da će zateći nekakvu sujetnu rospiju koju razdiru požuda i okrutnost. Ipak, u roku od samo nekoliko nedelja, njegove depeše bile su ispunjene opisima njene ljupkosti i smernosti. Trebalo mu je malo više vremena da otkrije metal ispod te mekoće. Međutim, prošle su godine otkako je Ferara imala vojvotkinju, pa je lako moglo biti da je zaboravio lukavstva pametnih žena i koliko svojeglave umeju da budu u svojoj krotkosti. Ako se gospa ne da nagovoriti da odstupi, šta se tu može? On podiže ruke u znak predaje.

„Odlično“, nasmeja se ona, izgledajući još mlađa od dvadeset jedne godine blagodareći tom pobedonosnom osmehu što joj je ozario lice. „Krenućemo prekosutra, čili i odmorni. Izaslanici moga brata sprovešće nas kroz njegove gradove sve do Bolonje, a odatle možemo putovati baržom. Što će nam svima biti mnogo prijatnije i“ – mali nagoveštaj koketnosti – „pošto me zanese vaša prekrasna reka Po, dakle, neću se dati nagovoriti da se iskrcam. Zar ne, dragi moj Poci?“

On se nakloni, s osmehom koji je bio deo njegove profesije isto koliko i mrgodno čelo. U mislima je već sastavio tekst večerašnje depeše: u diplomatskim bitkama, nijedan okršaj nije dovoljno sitan da ne pokušaš da se izboriš, i nijedan poraz nije tako težak da znači kako si izgubio rat.

Samo što je izašao, već je bila na nogama dozivajući svoje družbenice: „Anđela, Nikola, Kamila... Pustite sad raspakivanje. Palata Urbino čeka na nas!“

Nedaleko od toskanske obale, obe galije bile su igračke u oluji, mada je glavni udar podnosio papin brod, koji se nalazio nešto dalje na pučini. Kiša je bila horizontalna vodena ploča nošena burom, s talasima što su se dizali poput bedema tvrđave, i više nisi znao koja te voda zaliva, slatka ili slana. Ni lađa kao da nije znala šta ju je snašlo, hrleći u jednom trenutku napred i penjući se uz vodenu liticu sve do kreste talasa, gde bi zastala, izgledalo je, poput preneraženog uzdaha, pre no što se surva naniže takvom silinom da se svaki put činilo da se korito zasigurno razbilo. Koliko sledećeg trenutka sve bi se promenilo i samo bi zaošijala, i sve što nije prikovano odlazilo je u kovit zajedno s njom, leteći sleva nadesno i potom opet natrag. Paluba je bila smrtonosna klopka; kome god se omakne tlo pod nogama, mogao se spasti samo ako u padu udari u nešto prikovano, pa i tada bi ga, ako se nije držao kao mengelama, već sledeći talas otkinuo odatle i bacio u more. Veslači na krmi ležali su razbacani, vesla pod njima; u takvoj silovitosti, svaki neprivezan predmet postajao je ovan za rušenje, zavitlana batina.

Posada, koja je u pristanima zarađivala besplatna pića pripovedajući priče o brodolomima stanovnicima kopna koji su ih slušali iskolačenih očiju, sada je skupo plaćala za sva kićenja i preuveličavanja. Svaki snažni, razorni talas pričinjavao je novu štetu: parče platna otkinuto sa smotanog jedra, polomljena drvena greda ili potporanj, još grozničavije izbacivanje vode iz korita. Tortura poznata od davnina: baciš čoveka u tamnicu u kojoj voda nikad ne prestaje da se diže, pa jedini način da preživi jeste da ne prestaje da pumpa. Još godinama će ih mučiti košmari u kojima će izbacivati vodu iz utrobe lađe. Kad ih je pogodio novi talas, neki počeše da plaču i zapomažu, glasovima jedva čujnim naspram pomamnog urlanja vetra i režanja i stenjanja drveta što se kidalo. Oluja je uvek u raskoraku sa sopstvenim orkestrom patnje.

A nasred svega toga, u kućici na krmi, Sveti rimski pontifeks, pastir sviju hrišćanskih duša na zemlji, uglavljen u svoju stolicu, na sav glas je pevao psalme.

Fortuna, ta boginja nepostojana i kad je najbolje volje, baš je u takvim trenucima najćudljivija. Kad se događaji otrgnu kontroli, mirne duše će napustiti ljude koji nikad u životu nisu bili drugačiji do u najvećoj mogućoj meri dobri i čestiti. Podjednako izopačeno zadovoljstvo joj je da zaštiti one koji, inače nemilosrdni, pokažu svoju prirodnu veličinu kad se nađu oči u oči s razbesnelom aždajom. Rodrigo Bordžija je oduvek bio baš takav čovek. Suočen s neprijateljskim topovima oko Rima, otvorio je gradske kapije i pozvao ih da uđu. Kad je munja rascepila odžak u Vatikanu i sručila mu tavanicu na glavu, a svi u palati sišli s pameti jadikujući zbog papine smrti, on je mirno sedeo pod brdom ruševina sve dok ga nisu izvukli potpuno nepovređenog, spasenog blagodareći tome što su se dve srušene krovne grede nekim čudom ukrstile i zaglavile u tom položaju svega nekoliko palaca iznad njegove glave. Njegov blaženi osmeh kad je izašao odatle bio je prizor kakav se ne viđa svakog dana.

Imao je sreće i u još jednom pogledu: u tom telu tovarnog konja nalazio se želudac tritona. Stoga je baš sada, na vrhuncu oluje, dok su ostali povraćali kao lasice po celoj kabini, našao za shodno da izađe na palubu.

Kroz pljusak koji je besno šibao, Čezareova galija nije se ni nazirala. Ipak, Aleksandar je bio siguran da je tu negde, nedaleko. Tolike je godine stremio ovom trenutku svog života: osnivanju države Bordžija u Italiji preko mišića svog sina i međunožja svoje kćerke. Predaleko su dospeli i primakli se preblizu tom cilju da sad ovde skončaju. Ni slučajno ne bi bio ovako smiren da Čezare ovog časa tone na dno mora. Ni najpravičniji bog ne bi bio toliko okrutan.

Kapetan, vezan za kormilo, ugledavši kroz zavesu od kiše pozamašni papin obris poče da viče i da mu pokazuje da se vrati unutra. Aleksandar, međutim, s dvojicom kapelana pored sebe, samo podiže ruku blagosiljajući ga. Dva mornara koja su se tu našla spazila su njegovo prisustvo i u zatišju pre sledećeg talasa baciše mu se pred noge, zarivši lica u mokru svilu poruba njegove odežde i preklinjući ga da ih spase svojim molitvama. Pokretom ruke pokazao je kapelanima da ih podignu, a onda ih obojicu blagoslovi, privivši ih onako mokre u topao zagrljaj, poput oca koji grli sinove.

Dok se novi zaslepljujući vodeni zid rušio na njih, kapelani svojim telima prikovaše papu uza zid kućice na krmi ne bi li ga zaštitili od najgoreg. Ugledavši ga kako se pomalja iz vode, još na nogama, i ostali mornari počeše glasno da se mole.

„Ne bojte se, deco moja“, uzviknu on u vetar. „Gospod pokazuje silovitu veličanstvenost Svoga dela onima koje najviše voli. S vama je na brodu Njegov najveći sluga i On vas neće izneveriti.“

Jedva su razabirali šta govori, ali već to što je tu bilo je pravo čudo. Mornari bolje od ikoga drugog znaju delove Svetog pisma vezane za more: Jona je našao sklonište u utrobi kita, Mojsije je golim rukama razdvojio more, a sam Gospod je, odabravši samo ribare da ga slede, umirio uzburkane vode i hodio po moru kao po suvom.

Gospode, grade moj, zaklone moj, koji se oboriti ne može, izbavitelju moj.

Papa je iz pevao reči osamnaestog psalma što ga je grlo nosilo.[7]

U svojoj tjeskobi prizvah Gospoda.

Uvežbani glasovi papinih kapelana mešali su se s njegovim i načas se učini da se zvuk probija kroz buru. No može li biti da je silina vetra jedva primetno jenjavala?

I k Bogu svojemu povikah;

On ču iz dvora svojega glas moj.

Talasi su ih i dalje zalivali, ali su njihovi nasrtaji delovali manje gnevno. Prepoznavši reči psalma, nekolicina mornara poče da ih izvikuje drhtavim glasovima, pa čak je i sam kapetan vikao u vetar:

Tada pruži s visine ruku, uhvati me,

Izvuče me iz vode velike.

Nije bilo zbora: silovitost pljuska se ublažavala i lađa se sve sigurnije držala na talasima.

Izvuče me iz vode velike.

Najgore je prošlo – i to je svakako bilo čudo.

Lukrecija i njene dvorske družbenice lepršale su palatom poput jata šarenih ptica. Ako je neka i bila bolesna, u međuvremenu se čudesno oporavila. Još jedan dan! Kakvu je pobedu izvojevala njihova gospodarica nad uštogljenim Štulom. Kružile su gore-dole mermernim stepeništima, kroz desetine otmenih spojenih salona. U jednom su sedele obraz uz obraz s likovima gargojla uklesanim u kamena sedišta. U drugom su uzdisale nad portretima svetica i mučenica odevenih tako ukusno da su pre navodile na razmišljanja o modi nego o žrtvovanju. U trećem su kao opčinjene stajale pred slikom basnoslovnog novog grada, savršenog u svojoj besprekornoj arhitekturi i razmerama. Šta je ono Štula neprestano pričao o Ferari? Kako je stari vojvoda podigao čitav novi grad u modernom stilu. „Zamislite, gospodarice! Možemo bez straha da vučemo šlepove sukanja po mermernim ulicama!"

Sve su se smejale na to, jer su sve bile vrhunski optimisti. Te lepe žene bile su jedino što je ostalo od Lukrecijinog života u Rimu. Za ovo zajedničko progonstvo odabrane su zbog njihove mladosti i vesele prirode, kao i odanosti i visokog roda. Neke su odrasle s njom, bile pored nje u dobru i zlu, dok su ostale dovedene nedavno, da obeleže ovaj preokret u njenom životu. Čuvale su je od nostalgije za kućom i shvatale svoj zadatak čuvara isto tako ozbiljno poput bilo kakve naoružane čete. Nekoliko prostorija dalje, naišavši na sliku Bogorodice s malim Hristom čiji je pogled, uperen nekuda daleko, stariji od njegovog tela novorođenčeta, pažljivo su je zagledale. Da li joj oči sijaju zbog toga što je zadivljena lepotom slike ili zbog navale uspomena?

„Gospodarice, gospodarice. Dođite! Dođite ovamo. Zar ovo nije najružniji muškarac kog ste ikada videli?" Anđela Bordžija, daleka rođaka s očeve strane, bila je najnoviji i najnestašniji dodatak jatu. Šta je, sa svojih petnaest godina, znala o promenljivoj sreći u životu? „Da mi priđe, pobegla bih milju daleko!"

„Ćuti", osmehnu se Lukrecija. Bila je svesna da pomno motre na svaki znak tuge. To je i bio razlog što se ponekad radije povlačila u osamu. „To je slika pokojnog oca našeg domaćina i njegove vojvotkinje."

„Pa, ko god da je, ipak je ružniji od greha. Pogledajte, i na slici je htela da bude razdvojena od njega."

Profili muža i žene zurili su hladno jedno u drugo u podeljenom ramu: njeno lice sasvim obično, nalik na bezbroj drugih žena njenih godina, a njegovo studija ružnoće: zadriglo i deformisano, s izbačenom bradom, izbuljenim okom kao u ribe i nakaradnim kukastim nosom koji je izgledao kao da mu je neko nožem odsekao deo hrbata. A budući da se dvorski slikari plaćaju da stvaraju laskave portrete, iskrenost ove ružnoće delovala je gotovo preneražavajuće.

„O, ali u pravu ste, gospodarice!", ciknu Anđela. „Sada primećujem porodičnu sličnost. Setite se sadašnjeg vojvode od Urbina. Kad se sasvim ispravi, i njemu brada ulazi u sobu pre njega. Liči... liči na hodajući znak pitanja!"

„I znate li šta svi kažu: da mu to nije i jedina boljka?", zagonetno će druga.

„Šta to tačno *svi* kažu, Kamila?"

Žene se žurno zgledaše. Prepoznale su uznositi ton svoje gospodarice, ali odrasle u moralnoj kloaki Rima, gde je ogovaranje bilo normalno poput disanja, naprosto se nisu mogle suzdržati.

„Da vojvoda od Urbina ne može!“, glasnim šapatom odvrati Anđela cupkajući od uzbuđenja. „Da je uštrojeni jarac. Zar ne?“ Ona se s iščekivanjem okrete prema svojim drugaricama; ovaj slasni trač bio je nov, pa je bilo najbolje dobiti potvrdu da je verodostojan.

„Da, ne, istina je, gospodarice.“

Potom progovoriše uglas.

„Mada ga to ne sprečava da pokušava.“

„Navodno, njegova žena nikad ne zna kada će to biti, pa mora da ga tera od sebe, zato što je zaskoči kao pseto.“

„Ponekad čak pokušava da joj se tare o bedro.“

„Ne! Drusila, Kamila, Anđela! Da ste smesta prestale.“ Poklopivši uši dlanovima, Lukrecija se naprezala da zadrži strog izraz lica. I sama je bila žrtva nečuvenih kleveta previše često da bi poverovala u sve glasine što kolaju naokolo. „Naš domaćin, vojvoda od Urbina, dobar je čovek, a njegova supruga Elizabeta još bolja žena; prefinjena i smerna. Gosti smo u njihovom domu i neću više da čujem ni reč o ovome.“

Ipak, sad kad je to rečeno, kako će ikada moći da pogleda Elizabetu na isti način, nju ili njenog muža, koji podseća na znak pitanja? Eto s kakvom lakoćom glasina sklizne u istinu.

Odvojivši se od ostalih, uputila se u sledeću odaju, koju je kroz elegantne prozore obasjavalo zalazeće sunce. Prišla je i otvorila jedno okno ukrašeno kitnjastom olovnom rešetkom. Prozor se nalazio visoko i pogled što se otvarao prema dolini svojom je lepotom oduzimao dah. Najčudesnije u vezi s palatom Urbino bilo je kako su uopšte uspeli da je sagrade. To joj je prvo palo na pamet kad ju je ugledala s puta: kako izgleda kao da je iznikla iz stene, sa zaslepljujuće belom fasadom koju krase dva graciozna vizantijska tornja što se dižu ka nebesima. Pogledavši naniže, ugleda put kojim su doputovali kako vijuga kroz dolinu poput dugačke prljave pantljike. S mesta gde je sada stajala, nailazak neprijateljske vojske video bi se već kad ona priđe na dvadeset ili čak trideset milja od palate.

Ona pomisli na Čezarea i njegovu reputaciju ratnika; kako je svojim topovima razneo naizgled neprobojne tvrđave i zaposeo pet ili šest gradova severno odavde. Njegovi vojni uspesi bili su jedini razlog što se sad uopšte nalazila ovde. Mada je donosila miraz od koga bi i sultanu porasle zazubice, to samo po sebi nikad ne bi „ubedilo" vojvodu od Ferare, glavu stare porodice Este, da svog sina i naslednika Alfonsa oženi dvaput udavanom, nezakonitom papinom kćerkom o kojoj kruže svakojake glasine. Ne, na to ga je primorao strah od njenog nasilnog brata. Ovaj savez je trijumf Bordžija, još jedan korak dalje u stvaranju dinastije. Zar je Čezare imalo hajao što je kupljen po cenu ubistva njenog prethodnog, obožavanog muža?

Alfonso: bila je nezamislivo okrutna igra sudbine što se Lukrecijin novi muž zvao isto kao i stari. Sem što *njen* Alfonso nikad neće biti star. Ona će možda poživeti dok se ne udavi u salu ili dok se ne pretvori u kost i kožu, ali njen Alfonso će zauvek biti mlad i lep; s mišićavim nogama, glatkim isklesanim licem i prekrasnim plavim očima nalik na komade uglačanog lapis lazulija.

Dubina pod prozorom počela je da joj izaziva vrtoglavicu i ona morade da se pridrži za sims.

„Nemoj, Lukrecija", promrsi ona ispod glasa. „Nije dobar čas..."

Ali dockan. Ponovo je tamo, u ušima joj sve bruji dok stoji pred svojim bratom, iza njega kohorta ljudi pod oružjem dok joj objašnjava kako je ta smrt bila neophodna, kako mu je bezbednost bila ugrožena, zato što se behu zaverili da ga ubiju. Kukavica! Lažov! U to vreme je tu očiglednu obmanu primila ledeno, radije no da padne u vatru, ali stojeći sad ovde, drugačije je doživljavala tu svoju tugu, videla ju je kao pomahnitali orkan koji ga usisava, podiže i nosi preko sobe, nemilosrdno udara njime o prozore i onda ga baca u vrtlog iz kog vrcaju plamenovi, jedan od krugova pakla oživelih u Danteovim snažnim stihovima.

Samo šta onda? Šta bi to za nju značilo? Da bude žena bez muža i bez brata? Prođe je brzi drhtaj.

„Dobro sam", reče brzo, osetivši dodir Anđeline ruke na svojoj. „Ovaj pogled mi je načas izazvao vrtoglavicu, to je sve. Hajde, vreme je da se spremimo."

I to je bilo tačno. Dobro je. Za samo nekoliko nedelja biće vojvotkinja jednog od najprefinjenijih gradova Italije, jer mada je stari vojvoda živ, žena mu je umrla, pa će titula biti njena. Imaće sopstveni dvor ispunjen muzičarima i pesnicima i, mada neće zapovedati vojskom ni rušiti zidine, vodiće drugačiju vrstu rata: onaj u kome ne moraš da ubijaš da bi osvajao. Baš kao što će raditi večeras, kad se bude smejala i plesala posmatrajući kako se svi u Urbinu tope očarani njenom ljupkošću.

Šta? Da li muškarci poput Štule zaista veruju da dugačke suknje znače kratku pamet? Trebalo je da bude pored nje tamo u Vatikanu, kad je papa otputovao i ostavio je zaduženu za unutrašnje poslove, ili da joj zaviruje preko ramena dok je čitala peticije i sudske slučajeve kao upraviteljka Spoleta i Narnija. Ako je diplomatija ratovanje bez oružja, zašto žene u tome ne bi bile podjednako dobre kao muškarci? Njen otac nikad nije bio tako kratkovid. Oboje su dobro znali da su Urbino i Sveta stolica imali svojih razmirica u prošlosti; štaviše, pre no što je pošla na put, razgovarali su baš o tome

– kako će ova poseta biti prilika da se pokaže spona među njima. A sada, kad se izborila za još jedan dan, daće sve od sebe da na tome i poradi.

Ne, brate moj, reče ona sebi okrećući se od prozora. *Nisi samo ti sposoban da osvajaš gradove.*

Čezare, koji nikad nije imao strpljenja da sačeka intervenciju više sile, besno se borio s mučninom. Nema on vremena za ovo; u Rimu ga čekaju depeše koje valja pročitati, vesti o sestrinom napredovanju, ponude za kupovinu oružja i ljudstva, doušnici koje valja naterati da kažu šta znaju. A opet, zatvoreni su ovde poput svinja koje skiče od straha od kasapinovog noža. Dabogda pakao progutao onog oholog kapetana.

On se osvrte po skučenoj kabini. Poput svog oca, držao je uza se samo nekolicinu ljudi: Špance iz starih porodica, u kojima se lojalnost prenosila s kolena na koleno, i prekaljene vojnike. Bez pogovora bi položili život za njega, mada su ovog časa bili više zauzeti izbacivanjem sadržaja iz svog želuca. Ovde nije bilo vremena za molitve, čuli su se samo povraćanje i psovke.

Samo je Migel de Korelja, vojvodin telohranitelj, ravnodušno sedeo usred svega toga. Lice mu je bilo umetnička rezbarija ožiljaka, uspomena na nekoga ko nije poživeo dovoljno dugo da vidi kako se krv na posekotinama osušila. Koliko ih je toga dana poslao na onaj svet – pet, šest? Taj broj je rastao sa svakim novim prepričavanjem. Mada ne iz njegovih usta. Mikeloto, kako su ga svi zvali, nije se trudio da priča. Već je bio legenda: čovek koji je kod sebe disciplinovano iskorenio svaki trag sujete, čiji su um i telo bili posvećeni isključivo tome da služi svoga gospodara. U drugom životu, s nekim drugim bogom, bio bi krajnje upečatljiv fratar, koji bi podnosio bol, hranio dušu fizičkim mukama koje trpi, odbacio sva iskušenja i pridržavao se božjih zapovesti jednako revnosno kao što ih je sada kršio. Ako je Čezare Bordžija ikoga smatrao svojim čovekom od poverenja, to je bio on.

Osećao je vojvodin bes i osujećenost, tačno je znao šta ovaj misli. Silovitost talasa se ublažavala, a gromoglasno dobovanje kiše o drvo polako se utišavalo. Uhvativši Čezareov pogled, on klimnu shvatajući šta sledi.

„Krvi ti Isusove,[8] nisam valjda jedini kome se ovo smučilo." Čezareov glas bio je jasan i snažan dok se dizao na noge. „Ima li ovde koga da ne zna da pliva?"

Jedna ruka poče da se diže levo od Mikelota, ali onda se, naslutivši da će ostati usamljena, odlučno spusti.

„Odlično." Vojvoda se široko osmehnu. „U tom slučaju, večeras ćemo spavati na perjanim posteljama."

„Plava svila, ja mislim, s kapicom optočenom biserima." Ponovo u svojoj sobi, zagledala je dve haljine rasprostrte preko kovčega. „Ovi prorezi na rukavima lepo izgledaju u balskoj dvorani."

Večeras su, kao i uvek, svečanosti imali da prisustvuju izaslanici i špijuni iz čitave zemlje, sa zadatkom da motre na svaki njen gest i procene svaki komad nakita, svaki aršin tkanine, i da izveste o tome u depešama koje će poslati kući. Njen nečuveno veliki miraz predstavljao je dobar izgovor za zavist i zlobu, i dešavalo joj se da pogrešno proceni nivo razmetljivosti nužan da proizvede upečatljiv utisak, kad je broj dragulja na njenoj koži ili ušivenih u njene haljine otežavao ljudima da vide iskrenost u njenim očima. No brzo je učila.

„Gospodarice, mislim da bi zlato bilo primerenije za ovu priliku."

„Možda, ali u Rimu sam ga već imala na sebi. Zamisli samo koliko bi zadovoljstvo pričinilo mojoj novoj zaovi da *to* pročita u depeši svoga špijuna."

Bio je najgori među njima: izigravao je prirepak u nečijoj pratnji, ali zapravo je predstavljao oči i uši Izabele d'Este Gonzaga, markize od Mantove. Svi su znali kakva je neman ta žena kad je moda posredi, kao i da je besna kao ris zbog ovog braka svog uzvišenog brata s jednom nezakonitom kćerkom ogrezlom u skandalima. Stoga se njen debeljušni mali diplomata zakačio za Lukreciju kao čičak, opsedajući se svakom njenom odevnom kombinacijom, uredno prebrojavajući drago kamenje bilo ono krupno ili sitno i zapisujući sve to u sveščicu koja mu je vazda visila na lančetu oko pasa. Bio je predmet sprdnje zbog te svoje revnosti, ali se plašio svoje gospodarice više no ikakve poruge.

„Da ste samo videli kako je iskolačio oči kad sam mu kazala koliko je bisera, dijamanata i rubina ušiveno u vaš grimizni ogrtač. Već beše napola oslepeo pokušavajući da ih prebroji."

Hvala bogu na bleštavom mladalačkom osmehu gospe Anđele. Poslednjih nedelja davala je sve od sebe da se sprijatelji s njim, očijukajući i tračareći, i koristila stvorenu prisnost da ga iz prve ruke kljuka informacijama o bogatstvu i raskošnim haljinama koje će se tek videti. Bila je to bitka koja se mogla voditi s oba kraja, a svakako im je bilo stalo da markiza ne potceni modni izazov koji joj se nudio.

„Kazala sam mu kako tačno znam koliko ih je samo zato što je moja dužnost da ih prebrojim svaki put kad obučete taj ogrtač, i tako proverim nije li se neki usput odšio i otpao. Kunem se da poveruje u svaku reč što mu kažem."

Čovečuljak se zauzvrat i sam prilično izbrbljao. Negde u vladarskoj palati u Mantovi, skupina Ilirki, vrsnih vezilja naročito vičnih zlatovezu, provela je skoro dva meseca u danonoćnom radu ne bi li blagovremeno završile posao. Šta bi Lukrecija dala da je mogla da dozna koji su stilovi i tkanine bili odabrani. No dobro, tu bitku će otpočeti sutra. Danas mora da osvoji Urbino.

Pošto se obukla, njene lične sluškinje kružile su lagano oko nje s ogledalima u rukama kako bi proverila frizuru: lavirint pleteničica i uvojaka naslaganih ispod biserima optočene kape koja je isticala nežan oblik njenih ušiju. Činilo se da su joj rebra sabijena pod tesno ukrojenim grudnjakom,[9] i ona udahnu nekoliko puta da proceni koliko ima prostora za disanje.

„Švalja ga je malo suzila, gospodarice."

Katrinela, crna kao noć, s usnama sočnim poput voćaka i oštrim belim zubima, unapređena je pred ovo putovanje u družbenicu zaduženu da se stara o njenoj odeći i nakitu, i bila je silno ponosna zbog toga. Kako je porasla, pomisli Lukrecija. Bila je dete, mala robinja, kad se obrela u domaćinstvu Bordžija, kupljena kao modni dodatak uoči njene prve udaje. U mislima ju je još videla kako ide za njom pridržavajući njen dugački nevestinski veo, dok joj tamne ruke na beloj svili tvore čudesan kontrast u moru boja. I neizostavno, njeno revnosno malo lice, rešeno da sve uradi kako treba.

„Poslednjih nedelja ste smršali, gospodarice. Svi kažu kako morate više jesti, inače će vas ples suviše zamarati", reče sada Katrinela i proprati to majčinskim coktanjem. Tečno je govorila italijanski i dva španska narečja, kao i jezik mode, a njena odanost bila je bezmerna i nepokolebljiva.

„Može biti da jesam. Ali kako god bilo, i dalje moram da dišem."

Ona malo povuče naviše bledoplave suknje i nekoliko podsukanja, i otkri par privlačnih gležnjeva. Večeras će obazrivo očijukati s vojvodom, sve vreme brižljivo vodeći računa da ne pretera i ne uvredi vojvotkinju. A onda, budući da on zbog svog povijenog stasa nije plesao, plesaće za njega, smerna Saloma bez ikakvih zadnjih namera do da mu ljubazno priušti zadovoljstvo.

Još samo nešto. Čučnuvši pred nju, Katrinela prinese par cipela od pozlaćene kože.

„Jao, ne, ne opet nove", prostenja ona. „Obuću one od juče."

„Ne možete, gospodarice. Imale su na sebi mrlje od blata i još su mokre od čišćenja. Ove smo razvukli na drvenom kalupu koliko smo god mogli."

Ni izdaleka dovoljno. Kad ih je koža stegla, njeni nožni prsti se glasno pobuniše.

Ozbiljno, sjajno lice gledalo je naviše u nju. „Posle prvih nekoliko koraka, jedva ćete ih i osećati."

Lukrecija se nasmeja, jer je znala da je to tačno.

„Za ime boga, šta to rade?"

Oluja je možda prošla, ali papinog dobrog raspoloženja brzo je nestajalo dok je gledao za Čezareovom galijom, jedra podignutog da uhvati vetar koji je još duvao, kako plovi pravo na istok prema obali.

„Vaša svetosti, mokri ste do kože. Morate da uđete i dopustite nam da vas utoplimo."

Aleksandar, međutim, nije hteo ni da se pomeri s mesta. „Presveta Marijo, pogledaj. Ma pogledaj! Uputili su se prema kopnu! Zar ne znaju da je ova obala prepuna podvodnih grebena? Priđu li preblizu, rizikuju da se nasuču."

Lađa razbijena poput naramka drva za potpalu. Tako je to bilo: mnoštvo sveštenika i dvorjana odvučenih na dno, da bi ih more docnije izbacilo na obalu, skupa s kovčezima punim odeždi i putira pobacanim posvuda oko njih. A on i njegovi saputnici mogli su samo gledaju dok se to dešavalo: kod ove iste obale, u istim podmuklim vodama. Valjda mu Gospod neće baš sada zadati takav udarac.

„Dovedite kapetana! Moramo ih sprečiti. Zar ne znaju koliko je pogibeljno to što rade?"

„Zapovednik je iskusan pomorac, Vaša svetosti." Kapetan je, stojeći za kormilom, postavljao sebi to isto pitanje. „Sigurno plovi prema obali da bi spustio čamac u more."

Papa navuče nakvašenu kapu naniže ka ušima. „Ali... ali to nije ništa manje opasno! Za ime boga, zašto bi se uopšte odlučio na tako nešto?"

„Zato što je vojvoda Valentino tako naredio, ako mene pitate", odvrati kapetan jednoličnim tonom. „Sigurno se sećate da je vojvoda bio na iglama da se što pre vrati u Rim. Ako se čamcem domognu kopna i onda nađu konje, Korveto nije daleko."

Zato što je vojvoda tako naredio. Zvučalo je zastrašujuće logično. Papa se još jače uhvati za ogradu i zastenja. Zar je važno što je kadar da izvede brod iz oluje, ako nije kadar da natera rođenog sina da ga sluša?

„Možemo li da ih zaustavimo?"

„Predaleko su odmakli. Dok stignemo tamo, čamac će zacelo već biti spušten u more."

„Koliko je to opasno?", tiho će Aleksandar.

„Pa, važno je da je najgora oluja prošla, i da su ljudi za veslima snažni..."

Da. Kako malena reč. *Da* je brod u proteklih sat vremena primio više vode nego što jeste, *da* se glavni jarbol slomio umesto što je samo naprsnuo od naprezanja. More je ljubavnica koja često iznosi takve pogodbe... Ipak, još su bili tu da nabrajaju šta je sve moglo da se desi.

„Vaša svetosti, siguran sam da će se bezbedno domoći obale."

Aleksandar je, međutim, takođe razmišljao o onome što jeste, naspram onoga što je moglo biti. Dugačak je put prevalio od onog brodoloma čiji je očevidac bio pre mnogo godina. Uspeh, bogatstvo, uticaj, papstvo, osnivanje dinastije, a sada Bordžije vladaju nizom gradova-država, s izgledima da ih bude još više. Toliko je toga postignuto, a opet, toliko toga još imaju da urade. Koliko god bio moćan, ne može sam. Glupa sujeta već ga je stajala jednog sina. Ovo nije dobar čas da izgubi još jednog. Dozvolio je stoga svojim kapelanima da ga odvedu u kabinu. Posle predstave izvedene za vreme oluje, bilo mu je potrebno da se pomoli nasamo.

Čamac je udario o površinu mora snažno pljusnuvši i napunivši se velikom količinom vode dok se nije ispravio. Pad s ograde broda bio je vertikalan, a trup poput litice koja se pomera. Brodske lestve su mahnito udarale o drvo. Čezare, samo u košulji i prsniku, i s užetom vezanim oko pojasa, stajao je potpuno nepomično čekajući svoj momenat; dvojica najjačih galiota bila su spremna da siđu za njim, a za njima Mikeloto i ostatak njegovih ljudi. Poplava uzbuđenja odnela je sve simptome mučnine. Um mu je bio oštar poput britve, čula raspevana. Smrt, kada dođe, biće isto ovako jasna, ovako slatka i bleštava. Znao je da hoće. Čega tu ima da se plaši?

Popeo se na ogradu i potom stao na lestve. Nije prešao ni tri prečke, kad se galija naglo zanese, prvo ga odbacivši da bi potom svom snagom udario o trup broda. Brzo se uspravio, ne hajući za bol u rebrima, i onda nastavio da spušta stopala po drvenim prečkama, služeći se užetom kao polugom sve dok mu noge nisu dotakle čamac, kad se sručio između vesala smejući se kao lud.

„Kao kad krotiš konje, ništa više“, povika pobedonosno, pridržavši se za bok čamca kad je naišao sledeći talas. „Polazite.“

Gore na palubi, kapetan je gledao kako ljudi kreću za njim, podvriskujući i urlajući ne bi li ugušili strah. Uradio je šta je mogao za bezbednost svog „tereta“, objasnivši im sve opasnosti onoga što su namerili, upotrebivši ono malo ovlašćenja zapovednika koliko mu je ostalo. Alternativa mu je, međutim, bila više nego jasna.

„Ja bih to shvatio više kao obećanje nego kao pretnju.“ Mikelotov osmeh bio je toliko tanak da se od njega moglo pomisliti da je samo još jedan ožiljak na njegovom licu. „Papa svim srcem voli svoga sina i neće imati milosti ni prema kome ko pokuša da mu protivreči.“

Kad možeš da biraš samo između dva zla, moraš se odlučiti za ono manje – a koji bi kapetan želeo da se s plovidbe vrati veslajući prikovan za klupu u utrobi sopstvene galije?

„Odvedite vojvodu do obale živog i zdravog, i bićete slobodni ljudi“, rekao je dvojici svojih najjačih veslača kad im je skidao okove. „Ako ne uspete, bolje odmah poskačite za njim u more.“

Što se njega samog tiče, bio je svestan da nikad više neće zapovedati nijednim brodom. Domogne li se obale, vojvoda će mu se osvetiti zbog njegove nepopustljivosti, a ne uspe li da je se domogne, pa, u tom slučaju, smrt kojom će umreti veslači biće lepša od njegove.

„Đavo odneo ovoga papu Bordžiju i njegovo bezbožno seme“, pomisli on dok se nebom prolamala još jedna munja.

Drugo poglavlje

Đavo odneo ovoga papu Bordžiju i njegovo bezbožno seme.

Kapetanove misli odražavale su opšte osećanje koje je tih dana bilo rasprostranjeno u velikom delu Italije. Mada ne svugde, doduše, i ne kod svih.

U godinama koje su tek imale da dođu dok se koralne naslage istorije talože i okamenjuju, smatraće se jeretikom svako ko makar i nagovesti išta slično, ali ovde i sada postojala su mesta i ljudi za koje je vlast Bordžija bila dobrodošla i koji su je čak i proslavljali. U papskim gradovima poput Imole, Forlija, Faence, Čezene, Pezara, Riminija – te niske dragulja pružene duž veličanstvenog rimskog druma Vija Emilija, koji je obeležavao deo Lukrecijinog putovanja – stanovništvo iznureno ratom posmatralo je kako iz haosa izrasta sigurnost.

Pre mračnog princa, niko nije mogao prevesti kola baštenskog povrća iz jednog sela u drugo a da ga ne presretnu razbojnici, pri čemu je ostajao bez dobrog dela tovara – a neretko i bez glave na ramenima; sada su pak lupeži visili pored druma kao friška hrana za crne vrane. Rupe na putevima između gradova su se krpile, oštećeni mostovi su se popravljali, dok su se istovremeno projektovali i gradili novi. I sve to bez opterećenja u vidu dodatnih nameta. Njihovi stari vladari, nakon što bi platili Crkvi njen desetak, cedili su ih uzimajući im što god su mogli, ali ovaj papa je toliko voleo svog sina da je, pošto je platio rat u kom je ovaj pobedio, plaćao i mir u kom će svima biti dobro. U Čezeni, gradu koji je vojvoda odabrao za svoju prestonicu, crkva, još nedovršena posle dve stotine godina, ponovo se dizala ka nebesima, a svako godišnje doba proslavljalo se novom svetkovinom i izobiljem besplatne hrane i vina, a sve zahvaljujući vlastima. Pre samo jednog pokolenja, ambiciozni španski kardinal po imenu Rodrigo Bordžija pridobio je građane Rima svojim javnim gostoprimstvom i širokogrudošću. Sada ih je širio njegov sin. Koga je briga što nose strano prezime ili što iza zatvorenih vrata razgovaraju na katalonskom a ne na italijanskom? Stoga se narod jatio da iskaže dobrodošlicu vojvodinoj prelepoj, ljubaznoj sestri, a ljudi su joj klicali od srca, zato što su slavili ne samo njenu nego i svoju sreću.

Što se pak Lukrecije tiče, bila je vedra; sve drugo bilo bi nepristojno i neljubazno. Pritom, kad je nisu mučile bolne uspomene, volela je da bude u centru pažnje. Nije više znala ni broja slavolucima ukrašenim girlandama i horovima anđelaka što su neprestano povlačili krila naviše ne bi li stajala pravo, koji su je usput pozdravljali.

„Sinoć je grupa dece – dečkića ne starijih od pet ili šest godina – pevala pokraj mog stola. Ali onda je jedan najednom briznuo u plač i morali su da ga odvedu. Kasnije su mi rekli da su švalje zaboravile pribadaču u njegovoj tunici i da ga je ubadala poput malog mača. Zamisli samo, Rodrigo!“

Spustila je pero i pročitala to što je napisala. Pisala mu je svakog dana, ali šta da kažeš detetu koje još ne ume da čita?

Šta on uopšte može da razume? „*Budi dobar, premilo moje dete, i slušaj svoje dadilje i učitelje. Ovo ti piše tvoja majka, koja se svakoga dana moli za tebe.*"

Samo što joj molitve neće pomoći da je zapamti. Njenom sinu bile su nepune dve godine. Kog je uzrasta bila ona sama, onda kad je otac odveo nju i braću iz majčine kuće? Šest godina? Sedam? Seća li se zaista da je neka žena plakala ili je to tek kasnije čula od Čezarea? Baš kao što nije mogla biti sigurna, kad oseti miris parfema sa daškom plumerije, da li se to seća mirisa svoje majke, ili možda neke dojilje ili sluškinje što je vodila brigu o njoj.

Za samo nekoliko godina, Rodrigo je se više uopšte neće sećati. Na kraju, tako je i bolje. Bila je svesna toga. O njemu se starao porodični kardinal i odrašće privilegovan, nikad mu ništa neće nedostajati. Nisi ni prva ni poslednja udovica koja je ostavila dete zato što se preudaje, reče ona ljutito sama sebi, mada su joj i same te reči nepodnošljivo teško padale. To je naprosto tako, i nikakvi protesti ni suze neće ništa promeniti. Koje bi dobro ijednom sinu donelo saznanje da mu je mati umrla od tuge? Ne, morala je da gleda u budućnost.

Do Ferare i venčanja preostajalo je još samo nekoliko dana. Juče su prešli granicu gradova njenog brata, a sutra su imali da se ukrcaju na baržu kojom će preko nizijskih kanala dospeti do reke Po. Ona se priseti svega što su joj ispričali o njenom novom domu: kako je taj kraj toliko bogat da se građani Ferare, dok ostali gladuju, goste bobom i pikantnim sirom, te da je, prijede li im se riba, dovoljno da umoče ruku u reku i sačekaju da im jegulje dogamižu pravo u mrežu. Živa narukvica od zmija! Ko je ikada čuo za nešto takvo?

Danas su bili gosti vladajuće porodice u Bolonji, koja je ponudila njoj i njenoj sviti gostoprimstvo u svom letnjikovcu.

Sinoć se celo pleme obrelo kod nje, otac, sinovi, sestre, rođaci – polomiše se, svi odreda, da se poklone „najuzvišenijem papi kog je hrišćanski svet ikad video“ i „čudesnoj lepoti i dobroti njegove kćerke“.

„Ha! Ništa im ne bi bilo slađe nego da nam zaigraju na grobu.“ Savet njenog oca, pre no što je krenula iz Rima, bio je, kao i uvek, prožet realističnim optimizmom. Popričali su o svakom gradu ponaosob. „Ne veruj im ni jednu jedinu reč i prebroj prstenje pošto ti poljube ruku. Klan lažljivih, kradljivih cirkusanata, od prvog do poslednjeg.“

Možda i jesu cirkusanti, ali dok je sedela za večerom posmatrajući svoje dvorske dame kako kradom zadevaju suknje poda se ne bi li izbegle pažnju mnogobrojnih zalutalih ruku, pomislila je da bi bilo primerenije nazvati ih ljigavim sipama.

Ona privuče preda se nov, prazan list papira. Kako će samo otac uživati u takvom opisu!

„*Svakog dana, milo moje dete*“, rekao joj je kad je odlazila. „*Hoću da svakog dana dobijem od tebe pismo s makar nekoliko reči napisanih tvojom rukom, kao dokaz da si dobro i zdravo... A kad onaj tvoj muž prvi put stane ispred tebe, ako ne bude smesta ošamućen lepotom prizora, poslaću vojsku da te vrati ovamo.*“

„*Ukoliko se to desi, tata, da li da mu tražim da vrati i novce?*“

Poljubila je oca u čelo i izvukla se iz ko zna kog poslednjeg zagrljaja po redu, jer dotad već beše prosula previše suza.

Papa. Njen otac. Lukrecija nije bila toliko razmažena da ne bude svesna kako ga drugi doživljavaju: kao zadriglog sveštenika ogrezlog u korupciju, koji svoju decu stavlja ispred Boga, a noći provodi s mladom ljubavnicom. Ona pak nije znala ni za šta drugo do za čoveka tako punog ljubavi prema njoj da su njegova pisma bila umrljana suzama.

Možda joj je sudbina zadala neke okrutne udarce, ali takođe ju je i nagradila: njen otac i braća voleli su je – ne, obožavali su je – od trenutka kad se rodila. S nepokolebljivim samopouzdanjem koje joj je to ulivalo, nijedan je muškarac nije mogao baš tako lako uzdrmati.

Odnekud iz palate dopreše povišeni ženski glasovi; nešto je, očigledno, izazvalo veliko uzbuđenje. Žamor se približavao. Potom začu pred vratima uzbuđen Anđelin šapat, znatno tiši od utišavanja koje usledi odmah za njim. Njeno vreme počinka, kad ga je putovanje dopuštalo, bilo je neprikosnoveno. Šta god da je posredi, zacelo je veoma ozbiljno.

„Ne spavam“, doviknu im ona. „Slobodno uđite.“

Vrata se smesta otvoriše. „Gospo, gospo! Kakva vest!“ Anđelino lice je malo bucmasto srce, oči raširene i krupne poput dukata. „Tu je. Sad, ovog časa! Stoji u predvorju.“

„Ko? Ko je tu?“

„Vaš suprug! Alfonso d'Este. Dojahao je čak iz Ferare da vas upozna!“

„Šta kažeš? Ali... zašto? Kako je doputovao? Je li sam?“

„Samo on i trojica njegovih ljudi. Da ih samo vidite. Kao vitezovi u pohodu – mokri od znoja i blata na drumu. Mora da su sate proveli u sedlu.“

„Ali kako da izađem pred njega? Pogledajte me! Nisam obučena. Zašto mi niko ništa nije rekao? Gde je Štula?“

„O, taj se prenerazio kao i mi, gospodarice, eno ga trčkara naokolo kao muva bez glave.“ Glas gospe Kamile sav je treperio od te silne romantike. „To je sigurno bila vojvodina zamisao, ničija do baš njegova. Jao, zamislite samo koliko mora da je čeznuo da vas vidi. Zacelo je štošta čuo!“

Štošta; u to nije bilo nikakve sumnje. Ali šta tačno?

Dok su one bile opsednute njenom haljinom i frizurom, sedela je što je mirnije mogla, pitajući se šta ga je to moglo naterati da prekrši pravila udvaranja i dođe baš sad. Možda ga je otac poslao da se uveri da kući Este, uprkos lavini novca kojom su je zasuli, nisu ipak podvalili rog za sveću? I pored toga što su je usput dočekivali gozbama i svetkovinama, dobro je znala koliko su bili bezdušni pregovori o njenom braku: kako je broj nula na sumi miraza narastao sa svakom razmenom pisama. Barem mi oba oka gledaju u istom pravcu, pomisli ona ironično, prisetivši se čudnog venčanja Đulije Farneze. Mladoženja je bio u toj meri razrok da za vreme samog obreda niko nije bio siguran gleda li u svoju nevestu ili u svog ujaka kardinala, koji će uskoro postati papa Aleksandar VI; zbunjenost je bila sasvim na mestu, budući da su svi znali kako je taj brak samo fasada, čija je svrha da Đulija i Rodrigo na miru nastave svoju ljubavnu vezu.

Njeni navodni defekti su pak bili od onih što se spolja ne daju primetiti. Tišina koja bi nastala kad ona uđe u prostoriju kazivala je o upravo prekinutom razgovoru: lako je čitala pitanja na licima muškaraca dok je pozdravljaju. Je li uistinu spavala s ocem, ili s bratom? I je li trovala svoje suparnice? I je li nosila dete pod haljinom s visokim strukom onomad kad je stajala pred sudom Crkve i pod zakletvom izjavila kako je još devica? Što je priča mračnija, tim je veće zadovoljstvo koje donosi umišljanje. Ovih poslednjih nedelja, bilo je trenutaka kad joj je, iz čistog nestašluka, dolazilo da prigne glavu i šapne zainteresovanima kako je sve – *sve* – što zamišljaju sušta istina, samo da vidi kako će zinuti kao ribe na suvom. O da, njen novi muž je zacelo štošta čuo o njoj.

U salonu namenjenom primanju gostiju, smestila se pored tek upaljene vatre, raširenih sukanja žutih poput šafrana i sa zlatnom mrežicom preko upletene kose, iz koje joj se nekoliko brižljivo razigranih uvojaka spuštalo na ramena. Iznad smernog izreza na haljini imala je samo nisku mlečnobelih bisera, simbola čistote, ali i bogatstva. Njihov sjaj je veoma lepo naglašavao belinu njene kože.

„Kad me sledeći put ugleda, biću toliko nakinđurena da se neću ni videti ispod svega toga“, rekla je mahnuvši im da odnesu kovčežić s nakitom. „Ovako će barem moći da vidi da mi vrat nije deformisan.“

Skrstila je ruke u krilu nad otvorenim brevijarom. Žene su na kraju uvek najstrože sudije sopstvenoj lepoti, a Lukrecijine ruke, glatke i bele poput perja grlice, bile su ravne rukama najbolje naslikane Bogorodice. Biće dostojne soneta, ako je njen verenik čovek sklon njihovom pisanju. Toliki je put prevalio da je upozna. Kako da ne bude uzbuđena?

Već je mnogo puta videla njegov portret i znala mu je lik, ali kad je podigla pogled da ga pozdravi, različitost prizora zaledi joj osmeh na licu. Prvo što joj je palo na um bilo je kako je krupan. Za time je usledila pomisao da izgleda kao da mu je neudobno. Kao da mu je odeća napravljena za nekoga drugog. Nesumnjivo je stradala od jahanja: bilo bi pripomoglo da je malo popravio čakšire ili očetkao baršun. Ali takvi tragovi putovanja makar govore o revnosti. Ipak, pomisli ona, baš je i mogao da provuče prste kroz kosu. Bila mu je spljoštena uz glavu tamo gde ju je pritiskala kapa i, mada su mu se nekoliki uvojci raskošno spuštali preko ušiju, ostali su visili mlitavi i masni. Prošlo je dosta vremena otkako se neki plemić pojavio pred njom izgledajući tako – pa, eto – tako neplemićki.

Štula i vojvodini ljudi uzmakoše nekoliko koraka da mu prepuste prostor.

„Uzvišena gospo Lukrecija. Oprostite mi, molim vas, zbog ovog mog neočekivanog dolaska, ali posle toliko meseci nestrpljivog iščekivanja, nisam više mogao odlagati trenutak kada ću se naći u vašem svetlom prisustvu.“

Suprotnost između kitnjastih reči i dubokog muškog glasa ume da laska muškarcu koji ih kazuje jednako koliko i ženi kojoj su upućene. Pod uslovom da su iskrene. Ili makar spontane. A opet, nije mogla da odagna pomisao kako je njegov konj po svoj prilici čuo ovaj pozdrav pre nje.

Korak mu je bio odlučan, gotovo atletski, a kad je prišao bliže, ona primeti jak nos i pune usne, krupnu četvrtastu bradu obraslu čekinjama. Da mu je mogla dobro pogledati oči skrivene čupavim obrvama, bile bi smeđe i možda malo zakrvavljene. Na osnovu oduševljenih Štulinih priča, znala je da je njen muž na glasu zbog svojih uspeha u livnici, mešanja metala za topove u rekama ognja. Jesu li mu ono tragovi čađi u neravninama na koži? Ipak, osmeh joj se nije pokolebao. U Italiji je svakako bilo muškaraca koji su izgledali mnogo gore. Upoznala je podosta takvih tokom ovog beskrajnog putovanja.

Njene dvorske dame, stojeći u lepezastom poretku iza nje, duboko se nakloniše. Kad su se uspravile, Lukrecija im dade znak da se povuku u senku. Ovaj susret biće privatni koliko i javni, sa desetak svedoka koji će videti i čuti sve, mada će izgledati kako ništa ne primećuju. Pratnja je bila dobro uvežbana veština.

Njegova desna šaka, još u jahaćoj rukavici, izgledala je ogromna kad je obavila njenu, i on prignu glavu ka njoj.

Plemkinje su se rano upoznavale s umetnošću kurtoaznog ljubljenja ruke, i Lukrecijinu su ovih poslednjih nedelja neki jedva dotakli usnama, neki su je izbalavili ili izgrebali čekinjastom bradom, a događalo se i da oseti sitan ugriz i, tu i tamo, draškanje jezikom. Ali ovo, pomisli ona, ovo više podseća na pokislog psa kad legne pored ognjišta. Kad je podigao glavu, zadah znoja i štavljene kože zapahnu je svom snagom. Ako je i koristio parfem, taj miris je davno ostao u prašini negde između Ferare i ovog mesta. Oseti kako joj se osmeh širi, kao da bi mogla prasnuti u smeh ne pripazi li. Od nervoze, pomisli. No da li samo od njene?

„Molim vas, dragi gospodaru, sedite i ugrejte se. Mora da ste mnoge sate proveli u sedlu."

„Pa i nisam baš, pet ili možda šest." On tiho šmrknu spuštajući se u fotelju. „Krenuli smo čim je zarudelo i dobro iskoristili svaki trenutak."

„Kako ste brzo stigli! A nama kažu da će nam brodom trebati dva dana. Da li vas je vreme poslužilo? Jeste li morali da se probijate kroz veliku maglu? Ovaj... htedoh reći, čujemo da je zimi ovde – pa..."

„Hoćete da kažete da ste čuli za čuvenu maglu Ferare", nabusito će on. „A šta je s rimskim snegom? Kažu kako u Rimu nikad ne pada sneg, ali vi ste po mećavi krenuli na put."

„Da znate da jesmo." Šta? On zna za to? Dabome, Štula je svakodnevno slao depeše, ali ipak, nije joj bilo ni nakraj pameti da... Izgleda da je pratio njeno napredovanje. „Bilo je... veoma čudno", odvrati ona prisećajući se avetinjske svetlosti, kao da je mesec na jedan dan zamenio sunce. „Izgledalo je kao da se vozimo kroz mokru čipku."

„Mokra čipka..." On klimnu glavom. „Ne. Ovde nemamo nikakve mokre čipke. Naša magla je više poput hladne supe. Mada, čim se navikneš, nema ničega boljeg od osećaja toplog konjskog tela među nogama."

Iznad njegovog ramena, Lukrecija je videla Štulino lice, neprirodno kruto dok je stajao pretvarajući se da ne čuje šta pričaju, i morala je da se ugrize za obraz da ne bi prasnula u smeh. *„Ledeno kô fratrova jaja."* Njen brat Huan je jednom prilikom, upravo ušavši spolja, tako odgovorio na bezazleno pitanje tetke Adrijane kakvo je vreme, i silno ju je uzrujao tim svojim prostačkim odgovorom. Što ga je, razume se, još više zabavilo, zato što ju je namerno izazivao. No to ovde svakako nije bio slučaj.

„I, kako je bilo u mom novom domu kad ste krenuli ovamo?“, upita ga vedrim glasom, namenjenim prikrivanju svake nelagode.

„U Ferari? Tamo je u toku grozničavo kićenje u čast vašeg dolaska.“

„Stvarno? Ispričajte mi o tome!“

„Pa... nema tu bogzna koliko da se priča. Kud god se okreneš, tu su bine, girlande i slavoluci... svako ko dovoljno dugo stoji u mestu, u opasnosti je da ga pozlate i postave na kameno postolje.“ S krajeva prostorije dopre prigušeni smeh prisutnih na ovaj njegov duhoviti opis, mada je Štulin osmeh i dalje bio donekle usiljen. „Ne preterujem“, nastavi on, podstaknut njihovim odobravanjem. „Ima više zlata i pozlate nego u kurv...“ Tu se prekide u pola reči, prekasno shvativši da je, uhvaćen u zamku sopstvenog entuzijazma, dozvolio da mu pamet zaostane za jezikom.

Lukrecija je čekala. Šta je drugo mogla?

„...nego u... u kući nekog zlatara“, završi on kuražno.

„Zvuči predivno, gospodaru. Već sva treperim od uzbuđenja pri pomisli da ću najzad sve to videti.“

„Kao i Ferara pri pomisli da će videti vas“, odvrati on, ovog puta promišljeno, postaravši se da sroči uglađenu, smislenu rečenicu.

Gledala je u njegove ogromne ruke u rukavicama od grube, izanđale kože. Dosad je već trebalo da ih skine. Ona pročisti gušu. „A moj novi otac, vojvoda? Je li dobro?“

„Sinoć je bio zdrav i prav.“

„Zna da ste došli ovamo?“, nastavi ona da se raspituje.

On sleže ramenima. „Kad se vratim, znaće.“

Znači, istina je! Nije došao nikakvim državnim poslom. Podiđe je jeza. U Rimu, za vreme dugotrajnih bračnih pregovora, otac je pokušavao da sakrije od nje koliko se žestoko kuća Este odupirala ovom braku. „Samo preko mene mrtvog", ponavljao je uporno stari vojvoda. Ipak, njegov sin je sad svojom voljom prevalio sav taj put. Ali zbog čega? Da se svojim očima uveri kako izgleda žena s kojom će deliti postelju?

S tim što sad nije delovao naročito zainteresovano. Nakon što su se smestili ispred kamina, jedva ju je i pogledao.

Da li je moguće da ga moja pojava ostavlja ravnodušnim, pomisli ona. Svaki drugi muškarac bi je dosad već uveliko obasipao komplimentima. Načas se upita bi li trebalo da nađe uvređena, s tim što joj se nije činilo da mu je namera da je ikako uvredi. Može biti da mu je svejedno kako izgleda, pod uslovom da nije nakazna. Šta je drugo ovaj brak do stvar politike? I produžetka loze? Kad se sve sabere i oduzme, prostor među njenim kukovima biće važniji od ikakve lepote koju će možda naći na njenom licu... Ipak, pomisli ona, ponekad će morati i da me pogleda.

Potom se ponovo pribra.

„A vaša sestra, markiza od Mantove?", upita, podigavši pogled s njegovog krila, s vedrim osmehom koji je isticao ljupku jamicu na njenoj bradi. „Je li stigla u grad? Jedva čekam da i nju upoznam."

„Izabela? O, već se lepo smestila. Sve sa trideset kovčega prtljaga", odvrati on jednoličnim tonom.

„U to sam sigurna. Čuvena je po svojim haljinama, kao i po dobrom ukusu što se svega ostalog tiče", na to će Lukrecija, nehajno doteravši široke suknje i koketno nagnuvši glavu u stranu da primi uzvratni kompliment. Koji, začudo, nije dolazio.

Gospodine dragi, pomisli ona, ako ti je život mio, biće ti bolje da obratiš pažnju na to kako sam obučena. Izaslanik tvoje sestre ne može da se nasluša detalja o svakoj mojoj haljini. Kad ona sazna gde si danas bio, naći ćeš se pred pravom inkvizicijom.

Može biti da je i njemu na um pala ista pomisao, zato što ju je sada konačno gledao.

Šta god da misli o njoj, svojevoljno je došao ovamo. A to nije bila mala stvar.

Lukrecija dade znak posluzi koja je stajala pozadi. „Insistiram da se malo okrepite. Ma koliko da ste dobro putovali, okrepljenje vam je izvesno potrebno“, reče ona, pa se zaokupi supružanskom dužnošću da ga posluži.

Progunđao je nešto u znak prihvatanja i brižljivo raskopčao rukavice i svukao ih s ruku, pustivši da mu padnu u krilo.

Kad se vratila s punim peharom, prizor koji je ugledala zamalo joj ne izmami prenerаženi uzvik. Oslobođene kožnih rukavica, šake su mu i dalje bile velike u odnosu na telo. Ali nije joj to zasmetalo. Nešto s njima nije bilo u redu. Prsti, debeli i zatupasti, bili su prekriveni posekotinama i razderotinama, poput napola oglodanih pečenih rebara, dok mu je koža, od zglavaka na nadlanici pa do zapešća, bila podjednako izranjavljena. Najčudnija od svega, međutim, bila je boja: neujednačeno ljubičasta, nalik na površinu kvarnog mesa. On je pak otpio dobar gutljaj svog vina i potom bez ikakve vidljive nesigurnosti držao pehar među dlanovima, naslonivši ga na krilo.

Žurno je podigla pogled do njegovog lica. Šta god da je posredi, sigurno mu izaziva bol? Pa ipak, nije bilo nikakvih naznaka nelagode. Naravno, bila je svesna da postoje svakojaki deformiteti. Čak i na najboljim dvorovima mogli su se susresti ljudi rođeni s manjkom ili viškom prstiju ili s ogromnim urođenim mladežima što im izviruju iznad okovratnika ili ispod kose. Zatim, tu su bile i bolesti koje se ispisuju na koži: kraste, čirevi, rošavost, ožiljci, prištevi. Da nije i ovo nešto takvo? Šta bi drugo moglo da bude? Ona pomisli na ostrvo na Tibru, na kom su u Rimu pod pretnjom smrti izolovali leprozne. Nikad se ništa nije videlo, zato što se prozori nikad nisu otvarali, iz straha od zaraze, ali ipak, iz Biblije je znala da ta bolest nagriza meso sve dok ono ne otpadne s kosti.

Ponovo mu se zagleda u šake. Naslednik vojvodstva Ferare, pa leprozan! Ne. Tako nešto bilo je naprosto nezamislivo. Pritom, koliko god im je možda ovaj brak bio potreban, njen otac nikad ne bi... nikad... Pa šta je onda ovo? Plemić koji voli da radi kao fizički radnik u livnici? U venecijanskom Arsenalu, pričalo se, većina radnika ostala je samo s jednim okom ili polovinom ruke izlivajući za državu topove u paklenoj vrelini. Da li se to dešava kad se vojvoda igra vatrom?

Ćutanje je već postalo neprijatno dugo. Trebalo ga je nečim prekinuti.

„Čujem da ste majstor na violi da bračo, gospodaru“, reče mu ona, prekasno shvativši koliko to mora biti strašan prizor.

Sećala se više nego jasno. *„Svira kao anđeo.“* Bila je to jedna od prvih stvari koje su joj rekli izaslanici poslati da pregovaraju o braku. Kao anđeo? Neće biti, s tim rukama, pomisli ona.

„Nisam nikakav majstor.“ Ton mu je bio osoran. „Ali sviram, da. A vi?“

„Lautu. Mada ne naročito dobro. Ja... volim da plešem“, dometnu ona žurno.

Je li čuo? Naravno da jeste. Pošto se činilo da svi ostali jesu.

„Uživate li vi u plesu, gospodaru?“ Pitala se kako bi bilo držati ruku u njegovoj kad počne muzika.

„Ne. Prezauzet sam… praktičnim stvarima da bih imao mnogo vremena za dvorske razonode“, reče on pa iskapi svoj pehar i spusti ga na sto. „Možda su vam već rekli to o meni?“

Ona se nervozno nasmeja. Činilo joj se da su je napustili sopstveni uglađeni maniri. Pomozi mi, pomisli; ne znam šta da kažem.

„Gospo Lukrecija“, reče on posle kraćeg ćutanja, a glas mu je sada bio toliko tih da ono što je potom usledilo nije čuo niko sem nje. „Došao sam danas ovde zato što sam smatrao da bi trebalo da se upoznamo pre… pre početka svadbene svetkovine“, reče on, kao da se užasava pri samoj pomisli na to.

„Da.“ Ona ga pogleda. „Lepo od vas.“

„Činilo mi se da je u redu da… da znamo bar nešto jedno o drugom. Kako stojimo, šta da očekujemo… kada dođe vreme“, dodade on, kao da to nekako sve objašnjava.

„Da znamo bar nešto jedno o drugom“, ponovi ona. „Da, to zaista pomaže. Hvala vam.“

On poče da navlači rukavice. Kako je moguće da ga to ne boli? Možda mu je koža obamrla, pa ništa ne oseća. Nije skidala pogled s njegovog lica. Nekoliko trenutaka nijedno nije progovaralo.

„Znate, vi i ja smo se već upoznali“, najzad će on. „U Rimu, pre mnogo godina.“

„Da… pa, znam da su mi rekli da jesmo.“

To je bilo nedugo pošto je njen otac postao papa, kad su ona i Đulija Farneze izigravale domaćice brojnim novim poštovaocima koji su dolazili u Rim da izraze porodici svoje čestitanje. Mada su svi tražili nešto zauzvrat.

„Došao sam u predvorje po kardinalski šešir svog brata.“

„Ja sam… bila sam vrlo mlada, čini mi se. Nisam imala ni dvanaest godina.“

„Da, bili ste. Vrlo mladi."

Bilo bi pristojno od nje da se makar pretvarala kako se koliko-toliko seća tog susreta, da kaže nešto – pa, uglađeno. „Bojim se da se uopšte ne sećam toga."

„Nije važno. I ja sam vas vrlo brzo zaboravio", on će otvoreno. „Sada vas je, međutim, već teže zaboraviti, a oboje smo dovoljno odrasli za ono što predstoji, zar ne?" Spustio je pogled na svoje ruke u rukavicama, s poluosmehom na licu.

Presveta Marijo, pa ovo je kompliment, pomisli ona. Dao mi je kompliment, ali nije znao kako da ga kaže. Morala je da potisne iznenadnu potrebu da se glasno nasmeje.

„Da, sigurna sam da jesmo", promrmlja.

„Pa, neću vas više zadržavati." Ustao je, kao da mu je neprijatno zbog onoga što je rekao. „Uskoro će nestati dnevnog svetla, a ja se moram vratiti pre no što padne noć."

„Naravno. Ja... drago mi je što ste došli."

„Nije mi bilo teško." On odvali skoreno blato sa svog dubleta i baci ga na pod. „Volim da jašem. Možda bismo mogli zajedno u lov. Posle."

Posle...

„U lov?" Ona mu ne odgovori odmah. „Jahanje kroz hladnu supu. Da. Moglo bi se štošta reći u prilog dodiru toplog konjskog tela u hladan zimski dan."

Pogledao ju je pravo u oči proveravajući dubinu sarkazma, ali ona se samo bez ustezanja osmehnu. Kad joj je sad uzeo ruku na poljubac, zadah štavljene kože i konja bio je pomešan s mirisom dima: krajnje muževan parfem. Ona oseti kako joj kap znoja klizi među dojke. Koliko je čudnih susreta s muškarcima imala ovih poslednjih nedelja otkako je otišla iz Rima? Pedeset? Sto? Više... Ali nijedan ni nalik ovom.

Dok se udaljavao prema vratima, dođe joj jedna misao. Da je posle onog silnog laskanja, onog silnog dodvoravanja

– praćenog spoznajom da je dovoljno da se okrene pa da oseti fijuk otrovnih strelica iza svojih leđa – ovo što se upravo odigralo među njima bilo… šta? Iskreni razgovor?

Iskrenost. Čudna reč da opiše ovu zajednicu zasnovanu na krajnjem nepoverenju.

Dok je te večeri navlačila pomadom natopljene rukavice da joj zaštite savršene bele ruke, Lukrecija je razmišljala o svom vereniku i budućem mužu, Alfonsu d'Esteu. Jer drugog nije imala.

Treće poglavlje

Kreštanje beše trglo Fjametu iz sna. Njena spavaća soba gledala je na Tibar, koji se na svojim obalama nagledao svakakvoga zla. Potom se ponovo začu isti zvuk.

KRII-KRAAA.

Ciceron? Otkud to da je papagaj budan, u ovo doba? Kad je salon bio u mraku, ta ptica nije puštala glasa od sebe.

Registrovala je hladan, vlažan dlan na svojoj dojci. Odatle nije dolazila nikakva opasnost. Nadbiskup je bio čovek koga je bilo lako zadovoljiti i prespavao bi do Sudnjeg dana da ga ne probudi na vreme da se vrati kući i spremi za jutarnju misu. Ona oslušnu njegovo disanje; duboko, bučno hrkanje. Poput mnogih pripadnica svog zanata, Fjameta je bila stručnjak za postkoitalno opuštanje. Onih retkih noći kad nije mogla da zaspi, vreme je prekraćivala pokušavajući da spoji način spavanja svojih mušterija s njihovim zanimanjem: bankar koji zgrće vazduh kao što zgrće novac, zadržavajući ga u grudima toliko da pomisliš kako nikad više neće otvoriti pluća, da bi potom uz ljutiti prasak posegao za sledećim dahom. Ambasador koji po vascelu bogovetnu noć mrmlja nešto sebi u bradu, komentari i objašnjenja ne prestaju ni dok je obeznanjen. Da ga išta razume, mogla bi se baviti špijunažom kao unosnim sporednim poslom, ali to je papazjanija stranih reči, kao da govori u šiframa čak i onda kada priča sam sa sobom.

„KRIIIT." Sad je već bilo mnogo glasnije. Premili Isuse i svi sveti, da nije bolestan? Ili je neko bio toliko glup da mu skloni pokrivač i uznemiri ga? Nije bilo razmaženije ptice na celom svetu, a primesa negodovanja u kreštanju nagoveštavala je da nešto nije u redu.

„ValtIIIIno."

Smesta se potpuno rasanila. Ne, ne može biti. Sve i da jeste toliko lud da nenajavljen bane u gluvo doba noći (a jeste, naravno), stražari ga nikad ne bi pustili.

„ForlIII."

Mada, kako da ga spreče da uđe?

„ImolA. ForlIII."

Nije mogla a da se ne osmehne. U celom Rimu nije bilo pametnijeg papagaja. Beše ga naučila tim rečima kad je bio mlada ptica, mameći ga orasima koje mu je davala sopstvenim usnama, poput poljubaca, dok su vežbali reči kojima će proslaviti povratak osvajača tako što će mu recitovati nazive gradova koje je zaposeo. Kasnije je pustila pticu da ih zaboravi, jer ko je želeo da ga, dok se nalazi u zagrljaju kurtizane, podsećaju na uspehe odsutnog takmaca? Ciceron sad već odavno nije ponavljao te reči.

Pažljivo se oslobodila nadbiskupove ruke i sačekala dok se nije smirio, mada su mu se usne namrštile u protestu. Neverovatno je koliko muškaraca traži dojku dugo nakon što prestanu da se hrane iz nje. Katkada se pitala ne potiče li možda draž prostitutki od onog prvog, prirodnog mirisa dojilje, za razliku od parfema majki čije će im kćeri jednog dana postati žene. Eh, mogla bi da napiše raspravu o tome kako se muškarci, kad im stvarčica među nogama splasne, pretvore od čudovišta u bebe. Ali ko bi objavio išta slično?

„FORLIII." Ona sad prepozna i notu iznenađenja. Ciceronovo negodovanje ustupilo je mesto zadovoljstvu zbog pažnje koja mu se posvećivala.

Oprala se u lavoru, ispila bočicu pripremljene tečnosti, gorke i pune masti, namenjene sprečavanju začeća, i nanela lekoviti balzam za koji se tvrdilo da čuva od francuske bolesti. Neki su pričali kako je babuskera koja kurtizanama prodaje takve stvarčice bila, ne tako davno, i sama lepa kao slika. Fjameta se, međutim, nije zamarala razmišljanjem o tome.

Iskrala se iz sobe i u predsoblju zatekla Tremolina, majordoma, koji se taman spremao da je probudi. Sa grivom sede kose i izboranim licem više je ličio na mudraca nego na svodnika od zanata.

„Nije bilo sile da ga spreči da uđe. I odbija da ode dok te ne vidi. Ne da se umoliti."

„Mislila sam da nije u Rimu. Gde je bio?"

On odmahne glavom. „Znam samo da nije doteran za izlazak. I da odiše nečim 'neprijatnim'", dodade, pa dodirnu nos kažiprstom i palcem.

„Došao je od druge žene?", ljutito će ona, jer ponešto se ipak nije moglo tolerisati.

„Od jata riba, pre će biti."

„A je li njegov čovek s njim?"

„Kao senka. Rekao sam im da ne smem da te uznemiravam, ali..."

Ona se podiže na prste i poljubi ga u čelo kao što bi neko poljubio oca. Bio je to neobičan poslovni odnos: njeno veličanstveno telo naspram njegovog poznavanja vođenja domaćinstva i knjiga. Mada je, kad je hteo, umeo da bude ljigav kao bilo koji dvorjanin. „Budi pored vrata, za slučaj da mi zatrebaš."

U salonu, čiji su zidovi bili zastrti tapiserijama a tavanica oslikana ružama, papagaj je otkriven sedeo na prečki u svom kavezu dok mu je zlaćani rep, pri svetlosti lampe, izgledao kao da gori; klatio se napred-nazad i mrzovoljno pričao sam sa sobom. Probudili su ga i namamili da pokaže šta zna, a onda ostavili bez nagrade.

Jedan muškarac je ležao nauznak ispred žeravice u kaminu, s rukama pod glavom umesto jastuka. Oči su mu bile zatvorene, mada je bilo teško reći spava li. U fotelji nedaleko od njega drugi je sedeo ispruženih nogu, prepletenih prstiju na stomaku nalik na kostur brodskog trupa, posmatrajući, čekajući.

„Sinjor Mikeloto?", obrati mu se tiho.

On podiže pogled.

„Tu sam. Vi sačekajte dole."

Bez reči je ustao i uputio se prema vratima prošavši savim blizu nje. Beše navikla da procenjuje drhtavo uzbuđenje koje je njeno prisustvo izazivalo u muškarcima, što nije bila toliko sujeta koliko profesionalno zapažanje, ali kod ovog čoveka još nikad nije osetila ni trunku interesovanja. Isprva je pomišljala da možda zatire takve pomisli u zametku, zato što ona pripada njegovom gospodaru, ali sada je već čisto sumnjala da taj išta oseća prema bilo kojoj ženi. U Rimu nije bilo nikoga ko nije znao priče: njegovu veštinu s bodežom ili garotom, i kako Tibar guta leševe kad on završi s njima. Možda je on iz tog izvlačio svoju putenu nasladu. Ima u svetu i takvih ljudi: znala je da ih ima, zato što je zadatak dobre kurtizane da ih izbegava.

Dok je njegov gospodar bio redovni posetilac, upitala se jednom šta bi taj osetio da zategne žicu oko njenog vrata. Nju, koja se malo čega u životu bojala, uplašila je ta pomisao.

Prvo je umirila papagaja, ponudivši mu neke poslastice iz kožne kese okačene o kavez. Kljucnuo joj je dlan da joj pokaže da je ljut. Ona mu pak zavuče prst u gusto perje pod vratom i poče nežno da ga češka, mrmljajući mu umirujuće, i ptica je posle nekog vremena prignula glavu u stranu, gučući.

„Trebalo je da ti kupim ženku papagaja. Predstavljala bi ti veći izazov." Glas iza nje bio je lenj i mrzovoljan poput glasa ptice. „Mali skot me je ugrizao", dometnu on ljutito.

„Probudio si ga, a nisi mu dao da jede. Šta očekuješ?" Nabacila je tamni pokrivač preko kaveza. Odozdo se začu pisak i potom usledi tišina.

„Dođi ovamo."

Nije se pomerala.

„Dođi ovamo, ti najslađa rimska kurvo."

Prišla mu je i klekla, dok su skuti kućne haljine lepršali oko nje. Dobro je znala koliko prelepo zacelo izgleda pri svetlosti vatre. Otkako pamti, uvek je bila na korak od sebe, procenjujući šta drugi vide: u ovom slučaju, njenu besprekornu, poput porcelana belu kožu, s masom neobuzdanih tamnih uvojaka što joj je padala na ramena i spuštala se niz leđa. Žena stvorena da je odvedeš u krevet: tako je to rekao jedan od njenih prvih ljubavnika. To njegovo oduševljenje omogućilo je kupovinu otmene tapiserije s motivom iz lova koja je visila u predvorju; bio je to prvi luksuz koji je posedovala a ne iznajmila zajedno s kućom, čega se sa zadovoljstvom podsećala svaki put kada bi prošla pored nje.

„Pa", reče on, još napola sklopljenih kapaka. „Zar mi nećeš reći koliko si srećna što me ponovo vidiš?"

„Bila bih srećnija da si se najavio."

„Bio sam zauzet."

„I ja sam. Utorak je."

„Utorak?", ponovi on, kao da mu je ta reč potpuno nepoznata. „Pa, usuđujem se da primetim da si u svojoj dugogodišnjoj karijeri i ranije umela da pobrkaš dane."

„Ništa ja nisam pobrkala", ona će ljutito. „Nisi se najavio."

„Ko je taj srećnik? Crkva ili država?"

Ona sleže ramenima.

„Iz Rima ili sa strane? Daj – nagovesti bar nešto."

„Ne znaš ga."

„Ali on mene zna?"

„Na tvom mestu ne bih to doživljavala kao kompliment", odvrati ona nestrpljivo.

Pridigao se na lakat i privukao njenu glavu ka sebi, draškajući joj jezikom ivice usana pre no što je okusio unutrašnjost usta.

Fjameta oseti u utrobi izdajnički drhtaj želje; ona, koja je u svoje vreme spavala i sa desetinom muškaraca za upola manje dana bez ijednog nagoveštaja uzbuđenja. U svom zanatu, trebalo bi da bolje vlada sobom. Ona se odmače. „Mirišeš... užeglo, gospodaru."

„Na krv i morsku vodu. Maločas stigoh iz Pjombina."

„Nadam se da nisi celim putem plivao."

„Samo jednim delom. Desio se mali brodolom." Zadovoljan zbog uznemirenosti koja joj prelete licem, sačekao je malo pre no što nastavi: „Ne brini. Niko nije poginuo." Potom načas uzdrhta, jer čak ni Čezare Bordžija ne može da diše pod vodom, a sad je veoma dobro poznavao paniku koja te obuzme pošto te more ščepa, prevrne i povuče naniže u pomrčinu.

„Izgledaš umorno", reče mu ona, pomalo polaskana što je posle takve pogibelji odabrao baš nju i iznova svesna tog ogromnog drugog sveta tamo napolju, dobrog i rđavog, koji njoj nikad, ali nikad neće biti dozvoljeno da iskusi. „Pozvaću da nam donesu jelo i nalože vatru."

„Nemoj. Ne zovi nikog. Sam ću."

Ustao je, stavio nekoliko velikih cepanica na žeravicu u ložištu kamina i potom čučnuo ispred njega, poput sluge, mehom raspaljujući vatru. Posle nekoliko trenutaka, plamenovi nestrpljivo liznuše i on ostade da sedi pred kaminom grejući se. Pri boljem svetlu, Fjameta mu je na obrazu videla posekotine nalik na trag tigrovih kandži.

„More ima nokte kao u žene", promrmlja dodirujući ih prstom.

„Blagi bože, bilo je kao da sam legao s Meduzom", reče on prisećajući se kako se onaj greben digao kao niotkud i kako su talasi, sudarajući se s njim, prevrnuli čamac i zapleli ih u užad povlačeći ih na dno. Čak i pošto su se nekako oslobodili, struja ih je bacala o stene i nisu ni bili svesni koliko su puni posekotina sve dok nisu ispuzali na obalu i videli jedni druge, smejući se kao mahniti, onako umrljani od krvi što im se u potočićima slivala niz telo. „More je ljubomorna dragana, pokušaš li da mu pobegneš."

„Doneću melem", reče ona, osmehnuvši se na ovu neuobičajenu poetičnost. „A onda moraš počinuti. Koliko si dugo bio u sedlu?"

On sleže ramenima kao da je pitanje preteško.

„Moraš da odspavaš."

„Zato sam i došao: da imam s kime da spavam." Prepleo je prste s njenima povlačeći je sebi.

„Gospodaru", odlučno će ona. „Ne možeš tako."

„Kako?"

„Pa tako, da te mesecima nema u mom krevetu i da onda baneš i očekuješ da rasteram redovne mušterije da bih ti ugodila."

„O da, mogu“, nasmeja se on. „Oduvek sam tako i radio, sećaš se?“

„Pa, ovog puta nećeš. Imam nadbiskupa u krevetu.“

„Ha! U tom slučaju, kaži mi njegovo ime i pribaviću mu kardinalski šešir još pre isteka ovog meseca. Pogledaj me, Fjameta. Juče sam zamalo poginuo. A i jadan sam bez tebe.“

„Ja sam drugačije čula.“

„Ratni plen, ništa više. Dužnost koliko i zadovoljstvo. Dobro znaš da će moja ptica uvek najradije kljucnuti baš tvoju smokvicu.“

Nasmejala se čuvši žargon dobro poznate dvorske igre. Ptice koje kljucaju smokve: koliko je svet smeran za one koji sebi mogu da priušte uljudnost, pa deca tiho kucaju na vrata sveta odraslih. Ali u životu kurtizane nema detinjstva.

Kada ga je tek upoznala, oni koji su ga odranije znali upozorili su je: pun sebe i nepodnošljivo nadmen, a opet, kad je hteo, bio je kadar da šarmom obrlati seme da nikne usred zime. Kada se kasnije osvrnula na to, nisu posredi bili njegovi komplimenti, jer nisu bili ništa manje otrcani od stotine ostalih. Ne, posredi je bilo nešto mnogo više uznemirujuće: spoznaja da pred sobom ima muškarca koji flertuje s opasnošću koliko i ona, koji zna da i strah donosi svojevrsno zadovoljstvo. Već je tada znala za ponešto što je uradio, a svaka nova pobeda donosila je nove priče o nasilju i okrutnostima. No šta god da je radio drugima, prema njoj se nikad nije loše poneo. Naprotiv, bio je blagonaklon, povremeno čak i nežan, mada je to trajalo samo onoliko koliko i susret. Svi su znali da je njegova sestra Lukrecija jedino žensko za koje u njegovom srcu ima mesta. Međutim, sad je bio tu i nije nameravala da ga odbije. Oboje su to znali.

„Šta da radim?“, upitno će ona, više samoj sebi nego njemu.

„Kaži mu da je vojvoda Valentino, vladar Pjombina i svih gradova Romanje, došao da legne sa svojom najdražom kurvom. A on nek se nosi i nek nađe sebi drugu.“

Ona odmahnu glavom. „Mislim da takav govor ne bi nikom od nas doneo ništa dobro. Nemaš li sasvim dovoljno neprijatelja, Čezare?“

„Nikad.“ Potom zabaci glavu i sklopi oči.

Ipak, sada se tu osećalo još nešto, nekakav drhtaj ranjivosti u svem tom junačenju. Može li biti da ga je smrt uistinu dotakla, tamo nasred mora? Njega, koji se nikad ne boji i nikad neće umreti? Damaranje želje u njoj utihnu zamenjeno smirenijim osećanjem. Oraspoložila se, možda je čak bila malčice ganuta. No odmah prekori sebe. Kako sme jedna poslovna žena da bude tako glupa?

„Daj mi malo vremena.“

„Ne.“ Ponovo je legao na tepih, povlačeći njenu ruku sa sobom.

„Vratiću se“, odlučno će ona.

U kuhinji je naredila da spreme nešto za jelo i napomenula da majordom valja da probudi nadbiskupa ukoliko ona ne dođe do vremena kad ovaj bude morao da krene.

Međutim, kad se vratila kod Čezarea, on je čvrsto spavao pružen na tepihu, raskrečenih teških nogu i glave okrenute u stranu, poput nekakvog zadovoljnog Adonisa. Nekoliko časaka je samo sedela kraj njega, iznenađena time koliko je ranjiv tako opušten. Na trenutak je ugledala Dalilu s makazama u ruci, kako se sprema da promeni tok istorije. Osmehnuvši se, prignu se i poče da mu raskopčava dublet.

Ako je ovo posao, onda ga valja i obaviti.

Četvrto poglavlje

„Dragi moj ambasadore, još ne vidim kakve veze ovaj 'prigovor' ima s nama."

Stigavši u svoje odaje, Aleksandar je jedva stigao da osuši odeću pre no što se našao primoran da gasi požar.

„S dužnim poštovanjem, Vaša svetosti, bio je građanin Mletaka koji je boravio u Rimu, pod jurisdikcijom rimskih vlasti, po čemu to što mu je učinjeno predstavlja prestup protiv oba grada. Naloženo mi je da obavestim o tome Vašu svetost, ne bi li se iznašlo kakvo zadovoljenje..."

Pravednički gnev u ambasadoru beše samo narastao dok je čekao na povratak pape. Glasno šmrckajući, Aleksandar blago promeškolji svoje krupno telo na papskom prestolu. Činilo mu se da mu je glava kao merica i osećao je kako mu dolazi da kine. S božjom pomoći, uspeo je da smiri podivljalo more, ali nije mogao sprečiti da mu se nos puni slinama. Trebalo bi da sedi pored vatre i stavlja vruće obloge, a ne da sluša kuknjavu tog mletačkog aristokrate.

„...i moram vas podsetiti na pojedinosti, Vaša svetosti. Ne samo da su tom čoveku odsečeni desna ruka i jezik nego su bili i *izloženi*, prikovani za prozor zatvora. Njegovi krici su se orili celim trgom.“

„Hmm. Istina, zvuči baš neprijatno. I sigurni ste da je to bilo delo vojvode Valentina?“

Ambasador i protiv svoje volje podiže ruke. „Ali to svi znaju“, odvrati, glasa obojenog nevericom koju nije uspeo da odagna.

Na drugom kraju prostorije, papin ceremonijar Johan Burkard beše pronašao tačku na blistavim podnim pločama i sad ju je napregnuto posmatrao.

„Dakle, budite sigurni da ćemo porazgovarati s njim o tome. Međutim...“ Nagon za kijanjem dosegao je vrhunac i on zaćuta, ukočeno čekajući, dok se nije povukao. „Međutim, ambasadore, teško da je taj vaš ’građanin’ nedužan. Koliko smo razumeli, marširao je ulicama sipajući na sav glas najljuće uvrede na račun Svete stolice i pominjući ne samo vojvodino ime nego i naše vlastito.“

„Ali...!“, zapenuša Mlečanin. Koliko li je pljuvačke u gnevu isprskano po ovoj raskošnoj prostoriji? „Sadržina tog pisma koje je kazivao naizust svima je dobro poznata. Čak smo i u Veneciji čuli šta u njemu piše.“

„Zapanjujete me. Pomislio bi čovek da vlada vaše moćne države ima pametnija posla nego da sluša gnusne klevete.“

Na stolu pored njega ležala je tek pristigla depeša iz Ferare, nesumnjivo ga obaveštavajući o dolasku njegove kćerke u taj grad. Kasnije je imao da održi misu u Bazilici Svete Marije Velike,[10] kao deo svetkovine povodom dovršavanja njene nove pozlaćene tavanice, koja je naprosto blesnula posle prve isporuke zlata pristigle u Rim iz Novog sveta. Posvuda naokolo nalazili su se dokazi božje milosti, a ipak je, evo, morao da se bavi ovim odvratnim malim „incidentom“ koji se desio još pre nekoliko nedelja.

„Da raščistimo nešto, ambasadore. Svi znaju da je to 'pismo', kako ga nazivate, anonimna izmišljotina, izdajnički čin. Usudio bih se reći da biste vi, da je takva... takva pogan napisana o vašem duždu, već potpalili lomaču pod onim ko ju je ponovio na javnom mestu. Teško mi je da je i pominjem ponovo, no – budući da insistirate."

Njegov hladni osmeh obuhvatio je sad i ceremonijara, čije je lice i dalje bilo bezizrazno, prazno poput novog nadgrobnog spomenika. Kakvo je blago bio Burkard u ovakvim prilikama; savršeno dostojanstven svedok drame i rđavog ponašanja u diplomatiji Crkve. Aleksandar je odnedavno pomišljao da poruči njegovu statuu. Tako bi Burkard mogao da bude na dva mesta odjednom, da sedi ovde nepomičan u mermeru, dok se istovremeno negde drugde bavi orkestriranjem desetak različitih crkvenih ceremonija, čije je protokole znao napamet do najsitnijih pojedinosti – čovek je imao čudesno pamćenje! Rado bi video izraz na Burkardovom licu kad bi mu izneo takav predlog, mada se na njemu verovatno ništa ne bi dalo pročitati. Baš kao i sada, dok je prelistavao svoje papire birajući relevantnu stranicu da je pruži papi.

„Ne. Ne, Johane, pročitaj ti. Ne mogu da podnesem ni da držim taj skaredni predmet u rukama. Počni od onog dela o Kartaginjanima."

Nakašljavši se, ceremonijar poče.

„'Podmuklost Skita i Kartaginjana, zverstvo i svirepost Nerona i Kaligule, sve je to nadmašeno u papskoj palati'", čitao je jednoličnim glasom. Njegove kolege su se šalile da bi s njegovih usana i Pesma nad pesmama zvučala kao činovnički spis. „'Rodrigo Bordžija je bezdan poroka, podrivač svake pravde.'"

Papa je na ovo podigao oči. „Bezdan poroka. Neron i Kaligula. Molim vas lepo. Je li to pošteno? Može biti da bi čak i imperatori imali prigovor."

Ambasador obori pogled. Ono što je došao da kaže, već je rekao. Sve ostalo je predstava. Sad je imao zadatak da zapamti sve što se izrekne, kako bi to mogao da stavi na papir čim izađe iz ove sobe.

„Naredni deo preskoči. Sve je u istom stilu." Aleksandar mahnu Burkardu. „Pročitaj ono o Čezareu – vojvodi Valentinu. Mislim da je to suština tog pisanija."

„'Njegov otac, papa, pomaže Čezareu i štiti ga zato što je ovaj nasledio njegovu vlastitu izopačenost i okrutnost. Živi poput Turčina, okružen gomilom prostitutki, a čuvaju ga naoružani vojnici. Po njegovim se naređenjima ili dekretima ljudi ubijaju, bacaju u Tibar i otima im se imovina.'"

Usledila je kratka pauza. Papa uzdahnu. Razbesneo se, naravno, kad su mu prvi put pokazali ovo pismo. Pojavilo se u zao čas – baš na dan kad su verili Lukreciju za Feraru – ali i pored toga nije ni na koji način pokvarilo proslavu budućeg braka i nežan oproštaj s kćerkom kad je polazila na put. Sve dok Čezare nije odlučio da se osveti.

„Vidite, dragi moj ambasadore, u mutnim vodama rimske politike, takve su klevete sastavni deo života. Kad bismo se svetili svima koji nas napadaju, morali bismo iznova naseliti pola grada. Po tome, trebalo je da naredimo smrt našeg sopstvenog vicekancelara, jer bog zna da je uporno kovao zavere protiv nas", govorio je, sve zagrejaniji za temu. „A tek onaj bezočni kardinal Dela Rovere, koga smo porazili na izboru za papu, taj još nikad nije otvorio usta a da iz njih nije pokuljao otrov."

Burkard je još zurio u onu stranicu, ali trepćući toliko da nije nimalo ličio na statuu.

„Naša je priroda, međutim, postala krotkija, kao što i priliči poglavaru Svete majke Crkve. No tačno je da moj sin, vojvoda, premda čovek dobra srca, nije kadar da otrpi uvrede. Takav je, šta ćete. Znate kako je čudesno izbegao smrt u oluji na moru, zar ne? A pošto je čovek od akcije, podozrevam da smatra kako je ponavljanje uvreda... pa, veoma kukavički čin."

Šta je ambasador na to mogao da mu odgovori? Da li da priča o bezbrojnim leševima izvađenim iz Tibra, da nabraja ubodne rane, navodi imena? To bi takođe bilo ponavljanje govorkanja. A morao je da pripazi, jer iako jeste počinjena nepravda, nije bio siguran koliko papa zna o poreklu samog pisma.

„I, kako sada stojimo? Vi ste uvređeni, mi smo uvređeni. Mogu pokušati da uradim nešto za tog vašeg mutavog levorukog građanina, ali bojim se da mu je budućnost ograničena. Zato što pismo, kao što može biti da znate, nije poslato iz vojnog logora u Napulju, kao što se u njemu tvrdi, već – a to znamo iz veoma pouzdanih izvora" – tu on zastade, spremajući se da zada završni udarac – „iz Mletaka, gde sada žive izvesni pripadnici porodice Orsini. Kako je naša vlastita kćerka sada vojvotkinja vašeg bliskog suseda Ferare, a mnogi gradovi Romanje pod vlašću našeg voljenog vojvode, veliki nam bol pričinjava i sama pomisao da vaša dična država pruža utočište neprijateljima s tako prljavom maštom."

„Dakle?"

Već su neko vreme bili sami u prostoriji, ali Burkard još nije progovarao.

Papa bučno izduva nos. Imao je osećaj da mu je glava puna mokrog peska. „Dobro, de. Johane, znam šta se krije iza tog tvog kamenog lica. Smatraš kako je trebalo da mu kažem da je njegov dragoceni građanin mrtav. E pa, čovek bez jezika ili ruke nikom nije ni od kakve koristi, i sasvim je moguće da se mučenik, iz čistog očajanja, *sam* bacio u Tibar. Uz malo sreće, ovi to još neko vreme neće saznati. Nemam snage za još jednu scenu. Uf! Deca! Ne možeš ni da zamisliš kakvu glavobolju mogu da ti naprave."

„Ne mogu, Vaša svetosti."

„Znaš, da vojvoda nije tako snažan plivač, udavio bi se u moru. Štaviše, vrlo dugo sam mislio da jeste. Eto u kakve me brige baca. Izgleda da mladi ljudi ne umeju da budu hrabri a da pritom nisu i nesmotreni. Moj rođeni otac umeo je da luta ulicama tražeći me, a tada sam još bio dete. Jesi li ti ikada davao svojim roditeljima povoda da tako strepe, Johane? Pretpostavljam da nisi. Pa, biće bolje da se vidim sa sinom. Pošalji glasnika njegovoj kući."

„Ja... Koliko znam, vojvoda Valentino trenutno nije kod kuće."

„Gde je? Još je u gradu i slavi, nema sumnje! Doznaj gde je i poruči mu da dođe ovamo." Potražio je po džepovima odežde čistu maramicu. „Pa, da li se u mom odsustvu desilo išta važno? I ne pominji mi više nikakve leševe, molim te."

„Kardinal od Kapue se razboleo."

„Đovani Batista? Koja ga boljka muči?"

„Nešto u stomaku. Odbija da mu puste krv ili da uzima ikakav lek. Izgleda da ne veruje svojim lekarima."

„Pre će biti da ne želi da im plati. Među sveštenim licima nema veće cicije od njega", nasmeja se on. „Ipak, odano nam je služio. Trebalo bi da ga obiđem. Ili da mu ponudim papske lekare."

„Nisam siguran da je to pametno."

„Zašto nije?"

„Pa... čuju se određene glasine."

„Nije valjda opet. Šta je sad bilo? Pričaju da sam ga otrovao zato da bi papska vlast nasledila njegovo bogatstvo? Je li o tome reč, Johane? Veruju li ljudi zaista da bih proizveo najunosnijeg vatikanskog notara u kardinala samo zato da ga se posle rešim?"

„Njegovi lekari ne veruju, Vaša svetosti. Jasno i glasno su saopštili da kardinal ima groznicu."

„Hvala bogu na ljudima od nauke; jedini su koji se uzdižu iznad praznoverice glasina. Siromah Đovani. Toliko je dugo gomilao bogatstvo, biće silno žalostan što ne može da ga ponese sa sobom." Zamišljeno je dobovao prstima po drvenom rukonaslonu fotelje. „On je u svojoj palati blizu Svetog Petra, beše? Trebalo bi da stražari budu u pripravnosti da je zatvore i obezbede njegovu imovinu. Umre li zaista, navaliće poverioci, a ne bi priličilo da bude nereda. Razume se, pomoći ćeš njegovom osoblju da organizuje sahranu. Odobriću za njegov ukop mesto blizu oltara našeg voljenog ujaka Kalista."

Burkard je sedeo i čekao dalja uputstva, ali se papa zamislio, stoga on poče da skuplja svoje papire spremajući se da ode.

„Johane", reče papa kad je ovaj stigao do vrata. „Ja... Kada do toga dođe, pobrinućeš se i za moju sahranu, zar ne?"

„Razume se, Sveti oče. To mi je dužnost."

„Dobro je. Hoću da kažem...", reče on okrećući na šalu. „Hoću da kažem, neću da se iko drugi time bavi."

Ono golicanje u nosu ga je konačno savladalo i on naglo kinu, tako silovito da se trgao unazad. Potom mahnu Burkardu dok je po džepovima tražio maramicu.

„A kako bismo izbegli da se to desi pre vremena, reci mojim kapelanima da mi pripreme čaj da se naparim pre no što se obučem za crkvu."

* * *

Kad je ostao sam, Aleksandar sa misli o smrti pređe na prijatna razmišljanja o matematici. Koliko vredi imetak Đovanija Batiste Ferarija? Pre no što je uzdignut u rang kardinala, proveo je skoro dvadeset godina prodajući crkvene službe i na svakoj je pokupio kajmak. Najmanje trideset ili četrdeset hiljada dukata. Kardinalovo bogatstvo se po njegovoj smrti vraćalo Crkvi, kao što i jeste jedino pravedno i dolično, zato što je i bilo nakupljeno u službi Bogu. Zatim, tu je bio i novac koji će se zaraditi prodajom njegovih beneficijuma.[11] Nije mogao doći u povoljnijem trenutku. Čezareovi vojni pohodi bili su jama bez dna; koliko god vode da nalivaš u nju, nikako da se napuni do vrha. Dabome, svi će da poviču „korupcija", ali šta je tu novo. Pape su oduvek zgrtale bogatstvo i dobro obezbeđivale porodicu. Tako je već vekovima unazad. A on je u svoje vreme valjano doprineo bogatstvu Crkve. Kako ljudi to lako zaborave! Trideset godina je bio na položaju vicekancelara. Presveta Bogorodice, jedva je stizao i da se pomoli, s obzirom na to čime je sve morao da se bavi kako bi uveo nove dažbine. U to vreme, oni što su se time okorišćavali nikad mu nisu ni reč prigovorili. Svaki bankar će ti reći – ako prihod ne opada nego raste, to je znak dobrog poslovanja.

Ponovo je izduvao nos, ali već se osećao bolje. Ako kardinal Ferari umre, moraće porazmisliti i o tome ko će da zauzme njegovo mesto. Sad kad Čezare više nije pripadao Crkvi – nikad i nije bilo logično očekivati da će od njega biti dobar kardinal – Bordžije nisu imale direktnog kandidata za papstvo, stoga kardinalski kolegijum mora biti takav da preteže u njihovu korist. Bilo bi to primereno unapređenje za ceremonijara. On pokuša da zamisli Burkardovo mršavo lice oštrih crta pod skerletnom kapom. Ali opet, šta bi bez njega, bez tog čoveka koji sve vidi i ništa ne govori? Ne. Ništa od kardinalskog šešira za Johana. Ne još. Biće i drugih prilika, a još imaju mnogo posla.

Kako je samo voleo ovaj svoj posao. Molim ti se, Bože, pomisli, daj mi da živim zauvek.

S mukom se podigao iz fotelje i otabanao do stola s novim depešama. Tu je: debeli pečat sa grbom Bordžija. Pre no što se suoči s tvrdoglavošću svoga sina, može da uživa u trijumfu. Njegova voljena Lukrecija stigla je u Feraru.

Peto poglavlje

Bila je to sablasna povorka. Da bi stigle na vreme, barže su morale da putuju i noću, nadomeštajući lenjost reke dvanaestinom konja na obali, koje su vodili ljudi sa fenjerima okačenim na motke da im osvetle put. Na unapred dogovorenom mestu upalili su vatru da označe dokle su stigli. Negde u tami pred njima podigao se u znak odgovora stub belog dima. Unutar gradskih zidina počeše da bude dvorske svirače, a vojnici na bedemima promeniše smenu da naprave mesta artiljerijskim zapovednicima.

Lukrecija, koja je te noći spavala samo na mahove, ležala je budna čekajući da se razdani. Pištanje i cvrkut kojim su rečne ptice najavljivale praskozorje prekinuše zvuci fanfare. Nestrpljiva da konačno ugleda svoj novi dom, Lukrecija je ostavila usnule družbenice i izašla sasvim sama na palubu, gde je smesta proguta gusta, lepljiva magla; jedina uteha u moru sivila bio je sjaj fenjera što su na obali damarali poput svitaca.

„Ah, gospo, gospo." Iz sumornog sivila pomoli se gornja polovina ferarskog izaslanika, gledajući naniže prema njoj.

„Kakva šteta. Toga sam se i bojao. Čekala vas je tako dugo da se sada stidi da se pokaže", reče on, a lice mu je bilo tako visoko iznad nogu da je odavao utisak tornja što se pomalja iz magle. „Ipak, mi koji je volimo nalazimo naročitu lepotu u ovim magličastim zimskim velovima kojima se obavija."

Ona se osmehnu na njegov izbor reči: kako muškarci vole da u svemu vide žensku varljivost. Ipak, osećanje koje ih je prožimalo nikako joj nije moglo promaći. „Vi baš volite svoj grad, sinjor Poci. Otkad stojite ovde i čekate?"

„Od pre zore. Nadao sam se da ću vam pokazati... ali dobro... nema veze. Sve smo joj bliži. Magla će se uskoro razići i tada ćete je i sami videti."

BUUUM. Nekakvo gruvanje prolomi se ječeći niotkud i odasvud u isto vreme, remeteći maglovitu tišinu.

„Eto ga! Zvuk topova vašeg supruga najavljuje naš dolazak. Počujte samo raskoš toga zvuka. Cevi dugačke dva metra. Napravljeni po njegovom nacrtu i izliveni u njegovoj livnici. Topovi Estea. On je ovog jutra zacelo na bedemima i lično zapoveda tobdžijama - sve u vašu čast. Kakvu vam je samo dobrodošlicu pripremio."

Zamislila ga je, onako visokog i crnpurastog, obavijenog maglom, kako rukama u rukavicama drži duge voštanice. Međutim, kad je u mislima ponovo ugledala ljubičastomodru kožu njegovih prstiju, voštanice se u njenoj mašti pretvoriše u rebarca. Za kanonadom ponovo uslediše svečani zvuci truba i rogova. Recite mi, dođe joj da upita, šta nije u redu s rukama moga supruga?

Iz magle je dopiralo zlovoljno rzanje konja, dok je u visini kliktao nevidljivi galeb. Brod se lagano kretao napred, siva reka spajala se gotovo neprimetno sa sivim vazduhom. Ona iznenada oseti kako joj melanholija oplakuje skute. Odnekud joj navreše stihovi:

Dolazim da vas na drugu stranu vozim,
u svet večne tame, leda i ognjene jarosti.[12]

Sumanutog li razmišljanja za ženu koja će danas biti nevesta. Sasvim neumesno od nje.

„Smem li vam postaviti jedno pitanje, sinjor Poci?", usiljeno će ona.

„Naravno, gospo, koje god želite."

„Pitala sam se... o prvoj ženi moga supruga, Ani Sforci."

„O Ani Sforci?" Lice mu je bilo skriveno pramenovima magle.

„Da. Kakva je bila? Kako su se slagali?" Tanko diplomatsko uže razapeto između Rima i Ferare bilo im je tog časa zategnuto pod nogama kao struna. „Umrla je na porođaju, zar ne? Da li ju je moj suprug mnogo oplakivao?"

„Oplakivala ju je cela Ferara. Bila je dobra žena. Dobra." Zaćutao je, kao da i sam mora da isproba zategnutost užeta pre no što napravi sledeći korak. „Mada je, doduše, bila donekle preosetljiva. Ona i vojvoda... pa, moglo bi se reći da nisu bili bogomdani životni saputnici."

„Shvatam." Zurila je u maglu. Oboje su ćutali.

„Nešto nije u redu, gospo?"

„Taman posla", vedro će ona. „Sve je u najboljem redu, mada se pomalo pribojavam da je haljina koju sam odabrala možda nepodesna. Žućkastobela svila opšivena biserima za ovakav dan: ne bi priličilo da nestanem u ovoj... u ovoj hladnoj supi."

Nasmejao se, vidljivo odahnuvši zbog promene teme. „Dotada će se već uveliko razići. Imate reč čoveka rođenog i odraslog u Ferari. Mada, sve i kad se ne bi razišla, vi biste svetleli u njoj. U to sam siguran. Nosite vlastito sunce sa sobom."

„Ah, sinjor Poci. Veoma ste slatkorečivi, čak i za diplomatu."

„To ne znači da ne govorim istinu, gospodarice", tiho će on.

Gledao je naniže u tu tankovijastu devojku nežnih plavih očiju i glatke kože, u njene blago napućene srcaste usne. Možda i nije bila lepotica, ali je po svim merilima imala dopadljive crte, koje je blesak njenog osmeha činio još dopadljivijim. Izgledalo je da je ipak nervozna. Bio je naporan zadatak, staranje o ovoj grupi samopouzdanih, privilegovanih mladih žena na putu preko pola Italije. No imalo je to i svojih dobrih strana, između ostalog i zadovoljstvo da je posmatra kako pridobija sve one moćne muškarce kojima je goropađenje Bordžija povredilo sujetu. Ne, ona svakako nije bila druga Ana Sforca. Za njenog brata se pričalo da je nekad posedovao istu prijatnu harizmu, sve dok je kiselina ambicije nije progorela kao sloj kože. U Rimu su ljudi sad pljuvali na zemlju na pomen njegovog imena, mada samo u bezbednom društvu. Međutim, ovo sitno devojče iz porodice Bordžija teralo je muškarce da sasvim drugačije nabiraju usne. Video ju je iznurenu, udrvenjenu od dosade, besnu zbog uvreda koje su joj šapatom dobacivali iza leđa, a ipak, urođeni šarm, udružen s podjednako urođenom oštroumnošću, nikad je nije izneverio. Biće od nje izvanredan diplomata. Deo njega želeo je da joj to i kaže, da joj nagovesti koliko će joj ta kombinacija dobro doći kad uđe u osinjak porodične politike Estea. Pa, uskoro će i sama shvatiti.

Naredna kanonada trže ih zbog blizine iz koje je grunula, a i melodija fanfare posle nje sad je već mogla da se razabere. Kao da se povinuje davno izdatoj zapovesti, svet oko njih počeo je da se menja. Neprobojan vazduh je oživeo, razredio se u pramičke dima i potom iščezao dozvoljavajući krvavonarandžastom suncu da se pojavi. Ubrzo je postao vidljiv obris kule s parapetom, za njim i jednog, ne, dvaju tornjeva, a potom i utvrđenih grudobrana gradske kapije i dugačkih, veličanstvenih zavoja zidina koje su zaštitnički grlile mnoštvo krovova i dimnjaka od opeke što su štrčali iz njih. Oko zidina je krivudalo korito lenje, sada suncem išarane reke. Lukreciji se ote uzdah. Izgledalo je kao da je grad sve vreme bio tu, čekajući da se njoj popravi raspoloženje pa da se, kako su i obećali, pokažu jedno drugom u najboljem mogućem svetlu.

„Ferara, gospodarice“, najavi Poci dramatično. „Mislim da će se ispostaviti da je žućkastobela svila, naglašena vašim osmehom, odličan izbor.“

Koreografija predstojeće svetkovine bila je složena i precizna. A ova prva ceremonija, susret sa starim vojvodom Erkoleom lično, imala je da se odigra van grada.

Scena je bila samostan u kom je vojvodina nezakonita kći bila časna sestra. Bledo zimsko sunce pozivalo je Lukreciju da siđe s barže. Njeni trubači, koji su se već iskrcali, postrojili su se držeći svoje rogove visoko podignute i spremne. Iza nje, njene dvorske dame i mnoštvo španskih plesača i lakrdijaša gurali su se i smejali pokušavajući da se poređaju po protokolu. Svi su bili uzbuđeni. Lukrecija ih jednim pogledom ućutka. Potom su se oglasili trubači, a onda se vrata samostana otvoriše da ih prime.

Povorka je ušla i potom prošla kroz dva samostanska klaustra, da bi potom izbila na prostrani otvoreni prostor, nekadašnji vrt koji je sada bio pretvoren u šumski proplanak. Na njemu su bile podignute desetine slavoluka, svaki opleten gustim nasečenim zelenilom i svežom imelom, čije su bobice zainteresovale ptice. Vazduh je bio ispunjen mirisom drobljenih cvasti lavande posutih putem kojim je Lukrecija imala da prođe, a na kraju, na izdignutom podijumu, sedeo je sam vojvoda. U svim dobrim mitovima, junak i junakinja moraju da prođu brojne muke i iskušenja pre no što se na kraju sjedine. Tako je i ona, pre no što legne sa sinom, prvo morala da očara njegovog sedamdesetjednogodišnjeg oca. Lukrecija se osmehnu. Bila je stvorena baš za tu vrstu izazova.

Pod prvim slavolukom je zastala, da svi vide koliko je zadivljena. Zatim je krenula dalje, visoko podignute glave; besprekorne pozlaćene cipele – osmi par – izvirivale su iz mora svile dok je gledala pravo napred.

Čak se i iz daljine videlo da vojvoda Erkole d'Este, poput svog sina, nije nikakav lepotan. Starost ga je usukala u pogledu visine, ali je zato otišao u širinu, a nekoliki podbraci nisu mu ostavili mesta za vrat. Liči, pomisli ona, na raskošno tapaciranu fotelju. Što se pak njegovog karaktera ticalo, obaveštajna mašinerija Bordžija već ju je snabdela sasvim dovoljnim znanjem.

Ovaj njen novi otac već je više od trideset godina vladao Ferarom i, uprkos plahovitoj naravi, imao je ljubav naroda, zbog svog imena i ratova koje je vodio u mladosti, kao i žena koje je izabrao, mada su, u njegovom slučaju, postojale samo dve koje je ikada želeo: njegova supruga Eleonora Aragonska i ljubavnica koja mu je rodila nezakonitu kćerku i sina, pri čemu je potonji već pričinjavao više glavobolje nego što je vredeo.

Ovih dana je sebe doživljavao kao čoveka naklonjenog miru. Ili, bolje rečeno, čoveka koji se gnuša da troši novac na ono u čemu ne uživa, a rat je u poslednje vreme postao krajnje skupa zabava. Umesto da ratuje, davao je prednost kulturi, graditeljstvu i Bogu. Voleo je pozorište, s njegovim spektaklima i specijalnim efektima, pa je njegov dvor privlačio muzičare i glumce iz čitave Evrope. Njegov odnos sa Bogom takođe je bio plodan. Ludi fratar Savonarola, koji je na više načina bacio Firencu na kolena, bio je sin Ferare, a vojvoda je bio sledbenik te njegove vatrene, nemilosrdne pobožnosti. Najveća strast su mu, međutim, bile časne sestre. Ne one uobičajene (Ferara je bila puna samostana u kojima su boravile žene iz dobrih porodica, kojima je to bilo jedino pribežište), već duhovno odabrane: mlade žene – jer obično su bile mlade i niskog roda – u toj meri ispunjene Hristovom ljubavlju da su živele samo od sakramenata njegovog tela, nekima je curila krv iz čudesnih stigmi na dlanovima i stopalima, videle su Njega u transu i vizijama. U zemlji zahvaćenoj vrtlogom vojnih invazija i previranja, njihova vera postala je simbol božje milosti u nemilostivom svetu, a gradovi koji su im pružali dom izuzetno su ih cenili.

Pre manje od godinu dana, beše uspeo da izvuče – tačnije, da ukrade – uzvišenu svetu sestru Lučiju iz samostana u Viterbou.[13] Usred pregovora o bračnom savezu između porodica Bordžija i Este, zamolio je Lukreciju da posreduje kod pape kako bi ovaj dozvolio ostalim časnim sestrama toga reda da joj se pridruže. Kad ga je obavestila da je u tome uspela, Erkole je bio van sebe od zahvalnosti – kao što je i znala da će biti. Već je gradio novi samostan u koji će smestiti svoj trofej. Poduhvat je bio skup, naravno, ali zar nije vredeo troška? Miraz koji mu je donosila Lukrecija svakako će mu dobro doći. Može li biti da je pomisao na taj miraz prožimala toplinom njegov osmeh dok je sad išla prema njemu?

Lukrecija, koja je u svoje vreme očarala mnoge tapacirane fotelje – Vatikan je bio pun staraca koji previše jedu – pridrža suknje da se popne stepenicama. U taj mah se šest akrobata, spretnih poput majmuna, premećući se spustilo sa zelenilom ukrašenih stubova, posipajući svuda oko nje pune šake latica i lišća. Lukrecija se ushićeno nasmeja, zadivljeno podigavši ruke da uhvati kišu cveća, a njena spontanost ozarila je osmesima lica prisutnih.

Prekrivena laticama, spusti se u duboki reverans pred vojvodom, koji se sad osmehivao od uva do uva.

O da, pomisli on, njegovi izaslanici su dobro obavili svoj posao. Ako je iznutra samo upola ljupka kao spolja, biće sasvim dovoljno dobra. Pružio joj je ruku i pomogao joj da se uspravi, zagrlio je i potom malo odmakao od sebe procenjujući njene haljine i nakit. Samo su dijamanti koje je nosila oko vrata morali vredeti – koliko? – pet stotina dukata. Izgledaće još bolje kad ponese na poprsju rubine i safire Estea, mada će joj oni uvek biti samo pozajmljeni: ne bude li uspela da ispuni svoju dužnost, biće vraćeni u riznicu u kojoj im je i mesto.

Razume se da nije bila njegov izbor. Bio se mesecima dopisivao sa francuskim kraljem govoreći mu kako bi radije umro no da nakalemi ovo skorojevićko kopile bezbožnog pape na plemenito porodično stablo Estea. Ako bi Njegovo veličanstvo bilo tako dobro da ponudi neku drugu... Međutim, iako je Francuska možda posedovala Milansko vojvodstvo, kralju su papa i njegov sin bili potrebni kada je napao Napulj, stoga, nažalost, nijedna francuska nevesta nije bila na raspolaganju. Erkoleu nije bilo druge do da popusti. Pripomogle su, dabome, četiri stotine hiljada dukata i trajno umanjenje papskih poreza – najveći miraz koji je Italija ikada videla. Koliko je časnih sestara i muzičara time mogao da kupi?

On je ponovo zagrli. Možda bi bilo bolje da ima malo više mesa na kostima, zato što njegov zabludeli sin, kako izgleda, voli prostački krupne žene. No svakako će poslužiti. Prošlo je pet godina otkako je njegova prva snaha otišla bogu na istinu s mrtvom bebom zaglavljenom u svom međunožju i krajnje je vreme da Alfonso prestane da ga gura tamo gde ne treba i lati se posla da obezbedi Ferari sina i naslednika.

Napolju grunuše topovi, a akrobate se ponovo uzveraše uz stubove.

Da, Lukrecija Bordžija će sasvim dobro poslužiti.

„Dođi, draga snaho", reče on, dovoljno glasno da ga čuje ceo svet. „Tvoja porodica čeka da ti izrazi dobrodošlicu."

Prihvatila je ponuđenu ruku i malčice spustila ramena dok su hodali, ne želeći da izgleda previsoka pored njega.

Šesto poglavlje

„Video si me kako stojim na obali! Znao si da sam bezbedan. Imao sam neka svoja posla."

Zidovi papine odaje bili su oslikani freskama svetaca, muškaraca i žena što su se ne pustivši ni glasa od sebe, čak ni pod najnezamislivijim mukama, predali Bogu. Sada je, međutim, u njoj bilo znatno bučnije.

„Kakva posla? Sušio si odeću pred kaminom kurtizane? Ne gledaj me tako, Čezare. Ti si navaljivao da se što pre vratimo u Rim. Mletački ambasador se puši od besa. Trebalo je da budeš ovde i da se odbraniš. Baš si morao, je li, da izložiš jezik i šaku onog čoveka, da ih gleda pola grada?"

„Ja sam i hteo da ih vide, oče. Previše popustljivo reaguješ na uvrede."

„Naprotiv – naprosto se trudim da broj neprijatelja ne bude veći od onoga s kojim možemo da izađemo na kraj, kako bi bilo mesta za sledećeg", progunđa Aleksandar, mada sad nešto vedrijim tonom. Bez obzira na to zbog čega se svađaju, uvek je bio presrećan kad vidi svog zgodnog, pobedonosnog sina.

Pružio je ruku preko stola i uzeo još hleba i ribe, pa veselo oblizao prste pre no što je gurnuo tanjir prema Čezareu.

„Nemoj mi reći da si već sit. Ratnik mora da održava snagu."

„Čime? Ovim ribicama?"

„Što da ne? Hrist je jednom šačicom njih nahranio pet hiljada duša."

„Čisto sumnjam da su bile sardele."

„Pa, trebalo je da budu", reče papa, ubacivši u usta podeblji sirovi filet. Ukusi su budili sećanja i, kad god bi zubima istisnuo sok mesa mariniranog u medu i sirćetu, vraćao se u biskupsku palatu u Valensiji, i ponovo je bio onaj ambiciozni mladić koji se radovao svemu što ga čeka. „Već sam ti mnogo puta rekao, one su najslađa i najskromnija morska žetva. Čak sam i Burkarda uputio u njihove divote. Zamisli samo. Nemac jede sirove sardele!"

Čezare, međutim, nije imao volje da se trudi da zamišlja taj prizor. Bilo je trenutaka kada mu je očevo uživanje u takvim trivijalnostima izgledalo gotovo nepristojno.

„Nego, da popričamo o ozbiljnim stvarima", reče Aleksandar. „Sad kad je zauzet i Pjombino, ti imaš vlast nad sedam teritorija. Ako im u narednim mesecima dodamo i gradove Kamerino i Sinigalju,[14] oba pod papskom jurisdikcijom, tada imamo čvrste temelje održive države Bordžija. Već sam ugrubo sastavio bulu o ekskomunikaciji vladajućih porodica na osnovu neplaćanja papskih poreza."

Čezare sleže ramenima. „Kamerino i Sinigalja su jedva vredni vremena koje će biti potrebno se odmaršira do tamo", odvrati neuvijeno. „S obzirom na to koliko smo daleko dospeli, mislim da nam sada treba neki veći cilj. Nešto što će svima pokazati da smo ozbiljni."

„Na primer?"

On sleže ramenima. „Piza ili Areco."

Aleksandar se namršti. „Papska vlast ne polaže direktno pravo na njih. Ti gradovi su na teritoriji pod vlašću Firence, a oni tamo bi na to poludeli od besa."

„Neka ih. Ionako sebi previše često daju za pravo da besne. Budemo li dovoljno brzi, možda čak uspemo da uđemo unutar gradskih zidina."

„Zidina Firence? Ti bi sada da zauzmeš Firencu?", reče papa, kome na ovo iščile svaka misao o sardelama. „Šta – postao si Cezar i Aleksandar odjednom?" Tu se on preglasno nasmeja sopstvenoj bednoj šali. „Ne. Sve dok smo u savezništvu sa Francuzima, nema ništa od toga. Taj grad je pod njihovom zaštitom."

„Misliš da se Luj[15] bogati od onoga što mu Firenca plaća? Kad ti kažem, oče, kucnuo je čas. Narod mora da shvati za šta smo sposobni, a takav potez bi sve zadivio. Taj grad je u nevolji. Onaj ludi fratar Savonarola isisao je život iz njega i sada tamo sanjaju neki slabašni san o republici koja zapravo nikad nije ni funkcionisala. Firenca je u dugovima do guše, nema sopstvenu vojsku da je brani, niti kondotijere koje bi pozvala."

„Dabome da nema. Svi koji valjaju su na našem platnom spisku."

„Tačno tako", frknu Čezare osujećeno. „I mnogi od njih bi drage volje naplatili Firenci za uvrede nanesene u prošlosti. Viteloco Viteli jedva čeka da uperi svoj top u njene zidine. Bog zna da smo joj lani prišli dovoljno blizu."

„Da. I zasigurno se odlično sećaš zašto ste se povukli. Zato što sam, dok si se ti šepurio na svom lepom belom konju, ja ovde morao da ti čuvam leđa od Francuza. Presveta Bogorodice, Čezare, izgleda da stvarno misliš da ja ne radim ništa dok ti naokolo vitlaš mačem." Aleksandrov ton se naglo podiže da doraste raspravi.

„Blagi bože, trebalo je da čuješ rečnik onog ambasadora. Sav se isprsio i preti kako će, korakneš li samo još jednom na teritorije pod zaštitom kralja Luja…“

… „’O da… ne, ne… Potpuno razumem kako se oseća Njegovo veličanstvo. Nisam imao pojma da će vojvoda to uraditi, inače bih ga odavno sprečio da uopšte i pokuša.’“ Aleksandar je voleo da odglumi sve uloge onda kada je priča to zahtevala. „’Kad se vrati, postaraću se da bude strogo ukoren.’“

Potom teatralno uzdahnu. „U diplomatskom pogledu, sav sam u modricama zato što sam podmetnuo leđa umesto tebe.“

„Pa mi to tako radimo, oče“, vedro će Čezare. „Ta strategija nas još nije izneverila.“

„Možda si u pravu, ali smo u opasnosti da izgubimo prednost iznenađenja“, odvrati papa oštro.

„U svakom slučaju, Luju nije istinski stalo do Firence. Svi znamo da želi da povrati vlast nad Napuljem. Pomognemo li mu u tome, zauzvrat će nam ustupiti delove severa.“

„Možda hoće, a možda neće. Kako god bilo, ovo je previše i prebrzo. Poslušaćeš me, Čezare. Da, da, znam da se kostrešiš kada ti pridikuju, ali kad ti kažem, previše si nestrpljiv. To je boljka vas mladih. Firencu ćemo zasad ostaviti na miru i koncentrisaćemo se na to da konsolidujemo teritorije koje već imamo.“

Kratko podrigivanje sa zadahom na ribu označilo je kraj razgovora o tome.

„Mislim da grešiš, oče. Kažem ti da…“

„A ja tebi kažem ne. Ne! Ima da poštuješ moju reč! Na bojnom polju možeš da zveckaš oružjem koliko ti je volja, ali ovde, među ovim zidovima, ja sam i tvoj papa i tvoj otac, je li to jasno?! Neću da čujem više ni reč o Firenci.“

Sukob je bio završen i obojica su neko vreme samo sedeli i ćutali kao grobovi.

Kao i uvek, Aleksandar se prvi oporavio. Može li čovek da poželi išta više nego da se prepire sa svojim zgodnim sinom oko toga koji će sledeći veličanstveni vrhunac osvojiti njihova porodica?

Kako prelepo izgleda, pomisli on, čak i bez maske.[16] Kad ne stoji na suncu, ožiljci i nisu tako strašni. U svakom slučaju, svet je ovih dana pun tih ožiljaka: kraste i prištevi te nove kuge postali su gotovo znak muževnosti u muškarca. Ipak, trebalo bi da se češće osmehuje. Kad neko poseduje toliku moć, malo šarma mnogo znači.

„Hajde, nemoj tu da mi se duriš“, reče on, odobrovoljen pobedom koju je odneo. „Kad Lukrecija ponese dete u stomaku i tako konačno učvrsti naše veze sa Ferarom, ponovo ćemo da razgovaramo o takvim stvarima.“

Međutim, pomen sestrinog imena nije nimalo popravio Čezareovo raspoloženje. On okrznu pogledom sto na kom su ležale otvorene depeše od toga dana. „Šta je s njom?“

„Dočekali su je kao kćerku i vojvotkinju“, sa smehom će Aleksandar. „Vojvoda se iz petnih žila trudi da nas nadmaši gozbama i svetkovinama. I jesi li čuo za njen trijumf u Urbinu? Naterala je ceo dvor da joj jede iz ruke. Blagi gospode, kako mi nedostaje. Kao da mi se bodež svakog dana iznova zariva u srce.“ Prislonio je dlan na grudi, negde blizu mesta gde počinje žiganje izazvano lošim varenjem. „Šta je bilo? Ne piše li ti o svemu tome?“

Čezare ljutito sleže ramenima. „Kojekakve banalnosti, opisi, učtivosti. Ništa važno. Ništa o *njoj*. Kao da se jedva poznajemo.“

„Ah, Čezare.“ To njega tišti, naravno, ništa manje od rasprave u vezi s Firencom. Aleksandar podiže ruke da pokaže kako ovog puta nema ništa s porodičnim prosutim mlekom. Pokušavao je da ih izmiri, više no jednom, ali ko da zameri ženi zbog toga što se naljutila kad su joj po naređenju njenog rođenog brata zadavili muža?

„Rekao sam ti! Taj je kovao zaveru protiv mene", odgovori Čezare automatski, kao da čita očeve misli. Tu laž je već toliko puta ponovio da je gotovo i sam poverovao u nju. Čak je i Aleksandar u prvi mah bio sklon da je prihvati, zato što je, u najtežim danima žalosti njegove kćerke, druga mogućnost bila suviše mučna. „Ne bi imala ništa od života da je ostala udata za tog mlakonju. Umesto toga, sad je vojvotkinja jedne od najdičnijih italijanskih država. Trebalo bi da mi liže ruke u znak zahvalnosti."

Aleksandru nije promaklo poređenje njegove kćerke s jednim od Čezareovih lovačkih pasa, jednako kao što je bio vrlo svestan ogromnog miraza koji je prikupio iz porodične i papske riznice da plati za njenu propusnicu u te krugove. Međutim, nastavak ove svađe nije im mogao doneti ništa. Nesloga u porodici mu je teško padala.

„Znam koliko se vas dvoje volite", reče odlučno. „Odljutiće se naposletku. Daj joj malo vremena i sve će da bude dobro. U međuvremenu, hajde da se i nas dvojica pomirimo. Poslednjih nedelja uživamo u pobedama. Tu su drugi dragulji koji samo čekaju da ih uzmeš. Što gubiš ovde, nadoknadićeš novcem koji ćeš da izmuzeš od mene za sledeći pohod. Hajde, zagrli svog sirotog oca da mu pokažeš kako nisi ljut na njega."

Čezare je krenuo prema njemu. Znao je da otac nije u pravu. Da je ostario okružen političkim igrama unutar Crkve i zaboravio kako da iskoristi trenutak. Zastava Bordžija se sada vila na Elbi i u Pjombinu samo blagodareći tome što je naredio usiljeni marš onda kad su svi mislili kako se njegova vojska vraća u Rim. Ono što je u odaji Veća izgledalo kao rizik, na bojnom polju nije bilo ni najmanje rizično. Dokle god je francuskom kralju Luju potrebna pomoć Bordžija da uzme Napulj, biće spreman na ustupke u drugim krajevima.

Dok je pomagao ocu da ustane iz fotelje, u mislima se bavio šahovskom tablom centralne Italije, osmišljavajući alternativnu strategiju kojom će se suprotstaviti blokadi od strane figure za koju je dotle verovao da je njegova sopstvena kraljica.

Zagrlio je masivno telo, udahnuvši vonj znojave kože i ribe iz očevog daha. Starčev zadah je poslednjih meseci postajao sve jači, kao da je nešto u njemu počinjalo da truli.

Možda jesu gradili carstvo, ali jedno pitanje više nije izbijalo Čezareu iz glave: koliko još vremena imaju? Šta god da bude sledeće, to mora naterati jezu u kosti svima koji bi se ikad mogli usuditi da im se suprotstave. Uto se seti sestrinog trijumfalnog prolaska kroz zlatne gradove Apenina i, dok je stigao do vrata, u glavi mu se već rađala ideja. Blagi gospode, to će već da bude nešto što će ih sve ošamutiti.

On se okrete, ali papa je bio zauzet skupljanjem sokova ribe parčetom hleba. Pa dobro, nek čeka. Doživeće tim veće iznenađenje.

Sedmo poglavlje

Noć se već uveliko spustila kad su svedoci prve bračne noći zauzeli svoja mesta u spavaćoj sobi vojvodske palate u Ferari.

Razume se, moralo je biti svedoka... kako bi drugačije moglo? Lukrecijin brak s Alfonsom bio je savez dveju država više obavezujući od ijednog diplomatskog sporazuma, a nakon što je miraz prebrojan a zaveti razmenjeni, preostajalo je još samo da čin konzumiranja braka – telesna birokratija, moglo bi se reći – bude i zvanično zabeležen. Štošta je još moglo da krene nizbrdo. Čudo jedno šta se sve može sakriti pod čaršavima: muškarac koji se skvrči umesto da naraste, neveste s prolazima tako uzanim da je jedini suprug koji će ih prihvatiti Isus Hrist (što je dobro, jer kad se tajna pročuje, provešće ostatak života u samostanu).

Zatim, tu su bila pitanja ove konkretne zajednice. Mladoženjin otac je bio star. Da bi se sukcesija na vojvodskom prestolu Estea odvijala bez potresa, njegov naslednik je morao dobiti naslednika i tako osigurati direktan produžetak loze. Ranija pokolenja množila su se kao zečevi, pa je palata bila puna polubraće i rođaka, rođenih u braku i izvan njega;

energičnih, ambicioznih mladih ljudi koji su se sad, istina, zaklinjali na lojalnost, ali koji bi, iskrsne li prilika, mogli doći u iskušenje da pokušaju da preuzmu vlast. Stari vojvoda je možda uspeo da iskamči bogatstvo uz ovu nevestu iz porodice Bordžija, ali ne bude li ona u stanju da porodici da ono što joj je potrebno, on će na kraju ipak biti gubitnik. Jalova nije, to je neosporno. No bez obzira na to, novome mužu treba novi dokaz.

Isto tako, kada je reč o Bordžijama, papa nije ispovrteo čitavo bogatstvo da dobije zeta nesposobnog da obavi posao u krevetu kako valja – jednom se već opekao zbog takve ludosti – pa je bio nužan jasan dokaz da je taj čin prošao u redu. Zatim, tu je bio i porodični ponos. Papina kćerka je zasluživala muškarca koji ceni njenu lepotu. Kakvu su proslavu napravili kad je u Rim stigao izveštaj o Čezareovoj prvoj bračnoj noći u Francuskoj. Vojvoda je osam puta „pogodio kopljem u metu“! Osam puta! Ko je posle toga mogao da posumnja u mušku snagu krvi Bordžija? Erkole d'Este se privatno mogao smejati takvom hvalisanju, ali javno, biće osramoćen ako se to dogodi manje od – recimo – dvaput. Ne, koplje je večeras moralo više puta da pogodi metu da bi se prva bračna noć smatrala uspešnom.

S obzirom na to koliko se zainteresovanih strana okupilo u toj otmenoj bračnoj postelji, valja zahvaliti snazi prirode što je uopšte došlo do spajanja.

„Oboje smo dovoljno odrasli za ono što predstoji.“

Lukrecija je mnogo razmišljala o tim rečima što joj ih je suprug šapatom izgovorio prilikom onog prvog susreta; ne samo zato što je to bio njihov najintimniji razgovor pre braka. U proteklih nekoliko dana položili su bračne zavete i razmenili prstenje, sedeli jedno pored drugog za gozbenim stolovima, plesali su – ni slučajno nije tako loš plesač kao što je tvrdio – gledali su koncerte i predstave, i presedeli slušajući govore toliko kitnjaste i duge da je u jednom trenutku morala da ga bocne laktom u rebra ne bi li prestao da hrče. Međutim, do iole dužeg ili ličnijeg razgovora ili makar povremenog tajnog pogleda ili osmeha kojim bi priznali jedno drugo kao saučesnike u zaveri u ovom složenom ritualu – nijednog trenutka nije došlo.

Nalazila je utehu – ako je uteha prava reč – u tome što nije bila jedina prema kojoj se tako ponašao. Izgledalo je da je Alfonso d'Este krajnje nepodesan za ulogu plemića visokog roda. Bivalo je trenutaka kad je, poput golobradog dečaka na skupu odraslih, delovao u toj meri ravnodušno da se to graničilo s mrzovoljom. Iako je bilo očigledno da je njegova odeća stajala kamaru novca i da su je šili najbolji krojači, pomerao se i vrpoljio kao da ga ujeda tuce buva. Podsetio ju je time na njenog sina Rodriga, koji je tako cepteo od živahnosti da nije mogao podneti uštogljenu dvorsku odeću i posle nekog vremena je obavezno pokušavao da je se oslobodi. Kako su se svi slatko smejali gledajući ga.

„Daj, pusti ga, još je dečkić", rekao bi papa odmahnuvši rukom, pre no što bi se teatralno brekćući i dahćući spustio na kolena i počeo da ga golica. A mali Rodrigo bi tada cičao i bespomoćno se kikotao, kao da je u opasnosti da umre od zadovoljstva.

No između ovog oca i sina nije bilo nikakvog smeha. Štaviše, koliko je Lukrecija videla, nije bilo ni ma kakve naklonosti. Ta dvojica su se međusobno ophodila kao da se i ne poznaju; njihovi pozdravi su bili krajnje kurtoazni, a zagrljaji hladni i kratki. A ako je sin bio ravnodušan, stari vojvoda je izgledao srdito. Posmatrala mu je lice kad su njih dvojica mislili da ih niko ne gleda, videla kako jedva prikriva svoje neodobravanje, kao da to Alfonsovo nezainteresovano držanje doživljava kao ličnu uvredu. Pošto je poticala iz porodice u kojoj je očeva ljubav bila tako ogromna i neskrivena da je to katkad umelo da bude i neprijatno, bila je fascinirana i potresena time.

Više no jednom zatekla je svekra kako zuri u šake svoga sina. Krojači su dobro obavili svoj posao i, kad nije nosio rukavice, pomodno dugački rukavi skrivali su prestolonasledniku prste kad je stajao. Što se ostalih ticalo, činilo se da ih ne primećuju: ili su ih možda primećivali u toj meri da radije nisu zagledali. Sem kad je pažnja čitavog dvora bila usmerena na njih: u trenutku kad se taj njen muž, onako kršan i osoran priključio skupini dvorskih muzičara i uzeo sjajni viol sa šest žica.

Bila je paralisana, gotovo prestravljena; kao da posmatra komad venecijanskog stakla uglavljen između dva parčeta sirove govedine. Kakva grozna pomisao. Zatvorila je oči ne bi li odagnala sliku. Kad ih je ponovo otvorila, zapanjilo ju je to kako dva snažna čula – vid i sluh – mogu biti u toj meri sukobljena. Zato što je Alfonso d'Este odlično svirao viol. Muzika koju je stvarao bila je vesela, prisna, dosetljiva, razdragana i očaravajuća. Ukratko, sve što on nije bio. Kad je završio, tako mu je radosno pljeskala da ljudi nisu mogli a da ne primete njeno oduševljenje. Bio je to dodir topline na inače veoma hladnoj svadbi.

Da, hladna, pomisli ona. Prava reč. I tako naporna: sve to doterivanje, parfimisanje, mazanje pomadama, navlačenje korseta, provlačenje pantljika, puderisanje tela i beskrajno uvijanje kose: u pripremi za prvu bračnu noć, koža glave bila joj je izbrazdana poput tek izorane njive; stotine malih pramenova kose nakvašeno i uvijeno, ukosnicama prikačeno za glavu i umotano u mnoštvo zagrejanih peškira ne bi li se što pre osušilo.

No vredelo je truda. Njene dvorske dame dočekivale su rasplitanje svakog prpošnog zlatnog uvojka uzdasima zadovoljstva, a kad je ušla u salon, među okupljenim ženama s dvora Estea prostrujao je talas odobravanja. Stvarni trijumf je, međutim, bio ispisan na licu njene nove zaove. Naime, u odsustvu bilo kakve drame između novopečenih supružnika, među njima dvema vodila se ogorčena modna bitka, koja je hroničarima obezbedila dovoljno pikanterija za njihove depeše.

Lukrecija Bordžija i Izabela d'Este. Imale su mnogo zajedničkog. Obe su bile inteligentne, prosvećene, bogate žene, obdarene samopouzdanjem proisteklim iz ljubavi i pažnje kojima su ih njihovi očevi neštedimice obasipali. Razdvajali su ih pak poreklo, godine i izgled. Loza Estea – i činjenica da je zakonita kćerka svog oca – omogućavala je Izabeli da drži nos mnogo više u vazduhu. Sedam godina starija od Lukrecije, kao šestogodišnjakinja bila je verena, a kao devojka od petnaest godina i udata u plemenitu kuću Mantove; svoju plodnost dokazala je rodivši dve kćerke, a sada konačno i malog naslednika prestola, sve vreme koristeći svoj i muževljev novac i uticaj da stvori dvor čuven u pola Evrope.

Lukrecija se svemu tome iskreno divila i težila je da i sama to postigne. Međutim, bilo je tu još jedno, mnogo važnije poređenje. Sa nepune dvadeset dve godine, Lukrecija je cvetala svom snagom; njena savršena bela koža nadmašivala je sjajem sve dragulje koje je nosila, a što su joj suknje bile teže, to ih je gracioznije nosila. U Izabeli pak beše ostalo vrlo malo od nekadašnje devojke. Posle troje dece bila je punačka i nastavljala je da se raskrupnjava, s nausnicom koja se morala svake nedelje očupavati pincetom i sa vilicom kojoj bi dobro došao ukras u vidu nekoliko nežnih uvojaka (zato što puštena, zavodljiva kosa nije priličila udatim ženama).

Stoga se Lukrecija, pripremajući se za prvi susret s njom na dan svog venčanja, odenula od glave do pete u belo i zlatno, potpuno sigurna da će biti najsjajnija zvezda na nebeskom svodu.

Izabela je, međutim, bila dobro pripremljena. Šta je uopšte moglo da zaseni belo i zlatno? Pa, možda turban kao u sultana optočen draguljima, koji je doprinosio da izgleda viša, i haljina od baršuna tamnomodrog poput noći, ukrašena vezom? I to ne makar kakvim motivom ptica i cveća. Ne. Umesto toga, zlatne niti obrazovale su simbole notnog zapisa. Notni zapis na haljini! Žena koja koračajući stvara muziku! Ko je ikada čuo za išta slično? Kakva maštovitost! Kakva smelost! I ujedno krajnje domišljat kompliment domaćinu, starom vojvodi, čoveku na glasu po njegovoj ljubavi prema muzici.

Ceremonija venčanja bila je najmanje važan deo čitave predstave. Svi su, naime, očekivali trenutak susreta dveju žena, dveju raskošnih odevnih kombinacija. Mnoštvo se razmaklo poput talasa Crvenog mora da oslobodi prostor za taj susret.

Inicijativu je preuzela Lukrecija. Progutavši bes, s miloštom je zagrlila zaovu. A onda joj je, veoma jasno i glasno, čestitala na lepoti i veličanstvenosti njene haljine. I to ne jednom ili dvaput već mnogo puta.

„O, nema lepše tkanine u celoj Italiji.“

„Recite mi, molim vas, je li zamisao bila vaša ili vaše švalje?“

Komplimenti su se samo nizali.

„Kladim se da je u faltama skrivena melodija. Kada započne ples, moramo se držati blizu, kako bih pokušala da joj prilagodim korake.“

Posle prvog usiljenog „hvala“, Izabeli nije preostalo ništa drugo do da stoji i sluša, budući da Lukrecija nije ostavljala nimalo vremena za odgovore, pa se na kraju najneprijatnije osećala upravo markiza od Mantove: raskrinkana u svojoj strategiji da nadmaši ovu lepu mladu ženu tako svežeg i iskrenog duha – uprkos glasinama – da je ostala dostojanstvena i ljubazna čak i suočena sa zlobnom provokacijom.

Lukrecija nije dugo čekala da se osveti. Te večeri, dok je njena suparnica ostala da sedi (Izabelini tabani bili su znatno ravniji od njenog glasa, a onaj silni baršun predstavljao bi samo teret da je pokušala da leti), ona je prešla na podijum za ples i u roku od samo nekoliko minuta je letela; tuce vispreno skrojenih širokih traka od bele svile što joj se spuštalo s laktova vilo se oko nje poput zraka svetlosti, dok su dragulji ušiveni na suknje goreli pod svetlošću svetiljki, delotvorno pomračujući tamni baršun Izabeline muzičke večeri.

U privatnosti njenih odaja, svi su se složili da su Bordžije odnele pobedu. Mada je u markizinim odajama nesumnjivo bio donesen sasvim suprotan zaključak.

„Oboje smo dovoljno odrasli za ono što predstoji.“

Da bi se nasrtaj na čednost žene sveo na najmanju moguću meru, običaj je bio da se nevesta razodene i pripremi pre no što pristignu svedoci. Tako je Lukrecija bila spremna.

Bila je iskusna udavača, s dva muža iza sebe. Prvi je brektao i šeprtljao čitave noći, suviše nervozan zbog svog tela da bi bio naročito zainteresovan za njeno; drugi je toliko žudeo za ekstazom da je bilo lako podeliti je s njim. Ali zarekla se da večeras neće misliti na njega.

Sveće u sobi sada su bile pogašene. Tinjajuća svetlost žeravice na ložištu kamina jedva je bila dovoljna da se razabere obris velike postelje s baldahinom i razmaknutim zavesama, i s kovčegom u njenom podnožju. Čak ni najoštriji vid nije mogao da nazre moralno uzdižuću biblijsku priču o Suzani i starcima naslikanu na prednjem delu kovčega. Ali opet, ovo nije ni bio zadatak za oči. Poput vojvodine muzičke izvedbe na violu, izveštaj za buduća pokolenja zasnivaće se skoro isključivo na zvuku.

U stražnjem delu sobe sa drvenom oplatom na zidovima, vrata su se škripnuvši otvorila i potom zatvorila. Začuše se koraci praćeni šuškanjem teške tkanine i bučnim sleganjem drvenih dasaka ispod dušeka dok su se prilagođavale znatnoj dodatnoj težini. Svedoci se napregnuto nagnuše napred i zatvoriše oči kako bi se bolje usredsredili.

Posle oko jednog sata, koji je obuhvatio i dva kratka predaha, sve je bilo gotovo; završetak je bio označen novim razmicanjem zavesa i teškim koracima dok se mladoženja istim putem vraćao do vrata i izlazio iz sobe. Posle tihog, kradomičnog kašljucanja, svedoci se pridržavajući skute uputiše iz odaje. Njihov izveštaj biće jednoglasan: živahna, dobro orkestrirana izvedba s raskošnim glasovnim registrima, u kojoj je živi alegro tri puta narastao do vrlo jasnog krešenda, s nekoliko kratkotrajnih harmoničnih trenutaka pre i posle. Koncert kakav ni slučajno ne bi razočarao ni na jednoj svečanoj audijenciji.

Međutim, kakva je bila situacija sa samim izvođačima?

Što se Alfonsa ticalo, teško da je izvedba bila naročito zamoran čin. Bio je poznat po svom iskustvu u stvaranju te vrste muzike. Već godinama je redovno uzimao učešća na redovnim koncertima u gradskim četvrtima s ne tako zdravom klimom, uz pratnju revnosnih profesionalnih partnerki sa širokim i živopisnim repertoarom.

A Lukrecija? Kako je bilo njoj?

Vojvodska spavaća soba nije bila dugo prazna kad se začu: „Gospodarice?“

Katrinela je noću hodala bosonoga, nevidljiva poput mačke, prolazeći kroz vrata i klizeći preko podova kao da nikad nije ni bila tu. Ona razmaknu krevetske zavese i podiže fenjer. Posteljina je bila sva izgužvana, kao da je preko kreveta upravo protutnjala oluja. Lukrecija je bila oslonjena na jastuke, s oreolom zamršenih uvojaka oko lica i sa spavaćicom zadignutom do pojasa. Među nogama je držala smotuljak čiste gaze. Katrinela ispusti užasnut uzdah, a na licu joj se ocrta takav strah da Lukrecija, koja sve do tog časa nije bila sigurna oseća li tugu ili trijumf, nije mogla ništa drugo do da se glasno nasmeje.

„Sve je u redu. Ništa mi ne fali, nisam povređena. Normalno je da bude zaostale tečnosti. Molim se Gospodu da je u dobru svrhu. Mi smo muž i žena. Hajde, pomozi mi da se operem.“

Kad je ustala i smakla spavaćicu sa sebe, ona oseti da je peče unutra, tamo gde je on bio. Tri puta. Žene mogu da se povrede iznutra isto kao spolja. Međutim, nije je bolelo. Istini za ljubav, njen suprug je bio onoliko učtiv koliko je proces dozvoljavao. Tri puta. Još je čula grleno vibriranje njegovog glasa kad se uspeo do vrha litice. Bilo je trenutaka, pred kraj uspona, kad joj se činilo da ga penjanje gotovo boli. Ipak, nije bilo strašno. Volela bi da mu je pomogla, ali s njegovim telom povrh njenog, nije mogla ništa do da čeka. Kad se svalio natrag na jastuke, izgledalo je da se smeje. Možda je osetio olakšanje koliko i zadovoljstvo. Tri puta. Ne, uopšte nije bilo strašno.

Radile su zajedno, Katrinela ju je nežno prebrisala sunđerom, a onda osušila namirisanim platnom pre no što joj je pomogla da obuče drugu spavaćicu.

„U šta si se sada zagledala?“

„Imate belege na vratu, gospodarice. Crvene. Na obrazima takođe.“

„Ah! Od trljanja kože o kožu.“ Priseti se onih šaka nalik na sirovo meso, njihove krljuštaste površine dok je strugala po njoj grubo je milujući. Ponekad je dobro kad se previše bojiš, zato što ti stvarnost posle bude mnogo podnošljivija. „Jedno vreme mi plovućac za struganje neće biti potreban“, veselo će ona, ali Katrinela je svejedno ljutito coktala. U zreloj dobi od četrnaest i po godina već je bila odlučila da će zanavek ostati devica, ubeđena kako su svi italijanski muškarci dlakavi kao majmuni i mnogo manje pristojni od njih.

„Ako si završila, idi. Noć još nije prošla, pa moj suprug može ponovo doći kod mene.“

Devojčica obori pogled poslujući oko lavora s vodom.

„Šta? Šta je bilo? Hajde, znaš da nemaš tajni preda mnom.“

„Gospodarice, on je otišao iz palate“, reče ona smesta. „Anđela i ostale gospe su ga videle s prozora. Njegovi ljudi su već bili u sedlu i čekali u stražnjem dvorištu, i posle... pa, posle su svi skupa odjahali nekud.“

O! Moje dvorske dame imaju oči sokolove, pomisli ona. Može li uopšte poželeti bolje špijune od njih?

Svake noći ga dočekaj raširenih ruku, ali nikad ne prigovaraj kad ode od tebe... Muškarci su takvi. Sećala se na brzinu izgovorenih očevih reči kad su se konačno opraštali u Rimu. *Muškarci su takvi.* Naravno da jesu.

Trijumf i tuga. Povremeno se tako malo razlikuju.

„Pa... Ako je tako, onda... onda mi donesi malo kuvanog vina i nešto za jelo. Da, da, i malo kolača ili rožate,[17] kad bolje razmislim, baš sam gladna. I nemoj da izgledaš tako pokunjeno. Tvoja gospodarica je vojvotkinja od Ferare i imamo više nego dovoljno razloga za slavlje."

Tri puta. Narednog jutra, izveštaj o vojvodinom učinku već je bio na pola puta do Rima, dok na dvoru u Ferari nije bilo nikoga ko nije znao za to. Lukrecija je spavala dokasno i, iz čistog nestašluka, pustila sve da čekaju pre no što se pojavila pred očima javnosti.

U svojim odajama, koje su se nalazile u suprotnom krilu palate, Izabela je uzela pero i sela da napiše pismo svome suprugu u Mantovu.

Sinoć je don Alfonso spavao s gospom Lukrecijom i, koliko smo čuli, prešao je tri milje, premda nisam razgovarala o tome ni sa jednim od njih dvoje. Takođe, nismo ni išli da im pevamo pesme prvog bračnog jutra, kao što je red, zato što je celo venčanje, pravo da ti kažem, prošlo u vrlo ledenoj atmosferi. Danas smo svi pola dana presedeli u svojim odajama, pošto je dugo potrajalo dok gospodarica nije ustala i spremila se...

Meni se pak mora priznati da uvek prva ustanem i obučem se, i verujem da niko ne izgleda tako lepo kao ja i moja svita.

PROLEĆE 1502.

Vojvoda Valentino je istinski veličanstven. I najteži ratni poduhvat
deluje lako kada ga on izvede, a u svojoj težnji za slavom i teritorijama
nikad ne miruje, niti priznaje umor ili opasnost.

Pismo od Makijavelija,
izaslanika Ratnog veća desetorice u Firenci, 1502.

Ako bračni par vodi ljubav, tada je to sasvim dovoljno.

Kardinal od Kapue i Mantove,
posle posete dvoru u Ferari, april 1502.

Osmo poglavlje

„Prema tome, članovi Veća, dogovorili smo se, zar ne? Sve dok je Firenca pod zaštitom francuskog kralja, odlučno smo protiv svakog nagoveštaja agresije Bordžija ili forsiranja prijateljstva. Papa je star. Po njegovoj smrti nestaće i novac i uticaj, i vojvoda Valentino neće uspeti u svom naumu. Kad se to desi, čvrst položaj Firence daće joj status u tom novom svetu."

Na svom mestu u uglu odaje Veća, sekretar Nikolo Makijaveli zabeleži opšti žamor odobravanja. Pjero Soderini, izabrani gonfalonijer republike,[18] bio je častan i principijelan čovek i bilo je nemoguće ne poštovati ga. U nekim drugim vremenima, vremenima časti i principa, pomisli Nikolo, bio bi veoma uspešan političar.

„Sekretaru – ako bi bio tako dobar da ostaneš još malo."

Visoko na oslikanom zidu odaje Veća, Sveti Zinovije, prvi firentinski biskup, stoji raskriljenih ruku dajući svoj blagoslov dobroj vlasti, dok iza njega izviruje čuvena kupola katedrale, delimično skrivena iza stuba. Nikolu je bilo teško svaki put kad ga vidi, zato što se ovaj grad, koji je toliko voleo, dramatično promenio u godinama otkako je veliki Domeniko Girlandajo stajao na skelama sa svojim četkicama u rukama. Nekada posvuda poštovana zbog svog bogatstva i stabilnosti, Firenca je sada provodila svoj diplomatski život osvrćući se nervozno preko ramena, poput mlade device koju je noć zatekla na ulici. Da bi sačuvala makar ime, ako već nije mogla čistotu, trebala joj je vlada čiji će prilagodljiviji pragmatizam biti u stanju da obuzdava republikanski osećaj časti. Nisu ga, međutim, plaćali da iznosi takva mišljenja. Sem ako mu ih direktno ne zatraže.

„Grešim li misleći kako se ne slažeš s odlukom Veća, Nikolo?"

„Ja sam samo sekretar Veća, gonfalonijeru, ne i njegov izabrani član. Moje je da savetujem, ne da sudim."

„S tim što čovek s tobom nikad nije siguran iznosiš li savet ili sud. A budući da si proboravio neko vreme na dvoru kralja Luja, rado bih čuo šta misliš."

„Vaš brat, biskup Soderini, poznaje francuski dvor isto tako dobro kao ja."

„Ali on sad nije ovde, a ti jesi. Stoga, da čujem."

„Mislim..." On uzdahnu. „Mislim da kralj Luj, bez obzira na javne izjave njegovih ambasadora, privatno ne daje ni pišljivog boba za nezavisnost Firence i da će, ako i kad mu tako bude odgovaralo, naprosto preseći svaku vezu s njom. Po njegovom mišljenju, mi smo drugorazredna sila koja nema vojske da se brani niti novca da plaća druge za taj posao." Jastreb se stuštio takvom brzinom da rovčica nije stigla ni da čuje lepet njegovih krila.

Ovo opažanje bilo je proizvod unutrašnjeg osećaja koliko i logičkog rasuđivanja. Francuski dvor u Lionu bio je njegov prvi zadatak u sferi spoljnih poslova, i još je osećao ledenu hladnoću njegovih predvorja, u kojima je čekao audijenciju do koje nikada nije došlo, zato što su uvek imali da prime nekoga važnijeg od firentinskog diplomate. Čekao je tamo umesto da bude pored oca i sestre dok su umirali, potrošio je toliko sopstvenog novca da u jednom trenutku više nije mogao priuštiti sebi da se normalno hrani, a najbolje odelo mu se pohabalo i izašlo iz mode – što nije promaklo ni kralju ni njegovom ministru kardinalu kad su se konačno udostojili da ga prime. Kao lekcija iz međunarodne diplomatije, poniženje je bilo gotovo podsticajno.

Blagi gospode, ala si se usukao, šalilo se njegovo društvo u krčmi kad se vratio. *Hajde, ispričaj nam koju nepristojnu francusku priču, pa ćemo te častiti večerom.* Čak su ga nagovorili da se oženi. *Kad muškarac navrši tridesetu, trebaju mu domaća hrana i meka postelja. Ne možeš doveka da živiš u bordelima.*

Ne, Nikola Makijavelija nisu zanimala francuska obećanja.

„Papa i Bordžijina vojska trebaju kralju da mu pomognu da potuče Špance u Napulju i uradiće sve da ih zadrži kao saveznike. Dođe li dotle, verujem da će nas bez razmišljanja ostaviti na cedilu."

„Imaš li još štogod da dodaš?", blago će gonfalonijer. „Neku prognozu u pogledu papine smrti? Dobro bi nam došla."

Nikolo se osmehnu. U Danteovom paklu, vidovnjacima je glava okrenuta unazad, da se pokaže kako samo Bog ima pravo da predskazuje budućnost.

„Njegov ujak, papa Kalist, doživeo je sedamdeset devetu, mada ga nije zanimalo ništa sem ratovanja s Turcima. Po mome mišljenju, gonfalonijeru..." On zaćuta oklevajući. „Po mome mišljenju, održe li ovaj tempo, trebaće mu još samo nekoliko godina. Pre osamnaest meseci, vojvoda Valentino je morao da plati francusku vojsku da mu pomogne da zauzme gradove u Romanji. Sada bi najveći deo tog posla mogao da uradi sasvim sam. Nijednog trenutka ne prestaje da regrutuje, i svi lokalni plemići i najamnici su u njegovoj službi, tako da ima lojalnost baš onih koji bi trebalo da se najviše plaše njegovih ambicija. Država Bordžija, koju mu pomažu da stvori, progutaće bez pô muke njihove teritorije. Vojvoda ima sreće što su prezauzeti punjenjem sopstvenih kesa i međusobnim razračunavanjem, pa ne vide ništa dalje od toga."

Soderini se gorko nasmeja. „Istina. A svi znaju da najmoćniji među njima, Viteloco Viteli, ne misli ni o čemu drugom do kako da nam se osveti." Sedeo je isprepletanih prstiju. Utonuvši u razmišljanje, stade da pucketa zglobovima. Nikolo poče da broji. Nekada davno, imao je kućnog učitelja koji je radio to isto; veoma zanimljivog i učenog čoveka koji ga je naučio da otvori um za sva moguća čuda, pre no što je pokušao da uradi to isto i s njegovim telom. Kad ga je njegov otac otpustio – budući da je budno pratio obrazovanje svog sina – olakšanje koje je Nikolo osetio imalo je primesu tuge. Već tada je počeo da shvata kako veliki ljudi ne čine uvek velika dela.

„Dakle, sekretaru, kao i uvek, hvala ti na... jasnim stavovima. Sutra ćemo malo podrobnije popričati o svemu ovome. Usuđujem se da kažem kako bi tvojoj ženi bilo drago da si povremeno kod kuće i da uživaš u njenom društvu. Nego, reci, prija li ti brak?"

„Prija, gonfalonijeru", odvrati on, ponovo osetivši u ustima ukus masnoće koja se stegla na golubijem gulašu kad se sinoć vratio s kasnog sastanka u taverni pored mosta. Ipak, bolje je kad žena ima duha. Bio je zabrinut da će mu ove nove životne okolnosti biti dosadne, ali izazov koji je predstavljala samo mu je podjarivao želju.

„Samo još nešto, Nikolo, pre no što odeš. Iz svega onoga što ti stiže na sto, još ne možeš da dokučiš kada bi mogao da započne vojvodin sledeći pohod?“

Dajte mi novac potreban za vođenje prave obaveštajne službe i drage volje ću vam proslediti sva dobijena obaveštenja, pomisli ovaj zlovoljno. Eh, da mu je papina odrešena kesa... Spolja je dopiralo cvrkutanje ptica. Više se nije trudio da donosi od kuće zemljani sud za žar. Uskoro će ovde biti prevruće, a ne prehladno.

„Valentinovi vojni zapovednici nisu plaćeni od decembra. Rekao bih da će da bude nečega, i to veoma brzo.“

„Koliko dugo moramo da sedimo ovde i čekamo onog njegovog poručnika s licem punim ožiljaka?“

„O, novi vladar Ferma oseća moć svoje titule! Kako to izgleda, Oliveroto, kada si ’vojvoda’? Brada odmah brže raste, jelda?“

Mladić se namrgodi. Mogao je i misliti da će njegove kolege najamnici biti poslednji koji će mu čestitati. „Valentino je trebalo da dođe lično“, reče on ignorišući sarkazam. „Profesionalni vojni zapovednici zaslužuju više poštovanja.“

„Kakvog? Je l’ onog kao što je poštovanje koje sestrić ukaže ujaku tako što mu zabije nož u leđa?“

Već se mesecima prepričavalo po celoj Italiji: kako je Oliveroto, pod izgovorom da želi da provede Božić u rodnom Fermu, pozvao svog ujaka i njegove savetnike na svečani banket, a onda ih sve pobio i prigrabio vlast i titulu.

„Odjebi, Baljoni“, reče ovaj mrzovoljno. „Gledao sam ga pravo u oči, borio se kao lav.“

„Čime? Čirakom?“

Prostorijom se razlegao podsmeh.

„Dobro, de... Sačuvajte uvrede za naše neprijatelje."

Svi zaćutaše. Čak se i među najamnicima znalo ko kosi a ko vodu nosi, i kad Viteloco Viteli nešto kaže, svi su slušali. Bio je rođeni vođa, a bez njegovog vojničkog umeća svi bi imali daleko veće gubitke u ljudstvu, pošto mu je specijalnost bila artiljerija: njegovi laki topovi kretali su se podjednako brzo kao pešadija, raznosili zidine tvrđava i sejali smrt među civilnim stanovništvom u njima.

Viteloco se promeškolji u fotelji ne bi li ublažio goruće probadanje u nogama. Ovog časa mu je trebala sva moguća pribranost. Osvrnuo se naokolo. Bilo ih je šestorica: svi su bili najamni vojnici, *kondotijeri*, kako su ih zvali. Nije to više bio častan poziv kao nekad, ali opet, vremena su bila teška, a Italija puna sinova moćnih porodica, za koje nije bilo mesta u Crkvi ili vlasti, pa su, umesto toga, svoj prirodni dar za kavženje preusmerili u ratničku profesiju. Prevrtljivi oportunisti, svi odreda, pomisli on. Ambiciozne mlade siledžije poput Oliverota, prgave braće Baljoni iz Peruđe ili gotovana iz porodice Orsini, ljudi čije je nasleđeno bogatstvo bilo premalo za njihov način života. Nema tu nijednog prirodnog saveznika Bordžija. U prošlosti su svi bljuvali otrov na sam pomen tog imena, nazivajući ih šugavim strancima. Sada, međutim, dokle god ne dođe do nekakvog preokreta, papa i njegov ratnički raspoloženi sin previše su moćni da bi se zanemarili. Pogotovo zato što se od njih može tako dobro zaraditi. „Vrlo brzo ćemo videti kako će se situacija razvijati."

„Samo što je naš novopečeni vojvoda ipak u pravu", zareža Đanpaolo Baljoni. „Vojvoda Valentino se prema svima ponaša kao da su govna. Kad je onaj svadbeni cirkus prolazio kroz Peruđu, potrošili smo bogatstvo da ugostimo i zabavimo njegovu voljenu sekicu i njenu svitu."

„Kakve su bile, te divne gospe?", uplete se neko.

„Slatke kao šećer", odvrati Baljoni iscerivši se. „Pogotovo nevesta."

„Au! I nisi bio u iskušenju da probaš?"

„Znaš ti mene – ne trebaju mi ničiji ostaci."

Prostorijom se prolomi prostački smeh. Svi su znali za glasine što kruže o Bordžijama: otac i kćerka, brat i sestra. Pa, što da ne? Ne bi bila prva devojka koja je grejala porodičnu postelju. I među prisutnima je bilo nekih koji bi, posle dovoljno ispijenog vina, posvedočili o sočnosti rođene sestre bez i najmanjeg nagoveštaja stida na licu.

„Baljoni, ja bih na tvom mestu ipak pripazio pred kim se hvalim", tiho se umeša Vitelijev glas. „Sve tako slatka kao šećer, ona je sada vojvotkinja od Ferare."

„Daj, Viteli, pusti nas da barem maštamo. Tvoja nevolja je što se ne provodiš dovoljno kad nisi na bojnom polju."

Prvi put da je iko to pomenuo: kako se energičan sredovečni muškarac u predahu između bitaka pretvarao u sakatog starca. Viteli se proteklih meseci osećao kao da se smrt poigrava njime. Bolovi su ga noću retko kad puštali da spava, a danju su mu sevali svim udovima. Nije znao ni kad je ni gde zakačio francusku bolest – nijedan vojnik s rukama punim posla nema kada da vodi zapisnik o svom kurvanju – niti zašto je u tome prošao mnogo gore od ostalih. Znao je, međutim, da mu, sa svakim novim izbijanjem čireva i prišteva, bolest sve dublje razjeda telo.

Tražio je leka i kod lekara i kod nadrilekara, stavljao na sebe raznorazne meleme i obloge pune žive, ali je prvobitno olakšanje uvek bilo praćeno još jačim gorućim bolovima, pa mu je raspoloženje bilo u istom stanju kao koža. Zubi su mu se klimali u desnima, a zglobovi – ili možda i same kosti? – bili su mu neprestano upaljeni, pa se u sedlu osećao lagodnije nego na nogama. Rat će predstavljati olakšanje, a ovaj novi pohod možda će mu doneti nešto još slađe.

„Hvala ti što brineš, Baljoni, ali ja sam željan nečega drugog, a ne provoda."

Osveta. Za Viteloca Vitelija, kao i za tolike druge u Italiji, bila je to porodična stvar. Zanat ratovanja je izučio šegrtujući kod starijeg brata Frančeska. Pre nekoliko godina, međutim, dok je Firenca još imala novca za to, Frančesko je otišao i prodao tom gradu svoje vojničke usluge. Kad je ekspedicija sa zadatkom da uguši pobunu u Pizi pošla naopako, firentinska vlada ga je optužila za izdaju – čime je nanesena ogromna uvreda porodičnom imenu. Na dan bratovljevog javnog pogubljenja, Viteli se zakleo na večnu osvetu tom gradu. Oduvek je znao da su mu izgledi za to najbolji ukoliko podrži Bordžije. Ovih dana ga je to teralo da im ostane lojalan, ali i da uopšte izdrži.

„Trebalo bi da se moliš za to, druže", odvrati on oštro. „Sve dok čezne za firentinskim teritorijama, vojvoda se neće zanimati za Peruđu."

„Ha. Ne bi se ni usudio!"

„Siguran si?"

Zaćutaše. Bio im je zadatak da preuveličavaju – retko ko će angažovati skromne najamnike – ali u stvarnosti je ratna mašinerija Bordžija mrvila i one koji su se borili na njenoj strani: nemilosrdna brzina i strategija čoveka koji se nije pridržavao nikakvog kodeksa do pobeđivanja i koji je, činilo se, uvek bio dva koraka ispred onih što su namerili da mu se isprečе na putu. Dokle god je sve to bilo usmereno prema drugima, na tome se moglo zaraditi. Ali ko će znati? Peruđa,

Čita di Kastelo, Angijari, Fermo, čak i Bolonja: niko u toj prostoriji nije morao da zagleda mapu pa da shvati kako bi se svaki od njihovih sopstvenih gradova vrlo lepo uklopio u narastajuću državu Bordžija.

„Pa, zasad smo svi bezbedni", reče Viteli jednoličnim tonom. „Svi smo bolje prošli s njime nego što bismo protiv njega. Ako se, i kada, to promeni, možemo ponovo da razgovaramo. Što se mene tiče, ja ostajem tu gde sam, barem još ovu godinu. Ima li neko neki prigovor?"

U tišini koja mu je dala odgovor, začuše graju ljudi i konja u dvorištu pod prozorom. Njihova naređenja su, kako je izgledalo, stigla.

Mikeloto je dojahao iz Rima ne zastajući sem da promeni konje, i sa samo jednim slugom. Ožiljci mu behu pomodreli od vetra što mu je dva dana duvao u lice, a iz unakaženog levog oka curile su mu hladne suze.

Ušao je u sobu, rukovao se sa svakim ponaosob i potom i sam seo, ne progovorivši ni reč. Nije doneo nikakva zapečaćena naređenja, niti je imao uza se ikakve beleške. Govorio je svega nekoliko časaka, a kad je završio, gurnuo je preko stola pet nabreklih kesa s novcem.

„Ima li pitanja, gospodo?"

Oliveroto da Fermo okrznu pogledom ostale vojnike. Pa, sad je i sam vojvoda, valjda zaslužuje da ga saslušaju.

„Ne razumem. Kažeš nam da je Vitelijev zadatak da izazove uzbunu u Arecu, što znači da vojvoda Valentino ide na Firencu. A opet, mi ostali smo dobili naređenje da se uputimo u suprotnom pravcu? To je varka, je l' tako? Dakle, kad se vraćamo ovamo?"

Na trenutak je izgledalo kao da se Mikeloto uopšte neće udostojiti da mu odgovori. Već je bio ustao od stola i pričvršćivao je kopču na ogrtaču.

„Ja se ovog časa ne bih zaokupljao time, gospodaru Da Fermo", reče on, izgovorivši titulu s prenaglašenom udvornošću. „Samo gledajte da vam ruka kojom držite mač bude labava i spremna. Možda se zbude da sledeću borbu vodite protiv naoružanih ljudi."

Oliveroto se namrštio, ali je ćutke progutao uvredu.

Na svom mestu na čelu stola, Viteli je osetio kako mu se damaranje u nozi malo ublažilo. Protegavši je, on prstima protrlja butinu.

Areco. I onda Firenca! Čudo jedno šta dobra vest može da učini za bolesnog čoveka.

Deveto poglavlje

Te godine proleće je brzo stiglo u Feraru. Magle su se raspršile, a voćnjaci iza desetina zidina što su opasivale samostan i palatu bili su u punom cvetu, pa su ulice, kad dune vetar, bivale zasute laticama kao konfetama. U srednjovekovnoj gradskoj četvrti, gde su trgovci i radnici živeli nagurani poput bala u skladištu, one hrabrije duše rašivale su sa sebe slojeve debele zimske odeće i izbacivale stoku što je poslednje mesece proboravila pod stolovima i pored ognjišta, ne bi li se ratosiljali zimskog smrada. Svinje, koze, guske kuljale su kroz vrata i bacale se u potragu za svežim otpacima, boreći se s konjima i natovarenim zaprežnim kolima za prostor u uzanim uličicama što su se granale od pristanišnih dokova na obali reke. Trgovina možda nije bujala onako kao u Mlecima, ali išla je dovoljno dobro da privreda bude uspešna, a u gradu koji je cvetao pod vlašću vojvode Erkolea vladala je potražnja za svim i svačim, od cigala do lonaca za dinstanje. Bine i slavoluci što su obeležili njenu raskošnu svadbu bili su odavno odneseni ili rasklopljeni, ali Ferara je sa svakim izlaskom sunca još uspevala da izvede predstavu i zadivi svoju novu vojvotkinju.

Bilo je to uzajamno zavođenje. Pošto se smestila, Lukrecija je jedva čekala da izađe iz zatvorenog prostora veličanstvene palate i tvrđave. Vojvoda Erkole i glavni dvor bili su smešteni u palati, ali ona i njen muž uživali su u privatnosti sopstvenih odaja u susednom zamku, čije su kule i parapeti predstavljali očigledan podsetnik na to kako se porodica Este uzdigla na vlast tako što je pokorila sve koji su joj se protivili. Zamak se još dičio šancem, koji se u jednom pravcu pružao na pola puta do gradskih zidina, dok se u drugom graničio s raskošnim vrtom punim voćnjaka, fontana i venjaka do kojih se dolazilo flotilom malih čamaca. Stari vojvoda je na tom malom gradskom moru organizovao inscenacije pomorskih prizora, sa čudovištima što se dižu iz dubina i piratima što sa bakljama u zubima skaču sa snasti jedne galije na drugu. U vreme mira, moglo se uživati u nasilju.

Lukrecijine i Alfonsove odaje nalazile su se u dvema zasebnim kulama. Njena je bila nameštena i dekorisana prema uputstvima koja je izdao lično Erkole. Tu je bio mali vrt s pogledom na šanac, s drvećem pomorandže u saksijama, kao i Lukrecijino raskošno kupatilo, s metalnom kadom i mermernim sedištima za njene dvorske dame. Boje u sobama bile su napadne: žute poput šafrana, razuzdanoplave i plamene nijanse crvenog okera. Nešto što manje bode oči više bi odgovaralo Lukrecijinom ukusu, ali bilo bi uvredljivo da je suviše brzo preuredila svoje odaje.

Kad je otoplilo, to joj je bio izgovor da izađe napolje. U Rimu je bila ograničena na vatikansku četvrt, jer je ostatak grada bio prevelik, previše prljav i preopasan da se njime kreće bez naoružane straže. Imala je nepunih sedamnaest godina kad su njenog brata Huana jedne noći svukli s konja i iskasapili kao stoku pre no što su bacili njegov leš u Tibar. Ne, ulice Rima nisu bile mesto za papinu kćerku.

Ovde joj je, međutim, sve bilo nadohvat ruke. U svoje prve pohode, ona i njene dvorske dame odlazile su kočijom. Svakog dana su se vozile nekim drugim pravcem, a Ferara koju su otkrile nije bila jedan već mnogo gradova: na jugu, lavirint uličica i drvenih skladišta pocrnelih od vekovne trgovine, na severu vojvodin čuveni novi grad. Mada ne baš onako savršene kao na poliptihu kom su se divile u Urbinu, zgrade su bile skladnih proporcija, sa fasadama jarkih boja koje su blistale na suncu, a prolazi između njih bili su dovoljno široki da se zadah konjske balege ne zadržava u njima i da se, kada podigneš pogled, vidi nebo. Ako je to bila budućnost, bila je tako izdašna i čista.

Međutim, Lukreciji se najviše dopadao stari centar. Na putu iz Rima, Štula je često pričao o tome kako je Ferara grad muzike, i bio je u pravu. Glavna pjaca ispred katedrale nalazila se toliko blizu da je sa svoje terase čula glasove slepih trubadura, koji su pevali epske pripovesti o dvorskoj ljubavi začinjene grubim humorom. Najbolji među njima – delovali su gotovo kao bratstvo – pratili su sebe na violu, dok je momče sa frulom i dobošem naglašavalo one dramatičnije trenutke. Ujedno je služilo družini kao oči, jer je, pored toliko toga što se dešavalo, slepom čoveku bilo teško da razabere zveckaju li novčići dok upadaju u šešir ili dok ih iz njega vade.

Zatim, tu su bile tržnice. Vrlo je malo trgovaca uopšte uspelo da uđe u vatikansku enklavu, ali ovde u Ferari, Bog i trgovina išli su ruku podruku. Duž čitave jedne strane katedrale protezala se arkada dućana: suknari, trgovci metalom, knjigovesci, majstori filigrana, apotekari, čije su radnje bile stare koliko i sama crkva. Kad su se prvi put odvažile da izađu u grad, Lukrecija i njene dvorske dame bile su u pratnji svog majordoma i nekoliko stražara, navukle su kapuljače na glave i ponele korpe u rukama; bogate mlade žene glumile su da idu kupovinu. Štula je bio sumnjičav, ali naposletku ga je izmolila: jer šta im se loše može desiti, a i tako dugo su čamile u četiri zida. Čitav jedan deo trga bio je rezervisan za prodavce ribe, s nizovima drvenih buradi u kojima se voda penušala i pljuskala puna srebrnastih tela: štuke, paklare, linjaci, šarani i, dabome, rečne jegulje što su se preplitale poput zmija. Prodavci su gurali ruke, grube poput starih brodskih korita, u taj mahniti kovitlac, izvlačeći po dve ili tri odjednom, pa bi ih tresnuli o panj i odsekli im glave jednim udarcem, tako da je krvava voda prštala na sve strane. Dame su cičale od ushićenog gađenja i ubrzo se gomila okupila oko njih. Bilo je zabavno, sve dok se stražari nisu uspaničili zbog gužve.

Narednog dana je Lukrecija morala da pošalje kesu novca da se obeštete svi kojima je uništena roba ili razbijen nos. To se raščulo za svega nekoliko sati i odmah je počela da pristiže reka darova: vojvotkinju zaljubljenu u svoj grad nagradio je taj isti grad, koji je još više želeo da se zaljubi u nju. Nije bilo posredi samo osećanje. Ta lepa žena možda jeste stigla ogrezla u skandalu, ali sam njen status nezakonite kćeri značio je da je Ferara sada papina miljenica. U haosu nasilja u Italiji, već to je bilo dovoljno da njeni građani smeju da podignu glavu malo više.

Prisustvovala je dvorskim večerima u prekrasnoj staroj palati: Skifanoja – i sama reč govorila je o bekstvu od dosade.[19] U veličanstvenom salonu, niz živopisnih fresaka prikazivao je smenu meseci u godini, pokojnog vojvodu Borza d'Estea doteranog, nasmejanog i okruženog ženama punim divljenja, čoveka bezazlenog izgleda uprkos mesnatom nosu i podvaljku. Sad su joj i samoj bili potrebni slikari sposobni da naprave nešto takvo, ali ljudi koji su stvorili taj čudesni svet bili su odavno mrtvi, a pošto se raspitala, postalo joj je jasno da u gradu nema umetnika u usponu. Morala je da potraži negde drugde. U međuvremenu, pozvali su je da poseti univerzitet. Ferara je bila sedište jednog od najstarijih medicinskih fakulteta u Evropi i pre nekoliko nedelja, dok je napolju još vladala ledena hladnoća, u jednoj crkvi održano je seciranje pogubljenog zločinca. I njen lični lekar zamolio je za dopuštenje da sudeluje u tome. Tajne mrtvog tela zadržao je za sebe, ali vratio se pun divljenja za botaničku baštu fakulteta, gde su uzgajali na stotine lekovitih biljaka, među kojima i neke donesene iz Novog sveta. Dabome, biće im čast da joj je pokažu.

„Izvolite, gospodarice, ovi cvetovi, stucani u avanu, dobri su za varenje..."

„Pomirišite; ovo je poznati lek za glavobolju..."

„Okusite ove slatke semenke, njihovo ulje je odlično za uzrujane živce."

Pre no što je otišla, poklonili su joj kožnu torbicu, čija je svaka pregrada sadržavala drugačiju mešavinu trava, uključujući, reče joj jedan tiho, blago porumenevši „nešto što potpomaže začeće i ublažava porođajne bolove".

Začeće. Svi su razmišljali samo o muškom nasledniku. Ona i Alfonso su svakako predano radili na tome. Ritam njihovih seksualnih odnosa odražavao je onaj iz prve bračne noći. Određenih večeri – ne svake, ali najmanje tri, katkad i četiri puta nedeljno – Alfonso je nekoliko sati pre toga slao slugu kako bi joj dao do znanja svoju nameru, a Lukrecija je, pošto bi se postarala da uzme one trave umešane u zagrejano vino, legala u postelju s navučenim zavesama i pogašenim svećama.

On je pak ulazio i ponekad bi joj poželeo dobro veče, ili bi se naprosto razodenuo i počeo. Obično bi zario lice u njen vrat, a onda bi joj klizio perutavim šakama preko grudi i niz telo, sve dok se, kad je bio spreman, ne popne na nju. Povremeno se sve odigravalo brzo, dok je u nekim drugim prilikama malo duže trajalo, i u tim trenucima je bio sklon da ječi i viče, pa nije bilo jasno da li ga to razapinje želja ili je naprosto nestrpljiv. Jednom ili dvaput je zatekla sebe kako joj je glas zastao u grlu kad je u njoj neočekivano zadamaralo zadovoljstvo, i u takvim momentima ga je čvrsto grlila, podstičući ga da je povede sa sobom kada krene ka vrhu. Svi su znali da se deca lakše začinju kada dvoje zapevaju uglas. Ali nisu svi muškarci umeli da u tim časovima oslušnu, a ako muž i žena ne razgovaraju jedno s drugim, kako će se onda pozabaviti tim stvarima? Ipak, u nekoliko navrata, kad je dužnost bila prožeta daškom zadovoljstva, bilo joj je gotovo žao što njihova muzika ne traje duže.

Posle su ležali jedno pored drugog dok on ne povrati dah i tu i tamo bi nespretno zapodenuli mali razgovor.

„Kako ti se dopadaju tvoje odaje?“, upitao ju je prilikom pete ili možda šeste posete, kao da su dvoje neznanaca koji razmenjuju učtivosti u prepunoj prostoriji. „Pomorandže za terasu uzgajene su u stakleniku u botaničkoj bašti.“

Ona je takođe dala sve od sebe. „Bio si odsutan s dvora više od nedelju dana, gospodaru. Nedostajalo nam je tvoje muziciranje na violu.“

„Zauzet sam, tu su inženjeri iz Bolonje.“

Jednom ga je neuvijeno upitala bi li hteo da ostane još malo, da se možda malo okrepi.

„Žao mi je, ali imam posla.“

„Gluvo je doba.“

„Kad je topionica u pogonu, peć radi bez obzira na to koje je doba dana ili noći.“

To je bilo tačno. Njegova radionica, smeštena na samom kraju vrtova, na drugoj strani šanca što je okruživao zamak, često je bila osvetljena do duboko u noć. Međutim, kad je te večeri odlazio, jezik mu je proizveo neki čudan zvuk i rekao je: „Laku noć, Lukrecija. Želim ti dobar počinak."

Ako i nije bilo strasti, a ono nije bilo ni okrutnosti. Štaviše, umeo je da bude gotovo brižan. Dva puta su jutrom zajedno otišli u lov u šumu oko letnjikovca Belriguardo, u društvu vojvodinih voljenih leoparda, životinja veličanstvene snage, dovedenih iz Istočnih Indija, koje su se šunjale kroz retko žbunje nesvesne da ih ono nimalo ne skriva i koje su se, kada nanjuše plen, kretale brže od najbržih lovačkih pasa. Alfonso je bio dobar lovac, neustrašiv i snažan, a ona dobra jahačica. Prvi put su miljama jahali kroz sivo jezero magle što se dizala nad konjskim slabinama, i upitao ju je da li je dovoljno toplo obučena, zato što ferarska magla ume da se uvuče u kosti, dodao je tonom koji nju nagna da pomisli kako mu je istinski stalo do njene dobrobiti. Tog jutra je jahala poput dostojanstvene Dijane, izjahavši najmanje dva puta ispred njega, a kad ju je sustigao, po izrazu lica mu je videla da je impresioniran, iako, naravno, ništa nije rekao.

Pitala se ponekad da li je stidljiv. Ili je posredi nešto što vuče koren iz njegovog očiglednog antagonizma prema starom vojvodi. Kao voljena sestra i kćerka, bila je stručnjak za mirenje oca i zabludelih sinova, ali kad se jednom odvažila da se umeša, nagovestivši kako bi baš i mogao da prisustvuje nekakvoj ceremoniji i udovolji Erkoleu, njegov namršten izraz smesta ju je podsetio na njegovog oca.

Bila je svesna da nisu samo stari vojvoda, niti njegova voljena livnica, ono zbog čega je retko boravio na dvoru. Tu su bile i žene. Mogao je da bira među dvorskim damama

– svi su znali da je ljubavnica njegovog oca bila družbenica pokojne vojvotkinje – ali čak je i u tom pogledu davao sve od sebe da bude drugačiji od oca, pa je stekao naviku da obilazi bordele u starom delu grada. Pričalo se da voli oble i glasne žene, poput njegovih topova, samo s tešnjim rupama, te da dolazi i odlazi kad mu se prohte, bez ikakvog prenemaganja ili obavezivanja. Kao i da mu taj izostanak uglađenosti sasvim odgovara.

Međutim, i pored tih prostačkih slika u mislima, stvarnost nije bila tako loša.

„Te *puttane*[20] su niko i ništa." Anđela, koja je plivala kao riba u mutnim vodama dvorskih ogovaranja, postala je predstavnica Lukrecijinih dvorskih dama. „Odvratne kurve bez ikakve moći i statusa, dok ceo dvor zna da on redovno dolazi u vaš krevet."

Anđela je želela da to prikaže u povoljnom svetlu, ali Lukrecija je znala da je ona, u suštini, u pravu. Nijedna žena, bila vojvotkinja ili krojačica, nije mogla očekivati da će joj muž biti veran, a kada je posredi brak sklopljen zarad moći, ko bi poželeo da se svakog dana sramoti sedeći za istim stolom ili u istoj koncertnoj dvorani s nekom suparnicom koja likuje? Bez obzira na svoje apetite, Alfonso se prema njoj svakako ponašao uviđavnije, ako već ne i časnije nego što bi možda neki drugi muškarci.

Kako je volela svoje dvorske dame. Pored svog duhovnika, u njih je imala najviše poverenja. Ujedno je imala i obavezu prema njima. Na putu iz Rima, te male brbljivice, sve odreda neudate, doživele su uzbuđenje izazvano zanimanjem mladića za njih, i sada su cvetale obasute pažnjom novih udvarača.

Dok su zajedno provodile poslepodneva, šijući i razgovarajući o modi – koja je održavala živost na dvoru u istoj meri kao muzika ili poezija – glavna razonoda bili su im dramatični flertovi. Naročito je Anđelu, koja je sada prvi put okusila život i ljubav istovremeno, sve to vrtoglavo ponelo. Pre nekoliko nedelja, Lukrecija je jednog poslepodneva naišla na nju i don Đulija, nezakonitog sina starog vojvode, kako razmenjuju nežnosti u jednom zabačenom uglu. Prizor ju je naterao da zadrhti, jer se prisetila trenutka od pre mnogo godina, kad je zatekla svog brata Čezarea s rukama zavučenim pod suknju njene snahe Sanče.[21] Kako je tada bila naivna. Ipak, njene družbenice bile su joj predate na brigu i morala je voditi računa o njihovoj moralnoj dobrobiti. Don Đulio nije bio jedina pčela što je navaljivala na med. Stari vojvoda se naljutio kad je čuo za to ljubakanje i naredio mu je da više ne dolazi tako često. Anđela je tugovala i kukala. „Ne brini“, smejala se Lukrecija. „Ako su mu namere časne...“ Svi su, međutim, znali da nisu. Zato je sve i bilo toliko uzbudljivo. Da bi život na dvoru bio dobar, potrebna su ljubakanja da ga začine, pa je posvuda bilo ženskog ćeretanja i živosti.

Međutim, njihovi sastanci nisu uvek bili tako veseli.

Zato što nisu sve njene družbenice ostale s njom. Neke su bile poslate natrag u Rim.

Ne. Mada možda nije bila nesrećna, Lukrecijin život nije bio lišen sukoba.

Njen problem bio je njen svekar.

Deseto poglavlje

Lekar je otvorio vrata na ogromnom buretu i Čezare se istetura napolje u oblaku pare jetkog mirisa, nagog tela sjajnog od znoja. Potom svom težinom sede na stolicu, gutajući vazduh kao riba na suvom. Torela, sa svešteničkim okovratnikom što se dizao iz crne mantije, uzeo je komad tkanine i počeo da otire gornji deo torza svog pacijenta, brižljivo zagledajući mišićave podlaktice i snažan grudni koš: duž starih ivica rana od bodeža nalazile su se desetine skerletnocrvenih zareza usečenih u kožu, nalik na loše zarasle opekotine.

„Pa?“

„Vrlo dobro, gospodaru. Vrlo dobro. Nema iscetka, a koža je čvrsta. Ima li ikakve osetljivosti na dodir?“ Pritisnuo je prstom zarez pored Čezareove bradavice. Vojvoda ispusti jeziv krik.

Vrata se naglo otvoriše i u prostoriju upade desetak ljudi s isukanim mačevima.

„Muči me ludi vidar“, uzviknu Čezare, a onda prasnu u smeh i mahnu rukom terajući ih napolje. „Da se samo vidiš, Torela. Bled si kô Madonina prsa. Ne, nije bolelo.“ Potom je i sam pritisnuo prstom kožu, tako da su crvene mrlje pobelele, i onda posmatrao kako im se vraća boja. „Štaviše, mislim da mi malo više osetljivosti ne bi škodilo“, reče, pomislivši na Fjametine prste na sebi.

„Nisu vam izbijali novi prištevi?“ Torela je polako vraćao prisustvo duha.

„Ne“, odvrati on uzimajući odeću.

„Odlično. To pokazuje da je para izbacila toksične humore iz tela.“

„Povremeno se noću još preznojavam kao svinja. Probudim se plivajući u sopstvenom jezeru.“

„Mislim da je to dobar znak. Ako se i *desi* da se rđavi humori ponovo nakupe, očigledno nalaze načina da sami sebe izbace.“ Poslednje reči je više promrsio, ne bi li prikrio ono što bi se dalo protumačiti kao protivrečno rezonovanje.

„Hmm. A šta mi je s licem?“

„Ožiljci više nisu upaljeni, gospodaru“, reče ovaj, napregnuto zureći u rošavu kožu na Čezareovim obrazima i čelu. „I... i brada vam raste zdrava i prava, što nije uvek slučaj na oštećenoj koži.“

„Je li to sve, čoveče?“

Šta mu je još mogao reći? Pre no što se razboleo, Čezare Bordžija je posedovao gotovo nepodnošljivu lepotu: raskoš fino oblikovanih kostiju pod tek neznatno ogrubelom, mekom dečačkom kožom. Nijedna žena – ni muškarac – nisu mogli da skinu oči s njega. Nezakoniti papin sin: neverovatno da iskvarenost tako lepo izgleda. Bilo je gotovo olakšanje kad progovori i otkrije drskog, ambicioznog momka, suviše samoživog da bi cenio ono što mu je podareno. Kao sveštenik, Gaspare Torela je povremeno brinuo zbog otrova sujete, ali u poređenju s punim džakom grehova koje je taj mladi čovek imao da odnese sa sobom u grob, taj njegov mu se sada činio manje težak. „Vojnik ste, gospodaru. Morate da sagledate ovo kao rane iz drugačije vrste rata. Onog što se vodio u vašem telu. Mnogi ga ne prežive."

„Ne sekiraj se." Čezare se osmehnu. Zubi su mu bili neočekivano beli. Kada je u javnosti nosio svoju masku od crnog baršuna, kontrast je bio dramatičan. Baš kao što je i hteo. „Dobro si ovo odradio. Sad možeš da ideš. Mikeloto i ja imamo posla."

„Gospodaru." Oklevao je. „Imam jednu molbu." On uzdahnu. „Napisao sam kratku raspravu na temu svog rada na ovoj novoj pošasti, za koju se nadam da će se koristiti na evropskim univerzitetima. Želeo bih da je posvetim vama, kao svom poslodavcu i gospodaru. Verujem da će imati uticaja na budućnost medicine."

„Molim? Da je posvetiš Čezareu Bordžiji, čoveku koga si izlečio od francuske bolesti?" Nasmejao se na sav glas, i ovog puta mu se pridruži i Mikeloto. Njihove šale su uvek bile čudno nevesele. „Imao sam na umu neki bolji epitaf, Torela."

„O, ne, nisam nameravao da vas pomenem kao pacijenta. Taman posla. Naravno da sam mnogo naučio lečeći vas, ali u raspravi sam vas nazvao drugim imenom."

„I, ko sam?"

„Mladić po imenu Tomazo, koji se tom bolešću zarazio u Napulju. Kao vi. Ništa ne brinite, niko vas neće prepoznati. A to će postati istorija medicine, gospodaru."

„Razmisliću."

Sveštenikova molba je, međutim, bila zaboravljena još pre no što su se vrata zatvorila za njim.

„Dakle?" Čezare se okrete prema Mikelotu, koji je sve vreme strpljivo sedeo i čekao.

„Svi su dobili uputstva i samo čekaju naređenje."

„Dobro. A Viteli?"

„Ne zna se šta ga više izjeda, bol ili bes."

„Trebalo bi da nađe boljeg lekara. Ipak, ubrzo će osetiti malo zadovoljstva, pre no što mu presedne. Pa, znači da smo spremni. Preostaje još samo da posvršavamo neka nedovršena posla ovde u Rimu. Sem ako ne moraš da se odmoriš od puta?"

Mikeloto je, međutim, već bio na nogama, dok mu se s odeće dizala prašina pokupljena na putu. „Nema potrebe da budete umešani u ovo, gospodaru", reče on pripasujući mač. „Ovaj deo posla mogu da odradim sam."

„Naravno da možeš. Ali kada čoveku daš reč, Mikeloto, pošteno je da budeš prisutan kad je pogaziš, zar ne?"

Povlastice i očajanje. Poput bogatstva i siromaštva, u Rimu su bitisale jedne pored drugih. Ta suprotnost je, međutim, bila zastrašujuće izrazita u Kastel Sant'Anđelu na obali reke Tibar.

Kad mu dodijaju njegove vatikanske odaje, papa odlazi baš tamo, koračajući dugačkim izdignutim hodnikom do ovog utvrđenog mauzoleja.[22] Gornji spratovi su bili slika i prilika raskoši, nedavno preuređeni i ukrašeni krovnim vrtom, sa staklom na prozorima, freskama i tapiserijama na zidovima, i mirišljavim biljnim balzamima čija su isparenja činila vazduh prijatnijim i rasterivala insekte.

Tamnice u utrobi zamka takođe su bile renovirane: dublje ukopane i još mračnije, a neke su na sredini imale i jamu s vodom, kako bi pacovi mogli da uživaju dok su stanari morali da se grčevito pridržavaju za uzanu platformu bojeći se da ne upadnu u nju. Građevina je znala štošta o trulim leševima, pošto je nekad bila grobnica imperatora Hadrijana. Ali opet, on je bio mrtav kad su ga doneli tu.

Ćelije u kojima su boravila braća Manfredi bile su milosrdno suve, a kroz prozorčić s iskošenim simsom dopiralo je tek toliko svetlosti da se razabere da li je dan ili noć. Jedna prostorija je bila namenjena za spavanje, a druga kao dnevni boravak, i dva momka su činila šta su mogla da nekako prežive na tom mestu, u nadi da ih sreća nije sasvim napustila. Ne umiru svi zatvorenici u svojim ćelijama, a njihov jedini zločin sastojao se u tome što su posedovali nešto što je Čezare Bordžija priželjkivao više nego oni: grad Faencu.

Za godinu dana koliko su već bili zatočeni, gotovo su prirasli za srce svojim tamničarima. Imali su lautu i nekoliko knjiga, i slugu koji je probao svako jelo pre njih, mada ne zato da prosudi koliko je ukusno. U početku su se nadali da će možda biti pušteni. Sa svojih šesnaest godina, Astore Manfredi se odrekao svoje titule vojvode od Faence, dobivši obećanje da će im život biti pošteđen i ponudu da se pridruži vojsci Bordžija. Njegovi sopstveni podanici su ga odvraćali od toga, ali topovi su gruvali bez prestanka, a u gradu više nije bilo pasa koje bi mogli iskoristiti za hranu.

Samo što se vojvoda Bordžija rukovao s njim pristavši na dogovor, oba brata su se našla u okovima.

U narednim mesecima je mlađi – imao je samo dvanaest godina – podlegao melanholiji. Često je plakao i mahnito pričao u snu. Astore Manfredi je bio izdržljiviji. Vežbao je hodajući tamo-amo između zidova, redovno se molio i svakodnevno pisao papi, sve dok mu nisu oduzeli pribor za pisanje: to nisu bila plačljiva već naprosto rečita pisma, u kojima se zaklinjao na odanost i ljubav prema Bogu, i molio da ih puste na slobodu i dozvole im da odu iz zemlje i na miru žive negde drugde.

Papi, koji nije imao ništa lično protiv njega, teško je padalo čitanje tih pisama, pa je zatražio da ih više ne dobija.

Manfredi je sada pisao pesme urezujući ih u kameni zid. Beše čuo za ljude koji su udarali glavom o pod ne bi li se barem tako izbavili tamnice i pribojavao se da će njegov brat možda pribeći tome. On sam se, barem zasad, uspešno odupirao očajanju.

Kad su se vrata tog poslepodneva otvorila da propuste Čezarea Bordžiju, Astore požele da je imao čime da potkreše bradu.

„Moj brat i ja smo vam na raspolaganju, vojvodo Valentino." Razume se, znao je šta sledi, ali postići će malu pobedu ako to ne pokaže. „Spremni smo da marširamo uz vas u nepokolebljivoj odanosti, prema odredbama sporazuma koji smo s najboljim namerama sklopili s vama pre petnaest meseci."

„I voleo bih kada bih mogao da ga ispoštujem", obazrivo će Čezare. „Zaista bih voleo. Ali ne mogu. I bolje je da vam to saopštim bez okolišanja. Odlagao sam koliko sam mogao, ali vama je barem jasno da bezbednost Faence iziskuje da ona ima samo jednog vladara."

„Ja vam ne predstavljam nikakvu opasnost", reče Astore, pokazujući u zidove tamnice oko sebe.

„Ali ste i dalje živi."

Uto je u ćeliju ušao i Mikeloto, nogom zatvorivši za sobom teška drvena vrata. Dečak, koji je dotle stajao u uglu i otvorenih usta posmatrao šta se dešava, poče da ječi, pa skliznu na pod kršeći ruke na grudima.

„Ne boj se, brate", glasno reče Manfredi ne skidajući ni za trenutak pogled sa Čezarea. „Sve vreme ću biti uz tebe. Vojvodo Valentino, Faenca je vaša. Ne mogu uraditi više ništa da spasem nju ili sebe. Imam samo jednu molbu. Za ljubav Boga i porodice."

On koraknu prema Čezareu. Mikeloto otpozadi zareža, ali Čezare ga ućutka mahnuvši rukom.

Manfredi mu je sada stajao sasvim blizu, govoreći brzo, ispod glasa, tako da ga čuje samo Čezare. Kad je zaćutao, on podiže pogled prema Čezareu i odvažno ispruži ruku. Posle samo trenutka oklevanja, Čezare isuka bodež i dade mu ga. Mikeloto iza njega tiho opsova, ali se ne pomeri.

Manfredi se okrenuo, krijući sečivo uza se, i prišao bratu koji je šćućuren ječao u uglu.

„Dođi, brate, pogledaj me." On čučnu ispred njega. „Ne. Pogledaj me. Tako. Oni te neće povrediti, razumeš li? Nikada ne bih to dozvolio. Hajde, ustani. Moramo da te pripremimo. Vidiš, sve je kao što sam ti i obećao. Oslobodićeš se svega ovoga. Stoga ustani. Tako. Dobro je, a sad se lepo ispravi, da pokažemo ovim našim neprijateljima od čega su napravljeni Manfredijevi."

Dečak ga je poslušao i isprsio se, netremice gledajući brata pravo u oči. Astore ga snažno zagrli, pa brzo zari sečivo naviše, levo ispod rebara, pravo prema srcu. Dečak ispusti prigušeni krik. Astore ga zagrli još jače, sve vreme mu govoreći litaniju šapatom izrečenih pohvala i nežnosti, pridržavajući dečakovu težinu kad se ovaj opustio na sečivu.

Mikeloto ponovo zareža. Ovo nije bilo po njegovom.

Nije dugo trajalo. Skupa su skliznuli na pod i Astore je držao brata u naručju dok je agonija bola polako ustupala mesto smrti.

Kad je sve bilo gotovo, u ćeliji zavlada tišina, kao da su svi bili podjednako pogođeni ozbiljnošću umiranja. Potom se ponovo začu Manfredijev glas, ali ne kazujući reči utehe, nego molitve.

„Dosta." Čezare se najednom naljutio. „Gotovo je. Želja ti je ispunjena. Ako želiš božji oproštaj, moraš umreti da bi ga dobio."

S obzirom na to da je nekad bio kardinal, neverovatna je bila odbojnost koju je gajio prema molitvi.

Pokrenuli su se svi odjednom. Manfredi - držeći onaj bodež ispred sebe kao bajonet - bacio se prema Čezareu, koji mu je već bio izvan dohvata. No svakako nije imao nikakvih izgleda da stigne do njega, jer se Mikeloto, brži od obojice, već našao iza mladića, podigavši garotu i prebacivši mu je preko glave.

Trgao je Manfrediju glavu unatrag i istovremeno mu izbio tlo pod nogama, naprežući se da ga odigne od tla. Bodež zazveketa po kamenom podu. Dok se mladić koprcao i krkljao, očajnički grabeći žicu rukama, Čezare podiže onaj nož i okrete ga prema njemu. Stajao ispred tela što se bacakalo, posmatrajući, s poluosmehom na licu.

Garota je prosekla kožu kad ju je Mikeloto ponovo zategao, i ovaj ispusti sopstveni ratni poklič kad se ispod žice pokazala grimizna ogrlica. Kad je Čezare prišao da završi posao, Manfredijeva glava je čudno padala u stranu. Bilo je i mnogo krvi, kao što i priliči zatiranju jedne dinastije.

„Rizik je bio preveliki“, reče Mikeloto, brekćući od napora dok je nabacivao leševe na gomilu. „Šta da se brže kretao? Ili da je upotrebio nož na vama a ne na svom bratu?“

„Nemaš poverenja u ljudsku prirodu, Migele. Mogao sam da predvidim šta će uraditi još od onog časa kad sam se rukovao s njim na bojnom polju“, reče Čezare, kome su oči blistale, zato što je prošlo dosta vremena otkako je lično uzeo učešća u nekom ubistvu i zaboravio je uzbuđenje praćeno lupanjem srca koje je to nosilo sa sobom. „Kad moru nije uspelo da me ubije, kakve je izglede imao dečak s nožem? I ne zaboravi, izlečen sam od neizlečive francuske bolesti. Svaki moj korak stvara istoriju.“ Ljuljajući se napred-nazad, on vešto zamahnu pesnicom prema Mikelotu dok je vlažna ćelija odzvanjala od njegovog smeha.

U svojoj radnoj sobi, Gaspare Torela je kitnjastim slovima ispisivao naslovnu stranicu svog manuskripta. Ponos možda i jeste smrtni greh, ali bilo je trenutaka kada čak i sveštено lice mora dati sebi oduška. Trebalo mu je osam godina da ga dovrši: osam godina otkako se ova pošast koja izjeda meso prvi put pojavila u Napulju, zaprepastivši svet i ošamutivši ga svojom silovitošću i brzinom kojom se prenosila.

Isprva je bilo tako mnogo teorija. Konjunkcija zvezda s Venerom i Saturnom u snažnoj opoziciji. Pomamni sudar humora – vrućina i vlaga u gradu prostitucije prepunom vojnika u suviše kišno proleće. Zatim, tu su bili oni što su je doživljavali kao potpuno novu bolest, donesenu iz Novog sveta u preponama vojnika koji su opštili s varvarskim ženama. Međutim, najuzvišenija zamisao glasila je da je Gospod, razgnevljen tom kaljugom ljudske pokvarenosti, odlučio da raskrinka i kazni grehove puti tako što će posuti kožu muškaraca prištevima koji peku i cure. Kao čovek od nauke, Torela ih je sve proučio i na kraju se priklonio zaključku da je došlo do sudara više činilaca: ishod sudbonosnog polnog opštenja u napuljskom bordelu odredila je božja ruka – jednako kao i ishod velikog greha Adama i Eve. Pohota se, za samo nekoliko godina, poput požara raširila čak do severa Evrope i afričke obale.

Bio je među prvim lekarima koji su eksperimentisali sa živom kao mogućim metodom lečenja. Primenjivao ju je s izvesnim uspehom i kod nekih drugih kožnih oboljenja, ali tajna je bila u mešavini i količini. Ako su pogrešne, izazivale su isto tako strašnu agoniju i smrt kao i bolest. Isprobavao je raznorazne balzame i meleme (u Vatikanu je bilo dosta obolelih), kad se i vojvoda zarazio. Sad je spasavanje vojvode postalo njegovo životno delo. Zamisao o raskuživanju parom došla mu je u Francuskoj, gde je drugi po redu napad prišteva na licu upropašćavao Čezareove bračne pregovore. Pošto je prvo eksperimentisao na sebi, sagradio je bure za parenje, putujuću bolnicu za obolele. Isceljujuća svojstva zasićene pare: to će ga zasigurno proslaviti u svetu medicine.

Dejstvo je bilo čudesno. Posle drugog tretmana, čirevi su prestali da cure, a kad su se obrazovale kraste, rupe što su ih ostavljale za sobom bile su manje od onih nelečenih. Znao je to zato što mu je radni sto bio zatrpan beleškama drugih lekara i njihovim merama lezija. U istim beleškama navodile su se i muke kroz koje su muškarci prolazili: kako se ono što počinje na površini širi u unutrašnjost, prodirući čak i u kosti. Na Univerzitetu u Ferari su pre nekoliko godina secirali leš jednog obolelog i ustanovili da su mu mnogi unutrašnji organi naprosto izjedeni. Mogao je samo da se moli da je taj čovek umro opojan, jer ako nije, mora da je vrišteći otišao u pakao.

Nek je hvaljen Gospod, s vojvodom Valentinom je ispalo drugačije.

Posle tri napada gnojnih prišteva i bolova, već više od godinu dana ga ništa od toga nije mučilo.

Istini za volju, određeni „simptomi" su još bili tu. Čezareovo raspoloženje je postalo primetno nestabilno; njegova nestrpljivost je često prerastala u jarost, dok mu je energija rikošetirala između perioda manije i neobične letargije. Torela je čitao o nekoliko drugih slučajeva u kojima je, kako se činilo, um bio na isti način izvitoperen, ali imao je premalo podataka da bi bio siguran. A ovaj njegov mračni princ oduvek je bio čovek plahovite naravi.

Kako god, bilo je neosporno da je Čezare Bordžija, pet godina pošto se zarazio, živ i da nema bolova. Prema tome, mora da je izlečen. Tako je barem sebe doživljavao, a Torela je, kao lekar i kao sveštenik, bio svestan koliko je to važno: zato što će pacijent koji veruje da će ozdraviti proći bolje od onoga ko je sve vreme obuzet strahom od smrti. U tom čudesnom zajedništvu lečenja, kada se čovek drži za ruku s Bogom, duh je važan koliko i telo. I premda nikad nije video ovog arogantnog mladog čoveka da se moli, nema sumnje da mu je duh veoma, veoma snažan.

Da, pomisli on. Čezare Bordžija je izlečen.

Da nije, ko bi poželeo da bude njegov lekar?

„Trebalo je da se presvučeš."

„Jesam."

„Onda je trebalo da se bolje opereš", zareža papa. „Još si sav krvav. Za danas je zakazana ceremonija davanja miraza devojkama u bazilici Minervi, što ne bi trebalo da si zaboravio. Neću da stignem tamo kao da dolazim iz klanice. Šta će pomisliti Burkard?"

„Isto što i uvek, šta god to bilo. Nikad ne priča ni sa kim sem sa svojim voljenim dnevnikom. A smrt Manfredijevih svakako valja obznaniti. Tako će svet znati da nastavljamo dalje."

„Bez obzira na to, ne možeš a da se barem malo ne sažališ na njih. Onaj stariji je pisao tako lepa pisma, puna poezije i zaklinjanja na odanost. Pomenuću ih obojicu u svojim molitvama. Teret je to, kad se rodiš u moćnoj porodici." Izgovorio je ovo prilično vedrim tonom, premda nije bilo jasno misli li na njihovu porodicu ili na vlastitu. „Znači, spremni smo?"

Čezare potvrdno klimnu.

„Šta je s onim tvojim Vitelijem?"

„Uradiće onako kako mu se naredi. Ionako ga već svrbe prsti."

„Rastače se od one boleštine, kako čujem. Grozan čovek. I on, i svi ostali. Blagi bože, ponekad mi se želudac okrene pri pomisli da smo u savezništvu s takvom gamadi. Pogotovo kad se setim Orsinija, tih podmuklih guja, koje su okrvavile ruke do lakata", reče on, nesvestan ironije te svoje konstatacije. „Čezare, kad se samo setim Huanovog tela, o Presveta Bogorodice..."

„Nemoj sad, oče", tiho odvrati ovaj; prošlo je pet godina, a njegov otac je još umeo da se rasplače kao dete kad se seti smrti njegovog brata. „Doći će i dan obračuna s Orsinijevima. Zasad su nam potrebni, i neće se usuditi da nas prevare. Ne još, u svakom slučaju. Kako stoje stvari s Kamerinom?"

„Porodica Varano vrišti poput razdevičenih devojaka zbog našeg ophođenja prema njima. Međutim, ionako su ekskomunicirani i njihova država je spremna da je preuzmemo. Kada do njih dođe vest o sudbini Manfredijevih, polomiće se da pre tvog dolaska pobegnu iz grada."

„A Urbino?" Čezare je nespokojno premeravao prostoriju koracima. Deo njega je još u onoj ćeliji, živci mu trepere, krv prska po kamenom podu. „Sve ovo neće ništa vredeti ako ne..."

„...Da, da. To je sređeno. Vojvoda će omogućiti bezbedan prolaz tebi i tvojim ljudima. Porodice su nam prejako povezane da bi se to dovodilo u pitanje. Naša draga Lukrecija bila je tako dobar emisar. Ha! Moram reći, Čezare, da je ovo krajnje elegantan plan. Majstorski smišljen. Koliko će vremena biti potrebno?"

„Najkasnije krajem meseca, Vitelijevi agenti biće u Arecu i podjarivati bunu. Kada kucne čas, otvoriće vrata njegovim jedinicama i Firenca će se naći suočena s pobunom u punom zamahu. Njena vlada će se polomiti da me izmoli da primim njihove ambasadore i pregovaram. Vrlo brzo ćemo imati sporazum sklopljen pod našim uslovima."

„Da! A Francuzi će ponovo da zapene žaleći mi se kako su izdani", reče Aleksandar, široko se osmehujući dok je ceremonija darivanja devica mirazom bledela pred ushićenjem koje ga je obuzimalo. „Ha. Već vidim ambasadorovo lice dok bude stajao preda mnom. *Dragi moj, ovo nas je potreslo koliko i kralja Luja. Viteli je šugavi izdajnik i ovo je posledica njegove bolesne ambicije, a ne naše. Vojvoda nikad ne bi odobrio ništa slično, a utvrdi li se drugačije, kažem vam jasno i glasno, više nije moj sin.*" On teatralno mahnu rukama. „Razume se, Luj neće poverovati nijednu reč, ali kasnije ćemo ga već smiriti. Poslaću preko Alpa specijalnu diplomatsku misiju da se sastane s njim."

„Nećeš morati. Kralj će u junu biti u Milanu. Lično ću se videti s njim."

„A ne, nećeš. Ako ovo upali, pola Italije će se sjatiti u Milano i stati u red čekajući da te okleveta. Ima da upadneš pravo lavu u ralje. Ostaćeš ovde, a ja ću te odbraniti; podsetiću Luja na našu papsku solidarnost u vezi s njegovim planovima za Napulj."

Čezare sleže ramenima. Ionako je već sve isplanirao. Mogao bi da pokuša da objasni ocu; da mu opiše sponu koja postoji između njega i francuskog kralja; i da kaže da će ga lav, ako ovaj plan upali, dočekati raširenih ruku i podeliti plen s njim. Pre godinu dana bi se još i potrudio, ubeđen da će Aleksandar videti i korak iza koraka, primetiti ono što drugima redovno promakne. U poslednje vreme, međutim, nije bio tako siguran u to.

„Pod uslovom da budeš ubedljiv u svom pravednom gnevu, oče."

„Sumnjaš u mene? Najlepše od svega je što čak ne moram ni da lažem. Preblagi bože, naterao si me da zbog ovog novog ludila jurcam naokolo kao muva bez glave. Ja imam i Crkvu kojom moram da upravljam, samo da znaš."

„Kad bi me pustio da krenem na Firencu, ne bismo se uopšte bavili ovim."

„Pa kad je ovo mnogo, mnogo bolji plan", veselo će papa. „Kažem ti, kada sarađujemo, niko nas ne može pobediti. Svi ima da budu ošamućeni. Zadivljeni! Jedva čekam da im vidim lica. Kamo sreće da mogu da idem s tobom. Papa ratnik – kakvo bi to čudo bilo. Ha. Pa dobro, neki drugi put. A kad se prašina slegne, bilo bi dobro da obiđeš sestru. Još se pitam da li bi možda trebalo da..."

„Ne", prekide ga Čezare grubo. „Niko ne sme da zna. Niko. Samo tako može da uspe."

„Kada se desi, biće talasanja u Ferari."

Čezare se gorko nasmeja. „Naprotiv, biće im samo još dragocenija. Kako će drugačije moći da budu sigurni u sopstvenu bezbednost? A kako je ona?"

Umesto odgovora, Papa samo odmahnu rukom.

„Nešto nije u redu?"

„Sitni diplomatski gresi, to je sve. Ništa što trudnoća neće rešiti. Svakog dana čekam da mi jave. Svi kažu da je Alfonso veoma brižan muž."

To, međutim, nije nimalo oraspoložilo Čezarea. Lice mu je bilo natušteno poput olujnog neba. Oduvek je bio sklon da pobesni na sam pomen muževa svoje sestre.

„Mislim da smo se o svemu dogovorili, Čezare", glasno će papa, prešavši na italijanski. Na vratima je stajao Burkard, a iza njega dvojica komornika, koji su nosili tešku mocetu[23] opervaženu hermelinom i ukrašenu biserima, koju je papa morao da obuče za poslepodnevnu ceremoniju.

„...Da, da, znam, kasnimo na ceremoniju. Vojvoda upravo odlazi. Mada je mnogo voleo ovu ceremoniju, nekad, kad je bio kardinal, zar ne, sine moj?“, reče Aleksandar, pažljivo ga otpuštajući bez uobičajenog očinskog zagrljaja.

Burkard obori pogled dok je Čezare ljutitim koracima izlazio iz prostorije. Ne bi priličilo da primeti mrlje osušene krvi na njegovoj bradi ili loše prikriveni bes u njegovim očima. Čak i dok je papin sin bio kardinal, između njih dvojice postojala je samo najosnovnija kurtoazna učtivost, a ni nje već odavno nije bilo. Burkard je znao koliko ga vojvoda ne voli – koliko ne voli nikoga za koga misli da je upućen u intimne stvari njegovog oca. Bilo je trenutaka kad ovaj papski ceremonijar, i pored sveg svog poštenja, nije zazirao od toga da prisluškuje kroz ključaonicu. Iskustvo ga je pak brzo naučilo da je, čak i kada posle katalonskog narečja usledi nemački jezik, bolje da ne zna ono što može saznati.

Johan Burkard je imao tu veliku sreću da poseduje urođenu flegmatičnu narav, dodatno istesanu time što je bio siromašni bogoslov koji se školovao pevajući u horu veličanstvene parohijske crkve u Niderhazlahu, gde je uspon na lestvici crkvene politike predstavljao pravu-pravcatu borbu za opstanak. Nigde se nisi mogao bolje obučiti za Rim.

„Pa, Johane, hajde da se spremimo“, s osmehom će papa. „Siguran sam da si isplanirao procesiju do poslednje pojedinosti. Nadam se da nema previše vojnika. Znaš da volim da se pozdravljam s ljudima.“

„Gardisti su postavljeni na svim mestima gde je predviđeno zaustavljanje, Sveti oče, tako nalaže protokol.“

Nije dodao kako poslednjih meseci oseća potrebu za većim brojem gardista. Otkako je počelo da kruži ono klevetničko anonimno pismo, u određenim slojevima građanstva osećalo se gnušanje, a nikako ne bi valjalo da papa na svom putu bude zasut uvredama.

„Nego, ponovi mi, koliki ono miraz, beše, dajemo mladim devicama? Pedeset ili sedamdeset pet florina,[24] nikako da zapamtim. Sedamdeset pet? Bože moj. Imaju sreće da se o njima staraju fratri Naše Gospe. Dometnućemo tu i nešto naših vlastitih dukata, a postaraćemo se i da kardinali podjednako izdašno odreše kesu. To su devojke plemenita roda i Crkva mora da im nađe valjane, odgovarajuće muževe."

Tog poslepodneva, osamnaest devojaka pod devičanski belim velovima treperеći od nervoznog uzbuđenja čekalo je u pozlaćenom brodu Naše Gospe nad Minervom, okruženo svojim pratiljama i dominikanskim fratrima, dok su klupe u prvim redovima bile ispunjene kardinalima i velikodostojnicima. Aleksandrov um se isprva površno bavio značajnim događajima koji su imali da uslede, ali posle nekog vremena zatekao je sebe kako se posvećuje raskošnoj ceremoniji. Vatikan je bio pun sveštenih lica koja za vreme liturgije slatko zahrču, ali on nikad nije spadao u takve.

Još se sećao prve velike crkve u koju je kročio. Odnedavno su najrazličitije detinjske uspomene iz Španije postajale sve jasnije, kao da se s nekad poznatog i bliskog krajolika polako podizala magla. Imao je devet godina: te zime mu je umro otac i njegova majka je dovela porodicu iz sela Hative u Valensiju, pod zaštitu svog brata, biskupa koji je ubrzo potom u Rimu imenovan za kardinala.

Gradska katedrala je bila na glasu, podignuta na ruševinama džamije, simbol večne pobede Hrista nad bezbožnicima, sa blistavim, novim-novcatim zvonikom. Kakav je prizor bila posle njegove seoske crkve: visoki gotički lukovi na rebrastom svodu, poput kostura ogromnog prevrnutog broda, čudo nove dvostruke kupole što se dizala visoko iznad oltara, sa žućkastobelom dnevnom svetlošću što je prodirala kroz prozorska okna od tankog alabastera, a pod njima ošamućujući miris tamjana i neizrecivi jad Hristovog izmučenog tela na krstu, oblivenog naslikanim potocima krvi. Ali nije Hrist bio onaj koji mu je tog dana osvojio srce, pa čak ni veličanstvena relikvija Svetog grala koja je iz dana u dan privlačila mnoštvo hodočasnika. Ta čast je pripala naročitom kipu Bogorodice, Kraljici nebesa ustoličenoj u moru tek pozlaćenog drveta – nikada pre nije video toliko zlata – dok joj je umiljato lice pod krunom blistalo bledilom, ljupko i ozareno ljubavlju. Nije mogao prestati da je gleda. O, kako je čeznuo da se popne tamo i sedne šćućuren u njene halje, da posmatra svet s tim plemenitim licem iznad sebe. Kakvo sigurno utočište – u naručju žene. Taj osećaj ga nikada nije napustio. Posle nekoliko godina, kad su mu rekli da će postati sveštenik, poput njegovog ujaka, na pameti mu je bila samo lepota Bogorodice. I ono silno zlato.

Stoga nije bilo nimalo iznenađujuće što je Naša Gospa nad Minervom bila njegova omiljena crkva u Rimu. Ona je takođe nekad bila paganski hram Minerve, boginje rata i mudrosti; tu su bile pohranjene mošti Svete Katarine Sijenske, koja je umrla u obližnjem samostanu, od preteranog zanosa.[25] Zatim, tu je bila i sama Marija, kojoj je crkva bila posvećena. Bilo je dovoljno da okrene glavu udesno pa da vidi blistave Blagovesti u kapeli koju je poručio kardinal Karafa. Ta freska se jedva bila osušila na zidu kad je on postao papa i, kad god je pogleda, srce mu brže zakuca. Ti firentinski slikari su pravi alhemičari; zidovi se raspevaju od njihovih boja. Nikad u životu nije video tako predivno ozarenu Bogorodicu. Može li ijedan čovek da se ne divi ženi koja s toliko dostojanstva pređe od straha i neverice do tihog prihvatanja onoga što Gospod traži od nje? U retkim prilikama kada bi obuzet nemirom u mislima odlutao do rajskih dveri, njegov ulazak bio je uvek okupan spokojnom svetlošću Bogorodičinog osmeha.

Kad se misa završila, izrazio je dobrodošlicu devicama, koje su redom padale na kolena i ljubile mu noge, iznova ga očaravajući svojom mladošću i smernošću. Dajući svakoj po punu kesu novca, obavezno bi joj rekao nekoliko reči pre no što se uspravi, pretvarajući tako ovo u najvažniji trenutak u njenom životu i ostavljajući muža koga joj budu našli zauvek u senci božjeg miljenika na zemlji.

Odlazeći, ponovo je prošao pored Bogorodice koju je naslikao Filipino Lipi. Može li biti da je tako očaran njome zato što ga njena prefinjena lepota i bujne kose pomalo podsećaju na žene u njegovom životu: na lepu Đuliju Farneze i njegovu rođenu, najdražu Lukreciju? Da, sad kad je izrasla u ženu, u ovoj slici svakako ima i više od pukog daška Lukrecije. Pa, čim vojske budu plaćene, a mapa Italije preuređena, biće vremena da ukrasi njenim likom sve zidove Rima. Možda će mu tako manje nedostajati. A onoj matoroj škrtici Erkoleu nek je bog u pomoći ne bude li se prema njoj ophodio kao prema neprocenjivom blagu kakvo i jeste.

Jedanaesto poglavlje

Lukrecijine nevolje počele su nedugo po zvaničnom završetku svadbenih svečanosti. Oči velikog dela Evrope bile su uprte u Feraru i sve je, dabome, bilo strahovito skupo: novac koji je odlazio na smeštaj, ishranu i razonodu izaslanika, ambasadora i njihovih pratnji teško je padao starom vojvodi, koji je voleo da vezuje dupli čvor na uzici svoje kese.

Stranci su se uskoro razišli. Francuzima je trebalo nešto duže, ali oni su, opet, bili poznati po uživanju u tuđem gostoprimstvu, a sve dok su vladali u Milanu, niko se nije usuđivao da kritikuje njihove manire. Preostala je samo svita Španaca koja je dopratila Lukreciju iz Rima, a njima se nije žurilo kući. Besplatan pansion, dobra kuhinja i gotovo svakovečernji koncerti ili predstave u veličanstvenoj dvorani palate – bio je to mnogo slađi život od povremenih udobnosti Bordžijinog Vatikana. Osmeh na licu starog vojvode postao je leden. Ferara je već imala dvor i drugi joj nije bio potreban. Jasno je davao do znanja da „gosti“ više nisu dobrodošli.

Protiv svoje volje, dvorjani su otišli. Tako je Lukreciji ostalo samo njeno domaćinstvo. Razume se da njegova snaha mora imati uza se svoje dvorske dame i poslugu, ali je Erkole smatrao da ih je naprosto previše. Odajama zamka je odjekivao strani jezik. U Italiji su, a ne u Španiji! Bilo je nepodnošljivo. Nešto se moralo uraditi.

Kad je potegao to pitanje s njom, Lukrecija je, svesna potrebe da se uklopi, pazila kako će mu odgovoriti. Proučila je spiskove svog domaćinstva i napravila neke sitnije ustupke. Međutim, sporno pitanje njenih dvorskih dama i dalje je bilo na tapetu. Obratila se Štuli, koji u međuvremenu beše postao nezvanični posrednik između njih dvoje.

„Ne mogu, neću da se rastanem ni sa jednom od njih. One su moje najdraže drugarice."

Bio je pun razumevanja, ali nije je ohrabrivao.

„Naravno da one najbliže morate zadržati uza se, ali... mislim da se vojvoda pribojava da to što ih je tako mnogo ne ostavlja mesta za devojke plemićkog roda iz Ferare, koje bi dale sve - sve - samo da služe svoju novu vojvotkinju. Već ste se pokazali tako milostivi i velikodušni prema običnom svetu na ulicama. Možda biste sada mogli naći načina da proširite tu velikodušnost i na plemićke porodice."

Lukrecija ga je slušala pokušavajući da razabere jesu li suze što je peku u očima od besa ili od tuge.

Papski izaslanik bio joj je poslednje pribežište.

„Njegovoj svetosti biće veoma žao kada čuje za ovo", rekao joj je ozbiljnim glasom. „Međutim... sastav vaših dvorskih dama je, pa, unutrašnje pitanje, i nisam siguran da..."

Jedva primetno je slegao ramenima, propratívši to rečitim ćutanjem. Njen miraz je plaćen, a Ferarom vlada njen svekar.

Poslednjeg dana marta, Đirolama, Drusila i još dve devojke iz njenog najbližeg kruga odjahale su s ostatkom španskih plemića, odnevši sa sobom i delić njenog srca.

Prava bitka je, međutim, tek predstojala.

Da bi ovde stvorila dom, morala je stvoriti i dvor. Ferara još od Eleonore Aragonske nije imala vojvotkinju koja bi predstavljala ikakvu kulturnu silu, a ona je već godinama bila mrtva. Njen svekar je imao sedamdeset jednu godinu, a kad je već njen muž prezauzet ili previše namćorast da uloži u sopstveni dvor, tada je na njoj, novoj vojvotkinji Ferare, bilo da postavi temelje u ime obojice. Bio je to zadatak koji je čekala i kom se izuzetno radovala.

Ugledala se na samog Erkolea. Mada je možda bio na glasu po tvrdičluku prema svima ostalima, na sebi samom nikada nije štedeo. Ne samo da je pola grada bilo novo; radovi na obnovi vojvodske palate nikad se nisu prekidali. Njegovim dvorjanima nije ni najmanje neobično što im je odeća stalno prekrivena slojem prašine od cigala: teniski teren se preuređivao, tako što su zidovi dobili nagib, da učine igru još zanimljivijom, a stara kapela (premda nije bila baš toliko stara) bila je srušena i zamenjena novom. Postojali su planovi za prostraniji i veličanstveniji prostor za pozorište. Izražavajući svoje iznenađenje zbog takve širokogrudosti, Lukrecija je nailazila na saosećajne osmehe. Trebalo je da bude tu pre tri godine, kad se čitava grupa dvorjana vratila s letnjeg obilaska vojvodstva i doznala da su im odaje srušene dok nisu bili tu!

Zatim, tu su bili umetnici koje je držao na platnom spisku – pisci, glumci, kompozitori, pevači, svirači. Jedva da je ijedno veče prolazilo bez nekakve predstave. Istini za volju, nisu sve bile uspešne: vojvoda je silno voleo glomazne klasične komade, koji su se otezali do gluvog doba noći i ošamućivali sve sem njega i izvođača. Međutim, niko nije spavao kad se sviralo. Orkestar je imao gotovo šezdeset svirača i pevača. Šezdeset! Mnogi su bili namamljeni s drugih dvorova. Zatim, tu je bio Bartolomeo Trombončino – čovek čiji je glas dirao bogove, a koji je nedavno stigao iz Mantove u olujnom oblaku skandala nakon što je ubio svoju ženu. Srećom po njega, gospođa je u tom trenutku bila u krevetu s drugim muškarcem, pa je vojvodi bilo tim jednostavnije da ga pomiluje. Lukrecijino uživanje u njegovom veličanstvenom baritonu malo je izbledelo kada je doznala za to, donekle i zbog šaputanja kako se u istoriji porodice Este smrt smatra suviše lakom kaznom za ženu zatečenu u naručju drugog.

Pozvala ga je da je poseti. Mnoge pesme koje je pevao bile su njegove sopstvene kompozicije, i nesumnjivo izvanredne. Bi li razmislio da napiše nešto za njen novi dvor? Drage volje će popuniti njegovu malu trupu dodatnim izvođačima, ako su mu potrebni. Možda bi mogao nekoga da joj predloži?

„Bojim se, gospodarice, da su dobri muzičari u ovom delu zemlje na velikoj ceni. Vojvoda Erkole je već prigrabio najbolje među njima."

„Onda ćemo mi platiti koliko god treba da nađemo druge." Osmehnula se, jer novac joj nije bio problem. Njen ogromni miraz obuhvatao je godišnji prihod od deset hiljada dukata. Više nego dovoljno.

Međutim, nedelju dana kasnije, došao joj je njen majordom s računima koje je valjalo izmiriti i obavestio je da nema novca kojim bi ih platio. Nema novca. Šta je s njenim obećanim godišnjim prihodom? Kako izgleda, nije ga dobila.

Susret sa svekrom započeo je kitnjastim komplimentima i osmesima na obema stranama.

„Naravno, naravno, draga kćeri, treba samo da zatražite i biće vam dato. Krajem meseca, imaćete na raspolaganju osam hiljada dukata."

„Hvala vam. A kad mogu da očekujem ostatak?"

„Ostatak? A, ne, draga moja, verujem da ćete ustanoviti da će osam hiljada biti više nego dovoljno."

„Ali dogovoreno je da dobijam deset", tiho će ona. „I sasvim sigurno će mi trebati cela ta suma."

„Da, bio je ovo veoma skup period! Za mene više nego za ikog. Ali sad kad je svadba iza nas, svi se moramo prilagoditi situaciji. Ferara nije Rim, draga moja, i deset hiljada je previše. Zbog toga sam odlučio da ćete dobijati osam."

Lukrecija je zurila u njega. Mada je imala raznih nevolja u životu, nikad, zaista nikad nije morala da brine o novcu. Velikodušnost njenog oca kuljala je poput vode iz nove fontane: odeća, usluge, titule, posedi, prihod... Svađati se zbog dve hiljade dukata... pa, vrlo neprijatno.

Ali ako je to jedini način da dobije ono što joj pripada...

„Žalim", vedro će ona. „Ali od te sume ne mogu da živim. Potreban mi je ceo džeparac."

„Znam da je teško. Podozrevam da u svom mlađanom životu nikad niste morali da razmišljate o nečemu takvom, ali na položaju na kom se nalazite, važno je. Morate da napravite popis svog celokupnog osoblja i njihovih plata, i izdataka koje imate za hranu, odeću i razonodu. Pogledajte – evo, dao sam svom računovođi da vam napravi neke proračune, i..."

Sedela je užasnuta dok je prstom pratio brojke na papiru pred sobom, preneražena ne samo snishodljivim tonom nego i očiglednim uživanjem koje mu je ovo pričinjavalo. Šta je ono čula oca da viče u svojim odajama kad su bračni pregovori postali još ogorčeniji? „Taj čovek se pogađa kao najprostiji trgovac!" Ali da li je ujedno i lažov?

„Ne." Nije uspevala da prikrije gnev u glasu. „Ne mogu... Neću to da uradim." Potom zaćuta i pokuša ispočetka. *Dragi vojvodo i poštovani svekre*... tako bi trebalo da kaže. *Očaraj ga, Lukrecija*... *Seti se kako muškarci reaguju*. Reči joj, međutim, zastadoše u guši. „Gospodaru, kad sam odlazila iz

Rima, jasno mi je rečeno da će moj godišnji prihod iznositi deset hiljada dukata godišnje. A tih deset hiljada godišnje jeste onoliko koliko mi je potrebno.“

Nije rekao ništa, ali usne su mu se ljutito pomerale.

„Dobro znate da dvor vojvotkinje mora zadovoljavati određena merila: muzičari i pisari, izaslanici, konjušnice, kuhinja, moja garderoba…“

„Za milog boga, haljina vam sigurno ne manjka!“, žustro će on. „Doduše, ženama je uvek malo haljina. A ovde u Ferari imamo odličnih trgovaca tkaninama. Po vrlo razumnim cenama.“

„Sigurna sam“, reče ona s usiljenim osmehom. „Ali najbolje tkanine stižu iz Venecije. I ja tamo šaljem po odeću za sebe i svoje dvorske dame…“

„A! Vaše dvorske dame!“

„…kojima kupujem haljine za bagatelu“, dodade ona navrat-nanos, shvativši svoju grešku. „Reč je pre svega o mojoj garderobi. Sigurno ne želite da izgledam bedno.“

„Vi nikad nećete izgledati bedno, draga moja.“ Kompliment je, međutim, zvučao šuplje. Glas mu je sada bio kiseo. „Znam da se vi žene silno zabrinjavate zbog takvih stvari, ali nisam ja bez iskustva. Možda sam udovac, ali imam decu koja se razumeju u cene mode, i moram vam reći da sam se posavetovao u vezi s ovim.“

S mojim mužem nisi, pomisli ona. Alfonso mi ovo nikad ne bi uradio.

„Moja draga kćerka, markiza od Mantove, bila je tako dobra da mi pomogne. Razgovarali smo o tome kad je došla da prisustvuje vašoj svadbi, i sve otad se dopisujemo. Dostavila mi je procenu izdataka svog sopstvenog domaćinstva, da se imam prema čemu upravljati, i uverava me da je osam hiljada dukata krajnje dovoljno da ih pokrije.“

Lukrecija načas zaneme. Ta otrovna krastača! Osam hiljada! Dovoljno za Izabelu d'Este? Ženu čuvenu po tome što je spremna da ponudi više od svih ostalih kada nešto poželi: statue, slike i starine? Za Izabelu d'Este, koja ima palatu punu muzičara i pesnika, i drži čitavu ergelu krojačica i vezilja? Da bi preživljavala od te sume, markiza od Mantove bi morala da hoda naokolo u suknjama od kostreti, s vrećom navučenom na glavu. Zlobne li ženturače! Onih prepodneva posle venčanja, trebalo je da je pušta da čeka do sudnjeg dana.

Osetila je kako joj izbijaju graške znoja i najednom je obuze mučnina. Ne, ne, ovo neće proći. Nije se izborila za odlazak iz Rima pristankom na brak bez ljubavi da bi je sad lišili njenog vlastitog dvora.

Načas je samo sedela trudeći se da povrati prisustvo duha.

„Moram vam reći da mom ocu, papi, neće biti nimalo drago kad čuje za ovaj razgovor", reče potom, držeći ruke brižljivo sklopljene na krilu ne bi li prestale da se tresu. „Sporazum o *pozamašnom* mirazu, pošteno postignut između naših dveju porodica" – nije dodala *i najvećem u celoj Italiji* – „jasno je predvideo da se moj godišnji prihod ima odrediti na deset hiljada."

Nikako mu se nije dopalo pominjanje poštenja niti pape. Ni najmanje.

Ne, samo se još više smrkao i nabusito progunđao nešto sležući ramenima. Usledilo je nelagodno ćutanje. U ovoj pat-poziciji, bilo je očigledno da oboje razmišljaju o istom. Šta god papa mislio, Rim je bio veoma daleko, a previše je toga zavisilo od ovog braka da bi se raspao zbog dve hiljade dukata.

S audijencije je izašla jedva zadržavajući suze. Ona, koja je retko kad padala u jarost, sada je besno marširala kroz svoje odaje.

„Kako je smeo! Trgovac je predobar izraz za njega. On je... on je običan lupež!“

Njene dvorske dame okupile su se oko nje posmatrajući je s nekom vrstom strahopoštovanja.

Međutim, sramota i gnev koje je osećala bili su napola usmereni prema njoj samoj. Od trenutka kad je ova unija sa Ferarom uopšte predložena, uložila je svu svoju snagu da je progura; tuga zbog muževljevog ubistva, bes prema bratu, bol zbog primoranosti da ostavi sina, sve je bilo prožeto tom rešenošću da ode. A zbog čega? Zbog muža s ergelom prostitutki i svekra škrtice?

„Kad je za njegovo zadovoljstvo, sve može. Nove građevine, horovi, samostani za ukradene redovnice, za to odmah dreši kesu.“ Sad je već plakala od besa, bljujući reči u kratkim, drhtavim uzdasima. „Za to ima novca koliko hoćeš. Joj, ne gledajte me tako! Čula sam bar polovinu vas kako govorite i gore od ovoga kad mislite da ne slušam. A on to zaslužuje. Taj čovek je pogazio sve što je obećao. Kako se usuđuje da mi uskrati ono što je po pravu moje! A tek dvoličnost one njegove odvratne, sujetne kćerke!...“

I bolje što u njenoj sviti još nije bilo devojaka iz Ferare da čuju sve ovo. Čuvena narav Bordžija, promrsi Anđela sebi u bradu dok su stajale i posmatrale. Jao tebi ako joj se nađeš na putu. Ali dabome, sve su joj se divile. Još nikad ne behu videle svoju gospodaricu tako razgoropađenu.

Srećom, tog istog poslepodneva, u posetu je došao jedan mladi plemić: Erkole Stroci, pesnik, prava riznica tračeva i dvorjanin do poslednje kapi krvi uprkos urođenoj mani zbog koje je vukao levu nogu, zato što je to bila jedna od najbolje obučenih nogu u Ferari. Posedovao je prirodan smisao za modu, za žensku još više nego za mušku, i smesta je postao miljenik Lukrecijinih družbenica. Spremao se na put u Veneciju i bio je rad da donese sve što vojvotkinja možda želi da poruči. Sledeće nedelje je tamo imao da pristane brod s tovarom prvoklasne izvezene svile iz Indije, u bojama raskošnim poput paunovog perja. Kako će joj divno pristajati!

Dočekala ga je s koketnom ljubaznošću i uručila mu precizno sastavljen spisak onoga što joj je potrebno. Nije bilo nijedne reči o plaćanju. Njemu će pričinjavati neizrecivo zadovoljstvo da je svakog dana vidi u drugoj haljini, a kada trgovci shvate da je roba namenjena vojvotkinji Bordžija-Este, daće je na kredit bez imalo razmišljanja. Lukreciji se zamisao takođe dopala. Te noći je dobro spavala. Činilo se da joj bitka ipak prija.

Tri nedelje kasnije, još nije bilo naznaka da ijedna strana popušta. Lukrecija je založila neke manje vredne komade nakita, znajući da će kasnije moći da ih otkupi. Cena je bila dobra. Grad je bio više nego spreman da joj pomogne, kad već svekar nije. Nastojala je da ne dozvoli da joj ogorčenost pokvari lepe prolećne dane, ali bilo je trenutaka kada je zaticala sebe plačljivu ili plahovitu, ili preumornu da se gnjavi bilo čime. Gde je nestalo njene istrajnosti? Pokušavala je da se smiri kroz molitvu, prisustvujući svakog jutra misi u svojoj privatnoj kapeli i sedeći satima s krunicom u rukama. Nije posedovala mnogo predmeta iz prethodnog braka, ali ta krunica je bila jedan od njih, španski filigran u svom najboljem izdanju, svako srebrno zrno imalo je udubljenje s punjenjem natopljenim mošusom, pa je, dok su se njeni topli prsti pomerali preko njih, sam čin molitve odisao mirisom. Parfem i uspomena.

„Zdravo, Marijo, milosti puna, Gospodin s Tobom. Blagoslovljena Ti među ženama i blagoslovljen Plod utrobe

Tvoje...“, izgovarala je šapatom, ali reči su se same od sebe prevodile u drugačije misli; o Rimu i njenom drugom Alfonsu, veselom i zaljubljenom, dok mu sjaj u očima prelazi u želju, na šta se njena sopstvena utroba pokrenu i zapeva. Divan osećaj! Pomerao joj se iz stomaka prema guši i ona najednom shvati da je sad bliža mučnini, kao da joj nešto u samom životu kojim živi nikako ne prija; to, ili je možda posredi bio slatkasti intenzitet mošusa.

„Donesite mi drugu krunicu“, naredi ona svojim družbenicama. „Ova prejako miriše na tugu.“

Izvinila se što propušta vojvodin koncert i otišla da legne. Bila je preumorna da pleše, ali ujedno je to bila i kazna, zato što je znala koliko voli da se razmeće njome. Ipak, ostao je nepopustljiv.

Pitala se da li da zamoli muža da se zauzme za nju. Ovakav napad na njen status valjda je i istovremeno i napad na njegov. Kad joj je rekao da za nekoliko nedelja odlazi na diplomatsku misiju u Francusku, i da će odsustvovati nekoliko meseci, znala je da to mora uraditi pre no što on ode. Biće to razgovor kakav se najbolje vodi u intimi bračne postelje. Smislila je šta da mu kaže, ali kad je trenutak došao, sve je palo u vodu: činilo se da im tela razgovaraju lakše od usana.

Nekoliko dana pre njegovog odlaska, ona i njene družbenice provodile su poslepodne u prostranim vrtovima na drugoj strani šanca. Sedele su blizu fontane, pod venjakom od ruža čiji je miris bio toliko jak da joj je gotovo pozlilo. Izgleda da je u poslednje vreme vrlo osetljiva na takve stvari. Raspoloženje je bilo pospano, pa su neke dvorske dame čak i zadremale na mekim jastucima, ali Lukrecija je, za razliku od njih, bila potpuno budna. Ostavila ih je i uputila se u šetnju stazom kroz voćnjak i potom kroz ukrasnu živicu u pravcu zapadne granice imanja. Videla je pramenove dima kako se izvijaju iz livničkog kompleksa smeštenog pored zidina. Mada joj je prizor bio više nego poznat – iz svojih odaja u zamku, često je posmatrala te oblačke kako se šire i raspršuju, dok im boja u središtu prelazi iz rubin-crvene u čađavocrnu – nikad nije prišla toliko blizu. Njen muž je pola života provodio u loženju svojih dragocenih vatri, a ipak, ni posle svih ovih meseci još nije znala ništa o onome što se dešava u livnici: nikad nije ponudio da joj pokaže, a ona nikad nije tražila. To nisu bila ženska posla.

„O, gospo, to uopšte nije mesto za vojvotkinju. Zamislite samo tu prljavštinu.“

„I vrućinu. Gore nego u paklu.“

„Muškarci se skidaju dogola da bi je izdržali.“

Njene dvorske dame, poput jata negodujućih kokošaka, odavno su joj iskljucale iz glave svaku pomisao da ode tamo. *„Svakoj ženi bi se haljina smesta upalila od varnica.“*

„Ako pre toga ne svisne od smrada.“

Ne, to nije bilo mesto za jednu vojvotkinju.

Ipak, danas je nastavila da hoda.

Približivši se, videla je da to nije samo jedna zgrada već dve ili, u najmanju ruku, jedna ograđena drugom. Opeka iz Ferare bila je na glasu širom Veneta zbog pravilnosti oblika i boje, toplog okera koji je bleštao na letnjem suncu, zbog čega su čak i najviši delovi samostanskih zidina zračili dobrodošlicom. Isto kao i ovi pred njom, za razliku od narastajuće buke i vonja. Ogromna kapija na ulazu bila je zatvorena, ali kad je gurnula vratnice, otvorile su se. Nije bila sigurna želi li da ide dalje. Ali koliko strašno može da bude?

Ušavši, našla se na početku prostranog ograđenog dvorišta, posvuda naokolo bilo je gomila nasečenih drva, kao i kola natovarenih metalnim polugama i parčadima otpadnog metala, među kojima i pet ili šest velikih crkvenih zvona.

Ona se priseti nečega, trenutka još jedne obredne mise u još jednoj crkvi za vreme njihovih svadbenih svečanosti: kako je Alfonso, kad su se oglasila zvona, živahno podigao glavu, zaboravivši da se čak i pretvara da se moli.

„Napuknuta“, prošaputao je kad je upitno podigla pogled prema njemu. „Zar ne čuješ?“ Taj osmeh bio je možda najspontaniji izraz zadovoljstva koji je ikad videla na njemu. Je li to zvono sada među ovima, čeka da bude pretvoreno u nešto drugo?

Livnica pred njom bila je dugačka građevina na dva nivoa, sa širom otvorenim vratima i mnoštvom velikih prozora, i odasvud se izvijao dim. Buka je sad već bila zastrašujuća; čekićanje, vika, zveket metala, glasovi koji se naprežu, pa čak i pesma tu i tamo. Osećala je vrelinu što je izbijala iznutra: da krene dalje, bilo bi kao da ulazi u peć. Ili kroz vrata pakla.

Pomislila je na svoju prethodnicu, zatvorenu u svojim odajama, samo sa sluškinjom da joj pravi društvo. Ako se žena sparuši od zanemarivanja, ne snosi li i sama određeni deo krivice za to? Hoću svoj miraz, onaj koji mi po pravu pripada, pomisli. Čak i ako moram da uprljam haljine da ga dobijem.

Prešla je preko dvorišta i ušla.

Načas ništa nije videla, toliko je bilo zadimljeno. Naposletku je u uglu razabrala obris topioničke peći, razjapljena plamena usta u građevini od opeke nalik na veliki mravinjak, što se pri tavanici sužavala u odžak. Međutim, tog časa se pored same peći ništa nije dešavalo. Tu je bilo sigurno dvadeset ili više ljudi, ne bez odeće, ali većinom golih do pojasa: neki su se saginjali nad retortom iz koje se pušilo, opasno nagnutom iznad usijanog ugljevlja, tako da može da se izlije, dok su drugi stajali pored otvorene jame, nalik na otvor velikog groba, sa levkom koji je štrčao iz nabijene zemlje.

Ostali su se nalazili između ovih dveju grupa, prateći tok istopljenog metala kroz kanal od masne ilovače postavljen na platformu od opeke, što se postepeno spuštala od kotla prema levku. Glasno su pevali, mada je to bilo više stenjanje nego pesma, zato što je svaka mrvica koncentracije bila usmerena na ovu reku, crvenu poput lave, čiji je odsjaj bojio njihova znojem natopljena tela u raskošnu boju karamela. Vulkanovi pomoćnici, koji u plamenu kuju novi svet; preneražavajući svojom lepotom koliko i u svojom snagom.

A njen muž? Bio joj je okrenut leđima, stojeći u prsniku bez rukava pored napola zakopanog levka, sagnut, spuštene glave, proveravajući brzinu toka dok se masa ulivala pod zemlju. Ali gde je odatle odlazila? Ništa joj nije bilo jasno. Osetila je kako joj ponestaje vazduha i svet se zavrte oko nje. Zadah, vrelina i dim su najednom postali nepodnošljivi.

Nije se znalo ko ju je prvi ugledao. Neki radnici su je na brzinu okrznuli pogledom, očigledno zgranuti, ali vrlo brzo su ponovo spustili glavu, usredsređeni na posao. Tada se Alfonso okrenuo u pravcu njihovog malopređašnjeg pogleda, žmirkajući ka dnevnoj svetlosti što je okruživala otvorena vrata. Razabrala je užasnutost na njegovom licu i načas je izgledalo kao da je neodlučan, da ne zna da li da priđe svojoj ženi ili da nastavi posao. No potom se dugim koracima uputio prema njoj, mašući rukama u dugačkim kožnim rukavicama i ljutito joj pokazujući da izađe iz zgrade; usne su mu se pomerale, ali šta god da je govorio, gubilo se u grmljavini plamena.

Žurno se povukla u dvorište. Kad je konačno stao pred nju, imala je utisak da je porastao; crne malje na grudima penjale su mu se kroz raskopčani prsluk i uz vrat, a lice mu je od gareži i prljavštine bilo crno kao u đavola. Ona oseti u obrazima vreli talas stida. Dobro su joj rekli: ovo nije mesto za ženu.

„Šta je bilo? Šta ćeš ovde?" Još zaglušen bukom iz radionice, vikao je kao ludak.

„Ja... bile smo u vrtu... i... zanimalo me je..."

Jao, Lukrecija, pomisli ona. Nemoj da puziš pred njim. Njegova voljena oruđa braniće grad koji je tvoj koliko i njegov.

„Eto... poželela sam da te vidim na poslu. Zašto ne – kad pola života provodiš ovde? Ali unutra je tako vruće. Onaj metal, je li namenjen za top koji izlivaš?"

„Šta?", upita on kao da ne veruje svojim ušima.

„Ona plamteća tečnost, je li to bronza? Jesi li je dobio od onih zvona?"

„Delimično. Kad napuknu, to znači da razmera bakra i kalaja nije bila dobra, pa je potrebno napraviti novu mešavinu."

„Ali gde je top?"

„U kalupu za izlivanje. Pod zemljom. Premili Hriste, Lukrecija... ne bi smela da budeš ovde. Ovo nije mesto za..."

„...za ženu, da, znam, znam. Ne viči na mene. Ali – moram nešto da ti kažem, Alfonso."

Zabuljio se u nju, a onda se načas osvrnuo. Prizivala ga je njegova istopljena reka. „Zar to ne može da sačeka?"

„Ne. Ne, ne može."

Međutim, isto tako nije mogla ni da mu kaže. Najednom joj je bilo kristalno jasno: njemu je do njenog godišnjeg prihoda kao do lanjskog snega; važno mu je samo da bude što je moguće dalje od svog oca. Suviše bi se ponizio kad bi joj pomogao da se izbori. I, uostalom, koja žena može stati između njega i njegovih istopljenih zadovoljstava? Da li se to desilo njegovoj prvoj supruzi?, pomisli ona. Bila je jaka kada je došla, ali ju je ova prokleta porodica slomila.

Ponovo je zurio u nju. „Pa dobro, o čemu je reč?"

Oborila je pogled i ponovo joj se zaljulja tlo pod nogama. Samo što ovog puta nije uspela da ostane uspravna. Osećala je u guši ukus žuči. Povratiću, pomisli, pa primora sebe da proguta. On je pak pridrža za lakat da ne bi pala.

„Jesi li bolesna? Šta ti je?"

Ispravila se i na silu osmehnula. Kako zastrašujuće izgleda, ovaj njen muž, s tom zamršenom bradom, teškim kapcima i snažnim mirisom znoja. Zamisli ga na sebi; kako čvrsto stisne oči, zabačene glave, napréžući se i dahćući, a onda se najednom uhvati za nju kada dođe do vrhunca.

Sjedinjavanje muža i žene. Ponovo je obli talas mučnine. Mila Marijo i svi Sveti, kako je mogla da bude tako glupa? Ova rabota sa svekrom joj je zbrkala misli. Ali… ali kako? Mesečnica joj je kasnila nekoliko dana, ali to nije ništa neobično, a prošlog meseca je imala krvarenje – bog zna da je njen mesečni ciklus poznat svima na njenom dvoru. Mada je bilo veoma blago, mnogo blaže nego obično. Katrinela je baš to prokomentarisala kad je iznosila umrljane krpe. Kako malo krvi u poređenju s uobičajenom bujicom. Kako malo krvi. Suze i izlivi besa, preumorna za ples. Ona povuče dlanove naviše, pa čvrsto stisnu dojke. A, pa da, tu su: oštri damari bolne osetljivosti. Potom se glasno nasmeja.

„Šta ti je?", upita on ponovo, dodatno uzbunjen njenim čudnim ponašanjem i smehom.

„Ništa. Sem što ubrzo odlaziš, pa sam pomislila da je u redu da ti kažem… Mislim da sam noseća."

„Noseća?"

Alfonso ju je samo gledao, očigledno zanemeo od čuda. Ovakva vest se ne saopštava ovako, samo njih dvoje nasred gomile drveta za potpalu, dok iz livnice iza njih vrca paklena vatra. Bilo je jasno da nema pojma šta da radi.

On se nasmeja hrapavo, nespretno. „Noseća", ponovi. „Tako brzo."

Lukreciji se najednom učini kako je silno lagana, kao da joj je telo od same boje i vazduha. Shvati da je srećna.

Nagnula je glavu u stranu. „Izgleda da samo oboje dovoljno odrasli", reče pomalo koketno.

Ali nije reagovao: možda je u međuvremenu zaboravio te reči.

„A vojvoda?", upita on. „Da li moj otac zna?"

Ona odmahnu glavom. „Ne zna niko sem tebe, gospodaru moj. Želela sam da ti čuješ prvi."

Najzad, to je tačno, pomisli ona kad je osmeh na njegovom licu nadmašio onaj izazvan zvukom napuknutog zvona.

Obavljeno je, oče!, pomisli ona pritiskajući pečat na presavijeni pergament, spreman da se preda glasniku. Obavila sam zadatak. Baš kao što si rekao.

Gotovo ga je čula kako gromko objavljuje Burkardu i svima ostalima koji ga možda čuju. „*Šta sam vam rekao? Jedva su tri meseca u braku, a vojvotkinja već nosi naslednika.*" Jer, dabome, svi će unapred znati da će biti dečak. Zašto bi im se inače sreća tako brzo i tako neskriveno osmehnula?

Naslednik naslednika loze Estea.

Ako ovo ne bude dovoljno da iscedi dodatne dve hiljade dukata od njenog svekra tvrdice, šta će biti?

Dvanaesto poglavlje

Bio je početak juna kada su negde nizvodno od Ponte Sista izvukli iz Tibra naduvene leševe braće Manfredi, koje su ribe već dobrano načele. Dok se vest o tome širila Italijom, pohod Bordžija je hvatao zamah.

U Arecu je naglo izbila pobuna; tuče i neredi na sve strane. Vlasti su davale sve od sebe da sačuvaju red i mir, ali nedelju dana kasnije, pobunjenici su usred noći nasrnuli na glavnu gradsku kapiju i otvorili je da propuste Vitelijeve ljude, pogodno ulogorene nedaleko od zidina. Na toskanskoj obali, u Pizi, koja je takođe stenjala pod jarmom firentinske vlasti, neke bundžije su se ugledale na njih, marširajući ulicama i izvikujući ime Čezarea Bordžije.

Kao što je bilo i predviđeno, vlast u Firenci pala je u diplomatsku paniku. Te akcije su očigledno bile prethodnica vojne invazije. U Palati sinjorije, firentinskoj gradskoj većnici, gonfalonijer Pjero Soderini i Ratno veće zasedali su na hitno sazvanom sastanku. Poslali su apel francuskom kralju Luju i gnevnu žalbu papi. Međutim, morali su i da se suprotstave tom čoveku licem u lice. S tim što od Čezarea

Bordžije nije bilo ni traga ni glasa. Izgledalo je da je već otišao iz Rima, a kad se ponovo čulo za njega, ispostavilo se da maršira u suprotnom pravcu, prema Imoli, u Romanji, gde se okupljao ostatak njegovih najamničkih snaga, spreman da mu se pridruži zarad napada na Kamerino. Ali zašto Kamerino, ako mu je cilj Firenca?

Uto je stigla vest o pismu koje je vojvoda uputio svom generalu Vitelocu Viteliju. U tom pismu, koje je nekako procurilo, napisao mu je kako je okupirao Areco protivno njegovim naređenjima, te da mora da se povuče iz tog grada.

Odmah potom sazvan je još jedan hitan sastanak, na kom su izabrana dva izaslanika, sa zadatkom da odmah odu u Imolu i potraže vojvodu.

Kada je stigao poziv, Makijaveli, koji je veći deo dva protekla dana proveo za svojim radnim stolom, upravo je čistio zube krpicom namočenom u sirće s ruzmarinom. Od uzbuđenja je progutao umesto da ispljune, pa ga je spopao grčeviti kašalj. Ukazana čast je bila velika koliko i odgovornost. Glavni pregovarač biće drugi izaslanik, biskup Soderini – rođeni brat gonfalonijera Soderinija – ali on, Nikolo, pisaće sve depeše koje će se slati kući. Nakon što je protekle tri godine posmatrao kako vojvodina kometa ostavlja svoj plameni trag na nebu, konačno mu se pružila prilika da ga lično upozna.

„Pa, sekretaru, rastumači ovo ako možeš." Soderinijevi zglobovi su poslednjih dana toliko pucketali da su mu prsti izgledali duži. „Ko koga ovde pokušava da nasamari?"

Do koliko je već odgovora došao i onda ih odbacio? Dok su mu se izveštaji smenjivali na stolu, pratio je trajektorije svih glavnih učesnika, poredio karakter s postupkom, terao svaki mogući scenario do najboljeg ili najgoreg ishoda. Na kraju su njegov unutrašnji osećaj i logika imali podjednakog udela u zaključku koji je izvukao.

„Koliko god očajnički želi da nam se osveti, Viteli nikad ne bi sam krenuo na nas. Nema dovoljno ljudi da istera to do kraja, a da makar i pokuša da išta uradi bez vojvodinog odobrenja, time bi potpisao sopstvenu smrtnu presudu s obeju strana."

„A u tom slučaju je sve ovo poricanje samo dimna zavesa i vojvoda *jeste* krenuo na Firencu."

„Nisam siguran, gonfalonijeru."

„Nisi siguran? Šta ti sad to znači? Pa sam si nedavno rekao da će Valentino uskoro biti spreman da gurne prst u oko Francuskoj."

„Jesam, ali da je ovo taj trenutak i da je Firenca cilj, nikad ne bi na ovaj način otkrio svoje karte. Brzina i iznenađenje su mu oduvek bili najveći aduti. A ako mu je vojska na drugom kraju zemlje, nema ni jedno ni drugo."

„Tačno. Pa šta se onda dešava?"

„Mislim da je dimna zavesa možda okrenuta na drugu stranu."

„Kako? Misliš da možda ipak ide na Kamerino?"

„Ne, ne. Premali je to grad da bi na njega traćio tako jake snage."

„I pored toga što je papa ekskomunicirao porodicu Varano?"

„Kamerino je osuđen na propast. Sad ili kasnije, to je već manje važno."

„Pa dobro, za ime boga, kuda je krenuo?", zareža Soderini.

Nikolo obori pogled. Dobro je znao koliko taktička varka može da bude delotvorna u ratu. Glava mu je bila puna Livijevih priča o velikim vojskovođama: o Hanibalu, koji je namamio Rimljane u strašni poraz kod Kane, i Scipionu Afrikancu, koji je kasnije preokrenuo situaciju. No postajalo mu je jasno da je od svega najvažnije iskustvo, i nije uspevao da prodre u um Čezarea Bordžije.

„Još nisam siguran", ponovi tiho.

Gonfalonijer osujećeno podiže ruke. Upravo ovako velika spoljna pretnja i nesigurnost prouzrokovali su pre deset godina pad Medičija s vlasti. Republika je i ovako bila sasvim dovoljno slabašna.

„Jesi li ti u išta siguran, sekretaru?", upita on s blagim nagoveštajem humora.

„Samo u to da vojvoda Valentino nikad ne uradi ništa što iko očekuje."

„Ali trebalo je ranije da mi kažeš. Kako da sve spremim ovako navrat-nanos?"

„Saznala si kad i ja, Marijeta. Nema potrebe da se jediš. Neću dugo odsustvovati."

„Kako to misliš? Možda se nikad ne vratiš!"

Ispred Makijavelijeve kuće u Vija Gvičardini, čulo se prigušeno tandrkanje tovarnih kola dok su se dućani zatvarali za taj dan.

„Šta ako te to čudovište Bordžija ubije ili uzme za taoca?"

„Ženo, ne razumeš se ti u te stvari. Ništa nam se neće dogoditi. Diplomata koji ide sa mnom je biskup Soderini."

„Biskup? Kao da će ga to sprečiti. Kažu da papa svakog dana truje biskupe i kardinale ne bi li se dokopao njihovog bogatstva."

„Previše slušaš ulična naklapanja", odvrati Nikolo smejući se.

„Pa, šta drugo imam da radim? Muž mi nikad nije kod kuće, a i kad jeste, nikad mi ništa ne govori", promrsi ona s daškom ljupke srditosti u glasu; dovoljno su kratko u braku da mogu sebi da priušte malo koškanja.

„Grad ima teškoća. Radim."

„A gde to? U taverni?"

„To što osećaš u mom dahu jeste tvoje sirće s ruzmarinom."

„O tome i govorim."

Mada nije bila neka velika lepotica, kad je bila lepo raspoložena, oči su joj svetlucale, a obrazi bi joj se zarumeneli. Pre nekoliko nedelja, odliv krvi odneo je sa sobom ranu trudnoću i, premda nije sasvim klonula duhom – život žene je, poučila ga je, prepun tih rana koje muškarci nisu kadri da razumeju – bilo je jasno da ju je vest o njegovom odlasku uznemirila više no što je bila voljna da pokaže. Trebalo je da bude malo pažljiviji prema njoj, ali predstojeća uzbudljiva misija odagnala mu je sve ostalo iz glave.

„Pa, uradila sam s tvojim košuljama šta sam mogla", reče ona podigavši pogled sa hrpe odeće na stolu. „Pogledaj – ove dve imaju nove okovratnike, a ovde su ti dva dubleta, da imaš da presvučeš, oba čista i izglačana. Naravno da to nije dovoljno. Ali ovako, ako ti onaj bezbožni vojvoda zarije nož u leđa, upropastiće samo izanđali baršun – a pre no što ponoviš kako ti se ništa neće dogoditi, šta je s onom dvojicom braće što su ih u Rimu izvadili iz reke? To nije ulično ogovaranje. Bili su vladari... uh... kako se ono zvaše..."

„Faenca. Ali nisu više vladali njome. Grad je prešao u ruke Bordžija. Njihova smrt je bila neizbežna."

„Nikolo!"

„Nijedan vojvoda ne može sebi priuštiti da ostavi u životu nekog iz suparničke porodice oko koga bi se okupljali njegovi protivnici. Šta je bilo? Tražiš da ti pričam šta se događa. Kažem ti kako jeste u muškom svetu, Marijeta, a ne kako bi ti volela da bude."

„Onda ste svi podjednako bezbožni, i bar da žene hoće da drže bedra priljubljena, pa da vas bude manje", odvrati ona, kruta u svom negodovanju. „Ponekad mislim da je trebalo da se udam za onog apotekara iz Imprunete. Imao je razrađen posao, samo da znaš. I mogla sam mu biti od koristi."

„Šta, mešala bi otrove za pacove i meleme za staračku podagru? Sparušila bi se od dosade."

Ona progunđa nešto na to, ali s prepredenim smeškom na usnama. Istina je glasila da Marijeta Makijaveli nije bila sigurna koliko je vređaju nesvakidašnji stavovi njenog muža, jer baš kao što je on, činilo se, uživao da naglas govori ono što ostali možda misle ali ne smeju da kažu, tako je ona našla smisao u tome da se tim stavovima suprotstavlja. Bilo je bolje da govori nego da vazda ćuti i bavi se mislima. I to ne samo svojim. Za večerom ponekad nije mogla da se otme utisku da je za stolom gužva, mada su samo njih dvoje sedeli tu.

Pogurala je i preostalu njegovu odeću u malu putnu torbu, povezala je kožnim remenom i spustila na pod, slučajno zakačivši metalni tiganj, što je probudilo psa, čije je lajanje potom prepalo guske, pa je najednom cela kuća bila puna kevtanja i gakanja.

Nikolo se nasmeja. Ne bi se kladio ni na jednog provalnika koji okuša sreću dok je on na putu. Posle dočeka kao u seoskom dvorištu našao bi se pred razgoropađenom ženom naoružanom bakarnim tiganjem. Da njegova žena ima svoju vojsku, Čezare Bordžija verovatno ne bi žalio para da je unajmi. Brak. Kad bi našao vremena da razmisli o njemu, po svoj prilici bi rekao da je mogao proći i gore. Bog zna da ne bi podneo glupu ili pokornu ženu.

„Evo ti", reče ona pružajući mu nešto. „Možda ćeš mi učiniti ljubav, kao muž svojoj ženi, i nositi ovo?"

„Šta je to?"

„Značka Svetog Antuna.[26] Kad si na putu, zakači je na šešir, tako da se vidi."

„Marijeta! Pa nisam ja hodočasnik..."

„Kamo lepe sreće da jesi! Tada bi te taj svetac zaštitio."

„Od čega? Čak i od bezbožnog princa?"

Krenuli su u praskozorje, kroz istočnu gradsku kapiju, Porta San Pjero, pa pored reke do Pontasjevea, odakle su se uputili u brda. Bilo je dosta putnika na drumu, a dan je ubrzo postao veoma topao – te godine su letnje vrućine počele dosta rano – pa je prašine i muva bilo posvuda. Međutim, posle nekoliko milja uspona, jednom konju se zavukao kamenčić u kopito, i morali su da se vrate u selo da ga izvade. Kad su kasno posle podne izašli iz kovačnice i izbili na glavni drum, naišli su na glasnika koji je jahao iz suprotnog pravca. Malo je nedostajalo da ih mimoiđe u oblaku prašine, kad je biskup viknuo za njim i zaustavio ga.

„Jašete kao da vam je sam đavo za petama, gosparu. Mi smo iz gradske uprave Firence. Ako je vest koju nosite toliko važna, trebalo bi da je i mi saznamo."

Čovek je dlanom zaklonio oči i zagledao se u njih, misli još zbrkanih od pomamnog jahanja. „Nosim hitnu depešu iz Romanje, ali namenjena je Ratnom veću i gonfalonijeru Soderiniju."

„Ako otvorite oči, videćete da se obraćate njegovom bratu, biskupu Soderiniju. Pretpostavljam da znate nešto o njenoj sadržini?"

Čovek potvrdno klimnu.

„U tom slučaju nećete morati da slomite pečat da biste nam rekli."

„Čezare Bordžija je sinoć zaposeo državu Urbino bez borbe. Vojvoda Montefeltro se tada nalazio van grada i pobegao je sa svoje teritorije, prepustivši tako Bordžijinim trupama kontrolu nad celom tom oblašću."

Biskupovo lice bilo je bezizrazno kao da je od kamena. Makijaveli je, stojeći pored njega, s mukom susprezao osmeh. Urbino! Jedan od dragulja Italije, dobro čuvan, koji su svi poštovali i koji se nalazio pod vlašću dugogodišnjeg saveznika Bordžija. Kako je smeo to da uradi? A opet, budući da je to bilo poslednje mesto koje bi ikom palo na um, kako da ne uradi baš to?

Kockice se smesta složiše. Pre svega nekoliko dana, stigla je vest da je papa poslao molbu – koja je prihvaćena – za bezbedan prolaz dela vojske Čezarea Bordžije kroz teritoriju vojvode Montefeltra, da bi tako skratila put do Kamerina. Ovaj je istovremeno imao još trupa ulogorenih u Romanji, koje su samo čekale naređenja. Kad je prešao granicu Romanje, bilo je potrebno samo da potera svoje ljude usiljenim maršem prema severu, da se spoje sa snagama što su marširale prema jugu, i u roku od jednog dana imao je – koliko? Više od dve hiljade vojnika pred kapijama grada toliko sigurnog u svoju bezbednost da se vladar nije čak ni nalazio u njemu. Najstarija papska država u zemlji, pod vlašću porodice s kojom su se nedavno orodili brakom, bila je sada pripojena državi Bordžija bez ijedne prolivene kapi krvi! I mada će se francuski kralj zabrinuti zbog takvog razvoja događaja (nije upao u Italiju da je deli s Bordžijama), ipak mu je bila potrebna njihova pomoć da zauzme Napulj, a za razliku od napada na Firencu, ovo nije bio direktan atak na njegovu moć.

Urbino! Baš zbog toga što je zvučao nemoguće, ovaj plan je sad bio tako očigledan i logičan. Trebalo je da predvidiš ovo, Nikolo, prebacivao je ljutito samom sebi, ali to prebacivanje bilo je prožeto uzbuđenjem. Silno se radovao što će sedeti u istoj prostoriji sa čovekom koji je stajao iza svega ovoga.

Trinaesto poglavlje

Nije bilo moguće da čovek Aleksandrovih godina i debljine poskoči, pa makar i od radosti, ali dao je sve od sebe. Marširao je Dvoranom tajni[27] mlatarajući šakama i zazivajući u zahvalnosti Bogorodicu i sve svece. Kakav trijumf! Kakva porodica! Njegova voljena kćerka nosi naslednika Ferare, a njegov sin sada sedi u vojvodskoj palati u Urbinu. Uspelo je! Uspelo je od početka do kraja. Dok su sve oči bile uprte u Areco i Firencu, i narastajuću javnu svađu između pape, njegovog sina i sinovljevog kondotijera Vitelija, Čezare je spojio svoje snage i, imajući dopuštenje da maršira kroz vojvodinu teritoriju, uzeo željeni plen. I niko, čak ni vojvoda Montefeltro, nije imao pojma šta se sprema.

Kakva su vremena bila pred njim. Vatikanske čekaonice biće zakrčene diplomatama koje će očajnički želeti da izraze... šta? Svoj gnev? Uvređenost? Ogorčenje? Paniku? Naravno. Pa dobro, izaći će na kraj s tim. Zato što se ispod glasnih protesta čuo i mnogo tiši jezik diplomatije.

„Vaša svetosti, u gradu vlada opšte zaprepašćenje."

Burkard – čovek nimalo sklon preterivanju. Naravno da vlada zaprepašćenje. Kada Bordžije nešto odluče, u stanju da su postignu nedostižno.

Kako bi voleo da je i sam bio tamo.

„Vrlo dobro." Aleksandar se smestio na tron, stisnuo usne i pustio da mu podvaljak mlitavo visi kako bi delovao utučenije. „Uvedi prvog."

Nije trebalo dugo da se osećaj trijumfa prikrade natrag: čak i kad je mletački izaslanik ustao pošto je poljubio prsten i zinuo da energično protestuje zbog ovog čina nečuvene agresije, nije uspevao da do kraja prikrije divljenje u svom pogledu.

U njegovom stanu u Arecu, bacali su kocku da vide ko će saopštiti Vitelocu Viteliju. Danima su ga mučili razarajući bolovi, s kojima se mogao meriti samo bes kada je čuo da se Čezare Bordžija pridružio papi u javnoj osudi njegove okupacije toga grada. „*Zapovednik Viteli je bio u našoj službi, ali nije postupao po našim naređenjima i obavešten je da valja da se odmah povuče, ukoliko ne želi da izazove naše još veće nezadovoljstvo.*"

Škorpion šugavi. Nije postupao po *našim* naređenjima! Sve je bilo dogovoreno. Onaj nakazni siledžija Mikeloto stajao je pred njim i lično mu preneo poruku. Idi u Areco i podstakni pobunu. Do kraja meseca stići će ti pojačanje. On zaurla od bola. Pomogli su u stvaranju čudovišta koje će ih sada sve prožderati.

Osveta. Sada mu je bila još potrebnija. Firenca je mogla da čeka.

Tog jutra u Ferari, Lukrecijina mučnina nije bila posledica trudnoće.

Njen brat je zaposeo Urbino! Treću stranu veličanstvenog trougla koji je taj grad sačinjavao sa Ferarom i Mantovom, čvrsto povezanog mrežom brakova i istorijski potvrđenog kao utočište stabilnosti i kulture u sve varvarskijem svetu. Grad u kom su se vojvoda i vojvotkinja privremeno iselili iz sopstvene palate da bi se ona smestila u nju na svom proputovanju, u kom su se ophodili prema njoj kao prema najrođenijoj i u kom se toliko trudila da uveliča spajanje njihovih porodica. Kako je samo mogao?

Kako je dan odmicao, vesti su bile sve gore, glasnici su se sudarali na kapiji donoseći priče o nesrećama: ne samo da je grad zauzet nego je i vojvoda Montefeltro nestao, Bordžijini vojnici ga progone kroz njegovu vlastitu teritoriju. Njegova vojvotkinja – smerna, velikodušna Elizabeta, koja se nalazila u Mantovi, u poseti svom bratu i snahi Izabeli od Estea – beše premrla od straha ne znajući hoće li on uspeti da dođe do nje živ i zdrav.

Kako je Čezare smeo da uradi tako nešto, i kako je otac smeo to da mu dozvoli? Jesu li već imali ovo u planu kad su je udali, ili su prvo sačekali da ona zanese i tako osigura svoj položaj? Ali ta vest je do njih došla tek pre neku nedelju. Ovaj plan je sigurno datirao od ranije.

Trebalo je da joj kažu! A opet, sve i da jesu, šta bi uradila?

Stuštila se hodnicima palate da pronađe svekra, dok su se dvorjani sklanjali da je propuste pognute glave kako ne bi morali da je pogledaju u oči. Posvuda se osećala preneraženost, preneraženost i gnev usmeren prema Bordžijama.

„Dragi moj svekre, ne verujem sopstvenim ušima“, reče ona klecnuvši u nizak naklon, ne pokušavajući da sakrije tugu što joj se ocrtavala na licu. „Premda sam rođena kao Bordžija, sada sam Lukrecija d'Este, vojvotkinja od Ferare, i kažem vam iz dubine duše da me ovo vređa isto tako neizmerno kao i vas.“

On progunđa nešto u znak odgovora. Od prvog trenutka je rizikovao primivši guju Bordžiju u svoje gnezdo. Kako je bledunjava i slaba, pomisli on, i ne liči na punašnu malu jarebicu koja se pre četiri meseca sva razigrana iskrcala s broda. Ima li snage da iznese ovo dete do kraja? Možda će umreti s njime zaglavljenim u sebi, poput one pre nje. Sem što ni to nikako ne bi valjalo, zato što je Ferara sigurna samo dok je ona živa. A što se tiče onog ubice, onog papskog kopilana – da li ima sreće ili je sklopio savez sa đavolom, tek, sudbina mu ide naruku.

„Razume se, draga kćeri. No ne smeš se potresati zbog onoga što ne možeš da popraviš.“

Pomogao joj je da se uspravi i zagrlio je.

„Suočićemo se s ovim naoružani strpljenjem i snagom. Tvoj zadatak je da vodiš računa o sebi, zato što ćeš biti majka vojvode od Ferare, zbog čega si nam preča i dragocenija od svega ostalog.“

Urbino. Oče na nebesima, pomisli on, onaj siledžija od njenog brata mora da ima gvozdena jaja među nogama. I pored toga što je mrzeo Bordžije iz dna duše, kao vladar morao je uvek da ima na umu krv koja će teći venama narednih pokolenja.

Vrativši se u svoje odaje, Lukrecija je izlomila suve biskvite na zalogaje i jela žvaćući polako kako bi bila sigurna da neće povratiti. Njene dvorske dame su sedele i ćutke je posmatrale; čak ni Anđeli nije padalo na pamet ništa što bi mogla reći. Posle nekog vremena, latila se prepiske koja ju je čekala: nekoliko reči saosećanja Elizabeti, koja je sa zebnjom čekala u Mantovi, pisma ocu i, dabome, još jednog: onoga kojim će čestitati novom vojvodi od Urbina. No potonje će možda ostaviti za neki drugi dan.

Njena osećanja prema bratu poslednjih godina postala su toliko zbrkana da više nije uspevala da ih razabere. Ljubav, strah, saosećanje, gnev, blesci mržnje. Kao dete bio je postojan poput sunca na nebu; uvek kadar da je nasmeje, da odagna ružne snove, da je zaštiti od bezobzirne zlobe njihovog brata Huana. Međutim, kad je odrasla u ženu, nešto se promenilo. Nekada zaštitnička ljubav postala je silnija, posesivnija. Bivalo je trenutaka na balovima kad je kružio oko nje više nalik na udvarača nego na brata ili bi je stegao u zagrljaj od kog je ostajala bez daha. Međutim, najgora je bila njegova jedva prikrivena agresija prema svakom muškarcu koji bi joj prišao.

Neskriveno je pretio njenom prvom mužu da će ga ubiti zato što je nije usrećio, a onda je naredio da ubiju njenog drugog muža baš zato što je bila srećna s njim. Razume se, sve je bilo uvijeno u oblandu politike, ali oboje su znali da je posredi nešto više od toga. Posle Alfonsove smrti, zarekla se da mu nikad više neće verovati; bila je ubeđena da će ga mrzeti do poslednjeg daha. Ipak, takoreći protiv njene volje, pronašao je put za povratak u njene misli, pa je ovih poslednjih meseci bilo trenutaka kada je shvatala da joj nedostaje: ona poput dijamanta oštra energija kojom je zračio, sigurnost i samouverenost u svakom pogledu, kao i njegova gruba, bezuslovna, večita ljubav.

A sad je bio vladar Urbina. Mada je možda želela da nije tako, to saznanje ispunilo ju je trijumfom i užasom u isto vreme. Stvarao je istoriju, a dokle god je njegova zvezda bila u usponu, bila je i njena. U mislima je ponovo videla one nežne bele kule što su se penjale nebu pod oblake, ono veličanstveno orlovsko gnezdo, ljudskih ruku delo, što se nadnosilo nad dolinom u podnožju. Prisećala se svoje radoznale šetnje kroz sobe u palati, sve odreda pune prelepih, elegantnih umetničkih dela: idealnih gradova, nežnih Madona, razigranih heruvima, drevnih statua – riznice kulture koja je bila delo jednog od najraskošnijih dvorova Italije.

Sem što su sada pripadnici pobedničke vojske zacelo jedini dvorjani na tom dvoru, a usred njih je stajao Čezare, sa svojim krvožednim slugom iza sebe, kome su ožiljci na licu svedočili o mrljama na duši.

Te večeri je zadržala Katrinelu i još nekoliko svojih družbenica uza se sve dok nije utonula u san. Nije je morila mučnina i rekla im je da je lepo raspoložena, ali kad su prišle da je pokriju pre no što su izašle iz sobe, koža joj je bila orošena hladnim znojem. Možda je tako izbacivala iz sebe stid zbog svoje porodice.

Četrnaesto poglavlje

U jednom je Lukrecija ipak pogrešila. Vojvodska palata u Urbinu nije bila nastanjena vojnicima pobedničke vojske. Zdanje je bilo sablasno prazno, s izuzetkom samog Čezarea, Mikelota i nekoliko slugu koji su se starali o njihovim potrebama. Napolju je grad bio podjednako tih, svi prozori i vrata zatvoreni i zabravljeni. Manje od dva dana posle okupacije, Urbino je zatvoreni grad, ili su barem Nikolo Makijaveli i Frančesko Soderini stekli takav utisak kad su stigli tamo te večeri, četrnaestog juna 1502.

Čitavog dana su naporno jahali i sunce je već počinjalo da zalazi kad su se domogli severozapadne gradske kapije, dok je letnje nebo oko njih bilo pravi festival boja. Velika drvena vrata bila su zabarikadirana i ne bi im ni dozvolili da uđu da straža nije unapred dobila obaveštenje o njihovom dolasku. Odmah po ulasku, dodeljena im je oružana pratnja. Topot kopita njihovih konja veselo je ječao kroz puste kaldrmisane ulice. Vojna pobeda u kojoj je vojsci bilo zabranjeno da pljačka. Impresivno na svoj način, pomisli Nikolo.

Zapodenuo je razgovor sa stražarima iz pratnje, izrazivši svoje divljenje zbog briljantno izvedene operacije i atmosfere smirenosti u samom gradu. Ljudi su bili više nego razgovorljivi; još su bili poneseni izvojevanom pobedom, a nisu imali kome da se pohvale.

Bilo je, kako rekoše, „jebeno majstorski izvedeno“. Kao deo snaga pod neposrednim zapovedništvom vojvode, čekali su u blizini Kamerina, kad su se naređenja odjednom promenila. Tog dana su prevalili trideset i pet milja, usiljenim maršem natrag prema severoistoku, pod letnjim suncem što je pržilo, bez i jednog jedinog zaustavljanja da nešto pojedu ili popiju. Do večeri su stigli u Kalji, mesto unutar granica Urbina. Tamo su se, pred nosom tvrđave koja im je, da je htela, mogla nedeljama zaprečavati prolaz, pridružili najamničkim trupama Oliverota da Ferma i Paola Orsinija, koji su, blagodareći sporazumu koji je postigao papa, takođe dobili pravo slobodnog prolaska kroz Montefeltro. Vojvoda je bio toliko uljuljkan u osećaj sigurnosti da čak nije ni bio u gradu.

„Nije znao šta ga je snašlo.“ Iznova proživljavano uzbuđenje izbijalo je iz njih poput pare. „Kad je saznao, on i njegova svita bili su na večeri u nekom seoskom samostanu. Jedva je imao vremena da se spakuje i nagne u bekstvo.“

Što se tiče njihovog vlastitog vođe, nije bilo ničega do najveće moguće odanosti. „Vojvoda Valentino je pravi vojnik. Radi sve što i mi, i više od toga. Ako mi ne jedemo, ne pijemo i ne pišamo, onda ni on to ne radi. Vešt je jahač najmanje koliko i svi ostali, i nikad ne spava.“

Koliko često je Nikolo nazreo ista osećanja u Livijevom glasu, kad je ovaj veličao vrline onih rimskih generala koji su predvodili ličnim primerom.

„A kako nagrađuje?“, upita on dok ih je pritiskala tišina grada.

Slegli su ramenima. „Plaća dobro i redovno. Pa dobro, ne napuniš uvek džepove plenom – ali ionako često ostaneš bez svog dela, jer moraš da se tučeš s nekom budalom oko njega. Mada ne bi bilo loše da ima više žena. Kažite mu to kad ga vidite, važi? Samo nemojte da pominjete naša imena."

Kad su konačno stigli do palate, plato ispred nje, s jedne strane oivičen katedralom, bio je pun praznih tovarnih kola i desetina sputanih mazgi, pred kojima su se nalazili improvizovane jasle i pojila. Da li su dopremali provijant ili su se spremali da odnose stvari odatle? Neke vredne vojvodske suvenire za pobednika, možda? Nikolo je uskoro imao da naslika rečima sve što je video, pa je upijao pogledom i najmanju pojedinost.

Po ulasku, izaslanicima su dodeljene otmene odaje s pokrivenom terasom koja je gledala na vrt u unutrašnjem dvorištu, tako da je vazduh strujao i po letnjim vrućinama poput ove. Nikolo je sedeo i uživao u raskoši, protežući udove ne bi li ublažio bolove izazvane višednevnim boravkom u sedlu – njegovo sitno, vižljasto telo se po snazi nikad nije moglo meriti s njegovim umom.

Ipak, to nije bilo protraćeno vreme; on i biskup su putovanje proveli analizirajući italijansku državu, opisujući, razmišljajući, iznoseći dijagnoze poput lekara s pacijentom na stolu pred njima. S tim što je prognoza, što su više proučavali, bila sve sumornija. U tom pogledu su se potpuno slagali. Sve dok Francuska ima nameru da ponovo zauzme Napulj, budućnost je sa sobom nosila strane ratove na italijanskom tlu, s uvlačenjem svih redom u vazalske odnose. Bordžije su, međutim, bile nepredvidljivi faktor. Čezareov novac i snaga možda jesu poticali od pape, ali vojvodina žeđ za vlašću bila je sada potpomognuta vojničkom veštinom koju je stekao. Posvuda oko njega ležali su deseci državica, u milosti i nemilosti korumpiranih porodica posvećenih isključivo vlastitim interesima, koji su se pak menjali kako vetar duva. Šta je – ili ko je – mogao da preobrazi ovaj haos u nešto veće i stabilnije? Nikolu je bilo pomalo žao što putovanje nije trajalo duže, zato što mu nikad nije bilo dosta takvih razgovora, koji su hranili njegovu ličnost isto koliko i izgledi na sledeću seksualnu pustolovinu ili kakva pikantna dosetka. Nasuprot tome, biskup je, jače povezan s Crkvom i porodicom, imao skučeniji pogled na svet. Ali ovog časa u Urbinu, na ovom raskršću istorije, postoji nešto što ih neraskidivo spaja: ljubav prema njihovoj namučenoj republici i potreba da zastupaju njene interese, bez obzira na uslove koji im budu postavljeni.

Poziv je došao pošto je ponoć već odavno prošla. Naravno, pomisli Nikolo proveravajući svoj dublet i zaglađujući rukom kratku kosu, ovo je vojvoda koji nikad ne spava. Jedan sluga poveo ih je uz stepenice i potom kroz mnoštvo mračnih soba u kojima su nekad odzvanjali glasovi sofisticiranih muškaraca i žena u raspravama o veštinama savršenih dvorjana: balansu učenosti i atletskog umeća, muziciranja i plesa, muške duhovitosti i ženske smernosti. Kao da i sama tišina žali zbog njihovog odlaska.

Čezare se smestio u vojvodinim odajama, iz kojih se pruža lep pogled na dolinu u podnožju.

Soba se kupala u hladnoj mesečini, dok su strategijski postavljene sveće osvetljavale portret starog vojvode i njegovog sina, i reljef nagog, usnulog Kupidona u prirodnoj veličini, krilatog tela razbaškarenog na kamenoj postelji.

Čezare je sedeo na sredini sobe, potpuno budan, još u vojničkoj odeći, tela prostrtog popreko na drvenoj fotelji – maskirana glava u jednom uglu, dok su noge u čizmama visile preko drugog rukonaslona. Bio je to promišljeno ležeran, čak nepristojan položaj za zapovednika koji je upravo izvojevao najveću vojnu pobedu u karijeri. Nije se ni pomerio kad su ušli, već im je samo pokretom ruke pokazao na dve stolice postavljene ispred njega. Za leđima mu je stajao čovek unakaženog lica za koga su znali da je njegov telohranitelj.

Sluga je doneo vino, sipajući prvo vojvodi i onda njima. Potom su se vrata za njim tiho zatvorila. Za tri godine otkako je ušao u diplomatiju, Nikolo Makijaveli sedeo je u istoj sobi s mnogim muškarcima – pa čak i s jednom ženom – čije su odluke poslale bezbroj ljudi u smrt, ali niko od njih nije lično baratao nožem ili garotom. Čezare Bordžija i Migel de Korelja su obojica bili ubice. Nije bio siguran da li mu se želudac grči od iščekivanja ili od straha.

Vojvoda je podigao svoj pehar, posmatrajući ih dok su uzimali svoje.

„Vino nije otrovano, gospodo“, reče najzad, kad je postalo jasno da čekaju da on otpije. „Pre će biti da je jedno od najboljih u Italiji. Vojvoda od Urbina ga je čuvao za posebne prilike. Mislim da ćete se složiti da je ova baš takva. Dobro došli u moju novu državu.“

Njegov glas ih je vratio u stvarnost. Biskup poče da ređa dobre želje i čestitke na vojvodinom vojničkom geniju, skupa s nadama u plodonosan razgovor: uobičajeno ispipavanje. Nikolo je dovoljno dobro poznavao svog samouverenog šefa da primeti kod njega blagu nervozu. Možda je trebalo da donesu poklone. Ali opet, šta bi uopšte mogao da priželjkuje ovaj čovek na čijem je maču ugraviran moto Julija Cezara?[28] Na prigušenom svetlu, on vide kako su Čezareove oči zasvetlucale.

„Imate tu čast da budete prvi koji me ovde posećujete, ali nisam vas pustio da uđete da bih slušao komplimente. Hteo sam da znate zašto sam ovde i kakva će nam biti budućnost." Desna noga mu se ritmički klatila, kao da reaguje na neku muziku koju ne čuje niko sem njega. „Oduzeo sam teritorije vojvodi Montefeltru zato što sam, putujući prema Kamerinu, čuo da planira da nas izda. I na isti način ću se obračunati sa svima koji mi jedno govore, a drugo rade."

Na jeziku med, a na srcu jed: savršen ton za izgovaranje laži i ultimatuma. Dvojica diplomata se pripremiše da dočekaju napad.

„Firenca se nije lepo ponela prema meni. Kad sam pre godinu dana stajao s vojskom na vašim granicama, zaklinjali ste se na savezništvo i obećavali sve i svašta. A opet, sve što čujem jeste da ste odmah otrčali kod francuskog kralja, da mu kukate kô odbijeni udvarači. To mi veoma smeta i ako ne možemo da se dogovorimo da budemo prijatelji – što je sve što želim – tada se moramo odlučiti za suprotno."

„Gospodaru, moram da protestujem", javi se Soderini dostojanstvenim tonom. „Govorite o prijateljstvu, ali svi znaci ukazuju na rat. Areco je firentinska teritorija, a vaš kondotijer ju je ipak okupirao i podstakao pobunu protiv nas. Ako želite prijateljstvo, trebalo bi da..."

„Nimalo ne saosećam s vašim gradom ni njegovim nevoljama, biskupe, zato što mislim da ih je zaslužio. Ipak, kažem vam da Viteloco Viteli više nije moj čovek. Navešću vam šta sam napisao u pismu svom ocu, pre manje od nedelju dana. *Zapovednik Viteli je bio u našoj službi, ali nije postupao po našim naređenjima i obavešten je da valja da se odmah povuče, ukoliko ne želi da izazove naše još veće nezadovoljstvo.* Osmehujete se? Ne, vi gospodine – vi u senci."

„Ako vam se učinilo da sam se osmehnuo, vojvodo Valentino, to je zbog svetlosti sveća."

„A vi ste?"

„Nikolo Makijaveli, sekretar Ratnog veća“, jasno i glasno će on, istovremeno pokušavajući da promeni izraz lica: po njegovom mišljenju, jedno tako privatno pismo moglo je da dospe u javnost samo ako je napisano upravo u tu svrhu.

„Aha. Što znači da dobijate platu od Firence, je li tako, pa se vaša uloga ne menja svakih – koliko ono beše? Šest meseci? – kao ta vaša prokleta republika, koja se menja sa svakom novoizabranom grupom neiskusnih trgovaca. To je jedan razlog što se gnušam vaše vlade. Nema ni doslednosti ni vizije.“

„Gospodaru!...“

„S dužnim poštovanjem...“

„Ha – sad sam vas obojicu naljutio. Odlično. Poštedite me odbrane svoje prastare republike. Jer, ako ćemo po istini, šta vam je donela: diktaturu Medičija i ludog fratra? I toliko nesiguran položaj da morate da se krijete iza francuskih sukanja čim vas neko makar pogleda popreko, a pritom ne prestajete da mašete vrednostima i vrlinama kao da su oružje a ne snovi. Sve je to uzalud. Razumem kralja Luja bolje nego iko drugi u Italiji. Kao braća smo, pa se kao braća i ispomažemo na sve moguće načine.“

Nikolo je imao teškoća da suspregne novi osmeh. Prisetio se trenutka kada se konačno našao licem u lice s francuskim kraljem i kako je, posle malo besciljne predigre, posmatrao kako se iz diplomatske rukavice pomalja pesnica moći, gola i čvrsto stisnuta. Osetio je tad i opipljivo fizičko uzbuđenje. Isto kao i sad. Nikad nije upoznao papu, ali su čak i njegovi neprijatelji govorili da taj čovek poseduje urođeni smisao za strategiju, da su političke igre za njega poput partije u kojoj su mu podeljene najbolje karte. Talenat koji se prenosio kroz krv ili dobro naučena lekcija? U svakom slučaju, čovek nije mogao a da ne bude impresioniran.

„Ponavljam, želim prijateljstvo sa Firencom. Ali ako ga ne mogu imati, uradiću šta moram da bih živeo bez njega, i tim gore po vas." Ponovo se zavalio u svoju fotelju, nestrpljivo cokćući.

Predstava, pomisli Nikolo. Sve ovo je samo predstava! Maska, sveće, mesečina, palata s tihim, isprepadanim gradom pod njegovim nogama. Pogled mu skliznu prema vratima male sobe pozadi, gde se pri svetlosti sveća nazirala unutrašnjost kabineta starog vojvode – čitav jedan vizuelni svet stvoren u intarziji, od hiljada iveraka različitih vrsta drveta. Bilo je čuveno u celoj Evropi, ovo umetničko čudo Urbina. Hoće li i ono postati ratni plen, oplata poskidana sa zidova i natovarena na kola, i prenesena tamo gde vojvoda nađe za shodno? Čitav svet će biti ogorčen zbog takve otimačine. Ali opet, izazivanje ogorčenosti bilo je specijalnost ovog čoveka. Da li mu je iko ikad išta osporio?, upita se Nikolo. Mikeloto je u pozadini i dalje stajao nepomičan kao kip. Predstava, tačno, ali naglašena pretnjom.

„Dosadan sam vam, sekretaru?"

„Ne, gospodaru vojvodo, ni slučajno." On žurno skrenu pogled ka njemu.

„I dalje mi se čini da se smeškate, mada kažete da nije tako. Pomerite stolicu bliže meni, da vas bolje vidim."

Nikolo ga je poslušao i oči iza maske se sad netremice zagledaše u njegove.

„Ne, nije posredi svetlost. To je oblik vašeg lica. Prava ste lasica, nema šta. Recite mi, onda, šta misli 'sekretar Firence', sad kad je izašao iz senke?"

„Pa… zadivljen je" – potom zaćuta izračunavajući rizik, pa zaključi da se isplati. „Kako vašim dostignućima, tako i činjenicom da sreća služi čoveka koji iskoristi trenutak onako kako ste vi to uradili."

Biskup je bučno pročistio gušu, kao da bi da se distancira od nagoveštene uvrede, ali na to se soba ispuni Čezareovim glasnim smehom.

„Fortuna! Ha, istina, devojčura je to bez premca. I kao što rekoste, ovih dana ne može da me se nasiti. Ali opet, kao i sa svim ostalim ženama, ako si fin prema njoj, nećeš postići naročito mnogo. Moraš da rizikuješ i zavučeš joj ruku pod suknju ako stvarno želiš da svrši." Bilo je očigledno da uživa u svojim prostačkim rečima. „To je nešto iz čega bi Firenca, sa svojom silnom kićenošću i principima, mogla da izvuče pouku. Pogledajte malo oko sebe."

On pokaza prema portretu prvog vojvode, Federika, i njegovog sina, naslonjenom na zid i spremnom za transport. Starac, s nosom nalik na slomljeni grumen uglja, sedeo je u punom oklopu i čitao knjigu, dok je dečak, svetlokos i bucmastog lica, stajao pored prestola nalik na uznemirenog heruvima u preteškoj odeći.

„Uzvišena porodica Montefeltro! Na ovoj slici nalazi se sve što čovek treba da zna o Italiji: otac ratnik i njegov slabašni sin, sadašnji vojvoda – ili, bolje rečeno, bivši vojvoda – pošto je upravo sve izgubio. A zašto? Zato što je bio previše zaokupljen umetnošću i kulturom da bi zagledao u nebo onda kad je vreme počelo da se menja. Nije nikakvo čudo što mu je Fortuna okrenula leđa. Baš kao što je okrenula leđa gradu koji plaća nekakvog vajara slomljenog nosa da izvaja mermernog Davida da rastrubi svoju čistotu, dok istovremeno odbija ponudu savezništva s jedinim čovekom koji može da joj osigura budućnost."

Obaveštajni podaci, pomisli Nikolo. Imati načina i sredstava da ih pribaviš, to je jedno, ali znati kad i kako da ih upotrebiš, nešto je sasvim drugo. Osećao je kako se biskup nelagodno vrpolji u svojoj stolici.

„Vidite li, gospodo, kako brižljivo pratim dešavanja u vašem gradu. Dakle. Koji će od nas otići u istoriju, pitam se?“ Glas je sada bio gotovo zavodljiv. „Vaša statua ili moja država? Zato što vam obećavam: iako ima nekih koji me doživljavaju kao nasilnika, ja nisam obad, koji danas jeste a sutra nije. Ne, ja sam ovde da ostanem. Stabilnost, red, zakon, snaga, pravda. Oslobodiću Italiju ovog roja insekata u vidu tirana što sede u svakom drugom gradu misleći samo na sopstveno bogatstvo i zadovoljstvo. Zato što je, kao što rekoste, sekretaru, Fortuna na mojoj strani. I stoga“ – on zaćuta, pa nastavi: „Na vama je da odlučite kako ćete krenuti u tu budućnost. Ali tu odluku donesite brzo, jer nemam mnogo vremena. I zapamtite, između mene i Firence ne može biti sredine: ili ste mi prijatelj, ili ste mi neprijatelj.“

Na prostoriju se spusti tišina. Razgovor nije nimalo napredovao, ali izgledalo je da mu do toga više nije ni stalo – već kao da gotovo uživa u njihovom društvu. Ili možda u zvuku sopstvenog glasa, budući da se dijalog umnogome pretvorio u monolog. Nikolo zateče sebe kako se pita kako to lice izgleda bez maske. Da li je uistinu u toj meri unakaženo francuskom bolešću da mora da se skriva? Ili je i to samo deo ove predstave pretnji? Ako su njegovi vojnici i dalje razdražljivi od gvozdenog ukusa akcije, tada je njihov zapovednik izvesno još više pod njenim uticajem. Takvom čoveku spavanje zacelo deluje suviše pitomo, pa makar ga sama Fortuna čekala u krevetu.

„Izgledate umorno, gospodo Firentinci“, reče im on posle nekog vremena.

„Danima smo bili u sedlu.“ Biskupov glas je bio tih.

„Dugačak put za stare kosti, vidim ja“, podrugljivo će vojvoda. „Mada bi se papa, moj otac, da ima vremena, uvek odlučio za konja na otvorenom drumu. Ali opet, on je čovek izuzetno zdrav za svoje godine. Neću se iznenaditi ako nas sve nadživi." Informacija je bila iznesena gotovo kao dodatak, pošto svaki vojni zapovednik, pogotovo onaj koji dobro plaća svoje vojnike, mora biti siguran u dugovečnost pokrovitelja koji podmiruje troškove.

Ostavili su ga izvaljenog u fotelji, s vinom u ruci, dok se kroz prozore iza njegovih leđa videla urbinska noć kako bledi u dan.

Kad su otišli, Čezare je neko vreme samo sedeo, desno stopalo mu se još trzalo. Pozadi u senci, Mikelotovo disanje poče da se menja, povremeno tiho hrkanje odavalo je čoveka koji spava na nogama. Koliko su dugo njih dvojica već bili budni? Dva i po dana, možda i više. Jedna od privlačnosti rata, to kako krši pravila vremena i prirode, pomisli on, kako blokira prve bolove rane, kako krade buduću snagu da njome nahrani ono što izgleda kao beskrajan današnji dan. Ali čak i najbolji vojnici moraju naposletku da se predaju snu.

No ne i on. Već je bio obuzet budućnošću. Zauzimanje Urbina je promenilo igru, i jednim udarcem udvostručilo njegovu slavu i broj njegovih neprijatelja. Pošto Firenca više nije bila sledeći cilj, bilo mu je potrebno da barem bude neutralna. Šta će da kažu njene diplomate? Barem mu nisu poslali nekakve ovce. Biskup je skoro sigurno pretesno povezan sa svojim bratom na vlasti da bi rizikovao da se opeče (da li bi tu pripomogao kardinalski šešir?), ali onaj lukavi sekretar može da sroči depešu koja će preneti i hitnost i suštinu.

Ustao je iz fotelje i prišao otvorenom prozoru. Nebo je već bilo mešavina ljubičastih nijansi praskozorja, vazduh još svež i čist. U glavi je osećao damaranje koje mu nagovesti vreme. Neće proći dugo pre no što se pretvori u čekićanje koje mu neće dati snu na oči, koliko god da je telo počinjalo da žudi za njim. Kad više ne bude mogao da ga podnese, pozvaće Torelu, čiji su umirujući napici postali povremeni lekovi otkako se izlečio od francuske bolesti.

Dalje razdanjivanje otkrilo je duboku dolinu u podnožju. Videlo se miljama daleko. Šta bi bilo da sad raširi ruke i skoči? Da li bi padao kao kamen ili bi ga ponele vazdušne struje; čovek leti nad dolinom kao ptica, nošen uzdižućim vetrovima Fortune? Stajao je tu i široko se osmehivao zamišljajući nevericu onih na zemlji, koji otvorenih usta bulje naviše u njega.

Nikolo je u svojoj sobi stalno iznova vraćao razgovor na početak, ponovo prelazeći svaku promenu i nijansu. Priželjkivao je da je mogao ostati duže, postaviti više pitanja, dublje začeprkati, gurnuti u stranu veo diplomatije da bi porazgovarao o ranjenom telu Italije s drugačijom vrstom lekara, onim koji je već zavukao ruke duboko u utrobu pacijenta.

Uzeo je pero i počeo da piše: depeša je morala biti poslata bez i najmanjeg odlaganja ako žele da odgovor iz Firence stigne dovoljno brzo. Imao je čudesno dobro pamćenje, pa je veliki deo onoga što je vojvoda rekao pretočio na papir od reči do reči. *Stabilnost, red, zakon, snaga, pravda.* Plemenite reči namenjene maskiranju onoga što su drugi možda smatrali nasilničkim postupcima. Ali otkad je to sticanje moći imalo ikakve veze s dobrotom? Ne, ako je ovde na delu Fortuna, tada je takođe i *virtù,*[29] ta svetlucava, skliska reč koja objedinjava snagu, vitalnost i veštinu u jednakoj meri. Koliko god mu je maska crna, Čezare Bordžija je bio živi primer toga. Možda Firenca ne želi to da čuje, ali bila mu je dužnost da joj kaže ono što vidi.

Ovo je uistinu izuzetan i veličanstven vladar. Nema u ratu nijednog veličanstvenog poduhvata koji ne deluje lako, a u težnji za slavom i teritorijama nikad ne posustaje, niti priznaje umor ili opasnost. Stigne na jedno mesto pre no što se dozna da je s drugog otišao. Odlučuje sam, i to uvek u trenutku akcije, pa tako nikad niko ne može unapred doznati šta smera. Njegovi vojnici ga vole, a okupio je oko sebe najbolje ljude u Italiji: sve ovo čini ga pobedonosnim i velikim, pogotovo kada se tome doda sreća koja ga sve vreme prati.

Kad se razdanilo, a grad počeo da se budi, još je pisao. Čuo je otvaranje kapija i vrata, tandrkanje teretnih kola što su pristizala u centralno unutrašnje dvorište, prigušenu lupnjavu i tegljenje velikih predmeta, tugaljivu kuknjavu mazgi dok su im privezivali korpe na leđa, muške glasove kako viču oko njih. Počinjala je velika pljačka.

Nekoliko dana kasnije, pred glavne kapije grada Mantove stigao je iznureni čovek u prljavoj, izgužvanoj seljačkoj odeći, u pratnji dvojice slično prerušenih slugu. Njegov dolazak je na dvoru u Mantovi u jednakoj meri bio povod za radovanje i strah. Do pre nedelju dana, Gvidobaldo Montefeltro bio je vojvoda od Urbina. Sad nije posedovao ništa sem odeće na sebi, koja čak nije bila njegova. Jedva da je uopšte spavao zbog opasnosti u kojoj se nalazio, bežeći kao obični kriminalac preko sopstvene teritorije i izbegavajući grupe Bordžijinih vojnika poslate da ga uhvate.

Te večeri, posle istovremeno veoma tužnog i radosnog susreta sa svojom suprugom Elizabetom, njenim bratom Frančeskom i njegovom suprugom Izabelom d'Este, sedeli su svi skupa za svečano postavljenim stolom i slušali njegove priče nemi od užasa. Ispunjeni gnevom i strahom, sipali su uvrede na račun pape i njegovog sina varvarina. Razume se, nisu izostavili ni njegovu kćerku Lukreciju. Izabela je imala najviše da kaže povodom toga, zbog toga što je suparništvo koje je osećala prema toj skorojevićki koja je već preuzela titulu njene majke i uskoro će u potpunosti zauzeti njen položaj, samo postalo još crnje sa saznanjem da je zanela.

„Jadni moj otac i brat! Moraju da trpe sramotu života pod istim krovom sa tom ženom."

Kasnije te večeri, kad su se njihovi gosti, a sada stalni podstanari u egzilu, povukli na spavanje, Izabela i njen muž su nastavili razgovor.

„Nisi je upoznao, Frančesko, ta ti je kao zmija u vrtu. Što se tiče Gvidobalda, i bolje je da ne zna ono najgore, mada ćemo uskoro morati da mu kažemo: kako ono čudovište pljačka vojvodsku palatu. Zamisli samo: sva ona prekrasna umetnička dela, oni neprocenjivi predmeti natovareni na mazge, preneseni preko brda i baruština samo zato da trunu u podrumu neke tvrđave u Imoli ili Čezeni. Ili još gore, da se rasprodaju širom Evrope zato da se skupi novac za njegove ubilačke pohode. Niko od njih ne daje ni pišljivog boba za umetnost."

„Ha! Ništa ne brini, ženo. Brzo će taj umreti proburažen mačem, i to, bože zdravlja, baš mojim. Gvidobaldo i ja ćemo otići u Milano, da tamo sačekamo dolazak kralja Luja. Jer koliko god da mu je potrebna papska podrška, ne sme dozvoliti da se ovo nastavi."

„Moraš postupati veoma pažljivo, Frančesko", posavetova ga ona; godine braka naučile su je da njen ratoborni muž nema dara za diplomatiju. „Obećaj mi da ćeš prikrivati svoj gnev sve dok ne vidiš s koje strane vetar duva. Vrlo je moguće da ćemo morati da ćutimo i gutamo svoju mržnju sve dok je papa živ, da ne bi Mantova postala njegova sledeća žrtva."

Te večeri su markizine molitve bile žustre i konfuzne. Čeznula je za toliko različitih stvari; moraće prepustiti Bogu da odredi pravilan redosled važnosti. Docnije, međutim, dok je ležala budna, u mislima se šetala kroz palatu u Urbinu, popisujući sva ona umetnička blaga, među kojima je bilo mnogih kojima se veoma divila i povremeno ih priželjkivala u sopstvenoj zbirci.

Narednog jutra je sela i napisala pismo svome bratu, rimskom kardinalu Ipolitu d'Esteu; bilo je to pismo ispunjeno trenutnim skandalima, ali se posebno bavilo jednim konkretnim pitanjem.

Bio bi zločin kada bi sva ova veličanstvena umetnička dela netragom nestala. S tim u vezi, pitala sam se da li bi bio voljan da posreduješ u moje ime kod pape i njegovog sina, vojvode Valentina, u pogledu dva predmeta: oba su dela vanredne lepote i na najvišem nivou... Ne verujem da će ovo biti nezgodna molba, pošto znam da Njegova visost vojvoda ne uživa naročito u starinama.

„Poslušaj samo. Onu debelu gorgonu zanimaju 'mali kip Venere i kameni reljef nagog Kupidona usnulog na postelji, s krilima sklopljenim iza njega'."

U toj nestalnoj klimi, nije trebalo dugo da molba stigne do ušiju samog Čezarea Bordžije, posredstvom kardinala Ipolita. Silno uveseljen ovim pismom, posle svakih nekoliko rečenica morao je da zastajkuje sladeći se pobedom.

„Sećaš li se tih predmeta, Mikeloto? Kardinal, koji mi je odskora svojta, piše da su to 'nevažna dela, veoma male vrednosti, ali mojoj sestri su se neobično dopala, a kako smo mi sada svoji...'"

Potom se podrugljivo namršti. „Naravno, kao kopilan, razbojnik i filistar, kako bih ja umeo da razlikujem neprocenjivo starinsko blago od bezvredne kopije?"

Šta bi sve umeo da isprića o tom nagom kamenom Kupidonu.

„Pa, ako ih već toliko želi, neka joj ih. Spakuj ih u sanduke i pošalji, a ja ću joj napisati nekoliko kićenih reči. Kako bih voleo da vidim izraz na licima Montefeltra i njegove žene kada zateknu svoja pokradena blaga izložena u palati svoje snahe i šurnjaje! Krvi ti Isusove! A ovamo nas iza leđa olajavaju kako nemamo ni stida ni srama."

On privuče preda se list papira.

„Ta gospođa će vrlo brzo da plati za svoje statue."

LETO 1502.

Neka Bog čuva našu vojvotkinju, jer ne bi bilo ni u čijem interesu da ona sad umre.

Bernardino di Prosperi, plemić iz Ferare,
u pismu Izabeli d'Este, avgust 1502.

Petnaesto poglavlje

Karavani natovarenih kola još su izlazili iz Urbina kada je stigla vest o predaji Kamerina. To je, istina, bila više neizbežnost nego čudo vojne veštine, ali Aleksandar je u Rimu ipak veličanstveno proslavio osvajanje tog malog vojvodstva, bogatim gozbama i kanonadama sa zidina Kastel Sant'Anđela: sa svakom novostečenom teritorijom moć Bordžija zatezala se oko pojasa Italije poput sve tešnjeg opasača.

U javnosti, nije se mogao dovoljno nahvaliti sinovljevim poduhvatima, prepričavajući njegove trijumfe svakom izaslaniku i kardinalu koji bi se našao pred njim. A ipak... ipak, nije uvek bio tako živahan i pričljiv: nasamo ili sa svojim komornicima ili Burkardom, bio je mnogo tiši. Možda je bilo do vremena, jer su već vladale neprijatne vrućine. Obično mu nisu teško padale: sećao se leta u kojima bi presedeo pola noći gledajući svoju kćerku i njene družbenice kako plešu, pre no što bi odšetao kroz Vatikan do susedne palate, u kojoj bi ga čekala Đulija Farneze, napuderisane kože pod prohladnom svilom.

Možda bi ga jedna poseta i sad umirila. Valjalo je malo duže putovati, pošto je otišla iz Rima da provede leto u

Subijaku, u kući koju je poklonio njoj i njihovoj deci, Lauri i Romanu. Dogodine je tu imala da bude i treća beba. I sama pomisao bila mu je veoma zamorna. Svet će to nesumnjivo doživeti kao dodatni dokaz njegove nepopravljive pokvarenosti, ali istini za volju, ustanovio je da u poslednje vreme više ne oseća naročito često zov puti, i to začeće bilo je rezultat susreta kog se jedva i sećao. Nije da Đulija nije lepa. I slobodna. Najzad, obudovela je, jadna žena. Ili, bolje rečeno, jadni muž: jer baš negde u vreme kad je Aleksandar pomišljao kako mu ne bi smetalo da ovaj uzme svoju ženu natrag sebi, čoveku se tavanica stropoštala na glavu. Godinama je bio najpoznatiji rimski rogonja i eto, nije mu se dalo čak ni da umre dostojanstveno: umesto da mu možda samo protrese oči i vrati ih na mesto – čovek je bio strašno razrok – tavanična greda mu je rascopala glavu.

„Vaša svetosti, ukazali ste nam čast našavši vremena da nas obiđete."

Đulija ga je, kao i uvek, dočekala raširenih ruku, mada joj je stomak bio malo prevelik da je čovek lako zagrli. Ručali su na pokrivenoj verandi obrasloj lozom. Njegov četvorogodišnji sin trčkarao je među drvećem, sa slugama koje su jurile za njim, dok je Laura, sada smetena devetogodišnjakinja, koja ga nije viđala dovoljno često da bude opuštena u njegovom prisustvu, sedela glumeći ljubaznost koju nije osećala. Papska posla i stvaranje imperije ostavljali su mu malo vremena za uživanje u njegovoj najnovijoj porodici. Kad je Lukrecija imala godina kao ova devojčica, njen osmeh dobrodošlice bio je kadar da obasja suncem i njegovo najmračnije raspoloženje. On je ponovo pogleda. Kako je porasla. Na licu joj je video naznake početaka devojaštva: avaj, neće biti ni izbliza tako lepa kao njena mati. Moraće joj ubrzo ugovoriti brak i pronaći samostan koji će je primiti dok ne bude spremna za udaju. Teško meni, pomisli on, zar je već prošlo devet godina otkako se rodila?

Te večeri je sedeo sam sa Đulijom, naslonivši dlan na blagi brežuljak njenih sukanja. Bivalo je vreme kad je plodnost žene samo pojačavala njegovu želju; Vanoca, Čezareova i Lukrecijina mati, običavala je da ga zadirkuje kako mu apetit narasta istom brzinom kao njen stomak. Ali i njoj se to dopadalo. Nema spora da jeste. Gospode, tih dana se nisu mogli nasititi jedno drugog; valjda nijedan muškarac nije imao bolju ljubavnicu. Ipak, Đulija je bila veoma lepa. On privuče njenu glavu svojoj i poljubi joj usne, kušajući jezikom slast njenih usta. Možda, ako u spavaćoj sobi nije prevruće...

Nežno mu je uzvratila poljubac, ali ne i naročito entuzijastično. Nije gajila nimalo želje da legne u krevet s tim velikim medvedom od čoveka. Sa svojih dvadeset sedam godina, izgubila je onu nežnu rumen mladosti koja izluđuje muškarce i nagoni ih da potraže onu sočnost ispod nje, i taj predah ju je gotovo opuštao. Njeno telo je već donelo bogatstvo porodici Farneze, zaradivši im jednog kardinala i dovoljno novca i kuća da ona – i svi ostali – mirno čekaju starost. S vremenom će možda poželeti da se ponovo uda. Zasad joj je, međutim, pričinjavalo zadovoljstvo da neko vreme bude svoja i ničija više. Malo se žena njenih godina moglo podičiti time. A ona će to imati dokle god je papa živ.

Razume se, on je bio sasvim svestan da ceo svet šapuće to isto. Za nekoliko meseci imaće sedamdeset dve godine. Ha! Nije to ništa. Ništa. Njegov ujak Kalist, prvi papa Bordžija, poživeo je skoro osamdeset godina i mada je iz kreveta upravljao Crkvom, um mu je ostao bridak kao sablja. Tako će biti i s njim. Čezareova osvajanja još nisu gotova i, što je još važnije, mora da nadživi Đulijana dela Roverea, svog najstarijeg i najogorčenijeg suparnika među kardinalima, koji je sedeo u samonametnutom izgnanstvu u svojoj palati u Ostiji, postajući iz godine u godinu sve više zao od sopstvene žuči. Svi su znali da boluje od francuske bolesti. Daće Gospod da bude jedan od onih koji će od nje umreti u agoniji.

Te večeri su on i Đulija podelili postelju i uživali u malo vlažnih dodira, što im je oboma bilo dovoljno, a kad ga je usred noći uhvatio napad grčeva u levoj nozi, ustala je i otišla da donese nekakav melem. Ležao je na leđima dok ga je prstima masirala ne bi li mu opustila zgrčene mišiće. Nekad ga je zadovoljavala, a sad mu ublažava bolove. Nije mu promakla ironija. Zaista je divna žena.

Kad se vratio, u Rimu je ponovo zavladala groznica. Nije bio zabrinut zbog sebe – što se bolesti ticalo, imao je konstituciju bika – ali smrt drugih ljudi nagnala ga je da zastane i razmisli. Pogotovo kada je došla po kardinala Đovanija Ferarija. Prekaljeni stari administrativni upravitelj Crkve preživeo je onaj napad bolesti u martu, ali sada se njegovo odbijanje da dopusti lekaru da mu priđe za samo nekoliko dana ispostavilo kao kobno.

Aleksandar je bio spreman i čekao je da uzapti njegovo bogatstvo, ali način na koji je kardinal umro i ono posle toga pogodilo ga je više no što je očekivao.

Vest mu je doneo Burkard – najbliže što se njegov suzdržani sekretar primakao tračevima. Kako je izgledalo, kardinal je i na samrtnoj postelji galamio zbog neisplaćenih zajmova, pa su dva fratra morala da ga privedu pameti mašući mu raspećem pred nosom kao motkom i zahtevajući da u takvom času metne Boga na prvo mesto, ispred novca. Na sahrani, u Bazilici Svetog Petra, jedan član njegovog domaćinstva se progurao i svukao rukavice s ruku pokojnika, vičući kako ih je stari škrtac ukrao od njega, a kasnije je neko urezao na poklopac sanduka sliku vešala i kaveza za vešanje, dopisavši kako i Bog ima da izravna račune s njim, te da će oni koji se nisu pokajali biti kažnjeni za vjeke vjekova.

Opšta povika je uskoro iznedrila još bolju priču: kako je Sveti Petar, kad je kardinal došao pred vrata raja i rekao svoje ime, zatražio od njega da plati sto hiljada dukata za ulaz. Kad je ovaj odvratio da je papa prisvojio sve njegovo bogatstvo, Petar je nastavio da snižava cenu, da bi ga naposletku poslao na ono drugo mesto, gde ga je ključar pakla, pošto je bacio samo jedan pogled na njegovu praznu kesu, prognao u najniži krug paklenih muka. Dan pre no što se vic raširio, papa beše prodao jedan od pokojnikovih beneficijuma njegovom nećaku: dobijeni novac bio je unapred namenjen Čezareovoj ratnoj kasi. Možda je to bio razlog što nije uspevao da istera kardinalovu smrt sebi iz glave.

„Trebalo je bude velikodušniji dok je bio živ. Niko ne voli tvrdicu, a novca je imao više nego dovoljno", reče on Burkardu dok su sedeli i razgovarali o događajima od tog dana. Ne dobivši odgovor, nastavi da govori: „Činjenica je, Burkarde, da ova rabota prodaje beneficijuma potiče od pre našeg mandata. Ti to barem dobro znaš. Papa Inokentije je jednim potezom utrostručio broj položaja u Kuriji. Imaš sreće što si ušao pre no što je počela inflacija. Koliko si u to vreme platio da postaneš ceremonijar – dvestotinak dukata?"

„Četiri stotine i pedeset, Vaša svetosti", promrmlja Burkard; čovek skromnog porekla nije mogao da zaboravi toliki iznos.

„Možeš misliti! Sad bi te stajalo pet ili šest puta toliko. Kako god, ljudi su oduvek prigovarali zbog toga. Kada sam došao iz Španije – Presveta Bogorodice, ima tome sigurno već pedeset godina – i tada su se gložili u vezi s takvim stvarima. Kako Crkva odlazi dođavola i da su neophodne reforme. Sećam se tih debata: čitave su naučne rasprave napisane o tome kako se sveštenici više klanjaju zlatu i srebru nego Hristu. Šta si ti tada radio, Burkarde? Verovatno si učio katihizis."

Ceremonijar jedva primetno sleže ramenima. Prešao je dug put od buke i smrada uličica u Niderhazlahu, i nije voleo da razmišlja o tome. „Ukazana mi je velika čast time što su me primili u semenište Svetog Florentija", reče on, radije odlučivši da se seti veličanstvene fasade gotičke crkve i svih onih tajnih mesta u njenoj biblioteci, gde je upijao reči kao da su životvorna voda.

„A, da. To tvoje čudesno pamćenje rano te je izdvojilo od ostalih. Jesi li oduvek želeo da se priključiš Crkvi?"

Burkard se namršti. Ne beše navikao na tako lična pitanja, mada je primetio da je papa, od odlaska gospe Lukrecije, postao sklon da začini posao s nešto više ćaskanja. „Pa... porodica poput moje nije imala velikog izbora..."

„Istina. Istina. I to je svakako deo rasprave, Johane. Kakve bi izglede ljudi poput tebe imali u siromašnoj Crkvi? Ono što su rekli oni drugi – novi mislioci, teolozi, obrnulo je to pitanje naglavce; jer, čemu vredi siromašna Crkva? Siromaštvo ne donosi ljudima dostojanstvo. Naprotiv, samo podstiče zavist i zločin. U tom slučaju, samo oni s dovoljno novca da sebi kupe položaj u stanju su da izbegnu korupciju, umesto da je podstiču."

Sad se već smejao, razgaljen sećanjem na to kako se, onako mlad, iskrcao s broda spreman da se uključi u uzvišene razgovore. Valensija je bila najveći grad u Španiji, po sopstvenim merilima bogat i sofisticiran, tačno, ali od trenutka kada je postao sveštenik, oduvek je tu bilo obećanje Rima, ustreptalost zbog boravka u središtu dešavanja, blizine moći, čudesnih mogućnosti.

„Zatim, dabome, tu je i argument da Crkva mora posedovati i uzvišenost pored nauka. Kako da sačuva autoritet pred kraljevima i kneževima, ako njeni zvaničnici dolaze kod njih pešice, ispružene ruke kao prosjaci?“ On zastade da udahne. „Pa, kakvo je tvoje mišljenje o tome, Burkarde? Za sve ove godine, nikad nismo zaista razgovarali o ovome.“

„Pa... mislim da Crkva, ako hoće da joj se ukazuje poštovanje, mora da iskazuje autoritet kroz svoje obrede i da čuva svoje tradicije.“

„Nesumnjivo. A korupcija?“

„Nije u mojoj nadležnosti da imam mišljenje o nečemu takvom“, kruto će ovaj.

„Ipak, siguran sam da te to ne sprečava da ga imaš“, odvrati Aleksandar; naime, kad je imao vremena, umeo je da se zabavi, na neki način, podbadajući ovog najpristojnijeg među svim pristojnim ljudima. „Možda čuvaš takve misli za sopstvena pisanija.“

Burkard oćuta na ovo. Nije imao pojma odakle su potekle glasine o njegovom dnevniku, ali nikad neće zaboraviti kako je Čezare mračno mrmrljao nešto o njemu posle smrti papinog sina. Počeo je da ga piše ubrzo po svom imenovanju, s namerom da zabeleži složenosti obreda Crkve i izazov koji predstavlja održavanje karaktera ljudi u skladu s protokolom koji nalaže njihov položaj; skromna istorija, svakako, ali s vremenom bi mogla da koristi Crkvi. Tu i tamo je umeo da sklizne u nešto ličnija prisećanja: poseta vulkanskim pustolinama oko Napulja, recimo, ili u neprekidnu dramu svetskih događanja: krunisanja i brakovi kraljeva, francuska okupacija Rima. Međutim, kako je politička temperatura u Rimu narastala, postajao je sve obazriviji. Jedno je kad zabeležiš neočekivanu smrt, a drugo kad napišeš i ime čoveka za koga misliš da ju je prouzrokovao. U poslednje vreme, čuvao je te stranice u okovanom, zakatančenom sanduku pod krevetom. U Rimu pod vlašću Bordžija nikad ne možeš biti previše oprezan. Ljudi su i za manje od toga završavali u Tibru.

„Teško meni, Johane, izgledaš kao da ti se slošilo. Ne sekiraj se; ni najmanje me ne zanima to što želiš da zadržiš za sebe, šta god to bilo. Koliko se već poznajemo? Dvadeset godina? A već deset smo najbliži saradnici. Imamo ponečega zajedničkog, znaš. Obojica smo ovde stranci, obojica smo relativno skromnog porekla – mada je tvoje još skromnije od mog – i obojica smo majstori na svoj način: ja za Crkvu u teškim vremenima, a ti za njene obrede i tradicije. Oduvek sam znao da ćemo se dobro slagati. Ti si primeran ceremonijar i ne znam šta bih bez tebe“, reče on široko se osmehujući.

Pošto je odahnuo, mišići na Burkardovom licu krenuše na sporo, nepoznato putovanje prema osmehu.

Da, stvarno, ne znam šta bih bez tebe, pomisli papa, što znači da ti još ne smem ponuditi uzdizanje u kardinalski kolegijum, mada tamo sad postoji upražnjeno mesto i siguran sam da imaš dovoljno novca da platiš za njega.

„Zahvaljujem na ljubaznim rečima, Vaša svetosti.“

Aleksandar se zagleda u njega. Nekad je priželjkivao da se taj čovek češće osmehuje, ali sad kad ga pogleda, možda je ipak najbolje tako kako jeste – izgledao je, naime, kao da će svakog časa zaplakati.

Potpisao je mnoštvo dokumenata, uživajući u škripanju i kitnjastom tragu svog pera; kakvu sigurnost uliva prizor čovekovog imena kako se ispisuje na stranici. Koliko li je dokumenata pokojni Ferari za života potpisao?

„Kada dođe do moje sahrane, Johane, pobrinućeš se da sve prođe bez ikakvih problema, zar ne?“, reče on. „Hoću da kažem, ne bi valjalo za dostojanstvo papskog zvanja da bude kakvog – nedostojnog ponašanja. Ovaj grad ume da postane gadan posle smrti pape."

Burkard je zurio u njega. Za sve vreme koliko su sarađivali, nikad nije čuo Rodriga Bordžiju da priča o sopstvenom umiranju, a evo, sad mu je po drugi put za svega nekoliko meseci postavio isto pitanje. Da li je zaista tako brzo zaboravio?

„Uveravam vas, Sveti oče, da ću se za sve lično postarati."

„Naravno da hoćeš. To sam te već pitao, je li tako?", reče on odmahujući glavom. „Ma vidi ti ovo – kako je ovde vruće, a već satima smo za radnim stolom. Hajde da predahnemo. Današnje depeše sigurno već stižu. A ja jedva čekam da dobijem vesti iz Ferare. Ne bih želeo da Lukrecija bude izložena bilo kakvoj letnjoj zarazi. Ambasador me uverava da je bezbedna u jednom od vojvodinih letnjikovaca, ali radije bih da to čujem od nje."

ŠESNAESTO POGLAVLJE

Kad se ova trudnoća pretvorila iz normalne mučnine u nešto gore? Nije više mogla ni da se seti.

Posle zauzimanja Urbina, udarila je brigu na veselje, održavajući prijeme i raspakujući sanduke tek pristigle iz Venecije. Među njima je bio i onaj s prelepom – i preskupom – graviranom srebrnom kolevkom koju je izradio najbolji srebrnar iz toga grada. Za proslavu povodom Velike Gospe, Uznesenja Blažene Device Marije, poručila je od Trombončina komad koji su izvodili njeni sopstveni muzičari kao glavni deo orkestra, a uveče, mada nije imala snage da zaigra (njeni čuveni okreti su joj sad izazivali mučninu), igrala je rukama i pratila stopalima takt dok je sedela posmatrajući ostale.

Između nje i starog vojvode je, u vezi s mirazom, i dalje vladao status kvo. Ipak, obećanje naslednika ga je donekle smekšalo. Slao joj je poklone – molitvenike i bale najboljih tkanina iz Ferare – a pre no što je otputovao u Milano da se susretne s francuskim kraljem, zamolio ju je da pođe s njim u posetu njegovoj vizionarki, sestri Lučiji.

„Nikad ne idem na put bez njenog blagoslova, a pošto je i Alfonso odsutan, založiće se u svojim molitvama za tvoje zdravlje i sigurnost."

Lukrecija je drage volje prihvatila. Imala je lepe uspomene na vreme koje je kao dete provela u samostanu: opatica i redovnice koje su se starale o njenom obrazovanju bile su sve odreda dobre žene, na svoj način materinski nastrojene. Međutim, još nikad se nije našla u prisustvu redovnice koja je istinska vizionarka. Kako bi bilo divno kada bi molitve sestre Lučije zaštitile bebu, i možda stavile tačku na ovu fazu povraćanja žuči na prazan želudac. Trudnica koja postaje sve mršavija nije bila lep prizor. A ona je tako želela da cvate u trudnoći.

Dok se ne dovrši nova zgrada u kojoj će je udomiti, sestra Lučija je bila smeštena u jednom od starijih gradskih samostana. On je već imao svoju sopstvenu sveticu, telo redovnice koje na godišnjicu njene smrti luči čudotvornu tečnost i, premda ih je opatica kraljevski dočekala, Lukreciji je bilo jasno da prema svojoj „gošći" nije tako ljubazno raspoložena. Sestra Lučija je bila tako skromnog porekla da nije umela da čita i piše, a njeno „stanje" je bilo takvo da nije mogla da radi, dok su u kapelu povremeno morali da je nose, pa je povazdan dobijala pomoć umesto da pomaže. A što se ticalo vizija, pa, opatica još nije imala prilike da vidi nijednu. Potpuno nesvestan sarkazma, vojvoda je satirao kolače i najbolje samostansko vino. Lukrecija ga još nikad nije videla tako uzbuđenog.

Odveli su ih do ćelije na uglu klaustra, pred kojom je stražarila jedna mlada redovnica. Naklonila im se i otvorila vrata.

Miris su osetili pre no što su je videli. Kako da ga opiše? Težak, ošamućujući, mučno slatkast, poput svežeg cveća pomešanog s natrulim ljiljanima, nadjačavao je i pored izdašnih rukoveti lekovitih trava što su visile naokolo. Lukrecija oseti kako joj se želudac podiže, ali vojvoda je zato disao punim plućima.

„Osećaš ga, zar ne?", upita je glasnim šapatom. „To je miris svetosti; dokaz božje milosti. Nema na ovom svetu ničega sličnog tome."

Kad su joj se oči privikle na tamu, videla je slamaricu podignutu na drvo u visini kreveta, sa figurom koja je ležala u košulji, pokrivena prosenjenim ćebetom, jedva se primećujući pod pokrivačem. Prva pomisao joj je bila da je to dete, jer nijedna žena nije mogla da bude tako sitna i mršava. Međutim, lice nije bilo nimalo dečije: gotovo sparušeno, duboko upalih sklopljenih očiju, dok su brada i jagodice štrčale kroz kožu bledu poput previše razvučenog testa.

„Koliko joj je godina?", upita tiho Lukrecija nastojeći da ne bulji u nju.

„Rođena je u 1476. u Narniju", odvrati vojvoda, preobrativši se začas u istoričara Crkve.

U tom slučaju imala je... koliko? Dvadeset šest godina. Svega četiri godine starija od Lukrecije. Nemoguće. Pre je izgledala kao da joj je šezdeset.

„Više joj nije potrebna ovozemaljska hrana. Rekao sam ti to, zar ne? Bog je hrani kroz hostiju. Eto koliko je sveta. Sestro Lučija? To sam ja, vojvoda Erkole."

Oči se otvoriše, ogromne u polutami, i učini se da su joj se i usne pomerile, moglo je biti i da su se sve vreme pomerale – zato što nije bilo zvuka, samo nečujna, brza bujica molitve. Da li uistinu živi isključivo od tela Hristovog? Da li zato izgleda kao da je u isto vreme živa i mrtva?

„Ah! Pa da, pogledaj – zna da smo tu! Sestro Lučija", reče on glasno. „Došao sam da dobijem vaš blagoslov za svoje putovanje u Milano." Oči su mu sijale. Kao da se pretvorio u dečkića, pomisli Lukrecija, nema ni traga od njegove ratobornosti i pompeznosti. „I – i doveo sam novu vojvotkinju da vas vidi."

Ne obraćajući pažnju na stolice koje su prineli za njih, on priđe bliže ležaju, davši Lukreciji znak da ga sledi. Kad je prišla, redovničino lice se promenilo, usta joj se razvukoše u osmeh koji joj proguta usne i mrmljanje postade čujno, treperavo pojanje nalik na vodu što teče preko kamenja. A onda, naglo i naizgled bez imalo napora, ona se uspravi u sedeći položaj, kao da joj je torzo na šarkama, prave kičme i mršava kao daska; ruke joj sunuše napred, kao da ih pozdravlja, njih ili nešto nevidljivo – zato što nijednom nije trepnula – u vazduhu pred sobom.

„Bog vas blagoslovio", uzviknu ona, iznebuha, gromko. „Bog blagoslovio vaše putovanje na sever, gospodaru, i nek je blagosloven plod vaše utrobe, gospodarice."

Zašto li je tako snažno zadrhtala od tih reči? U samostanu su zacelo znali za njenu trudnoću.

„Ah, ah. Počuj ti to." Vojvoda je bio izvan sebe od ushićenja. „Ona vidi dete u tebi. Premili Isuse i svi sveti, reci nešto. Pričaj s njom."

Reci nešto. Ali šta?

„Draga sestro Lučija." Ona se primače još malo, toliko da je sada mogla da ispruži ruku i da je dodirne. „Kako ste?"

Na zvuk njenoga glasa, lice majušne redovnice se uz trzaj okrete u njenom pravcu, a usta se otvoriše u širok osmeh, pokazujući groblje gnjilih zuba i ispuštajući mlaz smrdljivog vazduha.

„Blagosloven. Nek je blagosloven plod", ponavljala je mahnito klimajući glavom. „Blagosloven..." Zatim joj se, podjednako naglo, izraz lica ponovo promenio, nestade osmeha i iz nje navre niz plitkih, brektavih uzdaha, kao iz životinje koja trpi bol. Telo joj pod košuljom uzdrhta i, dok je Lukrecija stajala kao opčinjena, iz usta joj se izli pljuvačka i poče da se cedi niz bradu.

„Javila joj se vizija." Vojvodin glas bio je prožet strahopoštovanjem. „Ponekad se to dešava kada smo pored nje. Vidi kako se trese. Gospod je u njoj. Sada će nam još nešto reći. Dođi, dođi, moramo da se pomolimo."

Ali Lukrecija je i dalje samo buljila. Trpi li ona bolove? Da li bi trebalo da pokušaju da joj pomognu? Iza njih su se otvorila vrata i ona mlada redovnica žurno priđe ležaju, zagrli ukrućenu figuru i onda joj, blago je gurajući, pomože da legne. Devojčino lice odražavalo je neverovatnu nežnost. Činilo se da su njih dve već mnogo puta prošle kroz ovo. Lukrecija se spusti na pripremljene jastučiće, vojvoda kleče pored nje već se usrdno moleći.

Blagoslovljen plod... Utroba u molitvi je Marijina, ali ovde je svakako i njena. O, sveta sestro Lučija, moli za mene. Oslobodi me ove mučnine i čuvaj ovo dete što u meni raste. Molim te, molim te... Ulila je celu svoju dušu u te reči, ali zadah je na vrućini bio još jači, pa se vrlo brzo poslednjom snagom suzdržavala da ne izbljuje na kameni pod sopstvenu reku pljuvačke. A kad je konačno otvorila oči i ugledala ispijeno lice i razjapljena usta, nije uspela da spreči drhtaj gađenja.

„To što je odabrala da živi ovde, s nama, to je na večnu slavu Ferare." U kočiji, dok su se vozili natrag u palatu, Erkole je cepteo od patriotskog ponosa. „Nema u celoj Italiji svetije redovnice."

Međutim, Lukrecija nije mislila ni o čemu drugom do o tome da ona majušna žena ne samo da nije odabrana nego je zapravo oteta, vojvoda ju je doveo ovamo protiv njene volje. Setila se džombastih, zavojitih drumova između Narnija i Ferare; mora biti da su je umotali u perjane jastuke da bi izdržala drmusanje, zato što bi se one krhke kosti u suprotnom zasigurno raspale u stotinu komada. Mora da je Bog mnogo voli kad joj daje snage da izdrži ovakvu patnju.

Kad su se njene dvorske dame sjatile oko nje raspitujući se kako je bilo, nije znala da li da im kaže da je zadivljena ili užasnuta.

Je li stvarno tako sveta?

Je li lebdela u vazduhu?

Jeste li je videli kako jede hostiju?

A miris? Svi kažu da se oseća miris? Je li to miris svetosti?

Samo je na ovo poslednje pitanje bila u stanju da odgovori. „Više je podsećao na zadah truleži."

Sledeće nedelje, pošto su vojvoda i njegova pratnja izjahali, preselila je svoje domaćinstvo u letnjikovac u Belfjoreu, koji se sad nalazio unutar novoproširenih gradskih zidina. Tu se jedno vreme osećala malo bolje. Zdanje je bilo raskošno i prostrano, i više je ličilo na palatu nego na letnjikovac; imalo je soba koliko je dana u godini, mnoštvo prostranih verandi, vrtova savršenih za duge letnje dane, a sa zidova oslikanih freskama pevala je istorija porodice Este. Pokojna vojvodina žena postala joj je nema družbenica, zato što se njen lik nalazio posvuda – kako sedi na koncertima, kako igra uz frulu i doboš, uzvišena i dražesna u svojoj svadbenoj povorci kroz grad. U budućnosti će možda isto ovako sedeti i posmatrati sopstveni ovekovečeni lik: ovaj škrti vojvoda nije žalio da odreši kesu kada se radilo o veličanju njegove porodice.

Nije, međutim, više razmišljala o svom prihodu. Rođenje naslednika bilo je mnogo važnije i, premda mučnine više nisu bile svakodnevne – nek je slava i hvala sestri Lučiji – cvetanje je još bilo takoreći neprimetno. Štula, koji je u vojvodinom odsustvu bio unapređen u upravitelja njegovog domaćinstva, nastanio se sad u letnjikovcu da bi pazio na nju.

„Ne smete da se zamarate, gospodarice."

Mada se izuzetno divio njenom duhu, počinjao je da strepi za njeno telo.

„I ni slučajno ne smete primati goste iz grada a da mi prethodno ne kažete. Ovo su meseci kada vlada groznica."

Volela bi da je mogla da se nasmeje ovoj njegovoj zabrinutosti. Preživela je tolike godine sezonskih zaraza u Rimu, plešući i dremajući u desetini seoskih letnjikovaca dok je gradom harala letnja groznica, čiji su se zarazni prsti povremeno pružali i izvan gradskih zidina, čak do seljačkih koliba ili odaja za služinčad. Ali kao što ju je Štula nenametljivo podsetio, nikada ranije nije živela u Ferari, gde je mreža reka i potoka, činilo se, s uživanjem zarobljavala zimske magle i širila letnje zaraze. U italijanskim diplomatskim krugovima se znalo da se izaslanici plaše odlaska u Feraru kada vlada groznica.

Prva se razbolela Anđela: jednog poslepodneva je bila vesela kao ptičica na grani, zabavljala se s ostalim dvorskim damama loveći kopljem šarane u ribnjaku – bilo ih je mnoštvo, svi odreda dobro uhranjeni i suviše lenji da se pomere – a koliko sledećeg se preznojavala i stenjala u postelji. Lukrecija je zabranila ostalima da joj prilaze. Poruke o njenom stanju prenosile su se kroz lanac komande; gorela je od vrućice, bacakala se i potom buncala kao da je sišla s uma. No bunilo je, hvala bogu, trajalo kratko i, posle samo nekoliko dana, tokom kojih je tvrdila da bi najradije umrla koliko se jadno oseća, ponovo je ustala i zaplesala. Bili su već dobrano zagazili u avgust i pola grada se preznojavalo ili treslo od vrućice, ali srećom, ono što brzo dođe brzo i prođe, pa je smrtnih slučajeva bilo samo među starim ljudima i bolešljivom decom. Umelo je da bude i mnogo gore.

Kada je pošast, što je bilo neizbežno, sustigla i Lukreciju, izgledalo je da se priroda bolesti promenila. Ono što je počelo kao groznica prošlo je za samo jedan dan. Nekoliko dana kasnije, posle večere, spopao ju je napad silovitog povraćanja i, po nalogu svog lekara, naredna dva dana je preležala; posle toga se ponovo osećala bolje, gotovo ošamućena od zadovoljstva zbog tako brzog oporavka. Njene družbenice su sa zebnjom posmatrale dok je sedela na večernjem povetarcu slušajući šarmantnog, bleštavo doteranog Strocija kako recituje ciklus poema o pastoralnoj lepoti leta; „kao žena koja je procvala noseći novi život".

U toj meri je bila rešena da bude ta žena da se posle deset dana, kad ju je bolest ponovo oborila u postelju, gotovo ljutila na sebe zbog onoga što je doživljavala kao slabost karaktera.

„Blagoslovljen, blagoslovljen Plod utrobe Tvoje", ponavlja sebi u bradu, budna i grozničava usred noći, dok je Katrinela mahala lepezom iznad nje i otirala joj čelo. „Mene štiti sveta sestra. Ne mogu biti bolesna. Ovo je samo od vrućine, a ja znam kako da iznesem dete do kraja leta, već sam to jednom uradila." Sećala se svih onih lepih dana kad su ona i Alfonso, njen prvi Alfonso, jahali kroz predele Spoleta, gde je bila guverner, i kad se narod jatio da ih vidi, a naročito žene nerotkinje željne njenog blagoslova; jer bili su tako lep par, a ona je prosto zračila srećom noseći pod srcem zdravog dečaka. Radost uspomene bila joj je nepodnošljiva.

„Šta je bilo, gospodarice? Boli li vas nešto?", upita tiho Katrinela, prignuvši se da obriše tragove suza.

„Ne, ne, u raju sam", promrmlja ona. Potom se namršti. „Sutra moram da ustanem. Ima toliko posla."

Stavila je dlanove na stomak, sad već primetno nabrekao ispod mekane pamučne tkanine.

„Osećate li ga?", upita Katrinela.

„Da, osećam, iako je još majušan kao riba. Ali prepredeni su oni, znaš. Često čekaju dok ne pokušaš da zaspiš. Takvi su ti dečaci. Ako nikad ne budeš imala muža, Katrinela, nikad nećeš znati kako je to. A bila bi grehota, zato što donosi veliku radost."

Ali Katrinela nije videla nimalo radosti na iznurenom, nespokojnom licu žene koju je obožavala. Da joj nije bila tako privržena, i da je bilo samostana koji su primali crne redovnice, možda bi se odmah odlučila da ode tamo; imala je sasvim dovoljno godina da zna da je Bog bolji od svakog muškarca na kog je ikad naišla.

„Mada..."

„Šta, gospodarice?"

„Mada se pitam da li je to tačno. Možda je ovako miran zato što ja ovoliko ležim? Ne bismo želeli da naš mladi Este stalno spava. Ne bi se napravio nijedan top." Ona se nasmeja, dok se groznica preplitala s humorom.

Sutra ujutru, njene dvorske dame su porazgovarale sa Štulom. Ovaj je pak doveče pisao vojvodi, koji je potom smesta poslao svog ličnog lekara natrag u Feraru da preuzme brigu o njoj.

Lukrecija je bila prezauzeta prepiskom, diktirajući dobroćudne poruke svekru i ocu. „*Ako je išta uspelo da me osokoli u ovom stanju u kom se trenutno nalazim, bilo je to vaše dobrodošlo pismo*", umiljato je napisala Erkoleu. Aleksandru u Rimu je pak odgovorila: „*Ovo je samo prolazna letnja groznica. Kada dobiješ ovo pismo, ja ću već uveliko biti zdrava i čila.*"

Reč groznica, međutim, zarila se kao nož Aleksandru u srce. A kad je pozvao ambasadora Ferare, izraz na čovekovom licu rekao mu je sve što je trebalo da zna.

„Bez ikakvog okolišanja, gospodine, dobrobit naše kćeri važnija nam je od sopstvene, i duboko smo potreseni ovom vešću."

Rim je bio pun diplomata koji su na svojoj koži osetili oštrinu Aleksandrovog jezika, ali svi su znali da njegovi čuveni izlivi besa sadrže i izvesnu količinu teatralnosti. No ovog puta nije bilo tako. Ovog puta su njegove reči bile prožete ledenom iskrenošću.

„Više no jednom nam je jasno dato do znanja koliko je vojvotkinja ojađena zbog nedovoljnog prihoda, pa nas ne bi iznenadilo da je ova bolest delom posledica potištenosti zbog rđavog ponašanja prema njoj. Jemčimo da bi brzo okončanje te rabote doprinelo da ona brže ozdravi. Jer ne bi valjalo, ne, nikako ne bi valjalo da ovo njeno 'stanje' postane ozbiljnije. Vojvoda bi trebalo da vodi računa o svojoj kući, zato što se u njoj nalazi ono najdragocenije u njegovom kraljevstvu. Verujem da se razumemo. Svakodnevno ćete nas izveštavati."

Naredio je da se održe mise u njegovim najdražim crkvama, a on sam je probdeo u maloj Kapeli Svetog Nikole, čija je arhitektura više pogodovala usamljenoj molitvi od zvučne raskoši Sikstinske kapele. Međutim, čak ni glas pape nije bio u svakom trenutku dovoljno čvrst ili smeran da zajemči da će molitva biti uslišena, stoga je sledećeg jutra naredio svom ličnom lekaru, biskupu Venozi, da se spakuje i krene u Feraru.

Biskup je jahao četiri dana, a bolove u zadnjici ublažavali su mu snovi o izlečenju lepe gospe Lukrecije i baškarenju u papinoj zahvalnosti. Međutim, kada je stigao u vilu, shvatio je da je on samo jedan od pet ili šest lekara, a celo domaćinstvo u vanrednom stanju. Vojvotkinja je imala silovito krvoliptanje iz nosa. Ležala je u postelji zabačene glave, dok su joj u nos lagano ukapavali gusti destilat korijandera i boražine da zaustave krvarenje. Njene dvorske dame stajale su okupljene oko nje nalik na hor iz neke od prevedenih antičkih drama vojvode Erkolea.

A onda je krvarenje prestalo, ona se malo oporavila i tek potom su svi nastavili da dišu. Sutradan se osećala dovoljno dobro da zatraži da joj doteraju frizuru i sedela je u krevetu pored otvorenih prozora, kako bi čula ptičji pev. Ova „bolest" stvarala je u hodu neka sopstvena pravila, mučeći lekare koliko i pacijentkinju.

Izvan njenih spavaćih odaja, njen otac i svekar odmeravali su snage kroz svoje lekare. Kako su već godinama uspevali da održe te moćne starce daleko od smrti, obojica su bili sigurni u svoje sposobnosti i, mada je jedan lečio papu, obojica su imala iskustva sa trudnim ženama.

Posle nedelju dana pažljivog praćenja, tokom kojeg Lukreciji nije bilo gore, ali ni bolje, njihov sud se dijametralno razlikovao. Biskup je primećivao izvesnu nestabilnost raspoloženja, jednako kao i organizma: gospa nije bila samo bolesna, nespokojna je, čak i smušena; ako bi uspeli da ponovo uravnoteže njene telesne humore, moguće je da bi se njen organizam tada smirio. Nasuprot tome, Erkoleov čovek, Frančesko Kastelo, koji je preživeo decenije ferarskih groznica i smatrao sebe stručnjakom za takve bolesti, nije bio ubeđen u to. Proučavao je uzorke njenog urina i prinosio uvo blizu brežuljka njenog stomaka, kao da bi da čuje da li se beba žali na nešto. Prepisao je melem i napitak odvratnog ukusa čije je sastojke odbijao da otkrije, ali obojica su se složila da je potrebno pustiti malo krvi.

Preostajala je nedelja dana do Velike Gospe, praznika koji je obeležavao dan kad su anđeli odneli Bogorodicu na nebo. Procesija će nositi ulicama kipove Blažene Device, a kasnije, doveče, slavlje će se uveličati izvođenjem Trombončinove kompozicije, prvog muzičkog dela poručenog za Lukrecijin dvor.

„Šta kažu lekari kad me pregledaju?“, upita ona Anđelu, koja je tog poslepodneva sedela uz nju. „Hoće li mi do tada biti bolje?“

„Hoće. Hoće. Kažu da ćete se sasvim oporaviti“, odgovori ova sa širokim osmehom na licu. Svi, međutim, znaju da Anđela ne ume da laže i da se, što je varka veća, tim više upinje da odglumi to što mora.

Velika Gospa je prošla, ali što se tiče druge ferarske gospe, premijera se nije održala.

Iscelitelji su u međuvremenu nastavili da pristižu. Najnoviji je bio Gaspare Torela, poslat po izričitom naređenju Čezarea Bordžije lično. No niko nije znao gde se tačno nalazi vojvoda Valentino, mada se pola Italije osvrtalo ne bi li se uverilo da im njegova senka ne pada na put. Gaspare je Lukreciji doneo pismo od svoga gospodara, koje je jasno davalo do znanja da sva sreća koja ga prati neće značiti ništa ne bude li dobio vest o njenom trenutnom oporavku. *Jer kakve lepote može biti na ovom svetu ako moja voljena sestra nije dobro?* U potpisu je stajalo: *Tvoj brat, koji te voli više nego sebe.*

Pošto ga je pročitala, zatražila je da je ostave malo nasamo. Prelazila je prstima preko mastila na pergamentu. Pokušavala je da mu čuje glas u rečima, da mu zamisli lice, ali činilo joj se da više ne može da se seti kako izgleda. Nosi li još onu masku? Mora da se raspita kod Torele za njegovo zdravlje. Nema više napada prišteva i bola? Da, raspitaće se kod Torele. Nekad ga je poznavala, u Rimu, sećala ga se kao dobrog čoveka. Ali ovde je sada bilo tako mnogo lekara: kad ih vidi onako zajedno, u crnim haljama i sa ćoškastim crnim kapama nad ozbiljnim licima dok klimaju sašaptavajući se, bilo joj je teško da ih razlikuje. Svakodnevno su se okupljali u predvorju njenih odaja, nalik na jato gavranova, grakćući i ćaskajući o nekakvoj novoj teoriji ili leku.

„Madam, morate... Gospodarice, trebalo bi da... Ako bi vojvotkinja bila tako dobra da...“

Pokušavam da ozdravim, pomisli ona ljutito. Šta više hoćete od mene?

„Izvinite što vam pričinjavam takvu brigu, gospodo“, objavi ona kad su se okupili u podnožju njenog kreveta. „Napadi groznice se smenjuju s tegobama trudnoće, to je sve, i sigurna sam da će, uz vaše znanje i pomoć, priroda uraditi svoje.“

Međutim, sledeći put kad ju je uhvatila vrućica i kad je ponovo pala u postelju, groznica se nije povukla, pa je i trećeg dana gorela u toj meri da je telo počelo da joj se nekontrolisano grči, ali nisu mogli ništa drugo do da je umotaju u mokre čaršave i pridržavaju je da miruje.

Nisi morao biti lekar pa da shvatiš da je gospa Lukrecija d'Este Bordžija veoma bolesna. Stigla je vest da je njen suprug Alfonso, koji se vraćao iz Francuske da bi bio pored svoje žene, već prešao u Italiju. Te večeri, lekar vojvode Erkolea, Frančesko Kastelo, seo je i napisao pismo svom poslodavcu.

„Moje mišljenje glasi da će tek rođenje deteta osloboditi gospu Lukreciju ovih muka.“

Do rođenja su, međutim, imali da prođu još meseci.

Sedamnaesto poglavlje

„To su reči vojvode Valentina, s još nekim opažanjima formiranim na osnovu susreta s njim."

„Ali biskup, moj brat, kaže da si sam sastavio depešu."

„Ništa nije bilo poslato bez njegovog odobrenja."

Uprkos zatvorenim kapcima i tavanici visokoj kao tri čoveka, vazduh u sobi s ljiljanima u Palati sinjorije u Firenci bio je nepomičan od vrućine. Ko god je mogao, otišao je na selo. Oni koji su upravljali gradom, međutim, morali su da ostanu.

„Nema potrebe da se braniš." Gonfalonijer pokretom ruke pokaza Makijaveliju da sedne. „Firenca je tvoj dužnik. Dobro si ovo odradio."

Čuvaj ovog čoveka, zato što je odan, revnostan i razborit koliko se samo može poželeti: to su bile biskupove reči kada se konačno vratio iz Urbina, ošamućen posle nekoliko sastanaka s napasnim Bordžijom.

Nikolo ozbiljno klimnu glavom. Posle susreta s vojvodom, nastojao je da mu izraz lica bude neodređen: lice diplomate mora da bude neprobojno kao i njegov um. „Ipak, veće se protivi bilo kakvom sporazumu s njim", reče jednoličnim glasom.

„Ta odluka nije značila odbacivanje tvojih zaključaka. Naprosto nismo bili ubeđeni da će posle tog čina – pljačke u pô bela dana – vojvoda Valentino i dalje imati podršku kralja Luja."

Koliko je puta ponovio to isto pitanje u mislima otkad je otišao iz Urbina? *„Razumem kralja Luja bolje nego iko drugi u Italiji. Kao braća smo, pa se kao braća i ispomažemo na sve moguće načine."* Ovo vojvodino razmetanje potkrepila su dvojica njegovih kondotijera, koji su narednog jutra dali sve od sebe da mu kažu to isto. Ali opet, uradili bi tako i da je bilo ikakve sumnje. Jesu li i on i biskup bili u toj meri opčinjeni vojvodinom harizmom da nisu začeprkali dovoljno duboko ispod tih reči?

„Neosporno si u pravu u pogledu opasnosti", nastavi Soderini. „Kao što si i sam rekao veću, taj čovek je kao lisac u kokošinjcu, kome noć bez mesečine ide naruku." Usne mu se stisnuše kad se prisetio rasprave koju je izazvalo to poređenje: valjani građani Firence nisu bili radi da ih porede sa živinom. „A naše ne još može postati da. Zatražili smo samo vreme za razmišljanje. U međuvremenu, nećemo ga ispuštati iz vida." On zastade, pa nastavi: „Mada ovog časa, naravno, niko nema pojma gde se on nalazi. U Urbinu? U Rimu? U Čezeni? Kruže razne glasine, ali to je sve." S iščekivanjem je posmatrao Makijavelija.

„Mislim da je moguće da je otišao da se vidi s kraljem." Jer, dabome, mnogo je razmišljao o tome.

„Milano je pun njegovih neprijatelja. Zašto bi to uradio?"

„Zato što je to opet ono što niko ne očekuje. I zato što..." On zaćuta, ponovo osetivši ukus drske samouverenosti tog čoveka. Koliko bi bilo delotvorno kada bi se trudio da šarmira umesto da zaplaši? „...ako gaji ikakve sumnje u pogledu Lujeve podrške, biće bolje da se lično susretne s njim."

„A dođe li do toga, misliš li da će na kraju isterati svoje?"

„Da, mislim da hoće."

„Hmm. A šta još misliš, Nikolo?" Kako je krhka i nežna, ova republika, a opet, kako je težak teret na ramenima ljudi na koje se oslanja. Bilo je, ovih poslednjih godina, trenutaka kada se Soderini pribojavao da ga napušta polet. No nikad u razgovoru s ovim čovekom.

„Mislim da je sreća i dalje na njegovoj strani, i da će ga navesti da čuva leđa. Cena Urbina bila je poniženje Vitelija, a taj je gadno zlopamtilo. Sve dosad, svi vojvodini kondotijeri bili su zauzeti poravnavanjem nekih sopstvenih računa. Ali morali bi da budu gluvi i slepi pa da ne shvate da odsad imaju podjednake izglede da budu i plen i lovci."

Soderni zamišljeno klimnu glavom. Ako dodatno pritisne svog savetnika, hoće li potkrepiti svoje predskazanje nekim primerom iz starine? Pored toga što je uživao u proučavanju istorije Rima, izgledalo je da ovaj pametni mladi diplomata voli žene i vino koliko i politiku, da ume da priča masne viceve pravim kočijaškim rečnikom, te da njegova žena, s kojom je odnedavno bio u braku, mada ima duha, ipak bije izgubljenu bitku. Bio je ozbiljan čovek, dakle, ali umeo je da se našali i zabavi. Kako je Soderini priželjkivao da poseduje takav dar.

„Uskoro ćemo saznati jesi li u pravu. Eh, da, to me podseti na ono što imam da ti kažem. Veće te je danas imenovalo za stalnog izaslanika na dvoru vojvode Valentina. Kad se pojavi, pridružićeš mu se. Odsad pa nadalje, bićeš oči i uši Firence, nećeš mrdnuti od njega." On pusti da prođe nekoliko trenutaka, da ovo dopre Makijaveliju do mozga. „Ukazana ti je čast. Ne moraš da mi zahvaljuješ."

Izaslanik, a ne ambasador. Pustio je da mu na licu lebdi poluosmeh. Nije bio iznenađen. Ime Makijaveli nije bilo dovoljno dobro da bi bio kandidat za viši rang. Stalni izaslanik. Naravno, ništa mu ne bi bilo draže nego da bude vojvodina senka, da posmatra svaki njegov politički i vojni korak, ali ovo je bio otrovni pehar, pošto je ovakva služba neizostavno vodila u bankrotstvo svakog čoveka bez privatnog prihoda. A on je dobro znao kako država može da te zloupotrebi: službeni troškovi ti nikad ne budu nadoknađeni, depeše na kraju plaćaš iz svog džepa, a odeća ti postane hrana za moljce, zato što nijedan krojač neće da radi na veresiju koju nikad ne namiruješ. Pritom nije samo čovek taj koji trpi. Na francuskom dvoru su i on i njegova mala republika postali predmet sprdnje.

Osmehnuo se malo šire. „Uistinu sam počastvovan. Ali… imam domaćinstvo i suprugu koju moram da izdržavam, a…“ Koje li ironije, pomisli. Fortuna raširila noge da me primi, a ja sabiram troškove domaćinstva. Šta bi na mom mestu uradio Čezare Bordžija?

„Svakog meseca ćeš dobijati platu i dodatak za službene troškove. Postaraću se za to. Zasada si dobio odsustvo, da provedeš neko vreme sa ženom. Ona provodi avgust na selu, zar ne?“

Svaki pokušaj rasprave bio bi besmislen. U mislima je ugledao zelenilo vinograda na padini, na imanju na kom je porodica Makijaveli proizvodila sopstveno vino i gajila voće i povrće, a koreni sezali sto pedeset godina duboko u zemlju. Grožđe je zasigurno sad već bubrilo, a burad su se čistila i pripremala.

„Idi i nadiši se malo svežeg vazduha, Nikolo. Čovek retko ima taj luksuz kad je u vladi.“

Imao je najbolju nameru da te večeri ode kući. Štaviše, već je bio poslao ženi poruku da ga očekuje. Verovao je, međutim, da mu malo opuštanja neće škoditi, a imao je i da podmiri neke dugove. Pića za kolege koje su mu čuvale leđa dok je bio odsutan, zato što unutrašnje političke igre nisu prestajale kada čovek ustane od svog pisaćeg stola i, premda je za ovih nekoliko godina ostavio svoj trag u službi, bilo je nekih sa zvučnijim prezimenom i manje uspešnom karijerom koji bi ga s uživanjem ponizili.

„Srećan si ti čovek, Mrljo.[30] Veće je oduševljeno tvojim stilom."

Rano je zaradio taj nadimak, blagodareći sitnim crnim kovrdžama koje su mu prekrivale glavu poput mrlje mastila. Jednom je pokušao da pusti kosu da raste, ali se odmah uvijala u spirale što su štrčale u svim pravcima, zbog čega je više ličio na dvorsku ludu nego na diplomatu.

„Uvek prelaziš pravo na suštinu, bez kitnjastih govora, mada ih povremeno izbaciš iz ravnoteže malo okolišnijim pominjanjem rimske istorije."

Bjađo Buonakorsi[31] je uvek bio nepokolebljivo na njegovoj strani: dovoljno pametan da zna kako nikad neće biti pametan koliko njegov šef, i nimalo zainteresovan da dozvoli da mu otrov ambicije ometa život. U zmijskom gnezdu vlasti, Nikolo nije mogao naći boljeg prijatelja ni izdržljivijeg sadruga u piću. Negde na sredini drugog bokala, osećao se lepo, kao kod kuće.

„Mada malo više viceva ne bi bilo naodmet dok se davimo u moru posla kojim nas preplavljuješ."

„Vicevi, Bjađo? Ti bi da ti pričam viceve o sastanku s biskupom i dvojicom ubica?"

„Jedan rošav, drugi sav u ožiljcima, beše, je li tako? Mora da si pored njih bio pravi lepotan. Jesi li se tajanstveno smeškao kao uvek kad ti se mozak pregreva?"

Nikolo se trže.

„Šta je bilo? Je li opaki vojvoda pomislio da se to njemu smeješ? Daj, Mrljo, sad nisi pred gonfalonijerom. Pričaj šta je stvarno bilo."

Nije samo Bjađo bio takav. Svi su tražili da čuju izveštaj iz prve ruke: vojvoda Bordžija je bio legenda, i nije bilo baš mnogo onih koji su sedeli s njim u istoj sobi i poživeli da pričaju o tome. Tako su prošli treći i četvrti bokal. Zatim su, naravno, nazdravili njegovom novom položaju – zato što se u taverni za to doznalo čim je dobošar sa zvonika gradske većnice objavio: Nikolo Makijaveli, stalni izaslanik na dvoru vojvode Valentina.

Jedna taverna je vodila do druge, a kad su iscrpili teme rata i pljačke, preostao je samo razgovor o ženama. Svi su „znali" da taj Bordžija vodi harem prostitutki kud god da krene. Mora da su Nikolu zašili oči kada ništa nije primetio. Možda će mu vojvoda, ako se dovoljno zbliže, prepustiti koju kad ih se zasiti. Nije prošlo mnogo a stolu je prišlo nekoliko firentinskih profesionalki, nudeći popust za svoje usluge čoveku koji je sad već bio gotovo slavan. U poslednje vreme su ga retko viđale, pošto je mnogo putovao, a sad je još imao i ženu. Jesu li mogle poželeti lepšu dobrodošlicu diplomatskom ratniku, nego da mu ponude novu pobedu u krevetu?

Sve u svemu, bila je to valjana firentinska proslava. Kad se probudio u Bjađovoj kući, s glavom u kojoj je tutnjilo kao u kovačnici, već je uveliko bilo podne narednog dana. Marijeta je sigurno već brinula. Otići će pravo kući. Ali uto se i Bjađo vratio i, kad je najzad izjahao kroz južnu kapiju, Porta Romana, sunce je zalazilo, a svet oko njega se žario. Prizor je bio prelep.

Bila je već noć kad se približio selu Sant'Andrea in Perkusina. Kuća njegove porodice nalazila se nedaleko od poštanske postaje na kojoj su glasnici što su jahali iz Rima za Firencu ponekad menjali konje. Razume se, morao je da svrati i proveri je li stiglo nešto novo, ali konjušnica je bila zatvorena i nigde nije bilo svetla. Okrenuo je konja i uputio se prema kući. Na imanju su ustajali i legali sa suncem. Što mu je sasvim odgovaralo jer nije bio rad da naiđe na svađalački raspoloženu Marijetu. Bolje je da se ponovo sretnu među čaršavima. Niko nije mogao nazvati Nikola Makijavelija kukavicom, već naprosto praktičnim čovekom.

Otupeo od zadovoljstva, nije sasvim jasno razmišljao dok se uvlačio u ženinu postelju. Sad ćuti, reče on sebi, ne budi je. Ona je pak ležala sklupčana na jednoj strani kreveta, raspletene kose rasute na jastuku. Osećao se prijatan miris kamilice – oprala ju je očekujući njegov povratak. Ako je suditi po pričama što ih je slušao od svojih prijatelja, nisu sve žene tako pažljive. Raznežen od uspeha i vina, približio joj se i prebacio ruku preko njenog tela.

Sanjivo je reagovala i već je napola bila u njegovom naručju pre no što je shvatila. Tada se, međutim, sva ukruti. Čekao je. Bilo je očigledno da se rasanila. On zatvori oči i zaspao bi u roku od nekoliko minuta da se nije začulo šmrcanje, praćeno nekolikim tihim, dramatičnim jecajima.

„Marijeta."

„Da?" Glas joj je bio tih, stegnut.

„Imao sam posla. Trebalo je poslati neke hitne depeše."

Usledi ćutanje, kao da je zadržavala dah. Pa sad, diplomatija mu je posao… „Lepo ti miriše kosa."

I dalje ništa. Tako mi svega, Čezare Bordžija ne bi ovo trpeo.

„Ženo, jesi li tu?"

„Na to se više ne odazivam." Jecaji prestadoše isto onako naglo kao što su i počeli. „Odlučila sam da odem u samostan."

On se na ovo nasmeja na sav glas, jer mada bi se možda bio radije naljutio, prožimalo ga je dobro raspoloženje;

unapređenje, pohvale i toplina mirisnog ženskog tela. Ha. Pa dobro, neka je, nek se malo žesti. Da je neka koju tek pokušava da odvede u krevet, smatrao bi ovakav razgovor afrodizijakom. „Pa dobro. Moli se tamo za mene."

„Tebe više ni molitva ne može da spase!"

„O, ne verujem da sam baš toliko rđav."

„Nikolo! Dve nedelje sam strpljivo čekala. U tvojoj poruci je pisalo da ćeš doći juče, sasvim sigurno. Pomislila sam da su te ubili negde na drumu."

„U tom slučaju si sigurno presrećna što nisu. Rekao sam ti..."

„...hitne depeše, da." Ona mu onjuši dah. „Ovih dana zamačeš pero u pivo?"

Jedva je prevalila ove reči preko usana, a već je zažalila. Ovo vreme njegovog odsustva provela je razmišljajući kako da se ponaša u ovom svom novom, bračnom životu. Znala je da nije dobro da prigovara. A evo, prigovarala je. Šta rade druge žene? Naravno, govorkanja su doprla i do nje – kako bi drugačije moglo i biti? – o tome kakav život vodi ovaj njen tako pametni muž. Jedne večeri, kad joj je nedostajao, pogrešila je i razgledala papire na njegovom stolu. Onaj ko pretura po tuđim spisima nikad ne pročita nešto dobro o sebi. No ona nije pročitala ništa. Sred mnoštva stranica koje nije razumela, o tome kako sve u prirodi živi, umire i iznova se rađa bez pomoći ikakvog boga, pronašla je stihove ispisane rukopisom njenog muža, koji su veličali ljubav koja pogađa kao udar groma – strastvene, čežnjive reči upućene, činilo se, svim ženama redom, samo ne njegovoj. Onu koja s njim deli postelju i koja će biti majka njegove dece – nju izostavlja kad se zanese u misli. Naljutila se na sebe zbog toga što je očekivala više. Žena koja se zaljubi u sopstvenog muža bude baš tako kažnjena. Majka je trebalo da je upozori.

„Pa, kako ćeš se tamo nazvati?“, upita on. „’Napaćena sestra’, ako smem da predložim?“

„Počela bih kao iskušenica“, odvrati ona, i dalje tiho, ali sad malčice blažim glasom. Potom oklevajući dodade: „Možda bi bilo bolje ’sestra koja bolje da ćuti’.“

On se nasmeja. „Ženo moja, sve mislim da ti to ni uz božju pomoć ne bi uspelo.“

Napolju je sova hučala poput žalostivog duha. Znao je da će se uskoro ponovo spakovati i vratiti u mahniti vrtlog politike, i da će mu njegova žena, na neki način, ipak nedostajati.

„Pa, kakav je bio?“, upita ona posle nekog vremena.

„Ko?“

„Onaj đavo Bordžija.“

„A. Crn i pametan.“

„Ali ne tako pametan kao ti.“

Njena vera je bila dirljiva. „Šta ima novo na imanju?“

„Pre nekoliko dana su pominjali mušice u grožđu, ali izgleda da ipak nije bilo ništa strašno. Ako vreme ostane ovakvo, kaže Pjetro, berba će biti krajem septembra. Hoćeš li biti tu?“

„Ne znam.“

Ispričao joj je za svoju novu službu.

„Stalni izaslanik. Koliko ćeš biti odsutan?“

„O, pa ne naročito dugo“, slaga on glatko, jer čemu tražiti nevolju pre no što te snađe? „To je velika čast za porodicu.“

„Ne moraš to da mi govoriš, Nikolo. Nisam dete.“

„Mogla bi da odeš kod majke za to vreme.“

„A, ne! I samostan bi bio bolji od toga. Biće meni i samoj sasvim dobro.“ Nastojala je da priguši razočaranje u glasu. Potom se okrete prema njemu, otvorivši spavaćicu i obnaživši grudi. Možda je u njegovom životu bilo i lepših žena

– lakših svakako jeste – ali kad zatvori oči, nisu im grudi bile ništa punije ni glatkije od njenih.

„Pa onda", ona će tiho, „daj mi nešto po čemu ću te se sećati. Bude li Fortuna na mojoj strani" – ona se osmehnu sebi u bradu upotrebivši tu reč; njuškanje je imalo svojih koristi – „biće dečak, ružan na tebe, s tim krznom na glavi umesto kose. Tako ću moći da ga milujem po kosi, pa ćeš mi manje nedostajati."

Nikolo Makijaveli, stalni izaslanik i cenjeni i poštovani službenik republike. Pomislio je na svog oca, koliko bi se zbog toga ponosio njim i koliko bi uživao držeći unuka u naručju, pa smesta očvrsnu od želje da se nađe u mekom telu svoje žene, koja je u krevetu mirisala gotovo isto tako dobro kao ljubavnica.

Osamnaesto poglavlje

Gusta poput makovog sirupa, vrućina se razlila letnjom palatom Belfjore, obarajući i omamljujući sve redom. Kao da je i sam vazduh bio zaražen, dok se vukao uz stepenice provlačeći se ispod vrata ili prozora u sve prostorije. Nakon što medicina uradi šta god zna i ume, o životu ili smrti odlučuje Gospod, a san je uvek dobar paravan za dela anđela, bilo da ubijaju ili leče.

Nekoliko narednih noći imali su pune ruke posla. Lukrecija nije bila jedina koju je bolest bacila u postelju. Dve njene dvorske dame i jedan vremešni lekar ležali su povraćajući i preznojavajući se u sobama iznad njenih odaja. Kad su se u palati razbudili, lekar je bio ukočen na svom ležaju, staklastih nepomičnih očiju i širom otvorenih usta, kao da je hteo da što lakše ispusti dušu. Sluge su žurno prebacile pokrov preko njega i odnele ga odatle.

Dame koje su još bile na nogama smenjivale su se pored vojvotkinjine postelje. Noći su, međutim, i dalje bile rezervisane za Katrinelu. Sedela je uz uzglavlje visokog kreveta s krpama u rukama i lavorom vode pored nogu. Jednom krpom je otirala lice svoje gospodarice, dok joj je drugom ukapavala vodu među usne kada bi postale previše suve. Ako je i spavala, kao da je to radila otvorenih očiju. Svi lekari su se divili njenoj izdržljivosti i čeličnom zdravlju. Oni skloniji eksperimentisanju rado bi proverili da li je isto tako otporna i na ostale uobičajene pošasti, poput malih ili velikih boginja. Da su samo mogli da uzmu esenciju te male crne divljakuše i spakuju je u bočicu, kako bi izlečili svet ili barem one u njemu koje su bili zaduženi da leče. Lečenje njihove pacijentkinje nije, naime, naročito dobro išlo.

Izgledalo je da Lukrecija više ne boravi u Ferari. Povremeno se vraćala, osmehnuvši se Katrineli ili prepoznavši nekog od ljudi u crnim haljama i razmenivši s njima tu i tamo poneku reč, ali uglavnom je putovala nekuda daleko od njih, u vremenu i u prostoru. Premda je to bilo bunilo, nastalo usled groznice, nije bilo onog mahnitanja koje su viđali kod drugih. Štaviše, često je bila veoma mirna; ležala je buljeći u tavanicu ukrašenu intarzijom, ništa ne videći širom otvorenim očima i obraćajući se detetu, ali ne onom u svojoj utrobi. Samo ga je jednom oslovila po imenu – Rodrigo – ali su njene družbenice dobro znale ko je to: po tome kako je opisivala kako trči preko trave ili kako se baca na jastučad u sobi čekajući da ga ona uhvati.

Nazivala ga je svojim slatkim dečakom, svojim lepim malim Špancem. I onda se smejala, o, kako se smejala, grlenim smehom što je žuboravo navirao odnekud duboko iz nje i obespokojavao sve koji su ga čuli, jer kad se grozničava žena tako smeje, to zvuči strašnije od ječanja.

U nekim drugim trenucima, vrtela se i bacakala čvrsto stisnutih očiju, obraćajući se desetinama ljudi od kojih se niko nije nalazio u sobi. Pričala je o Lanselotu i Ginevri, i stalno iznova molila za oproštaj zbog nečega, mada nijednom nije rekla šta je to. Vodila je žustre razgovore sa svojim ocem iz kojih niko nije uspevao da razabere ništa sem nekoliko reči o bračnoj postelji i kako mora reći istinu pred Bogom, a jednom je uzviknula: „Sanča, ne smemo ga ostavljati. Ni na čas!" I ponavljala je jedno ime, Alfonso. Stalno i stalno iznova.

„Ćutite, ćutite, draga gospo, smirite se."

Njene družbenice Kamila i Nikola, koje su od početka bile s njom, i te kako su dobro znale gde je ona. A pošto se veliki deo njenog života prepričavao kroz tračeve, znali su i Štula i nekolicina lekara. Niko, međutim, nije govorio o tome. Kako da prebaciš ženi zbog nevere uspomena?

Negde na pola puta kroz narednu noć potpuno je prestala da govori i utonula u težak san. Katrinela je bila toliko zabrinuta da se radovala naglim promuklim uzdasima, zato što su barem pokazivali da je Lukrecija živa.

„Lukrecija, Lukrecija."

Kako nežno zvuči. Poput povetarca što šušti kroz jesenje lišće, ili poput hladne vode poprskane po vrelom pesku.

„Lukrecija."

Utešno. Poput zova.

„Lukrecija Bordžija! Pričaj sa mnom."

Ali tako uporno. Ne sad. Sad nije imala vremena. Bolje da ga ne sluša.

„Znam da me čuješ. Hajde, Krecija, otvori oči. Sećaš se, uvek si se plašila mraka."

Poznavala je taj glas. Ili nije? Sve je to bilo toliko daleko. Videla je noćnu lampu kako žmiga na poslednjim ostacima ulja, senke što se poput kandži pomeraju po zidovima i podu grabeći joj posteljinu. Ona ju je pak navlačila natrag na sebe ne bi li se spasla od njih.

„Ne. To ti neće pomoći. Moraš da otvoriš oči. Hajde, pozdravi se sa mnom."

Mutan, čađavi vazduh, težak i vruć. Negde između dana i noći. Okrenula je glavu i ugledala ga pruženog na postelji pokraj sebe, njegove crne oči gledale su pravo u njene.

„Čezare?"

„Ko te je drugi čuvao i branio kad si bila mala?"

Čezare? Je li moguće da je to stvarno on? Pa naravno. Svi ostali su već dolazili, nagrnuli su da je vide. „A tata? Gde je tata? I Huan. Jesi li doveo Huana? O, tako bih volela da vidim Huana."

„Ne, ne, ne zatvaraj oči. Gledaj u mene. Ruka mi je na tvojoj, osećaš li? Prejako je stežem? Otvori oči i prestaću. Hajde – pričaj opet sa mnom. Reci. Reci moje ime."

Toliko gneva i okrutnosti, toliko leševa. Ko bi poverovao u ovoliku nežnost u njegovom glasu? „Čezare", prošaputa ona.

Pogledala je iza njega i videla da je soba, njena soba, prazna. Nije bilo gavranova, nije bilo družbenica, čak ni Katrinele. Ona se ponovo usredsredi na njegovo lice: Čezare? Kako je čudno izgledao, s neukrotivom kosom lepezasto raširenom na jastuku i velikim belim krstom izvezenim na prednjici dubleta. Ona ispruži dlan da ga dodirne. Čezare je ponovo božji čovek? Kako je to moguće?

„Koliko si već ovde?", upita ona, čudeći se zvuku sopstvenog glasa.

„Tek sam stigao", slaga on s osmehom. „Kazali su mi da te ne budim, ali nisam mogao da dočekam. Tako si lepo izgledala. Kako si mi, seko? Jesi li spremna da zaigraš sa mnom?"

„Ja... žedna sam."

Uspravio se i dohvatio pehar, pa ju je potom pridigao, podmetnuvši joj ruku pod vrat da joj pridrži glavu. Stisak je bio tako čvrst, kao da je nikad neće pustiti. Otpila je gutljaj, a onda se naslonila na njegovu ruku. Bilo je prenaporno. „Moram opet malo da odspavam."

„Ne. Ne. Dovoljno si spavala. Moraš da pričaš sa mnom. Dugačak sam put prevalio da te vidim."

„U redu", ona će na to, ali oči su joj se već sklapale.

„Lukrecija Bordžija!" Sada ju je držao u naručju i drmusao. „Nema više spavanja, čuješ li me?" U glasu mu se sad osećao podstrek, čak i ljutnja. „Hajde – sedi sa mnom."

Iz predvorja je dopiralo komešanje. Mora biti da su svima uši bile prislonjene na vrata, koja se u taj mah odškrinuše. Biskup od Venoze, papin lični lekar, bučno se nakašlja.

„Vaša visosti?"

„Šta je bilo?", odvrati Čezare ne skidajući pogleda s nje.

„Gospa Lukrecija je veoma slaba. Moramo da..."

„...gospa Lukrecija je živa i razgovara sa mnom", ovaj će na to ledenim glasom. „Što je više no što ste svi vi skupa postigli svojim puštanjima krvi i napicima. Pogledaj je samo. Pretvorila se u kost i kožu. Donesite joj nešto za jelo."

Muškarci s druge strane vrata samo se zgledaše. Pored sveg gloženja i medicinarskih pregovora, u svakom trenutku svi su priznavali probleme koji idu uz lečenje moćnih pacijenata: kada insistirati, kada popustiti.

„Ako smem da..."

„Ne, ne smeš!", uzviknu Čezare. „Ostavite nas na miru. Samo nek neko otvori ove proklete kapke na prozorima i pusti malo svežeg vazduha u sobu. Ovde je kao u grobnici."

Katrinela, koja je već satima stražarila pred vratima, provuče se između lekarskih halja, poletna koraka i sa širokim osmehom na licu.

U sobu je navrla svetlost ranog predvečerja, sva narandžasta i zlatna. Nije, međutim, mnogo pomogla da prikrije sivilo njene kože i upale oči. No sada su barem bile otvorene.

Ispružila je ruku i dodirnula njegovu ućebanu bradu. „To si stvarno ti. Ali... odakle si došao?"

„Ha! Iz Urbina, preko Rima i Milana", nasmeja se on. „Mogla bi da napraviš cipele od mojih slabina, toliko su se uštavile od nedelja provedenih u sedlu. Ali vredelo je, samo kad sam te video. Uvek. Uvek." On joj prisloni dlan na obraz, a onda ga povuče na čelo. Koža joj je bila vruća, ali nije gorela. „Sve, sve što sam ikad uradio bilo je samo zato da ti obezbedim sigurnost i sreću, Lukrecija", prošaputa on.

„Ja... imam groznicu, Čezare", ona će slabašno.

„Više je nemaš. Dok si spavala, isisao sam boleštinu s tvojih usana."

Ona tiho jeknu. Mlađa sestra. Stariji brat. Zauvek. Koliko god da ostare. Od početka, od njenih prvih ružnih snova i njegove ponosne, razmetljive zaštite, nešto u toj najprirodnijoj mogućoj ljubavi alhemijski se sjedinilo i na kraju ih oboje pretvorilo u njene žrtve. Njega zbog silovitosti i ljubomore kojom je urodila, nju time što nije bila kadra da ga mrzi, čak i kad ono što je uradio nije dozvoljavalo praštanje. Ta neraskidiva spona oduvek je postojala. Kakve je izglede Lukrecija imala sada, kad se puzeći vraćala iz mrtvih?

„Ako si je uzeo s mojih usana, sada ćeš ti patiti od nje", reče mu s osmehom.

„Neću. Zaštićen sam. Pogledaj", odvrati on, pa uzmaknu malo da joj pokaže masivni beli krst na svojim crnim grudima. „To je bilo mito, dogovor sa Bogom. Pristao sam da se pridružim hospitalcima ako ti On pomogne da ozdraviš."

Kada su kasnije razgovarale o tome, njene dvorske dame jedva su susprezale uzbuđenje, zato što je to bila prava viteška priča: kako su se on i njegovi ljudi prerušili u vitezove-redovnike i prekrstarili pola Italije da bi on stao pored njene bolesničke postelje. Kada su stigli, onako prekriveni prljavštinom i zaudarajući do neba, zasuli su naređenjima i pretnjama stražare na gradskoj kapiji, a onda pregazili ili izgurali s puta svakog ko je pokušao da ih zaustavi. Da njegov lični lekar, Torela, nije prepoznao vojvodu, moglo je da dođe do isukavanja mačeva. Umesto toga, vojvoda Valentino je naredio da svi izađu iz njene sobe i bacio se na krevet – čovek koji četrdeset osam sati nije ni trenuo mora da je po svim merilima pomalo lud – podigao ju je u naručje onako polusvesnu i privio uza se ne prestajući da je doziva.

„Plakao je, plakao!“, uplela bi se Anđela u tom delu priče, mada bi je ostale samo prezrivo pogledale. U ovakvim pričama, junak poput Čezarea Bordžije nije plakao, a ako i jeste, lio je krvave suze. To što su vrata bila zatvorena nije moglo da ograniči njihovu maštu. Silina ljubavi: ubrzava srce svakome ko se s njome susretne, izlečiće od groznice svaku vojvotkinju koja drži do sebe i vratiti je u život.

S tim što je kasnije, pošto se Lukrecija malo povratila, a on jeo i okupao se – mada još nije odspavao – njegova sopstvena priča bila podjednako ekstravagantna u pojedinostima.

Bilo je neophodno da se posluži nekakvom varkom. Osim ako jaše sa čitavom vojskom, najomrznutiji čovek u Italiji mora na neki način da se preruši. On i njegovi ljudi ušunjali su se u Rim preobučeni u trgovce, a iz njega su izašli kao ratnici koji služe Bogu. Ko bi se drznuo da dovede u pitanje šestoricu vitezova s poznatim belim krstom na grudima, na važnom zadatku na koji ih je poslao lično papa? Njihova uniforma – bleštavobeli krst na crnoj podlozi – i legende o njihovim podvizima sami su im po sebi jemčili siguran prolaz; čak je i isečeno platno Mikelotovog lica sada svedočilo o slavi, svaki ožiljak bio je zadobijen u služenju Bogu. Tempo je bio kao da su u poteri: prvo čak do dvora u Milanu, a onda, kad su stigle vesti o pogoršanju njene bolesti, galopom naniže do Ferare. Nije bilo nijedne razbojničke bande kojoj nisu mogli da uteknu, nijedne taverne ni poštanske postaje koja ih nije dočekala s dobrodošlicom. S tim što su ti ratnici koji služe Boga, kada konačno zastanu, psovali kao mornari, mokrili na ognjište i pipali žene koje su im posluživale hranu i piće. Nije bio potreban nijedan dodatni dokaz da Italija srlja pravo u propast. Težina kese koju su ostavljali kad izjašu pre zore značila je čist račun, ali ne i čist obraz. Kasnije, kad se doznalo ko su zapravo bili, naprosto je cela priča pridodata legendi o sramnom ponašanju Bordžije.

Njemu se pak previše žurilo da bi dozvolio da ga to dotiče. Takav je, oduvek je bio takav, išao je dalje i razmišljao u hodu, uživajući u tome što je tri koraka ispred onoga iza sebe. Ako je i postojao neki drugi način da se živi, Čezare Bordžija nije znao za njega. U Milanu se postarao da ga francuski kralj sasluša i, pošto je pred nosom svojih neprijatelja neustrašivo isposlovao povoljan dogovor, sada se uputio da spase svoju sestru.

Sledećeg jutra zatekao ju je kako sedi poduprta jastucima, očetkane kose, namirisanu iza ušiju, s očima još suznim od groznice, ali bez ikakvih tragova bunila; izgledalo je da ju je pukom snagom svoje volje odvukao s praga smrti.

„Iz Milana? Stvarno si došao iz Milana?“, upita ga ona dok ju je nagovarao da proguta još jednu kašiku supe. „Vojvoda Erkole i markiz od Mantove su takođe tamo. Nadam se da te nisu klevetali kod kralja.“

„Sve i da jesu, nevažno je. Kralj Luj i ja smo se sporazumeli. Ja ću njemu pomoći da zauzme Napulj, a on će meni dati odrešene ruke na nekim drugim teritorijama. Pa... izgleda da je mojoj sestrici ipak stalo šta se sa mnom događa." On se nasmeja. „Ne, to nikad više nećemo pominjati. Između nas nikad nije bilo ničega sem ljubavi."

Ona se namršti. Postoje stvari o kojima se svim silama trudila da ne razmišlja. Ni sad ni ikad. „Koliko ćeš ostati ovde?"

On odmahnu glavom. „Moram da krenem koliko u roku od jednog dana. Biće nevolje, a moram da budem u Romanji kada počne. Šta je sad bilo?"

„Kad se desi nešto takvo – nešto kao Urbino, hoću da kažem – trebalo bi da znam za to", ona će tiho.

„Niko nije znao. Moralo je tako. Ali nemaš čega da se bojiš. Ti si Bordžija, sad i vojvotkinja od Ferare, tvoja moć je bezgranična na obema stranama."

Ona se slabašno osmehnu. „Znaš, nije baš tako lako – biti Bordžija u kući Estea."

„Šta – rđavo se ponašaju prema tebi? Alfonso..."

„Ne... ne. Alfonso... moj muž je častan čovek. Ne povređuje me ni na koji način."

Odsutan je već skoro dva meseca, pomisli ona. Dopašće mu se kako se promenila, njemu koji voli da su mu žene kao krave mlekulje.

„Pobožni matori škrtac?"

Ona jedva primetno sleže ramenima.

„A ona zmija od njegove kćerke u Mantovi?"

„Izabela! Pa da, ona je ta koja me zapravo ne podnosi. Čini mi se da bi mi na venčanju lično zarila nož u grudi, samo da je smela."

„Naravno!" On se nasmeja, glasnim, grohotnim smehom koji je podseti na njihovog oca. „Ona je ljubomorna gadura i tvoja lepota je sigurno dovodi do ludila. Ali osvećena si. Jedini nož koji će se negde zariti biće moj i gadno će je zaboleti, ali će svejedno da se smeška. Već puzi preda mnom od zahvalnosti."

Potom joj je ispričao za statue iz palate u Urbinu koje je od njega tražila.

„Ali vojvotkinja Elizabeta je njena najbolja prijateljica!" Ah, kakav okrepljujući tonik – tračevi i osveta. Lukreciju je gotovo bilo sramota zbog zadovoljstva koje joj to pričinjava. „Kako je mogla?"

„Gorgoni je draži kamen od živih ljudi. Pitaj njenog muža, taj je u svačijem krevetu sem u njenom", dodade on prostački. „Samo što je ovog puta dobila falsifikat. Sećaš ga se, zar ne? Krilatog kamenog Kupidona usnulog na krevetu? Nalazio se u mojoj kući u Rimu. Bila si oduševljena, sve dok ti nisam rekao da je isklesan u Firenci pre samo godinu dana, a onda zaprljan i zakopan u rimske ruševine, ne bi li zavarao nekog lakovernog sakupljača. Kupio sam ga za bagatelu, a kasnije prodao u Urbino. I odlično zaradio."

Da, sećala se toga. Otac im je tek bio izabran za papu i Čezarea su pozvali da se vrati s univerziteta. Imala je trinaest godina i brzo je odrastala, već su je spremali za udaju. Zadirkivao ju je zbog ženstvene garderobe, ovaj njen sofisticirani brat, a njoj je bilo neprijatno zbog te statue i njene lepe, dečačke nagosti. Bila je kao živa...

„Ali imam za tebe još bolju vest, seko. Zato što ću se, tebi za ljubav, još bolje osvetiti Izabeli." On zastade, spazivši kako su joj oči pomalo staklaste. „Ovo te ne zamara previše? Zar ne?"

„O, ne... ne", odgovori ona, mada je bila uistinu umorna. „To što si ovde, za mene je pravi eliksir. Pričaj mi."

„Mantova i porodica Gonzaga-Este ući će sa mnom u bračno savezništvo."

„Bračno savezništvo? A ko će se to venčati?"

„Njihov sin i moja kćerka."

„Ali... još su tako mali."

„Porašće."

Izabelin jedinac Federiko, koji je osiguravao produžetak loze Gonzaga, i Čezareova kćerka, koja nikad nije videla svog oca, zato što je otišao iz Francuske pre no što se rodila, vereni još u kolevci kao zamena za vojske. Koliko će im trebati da nađu ženu za naslednika kog Lukrecija nosi? Ona spusti ruku na stomak. Otkako se groznica pojačala, osećala je tako malo pokreta. Možda je najgore sada prošlo... „Ali – Izabela i Frančesko nikad neće pristati na to..."

„Već su pristali. Mada razbojnik poput vojvode Valentina možda ne poštuje svojtu svoje svojte, ali neće napasti gradove u kojima ima onih njegove krvi. Ti si živi dokaz. Ma vidi ti to, kako ti je ova vest vratila boju u obraze!"

Vrata su se otvorila i uđe Kastelo, lekar vojvode Erkolea, pa stade pred njih. Bio je malo nagluv, pa je tako bolje podnosio Čezareovu viku kad ih uznemire. Ovog puta je, međutim, naišao na bolje raspoloženje.

„Sad nema potrebe da joj se posvećuješ. Za nekoliko sati svakako odlazim, pa možeš ponovo da se baviš svojom pacijentkinjom. I bolje će ti biti da joj se stanje ne pogorša, jer ima da naredim da te zadave tvojim rođenim crevima."

Lukrecija ga je ućutkavala, a lekar se usiljeno osmehnu. Imao je neke svoje zaključke u pogledu toka ove „bolesti", ali niko ne protivreči novom vladaru Italije.

„Gospodarice", kruto će on. „Stigao je vaš suprug, don Alfonso."

Devetnaesto poglavlje

Za vreme dugih časova provedenih u sedlu, Alfonso je zaticao sebe kako razmišlja o svom životu i onome što ga možda čeka kada se vrati kući, zato što je ovaj drugi brak imao na njega uticaj koji nije u potpunosti razumevao.

No mada su kretala od njegove žene, ta razmišljanja su svaki put prelazila na onoga za koga bi najradije zaboravio da postoji. Erkole d'Este je možda bio veliki vladar, ali je, u Alfonsovim očima, bio bedan otac. Njegove uspomene na detinjstvo bojilo je sećanje na naprasitog, udaljenog čoveka koji je vazda bio razočaran njime, kao da nikad, ma šta da je uradio, nije mogao po pameti ni šarmu dorasti svojim starijim sestrama. Zauzvrat je odrastao mrgodan, bolji u kavgama nego u učenju. Možda bi bio brže prešao na neke druge stvari, da je njegov otac imao obraza da umre onda kad je trebalo. Bio je svestan da je sa svojih dvadeset šest godina na vrhuncu snage i muškosti – francuska bolest ga je samo nakratko usporila – i željan slave. Ferarom je, međutim, još vladao taj škrti starac zaljubljen u samostane i koncerte. Alfonso je takođe voleo muziku: štaviše, svi sem njega silno su se iznenadili kad je postao pravi majstor na violu. Ali ne zato da ugodi ocu. Muziciranje ga je oslobađalo onih najgorih površnosti dvorskog života. Smatrao je – ne, osećao je, duboko u utrobi, bolno poput grčeva u crevima – da je to nepovratno gubljenje vremena. U svakom trenutku je više voleo vrelinu retorte i podzemnog kalupa za izlivanje, alhemijsku mešavinu bakra i kalaja, vrtloženje i boju u kotlu, oticanje istopljenog metala u levak i drugarstvo ljudi posvećenih prljavom ali poštenom poslu.

„*Te... te tvoje prostačke razonode nedostojne su čoveka naše krvi. Baviš se time samo zato da mi prkosiš*“, rekao mu je otac jednom prilikom, u trenutku razjarenog besa. Dabome, govorio je i o ženama, još jednoj opsesiji koja se rano pojavila. Alfonso je čak znao i u kom se trenutku začela: određena freska na zidovima palate Skifanoja, koja je veličala dolazak proleća, na kojoj su ruke dvojice dvorjana bile zavučene duboko u ženska nedra. Posle dvadeset godina, još se sećao čudnog uzbuđenja koje je to u njemu prouzrokovalo.

Poput mnogih mladih plemića, tim stvarima se učio kod profesionalki. Kakvo je olakšanje bilo nalaziti se u njihovom društvu: žene koje se ne prenemažu, sa širokim osmehom i krupnim, gostoljubivim telom i toplom kožom što na sve strane kipi iz odeće, pozivajući ga na čudesna putovanja kroz tajne prolaze i opraštajući mu svaku grubost ili preteranu revnost. Ljubaznost nije bila neophodna; tu nije bilo ničega pristojnog ni krhkog.

Njegov prvi brak je bio katastrofa. Još mu je teško padala pomisao na sve to. Oboje su bili jedva petnaestogodišnjaci, ali sem toga nisu imali ničega zajedničkog. Uprkos težini svog prezimena, Ana Sforca je bila žgoljava i sitna. Prva bračna noć je bila pravo mučenje, a posle toga je sve bilo samo još gore. Naposletku, pošto je tri godine obavljao tu neprijatnu i sve sporadičniju dužnost, zanela je. Porođaj je trajao danima, završio se tako što su umrli i ona i dete. Na dvoru su je propisno ožalili, ali on sam nije osećao takoreći ništa sem izvesnog sažaljenja zbog nepotrebnog gubitka.

Oduvek je znao da će dobiti još jednu suprugu i nije mu bilo naročito stalo do toga ko će ona biti. Skandali koji su se povezivali s Lukrecijom Bordžijom nisu ga zanimali – štaviše, osetio je određeno zadovoljstvo videvši kako su mu nadmudrili oca. Sem toga, vrtoglava visina miraza odgovarala je i njemu. Čak ni njegov otac nije mogao da živi doveka, a njegova vizija novih gradskih utvrđenja stajaće novaca. Na kraju je zaključio da će ova biti dobra najmanje kao i bilo koja druga. Barem nije stidljiva devica i u bračnoj postelji se neće obeznaniti od straha.

Kad se dan venčanja primakao, izjahao joj je u susret da je upozna, zato što mu je „najopakija žena u Italiji" i protiv njegove volje pobudila radoznalost. Kako je očekivao malo, iznenadio se. Već u prvim trenucima bilo mu je jasno da ne oseća neku naročitu fizičku privlačnost prema njoj, ali njeno samopouzdanje ostavilo je dubok utisak na njega. Ani Sforci su trebale godine da se odvaži da susretne njegov pogled. Ova žena je sedela uzdignute glave i odgovarala ravnom merom. I to ne samo njemu. Kad je Izabela uplovila u grad, nalik na ratni brod pod punim jedrima, s topovima nabijenim sarkazmom i arogancijom, Lukrecija je održala svoj položaj i nije odstupila. Bila je to veština kojom on sam nikad nije ovladao.

Bračna dužnost bila je zadovoljavajuće obavljena, a on se, svestan svih očiju uprtih u njih, svesrdno trudio da i nadalje bude tako. Doduše, nije mu nimalo teško padalo: povremeno je istinski uživao. Ovim tempom, biće lako dobiti naslednika.

Najviše ga je, međutim, impresioniralo to kako se suprotstavila njegovom ocu. Sećanje na to mu je još izmamljivalo osmeh. Kad je iskrsla ona rabota s njenim prihodom, držao se izvan toga; bila mu je odvratna i sama pomisao na raspravu s ocem oko novca. No umesto da se preda, sama je ratovala s njim. I s kakvom istrajnošću. Jednom prilikom, organizovala je večeru na koju je bio pozvan ceo dvor, što je bio samo izgovor da svima pokaže svoj status. Sve tanjire od zlata ili majolike, sve srebrne kašike ili viljuške, sve pehare i vinske krčage dobila je na poklon od pape, od nekog kralja ili kardinala. Nisam ja tamo neka tikva bez korena, kazivala je trpeza, i nikako vam ne savetujem da se tako ophodite prema meni. Naravno, njegov otac nije odstupio: s učestalošću napada, postajao je samo još tvrdoglaviji. Ipak, bilo je jasno da ga je taj prikaz svadbenih darova malo uzdrmao. Alfonso je bio u iskušenju da joj čestita.

Zatim, tu je bilo ono poslepodne kad je došla u livnicu da mu saopšti svoju vest. Mili bože, kako se pobedonosno osećao. „Eto ti! Potentan sam kao i ti“, hteo je da skreše ocu u lice. „Zašto se sad ne skloniš i ne prepustiš mi vlast?“ U svojoj razdraganosti, nije pridavao dovoljno važnosti činjenici da se nije osećala dobro. Mučnine u ranoj trudnoći su potpuno normalne, pa i sama se šalila na račun toga u svojim redovnim pismima, ispunjenim novostima s dvora, prožetim daškom supružanske nežnosti. Njegovi odgovori – poezija mu nikad nije bila jača strana – bili su kratki i jasni. Ipak, ta njihova prepiska doprinosila je da se oseća kao oženjen čovek. Ispostavilo se da je osećaj čak i prijatan.

Vest da je ozbiljno bolesna potresla ga je dovoljno da prekrati putovanje i uputi se kući. Dobro je znao koliko smrtonosna ume da bude letnja groznica u Ferari, video je kako kosi i žene mnogo jače od nje. Dok su milje ostajale za njim, hvatao je sebe kako brine šta će zateći. On, koji je živeo skoro isključivo u praktičnoj sadašnjici, beše počeo da se poigrava razmišljanjima o budućnosti, u kojoj je bio važna figura u politici Italije, sa ženom koja ume da upravlja dvorom, i sa šurakom s kojim može da priča o topovima umesto da razmenjuje učtivosti. Tačno, možda je u prvi mah nije želeo, ali tako mu boga, sad nije želeo da ona umre.

„Došao je brat gospe Lukrecije, vojvoda Valentino", rekoše mu čim je stigao: prvo stražari, potom sluge i naposletku lekari, dok su im crne halje lepetale poput krila.

„Nismo mogli da ga sprečimo, Vaša visosti. Nije se dao odgovoriti."

„Kako je moja supruga?"

„Ona je... pa, kao da je malo bolje."

Čuo je kako se smeju još pre no što je ušao u sobu. Lukrecija je sedela, krupnih očiju na sablasno bledom licu, dok je vojvoda bio opušteno ispružen u podnožju kreveta. Prizor je bio toliko prisan da nije bio siguran da li je ljut ili im zavidi. Bilo je nemoguće makar i zamisliti takvu nežnu bliskost između njega i njegove ohole sestre Izabele.

Kad ga je ugledala, osmeh joj je postao još širi. To što je još jedan muškarac došao da je vidi još prašnjav od puta svedočilo je o zabrinutosti koja je grejala srce posle tako mnogo usamljenosti i sukoba. Pružila mu je ruku u znak dobrodošlice, a on ju je poljubio, zadržavši je u svojoj duže no što je nalagala učtivost. Čezare, koji se u prvi mah nije ni pomerio s mesta, sada je ustao i njih dvojica stadoše jedan naspram drugog.

Kako nisu imali vremena da se pripreme za ovaj trenutak, postupali su instinktivno.

Daleko od radoznalih ušiju, Alfonsov otac nikoga nije psovao i kudio toliko kao Čezarea Bordžiju – „*obični beskrupulozni, bezbožni, neotesani bludnik, ratoborni kopilan onog španskog uljeza, koji potpomognut novcem Crkve žari i pali uzduž i popreko Italije, i tom svojom ambicijom prkosi čak i rođenom ocu*".

Ratoborni bludnik koji puca iz topova i prkosi rođenom ocu: dok je slušao te besne tirade, bilo je trenutaka kad je Alfonso potajno osećao bliskost s Čezareom Bordžijom. A pošto je ovaj zauzeo Urbino, šok je bio ublažen ushićenjem i, da, divljenjem.

A Čezare? Pa, bio je u toj meri ošamućen od nespavanja i oduševljen što je uspeo da povrati sestru iz mrtvih da se ponašao upravo tako kako je bio raspoložen: civilizovano, čak i ležerno prema ovom čoveku rumenog lica za koga se govorkalo da je izgradio jednu od najboljih livnica topova u celoj Italiji.

Čvrsto su stisnuli ruku jedan drugom. Šake su se pomerile do zapešća, da bi se potom zagrlili, tapšući jedan drugog po plećima. Najzad, sad su bili rod, a ubrzo je predstojao i nastanak dinastije Bordžija-Este.

Usledilo je nekoliko nelagodnih trenutaka; kruto raspitivanje o njenom zdravlju i razmena utisaka o putovanju kroz Italiju i o stanju drumova. Lukreciji kao da nije smetalo: zavalila se na jastuke, ćutke, gotovo pospana.

„Gospodo", reče ona posle nekog vremena. „Umorna sam i mislim da bi bilo bolje da malo počinem. Alfonso, možda bi mogao da pokažeš malo grad našem dragom bratu? Mora brzo da nas napusti, a sigurna sam da će uživati u razgledanju parapeta i tvoje livnice, jer mislim da imate zajedničkih interesovanja."

A pošto niko nije smeo da se raspravlja s Lukrecijom, ta dva silna muškarca se krotko pozdraviše s njom i odoše.

Posle njihovog odlaska, u sobu navreše njene dvorske dame, sa lekarima za petama.

Ona se pak iscrpljena naslonila na jastuke, a onda pokrila stomak dlanovima.

„Hajde sad", pomisli. „Protegni se malo. Molim te."

Naposletku je zaspala, snom toliko dubokim da nije ni čula gruvanje topova.

Dvadeseto poglavlje

Nedugo pošto je Čezare izjahao iz Ferare, vojvoda Erkole se vratio iz Milana, cepteći od gneva zbog najnovijeg diplomatskog udarca koji su mu nanele Bordžije; bio je u toj meri izvan sebe da se, kad je počeo da besni na sav glas, niko – čak ni Alfonso – nije odvažio da mu saopšti kako je njegov grad koliko do maločas izigravao domaćina čudovištu koje je stajalo iza svega toga. Starčevo raspoloženje je, jednako kao i njegove kosti, loše reagovalo na duge sate provedene u sedlu, i morao je da prvo izbaci sve to iz sebe.

U dvorcu u Paviji,[32] nedaleko od Milana, bilo se okupilo pola Italije, svi u nastojanju da izmole kralja Luja da zauzme strogi stav u pogledu ove očigledne Bordžijine agresije, kad je Njegovo veličanstvo bez najave izostalo s tog skupa. Tri dana kasnije, kralj i ono đavolje štene Bordžija pojavili su se ruku podruku, smejući se i šaleći jedan s drugim poput braće koja se odavno nisu videla!

Za vreme očeve žučne tirade, Alfonso se prisećao zarazne energije što je isijavala iz Čezarea Bordžije dok su jedan pored drugog stajali nad ključalom čorbom od bakra i kalaja, praćeni zadivljenim pogledima radnika njegove livnice.

U međuvremenu, svi u Paviji bili su užasnuti. Kad je stigao Čezare? S kim je putovao? Odakle je došao? Znali su samo da im je više nego jasno stavljeno do znanja da je dobrodošao. I najednom su svi obletali oko njega da mu čestitaju na njegovim pobedama. Šta su drugo mogli? Bilo je očigledno da je dogovor već postignut, iza zatvorenih vrata. Izbačeni vojvoda od Urbina, Gvidobaldo da Montefeltro, bio je pozvan na taj sastanak, s kog je izašao sav ubledeo od šoka. Naravno, vrlo brzo je procurilo kako je papa, u zamenu za njegovo vojvodstvo i titulu, ponudio da poništi njegov brak i proizvede ga u kardinala. U kardinala? Zar su zaista svi znali za vojvodinu mušku nemoć? Svi su bili zapanjeni razmerama ove uvrede. U međuvremenu je Izabelin muž, koji je pružio jadnom čoveku utočište na svom imanju i za koga su svi znali da jedva čeka da zabije mač Bordžiji u zadnjicu, srdačno potapšao tog istog Bordžiju po leđima u znak dobrodošlice i objavio veridbu svog malog sina Federika s njegovom francuskom kćerkicom Luizom.

„Kad ti kažem, Alfonso, drskosti tog čudovišta nema kraja. Nema ni vaspitanja ni savesti, taj bezbožni, beskrupulozni, prostački, ratoborni...“

Erkole je konačno počeo da posustaje.

„Zagrlio me je toliko snažno da sam jedva disao, nazvao me svojim dragim prijateljem i onda počeo da me saslušava u vezi sa zdravljem njegove sestre, kao da sam ja kriv što se razbolela.“ Potom ljutito zaćuta, pa nastavi: „Nego, kako joj je sad? Nadam se da se oporavlja.“

Alfonso ugleda u mislima njeno bledo lice na gomili jastuka. „Kad sam se vratio, groznica je već bila jenjala. Lekari kažu da je najgore prošlo. Mada, oče, postoji nešto što bi trebalo da znaš...“

* * *

„Kako se usuđuje? Kako se usuđuje? Đavo da nosi i njega i njegovu drskost! Ha! Trebalo je da ga proburazimo na kapiji."

Dok je Erkole vario novost, Alfonso je samo sedeo i ćutao.

„Kako je uopšte tako brzo stigao ovamo? Mora da je jahao s veštičjim vetrom u leđa. Kažem ja tebi, tu porodicu goni Sotona glavom."

Alfonso je s godinama naučio da je, što je njegov otac bešnji, tim bolje da se skloni što dalje od njega. Ipak, ako star čovek može da izdahne od prevelike jarosti, ovo je svakako bio baš takav trenutak. Pomisao ga nije zapanjila koliko bi trebalo, ali kad si neosetljiv na dvorske slabosti, jedno od zadovoljstava koje to donosi sa sobom jeste i sloboda da iskreno priznaš samom sebi šta osećaš, ne morajući da se pretvaraš kako nije tako.

„I, šta je onda bilo? Pošto je silom ušao ovamo? Nemoj mi reći da si se lepo družio s njim?"

„On je brat moje žene. Šta sam drugo mogao?"

„I?", zaurla Erkole.

„Bio je veoma predusretljiv", odvrati on smireno. „Proveo sam ga po našim parapetima. Odlično poznaje umeće ratovanja."

„Trebalo bi da se molimo da nikad ne dobije priliku da iskoristi to svoje znanje protiv nas! Ali barem niste otišli zajedno u kurvanje", kiselo će Erkole. „Hvala bogu što je groznica popustila. Promukao sam od molitava za njeno ozdravljenje. Samo da ti kažem, moj sine, poslednjih nedelja gledao sam đavola pravo u oči; ako ona umre, Ferara je izgubljena. Zašto tako zuriš u mene?"

Alfonso nije ni bio svestan da zuri. Ali zato je bio potpuno svestan o čemu razmišlja: bilo je to nešto što mu je rekao

Čezare Bordžija, kasnije, dok su se skupa šetali duž parapeta procenjujući domet topova i razgovarajući o novim obrtnim mehanizmima, koji je trebalo da ih učine delotvornijim protiv moći lake artiljerije. Kako su on i Alfonso mladi ljudi vrele krvi, željni da ostvare velika dela, i kako će, kada smrt dođe po njihove očeve, što će se zasigurno dogoditi uskoro, upravo njih dvojica povesti svoje države u veličanstvenu budućnost.

Bilo je najbolje da to sad ne pominje. Izgleda da je Alfonso d'Este ipak imao u sebi nešto malo smisla za dvorski život.

Napolju je iznenada zavladala pometnja. Začu se kucanje i zajapureni sluga upade ne sačekavši odgovor, pa zamuckujući objavi:.

„Ja... poslao me je vojvodin lekar, sinjor Kastelo. Gospa Lukrecija se porađa."

Kad se tog jutra probudila, koža joj je bila hladna na dodir. Ni traga od vrućice. „Izlečena sam", reče ona u sebi prevlačeći dlanovima preko stomaka, a Katrinela se tog časa stvori kraj nje kao da je to naglas izgovorila, nasmejana, jedva čekajući da pozdravi njen povratak u svet.

„Danas ću da ustanem. Reci im da mi pripreme stolicu", objavi ona, ali dok se povlačila naviše na jastuke, oseti bolno damaranje u glavi i duboko u krstima. Njene dvorske dame donele su toplu vodu da speru znoj nakupljen u dugotrajnom snu, ali kad su je otkrile, Katrinela uznemireno primeti da su joj zglobovi otečeni: zapešća i gležnjevi bili su zadebljani kao da su puni vode.

Lukrecija beše zatvorila oči, ali se damaranje u krstima odmah potom vratilo, sada još jače, pritiskajući joj creva.

„Moram da ustanem. Pustite me da ustanem!", uzviknu ona, zbacivši pokrivače i odgurujući ih sve od sebe dok je ustajala, jer je znala da će se unerediti ne bude li smesta ustala. Međutim, samo što su joj stopala dotakla pod, već je padala, zgrabivši se obema rukama za krsta kao da joj je neko otpozadi zario nož u karlicu.

Anđela je već vrišteći istrčala iz sobe, sudarajući se s lekarima koji behu poskakali s divana donesenih u prizemlje naročito za njih, da se odmore kad nisu potrebni.

Lekar iz Ferare, Frančesko Kastelo, nije bio dovoljno bodar da potrči, ali nije bilo ni važno. Znao je bolje od svih šta se dešava, kao i da iz toga ne može da proizađe ništa dobro. Sada su mogli samo da se nadaju da neće predugo trajati.

Gotovo mu je laknulo kad ju je zatekao kako grčevito pridržava krvlju natopljenu spavaćicu oko nogu. Dok joj je pomagao da ponovo legne, uhvatila se za njega očiju razrogačenih od užasa. „Ne smem da izgubim bebu. Ne dajte da umre, čujete li me. Ne dajte da umre."

„Ništa ne brinite, madam", reče on blago. „Gospod će se postarati za sve. Vi sad morate da gledate sebe, jer nam se valja truditi."

Trud. Znoj. Naprezanje. Izdržljivost. Porođaj. Ženska posla, putena zadovoljstva zbrisana bolom. Koliko god mu je puta prisustvovao, Kastelo je i dalje osećao strahopoštovanje pred okrutnom poetikom kažnjavanja Eve. Pokojna vojvotkinja Eleonora, savršena dama u svakom drugom pogledu, vrištala je toliko da je pola palate hodalo naokolo s prstima u ušima. Ova mlada žena, međutim, umela je da stisne zube. Strah i važnost onoga što je sad morala da uradi davali su joj energiju koju njeno telo nije imalo. Već je rodila jedno živo i zdravo dete, i negde u dubini sećala se snage sopstvenih mišića. Ta stvar u njoj – jer to više nije bio njen sin – biće izbačena, a ona mora da pomogne koliko god može.

Potrajalo je od ranog poslepodneva do početka noći, damarajuća zmija bola stezala ju je sve jače i jače, ostavljajući joj sve manje vremena da se oporavi ili da makar pošteno udahne vazduh između trudova. A onda, konačno, posle beskrajnog ječanja i silovitog potiska, sve je bilo gotovo. Lekari, koji su pre toga izračunali starost trudnoće onoliko koliko je to bilo moguće, procenili su sada da je gospa Lukrecija bila noseća dvadeset pet do dvadeset šest nedelja. Koliko je dugo beba bila mrtva, to nisu znali, ali usred kašaste mase, koju su na brzinu pokupili i odneli, ne bi li je barem poštedeli tog prizora, nalazio se fetus razvijen dovoljno da lekar odredi pol. To je palo u zadatak Kastelu. Vojvotkinja je rodila deformisano žensko dete.

Ona pak ništa nije pitala, stoga joj ništa nisu rekli. Više nije bilo važno. Kad se beba rodi mnogo pre vremena, rizik od babinje groznice bio je veoma veliki. Sada je bilo bitno samo da ostane živa. S obzirom na to koliko je bila slaba, mnogi nisu bili spremni da se u to opklade.

Oprali su je i doterali što su bolje mogli, kako bi Alfonso, koji je čekao nekoliko soba dalje, mogao da dođe kod nje.

Otoci su se povlačili i lice joj je, mada bledo, bilo spokojno, gotovo devičansko: agonija kroz koju je prošla sprala je Evin greh. Ili je to naprosto bila iznurenost.

„Oprosti", šapatom će ona.

Njegova ogromna krastava šaka obuhvati njenu malu ruku. „Ma nije važno", reče on hrapavim glasom. Obuzet nelagodom usled tolike prisnosti, nije znao kako da se ponaša. „Čim prezdraviš, daćemo se na posao da ih napravimo još: pravu vojsku dečaka."

Bilo je to nešto najintimnije što joj je ikada rekao. No njoj su oči već bile sklopljene.

„Da li me je čula?"

Lekari iza njega promrmljaše nekoliko ohrabrujućih reči.

„Sve je u redu, zar ne? To jest, sada će joj biti bolje?“, upita on dok su ga izvodili iz sobe.

Kastelo blago odmahnu rukom, što se moglo protumačiti kako god je ko hteo.

„Ne sme da umre. Ako ona umre...“

Nije završio rečenicu.

„Ako ona umre...“

U Rimu, papa je sedeo u svojoj spavaćoj sobi, još sa depešom u rukama, dok su mu suze kapale na stranicu i razmazivale mastilo. Pored njega je stajao ambasador Ferare, koga su rano ujutru izvukli iz kreveta, stajao je pored njega, dok su mu se usne trzale u nastojanju da deluje samouvereno. U vazduhu se osećao starčev znoj, koji beše natopio izgužvanu posteljinu. Mirisne biljne pomade što su visile s tavanice nisu naročito uspevale da ga prikriju.

„Kažem vam, ako moja kćerka umre...“

„To se neće desiti, Vaša svetosti. Petorica lekara neprestano bdiju pokraj njene postelje. U svim crkvama i samostanima u gradu revnosno se mole za njeno ozdravljenje. Dobrobit gospe Lukrecije leži vojvodi na srcu kao nekada dobrobit njegove supruge Eleonore.“

„Tada to pokazuje na veoma čudan način“, zareža Aleksandar. „Nisam smeo da dozvolim da ode tako daleko od mene. Muškarac nije ništa bez svoje porodice. Moja mila, dobra kćerka, kako sam mogao da je...“ Potom odmahnu ambasadoru da ode, kao da je bol koju oseća prevelika da ikom dopusti da je vidi.

Kad je malo kasnije ušao Burkard, zatekao ga je presamićenog, kako se trese od jecaja koje nije pokušavao da sakrije.

„Vaša svetosti, mogu li ikako da pomognem?"

„Ah, propadosmo. Rodila je mrtvo dete, mnogo pre vremena. Predobra Majko Božja, barem nije bilo muško. A sad leži u naručju smrti. Čime smo ovo zaslužili? Čime smo to uvredili Boga, pa nas je zadesila ovakva tuga?", jeknu on i ponovo poče da se guši od jecaja.

Nije to bilo pitanje koje traži odgovor. Burkard ga je nemo posmatrao, prisećajući se razdoblja mahnite tuge koje je usledilo posle Huanove smrti. Papa je i tada pitao isto. Zašto? Kako? Čime smo ovo zaslužili?

Svet izvan te sobe bio je pun ljudi koji bi mu to potanko obrazložili, stavljajući mu na teret bezbroj zločina i zala, ali on to nije tako doživljavao. Za Aleksandra, ovo je bilo isključivo između njega i Boga, na neki način oduvek lična borba među jednakima.

Za Lukreciju je sada sve bilo jednostavnije.

Posle porođaja, bilo je trenutaka kada su grčevi duboko u njenoj utrobi podsećali na početak još jednog porođaja i tada je znala da se groznica vratila. Ali sve je to izbledelo. Vreme i bol bili su beznačajni, jednako kao i sva lica što su ulazila u njeno vidno polje i izlazila iz njega. Kao da ovo njeno telo, koje joj je tako dugo prouzrokovalo tolike muke, sada pripada nekom drugom.

Bila je maglovito svesna strepnje oko sebe – prigušenih glasova, zvuka plača – ali više je nije doticala. Borila se koliko god je mogla i spoznaja da više ništa ne može da učini donela joj je olakšanje. Tamo gde se nalazila, bilo je mirno i tiho. Nikakvo društvo nije nastanjivalo to njeno bunilo, nije bilo upornih uspomena da je podsećaju na prošlost ili na ono što napušta. Umesto toga, san ju je mamio: dubok i mračan, zapljuskujući je poput tople vode što se diže svud oko nje; nije bilo pretnje da se utopi već samo obećanja prijatne lakoće. Videla je sebe kako pluta, spavaćica je drži na površini ispunjena mehurovima vazduha, dok joj se kosa poput vitica loze leluja oko glave. A onda, kad je voda narasla, vratila se u svoje telo. Čula je u ušima snažan šum, poput mora, i ritmično damaranje za koje je znala da su otkucaji njenog sopstvenog srca, živog u njenim grudima. Još nije osećala nikakav strah, već samo onu istu neizmernu lakoću, toplinu i sigurnost. Da li se njeno detence osećalo tako dok se koprcalo i smirivalo u njoj? Otkucaji. Kakvo udobno, sigurno mesto. Umreti ovde unutra bilo bi nalik na spokojan odlazak. Bog će razumeti. Biće joj oprošteno. Uradila je sve što je mogla. Osećala je dodir tople vode na čelu i stopalima. Sklupčana oko otkucaja srca, čula je nekakvo jednolično mrmljanje, odnekud izdaleka, glasove ujedinjene u molitvi namenjenoj da joj olakša odlazak. Sve je bilo tako lako...

Otvorila je oči i našla se u pomrčini. Nad njom se nadnosilo naborano lice i neka ruka je pronašla njenu, prelazeći prstima preko unutrašnjosti zapešća, opipavajući, tražeći. Ona prepozna lik Torele, lekara svog brata. Bilo je čudno što se u ovom trenutku našao tu, ali opet, on je i sveštenik.

„Ne brinite. Nema bola“, reče ona razgovetno. „Mrtva sam.“

Potom ponovo pade u san.

O, kako će se te reči kasnije prepričavati, kako će se prenositi putem lanca šapata i pisama koji će ispresecati Italiju uzduž i popreko, i izazivati bolne osmehe čak i na licima onih koji su sebe smatrali njenim neprijateljima. Vrlo je malo ljudi preživelo dva tako bliska susreta sa smrću, a groblja su bila prepuna žena sahranjenih sa svojom mrtvorođenčadi.

Bog je milosrdan, glasila je rečenica koja je putovala s ovim vestima. Njeni lekari, u silnoj želji da sebi pripišu zasluge – jer su celog tog dugog, nezahvalnog leta strahovali za svoj ugled – spremno su priznavali: babinja groznica ubija. Papin lekar, biskup Venoza, zalagao se na kraju za to da joj puste krv, ali su on i Torela vrlo brzo zamenili svoje lekarske halje svešteničkim mantijama i poveli molitvu u svetom sakramentu poslednjeg pomazanja, mažući joj čelo, dlanove i stopala mlakim uljem i usrdno se moleći da joj Gospod oprosti grehe i primi je u carstvo nebesko.

Svi su se slagali da se dogodilo čudo.

Pričalo se da se sestra Lučija, dok su lekari očitavali poslednju molitvu, u sopstvenom veličanstvenom zalaganju za božju milost odigla i lebdela u vazduhu iznad ležaja u svojoj privremenoj ćeliji. Nažalost, kad je vojvoda stigao tamo, već se bila spustila natrag, ali opojni miris svetosti što je kuljao kroz njen krezubi osmeh nije mu ostavljao ni najmanju sumnju u pogledu postojanja naročite spone između Ferare i Svemogućeg.

Kad je vojvotkinji konačno bilo dovoljno dobro da izdaju javni proglas o tome, ceo grad je eksplodirao: crkvena zvona su se raspevala dok se narod jatio na ulicama da molitvama izrazi svoju zahvalnost za njen ostanak u životu. Pre samo devet meseci veselili su se na njenoj svadbi i uspomene na njenu živahnost i dobro raspoloženje još su bile sveže u sećanju ljudi. Njen oporavak je osigurao bezbednost Ferare od pretnje Bordžija i označio kraj najgoreg razdoblja letnje groznice; anđeo smrti napuštao ih je na godinu dana. Što se bebe ticalo – pa dobro, gde je bilo jedne, biće i druge. Da svet nariče nad gubitkom svakog deteta, niko ne bi prestajao da plače.

* * *

„O, gospodarice, da ste samo videli Torelino lice kad je izašao iz sobe!"

„Reče da vam je pronašao bilo tek pošto ste mu rekli da ga nema."

Čim se osećala dovoljno dobro da je mogla da sedi sa svojim družbenicama, radost zbog njenog povratka začinile su pričama koje su ispredale o tome.

„Otišao je pravo u kapelu i satima ostao tamo. Mislimo da je molio Boga da mu pomogne u njegovom lekarskom umeću."

Lukrecija ih je posmatrala dok su govorile, onako cvrkutave i vesele.

Mrtva sam. Bile su to najtužnije reči što ih je ikada čula.

„Sećate li se toga, gospodarice?", upita Kamila blagim glasom.

„Ne", odvrati ona, „uopšte se ne sećam."

Sećala se samo osećaja da pluta, topline i neizmerne lakoće, izvan tela, izvan bola, izvan straha. Koliko je daleko odmakla pre no što su je povukli natrag? Dok je sada sedela na suncu, činilo joj se kao da se još nije u potpunosti vratila.

Svi su se slagali da će trebati vremena: pre no što se vrati na dvor, moraće da prođe kroz poduže razdoblje oporavka. Samostan će biti idealno mesto. Erkole je bio oduševljen: moći će da živi blizu njegove voljene svete Lučije. Međutim, Lukrecija je odbila i tako pokazala da je stvarno počela da se oporavlja. Sad joj ni najmanje nisu trebale žene mršave kao aveti i smrdljivi dah. Umesto toga, odlučila se za nešto blaži klarisanski samostan Korpus Domini, ušuškan u samom srcu starog grada: sa zaklonjenim, senovitim klaustrima, mirisnim cvećem i lekovitim travama, i redovnicama koje su volele da se smeju koliko i da se mole.

Nije bila jedina koja je otišla s dvora. Alfonso d'Este je obznanio da se, u trenucima kad se pribojavao da će ona umreti, zavetovao da će, bude li pošteđena, pešice hodočastiti do svetilišta Naše Gospe u Loretu.

„Ti ćeš da hodočastiš? Pešice?"

Kad je saopštio ocu, to nije prošlo baš dobro.

„Zapanjuješ me! Pa, pretpostavljam da ti neće naškoditi. Mada je Loreto baš daleko. Trebalo bi da ideš na konju ili ima da odsustvuješ pola godine, a nama što pre treba nova trudnoća. Ili planiraš da putovanje iskoristiš da usput proučavaš topove i tvrđave?"

Alfonso, koji se, istina, beše poigravao baš tom zamišlju – i konjem i topovima – oseti kako u njemu narasta gnev. Ovih poslednjih nedelja, nenaklonost koju je osećao prema ocu pretvorila se u nešto mnogo žešće.

„A ti, oče?", upita resko. „Kako ćeš ti da pokažeš zahvalnost zbog ozdravljenja moje žene?"

„Ja? Ubrzaću izgradnju samostana za sestru Lučiju. Njoj imamo da zahvalimo za ovu intervenciju. Znaš li da je levitirala..."

„...to nije dovoljno", prekide ga Alfonso.

„Molim?"

„Nije dovoljno. Vojvotkinja od Ferare zaslužuje više."

„Kako to misliš?"

„Trebalo bi da isplaćuješ ono što si joj dužan. Ispoštuj dogovor o mirazu postignut s papom i daj joj obećani iznos."

„Stvarno ne..." No vojvoda je oklevao. Godinama je očajavao zbog svog mrgodnog, nimalo razgovorljivog sina, ali ovo svakako nije želeo. „Ne vidim kakve to veze ima, Alfonso."

„Bordžije su previše moćne da bismo nastavili da dižemo nos. Lukrecija je sa sobom donela bogatstvo, i dovoljno si se dugo rđavo ponašao prema njoj."

„Ha! Sad mi je jasno. To iz tebe govori onaj kopilan od njenog brata. Šta je rekao?"

„Ne mora meni niko ništa da kaže. Rekao sam ti šta mislim."

„U tom slučaju, kako se usuđuješ!", graknu Erkole, isprsivši se poput uvređene žabe. „Državna pitanja su moj posao i postupaću kako nalazim za shodno."

„Ne, oče, nećeš."

Alfonso koraknu napred. U kakvog je moćnog muškarca izrastao, sa šakama poput medveđih šapa na rukama mišićavim kao u rvača, a sad je bio i visok, najmanje za glavu i ramena viši od sparušenog starca pred sobom. Da je hteo, mogao je da ga obori jednim udarcem. „Ako hoćeš da kuća Este nastavi da živi, daćeš mojoj supruzi položaj kakav zaslužuje."

Erkole zinu od zaprepašćenja. Dok se borio da nađe prave reči, Alfonso se već okrenuo i izašao.

„Ratoborni bludnik koji puca iz topova i prkosi rođenom ocu." Bila su ovo značajna vremena za Italiju, i mladi ljudi vrele krvi moraju se držati zajedno.

JESEN–ZIMA 1502.

Gospodar (vojvoda Valentino) veoma je tajnovit i ne verujem da iko sem njega samog zna šta će sledeće preduzeti... Stoga, Vaša gospodstva, ukoliko ste nezadovoljni zbog izostanka novih informacija, molim vas da ne pripišete to mom nemaru, zato što sam uglavnom i sam nezadovoljan zbog toga.

Nikolo Makijaveli, u depeši poslatoj
u Firencu iz Imole, u novembru 1502.

Dvadeset prvo poglavlje

„Svi dobro znate zašto smo ovde."

Viteloco Viteli je sedeo pogrbljen dok mu se lice presijavalo od znoja. Kuga odnela ovu kugu! Tog jutra je pojahao konja, ali već posle nekoliko milja činilo mu se da mu kosti pucaju u nogama, pa je ostatak puta do dvorca Orsini prešao pružen na ćebetu razapetom između dva štapa, psujući i proklinjući kad god naiđu na rupu na putu. Ponos mu, međutim, nije dozvoljavao da se pred njima pojavi na nosilima, stoga se popeo, vukući se postrance poput krabe, stepenicama što su vodile u sumračnu odaju dvorca. Ljudi okupljeni za stolom čekali su njegov dolazak. Dabome. Zato što niko u celoj Italiji nije imao da kaže o tom šugavom, verolomnom papskom kopilanu toliko kao on.

„Suočeni smo sa sopstvenom propašću. Valentinov napad na Urbino, njegova izdaja vlastitih ljudi i ovaj novi sporazum koji je postigao s Francuzima predstavljaju objavu rata. Kralj Luj neće ni prstom mrdnuti, a ovaj će sve redom da nas sažvaće i ispljune. Jedina šansa nam je da ga napadnemo pre no što on napadne nas."

On zaćuta, okrenuvši se da pogleda svakog čoveka pravo u oči. Neke među njima je dobro poznavao: svoje kolege kondotijere, Đanpaola Baljonija iz Peruđe, Orsinije, braću od stričeva Paola i Frančeska, i Oliverota da Ferma, koji se pre manje od godinu dana, u sobi ne mnogo drugačijoj od ove, pomoću noža domogao vlasti. Zatim, tu su bili i neki novi ljudi: izaslanik svrgnutog vojvode od Urbina, kao i predstavnici Sijene i Bolonje. Poslednjih dana kružile su glasine da je papa, u očekivanju invazije, potpisao bulu o ekskomunikaciji vladajuće porodice. Ako je Bolonja bila sledeća na redu, nije moglo biti jasnijeg signala šta predstoji.

Naposletku, tu je bio i kardinal Đovani Batista Orsini, glava jedne od najstarijih rimskih porodica. Danas nije imao skerletnu odeždu, ali opet, ovde i nije bio zarad božjeg posla. Ako ikad igde i jeste, pomisli Viteli kiselo. Nad kaminom, iza starčeve stolice, isticao se porodični grb uklesan u kamenu. Dvorac je bio poklon od pape, kao uzdarje za kardinalovu podršku u konklavi koja ga je izabrala pre deset godina. Dve porodice su, međutim, oduvek bile više neprijatelji nego saveznici i, dve godine kasnije, za vreme prve francuske invazije, Orsiniji su spektakularno obrnuli ćurak, ućutkavši topove na svojim tvrđavama severno od Rima i omogućivši osvajačkoj vojsci neometan prolaz u grad. Razmere te izdaje iznenadile su čak i Vitelija. U znak odmazde, papa je dao da otruju glavu porodice. Četiri meseca posle toga, iz Tibra je izvađen leš njegovog sina Huana, s brojnim ranama od noža.

Viteli se još dobro sećao besa i panike koji su u danima što su usledili dopirali iz Rima. Huan je bio arogantni mali govnar i nisu samo Orsiniji imali razloga da mu isparaju utrobu, ali njihova imena su se svakako nalazila na vrhu spiska. Bilo samo pitanje vremena kada će ih Bordžije kazniti po zasluzi. Osveta. Viteli nije bio jedini koji je živeo samo za nju;

osveta se poput krvlju natopljene niti provlačila kroz vekove rimske istorije. Bez obzira na sve, da bi Orsiniji povukli prvi potez, trebalo ih je ubediti da mogu da pobede.

„Tako je kao što kažete, sinjor Viteli. Pretnja nam je svima poznata.“ Kardinal ima tanušan, kenjkav glas, kao da kroz njegove nozdrve ne prolazi dovoljno vazduha da mu napuni pluća. Bilo je na čelu te porodice i žilavijih, harizmatičnijih ljudi, ali njegovi politički instinkti, izbrušeni višedecenijskim vatikanskim intrigama i podmetanjima, bili su oštri kao i uvek. „Međutim, sve dok papa i njegovo kopile imaju podršku Francuske, bilo bi bolje da i mi imamo nekoga na svojoj strani.“

„Nema nikoga, kardinale“, odvrati Viteli odlučno. „Da ima, već bi bili ovde. Ferara i Mantova povezani su s njima rođačkim vezama, a Firenca je država plašljivih budala.“

„I koja se, kao što znate, nalazi pod zaštitom kralja. Barem nominalno“, kardinal će blagim glasom. „Šteta što se Mleci ne daju ubediti da im se otvoreno usprotive. Zadovoljiće se time da pokupe ostatke.“

„Krvi mi Isusove, neće biti nikakvih ostataka da ih Mlečani skupljaju!“ Đanpaolo Baljoni iz Peruđe skoči na noge, šaka stisnutih u pesnice ispred sebe. Da je porodica Baljoni ikad uspela da iznedri papu, svi su znali da bi taj sada terorisao pola Italije. „Ko ne snosi rizik, ne učestvuje u podeli plena. O tome se ovde radi. Kada preuzmemo Valentinove teritorije, podelićemo ih između sebe.“

Ćutali su neko vreme, dok su im ti čudesni izgledi dopirali do mozga praćeni spoznajom o međusobnim trvenjima koja će uslediti. „Nastavi, Viteli“, podstače ga Baljoni. „Reci im kako ćemo to da izvedemo.“

Viteli se povuče malo naviše na stolici; bolno damaranje u njegovim kostima moglo je poslužiti vojsci umesto marševskog doboša, ali glas mu je bio jak. Od onog ponižavajućeg povlačenja iz Areca, spopala ga je utučenost crnja od đavola. Jedino što mu je donekle popravljalo raspoloženje bila je pomisao na susret oči u oči s čovekom koji ga je izdao, i da onda obojica skončaju s bodežom onoga drugog zarivenim duboko u utrobu.

„Pokrenućemo dvostruki napad. Iskoristićemo lokalno nezadovoljstvo da podstaknemo pobunu u jednoj od tvrđava blizu Urbina i onda, dok vojvoda bude zauzet nastojanjem da zaštiti svoj ponos i diku, iz Bolonje će domarširati zasebne snage, koje će ga napasti u Imoli. S artiljerijom i iznenađenjem na našoj strani, možemo da probijemo njegovu odbranu i uđemo u grad."

Znao je, *znao*, da mogu da uspeju, pod uslovom da budu dovoljno brzi.

„Šta je s Da Vinčijevim utvrđenjima? On je već mesecima na vojvodinom platnom spisku." Izaslanik iz Bolonje imao je na nosu izraslinu veličine zrelog zrna grožđa. Viteli zamisli sebe kako je otvara vrškom bodeža.

„Da Vinči je pametan inženjer, ali tek je nekoliko nedelja u Imoli. Čak ni on ne može da za tako kratko vreme obnovi tvrđavu. Što je samo razlog više da budemo brzi."

„Tačno!", umeša se Baljoni. „Što duže mi ovde mlatimo praznu slamu, to on dobija više vremena. Kad vam kažem, već je počelo. Pre dva dana moji ljudi su presreli glasnika koga je papa poslao Valentinu s porukom u kojoj mu nalaže da pozove sve svoje kondotijere na sastanak u Imolu i da ih tamo zarobi."

Njegove reči su imale željeno dejstvo jer su svi počeli da psuju na sav glas i da opisuju šta bi sve voleli da urade s intimnim delovima tela Čezarea Bordžije. Viteli ga besno pogleda. U udruženju jednakih, ovakvu informaciju trebalo je blagovremeno proslediti ostalima – ako je uopšte tačna, to jest. Ali kada šuruješ sa Baljonijem, to je kao da si privezan za pun džak škorpija.

„A šta ako on sazna šta radimo?"

Škorpija i kukavica, pomisli Viteli. Gospa Paolo; tako su zvali punačkog mladog kondotijera Paola Orsinija, zato što ga je uvek trebalo malo zavoditi.

Svi su se ućutali. Špijuni. Šta misle o svima ostalima za stolom?

„Dođavola! Pogledajte se samo. Ličite na društvo švalja!" Baljoni se s mukom savladavao. „Ne zaboravite, poznajem to kopile Bordžiju bolje nego ijedan od vas. Moja braća i ja rvali smo se s njim u blatu kad smo bili deca u školi u Peruđi. Bio je u stanju da te ugrize i otkine ti parče mesa, samo ako mu se ukaže prilika. Bio je siledžija, lažov i varalica, i takav je ostao do danas. Mogao si ga zaustaviti jedino ako ga svom snagom odalamiš onda kad ne gleda."

Prizor mladog Čezarea i braće Baljoni kako se valjaju u blatu ujedajući jedni druge bio je previše za maštu mnogih. Kardinal i Viteli se zgledaše. Sve ovo su bile samo prazne priče i jarost; nedovoljno da pretegne. Trebalo im je nešto više.

„Šta ako imamo nekoga svog?", polako upita Viteli. „Nekoga ko radi iz njegovog sopstvenog tabora?"

„Imate li nekog na umu?", upita tiho kardinal.

„Valentinovog guvernera u Čezeni, Španca, Ramira de Lorku. Opak kao sam đavo, ali čujem da skida kajmak sa zarade od zaliha žita i tako puni sebi džepove. Da Bordžija dozna za to, noge bi mu odsekao. Znam čoveka, jahao sam s njim. Verujem da bismo mogli da iskoristimo to da ga nagovorimo da nam priđe." On zaćuta puštajući ostale da svare ovu informaciju. Osećao je kardinalov pogled na sebi. „Vojvoda ga je poslao da jurca po Romanji i regrutuje nove vojnike, pa mu je sujeta sada povređena. Mogu da dođem do njega već za nekoliko dana. Neće biti teško izazvati nemir u Urbinu. A kada to počne..."

On ostavi rečenicu nedovršenu.

„Vrlo dobro", reče kardinal govoreći u ime svih. Bez obzira na sumnje koje je možda gajio, bilo bi deset puta gore da se raziđu a da nemaju plan. „Spreman sam da ovog časa stavim svoj potpis na sporazum o lojalnosti."

„Za mastilo ne brinite", veselo uzviknu Baljoni, skočivši na noge, pa zasuka rukav otkrivajući ruku. „Potpisaćemo ga krvlju."

Kardinal suspregnu tihi uzdah. Ovo nije bio trenutak za predomišljanje.

Dvadeset drugo poglavlje

Od bola do besa: papa je bio veoma ćudljive naravi.

Prvo je ležao ničice, gušeći se u suzama zbog izgubljene bebe i kćerkine bolesti; sada je pak besno koračao hodnikom što je povezivao prostorije njegovog vatikanskog stana, s kardinalima i kapelanima koji su trčkali za njim dok je davao oduška svom besu. Njegovi sekretari su mogli da ispune desetine papskih bula mukama, na ovom i onom svetu, kojima je pretio šugavom Viteliju, onoj Baljonijevoj đubradi i izdajničkom klanu Orsini.

No klan Orsini bio je prvi na spisku. Pet godina, pet dugih godina prošlo je otkako su izvukli iz Tibra telo Huana, koga su njihove plaćene ubice izbole noževima. Premili Isuse, kako je voleo tog dečaka! Svaka godišnjica njegove smrti obeležavala se misom, za slučaj da se Aleksandrova žeđ za osvetom u međuvremenu ublažila. Oduvek je bila samo pitanje vremena. Što su Čezareove pobede veličanstvenije, pre će moći da preseku veze sa svima koji su im potrebni, ali kojima ne veruju; pijavicama poput Vitelija i Da Ferma, i onim bednim grančicama loze Orsinija. Kada njih uklone, moći će da im zada konačni udarac: da pobije i ostale, i tako dokrajči posao koji su odavno započeli. Sad je tu bilo još i ovo: glava porodice, ni manje ni više do kardinal, pokretao je pobunu protiv njih.

„Šta? Mislili su da nećemo doznati? A svi su krenuli u isto vreme, ostavljajući za sobom ljigavi trag, poput puževa. Blagi bože, mora da su veće budale od onih za kakve nas smatraju."

Burkard je prve dane proveo smišljajući izgovore: Njegova svetost trenutno ne prima, pojeo je nešto što mu nije prijalo. Međutim, dok su se diplomate gurale u predvorju papske kancelarije, nije im promaklo da znojavi glasnici ulaze bez čekanja. Čak i bez pipaka Bordžijine obaveštajne službe, vest o sastanku u dvorcu Orsini morala je da procuri kad-tad. Veličina ega svih umešanih bila je dokaz za to.

Oči sveta bile su uprte u vojvodu Valentina, zato što je on bio meta. Troškove će, međutim, platiti Aleksandar.

„Koliko?"

„Šesnaest hiljada dukata, Vaša svetosti."

Kao i uvek, Burkard je bio pri ruci za osetljiva pitanja izvlačenja novca iz papske riznice.

„Nedovoljno. Vojvodi treba osamnaest hiljada da plati nove regrute. Nađi negde još dve i pošalji naoružanog stražara po njih. Šta je sad? Vređa li to na neki način tvoj osećaj za moral?"

Burkard je, kao i obično, ostao potpuno nem, ali papino ratoborno raspoloženje nije se dalo obuzdati.

„Ovo nije raskalašno trošenje, Johane, ovo je rat. Kada pripadnik kardinalskog kolegijuma ustane protiv svog pape, time je počinio izdaju protiv same Svete Matere Crkve. Kažem ti, uzećemo imanja i beneficijume Orsinija i nadoknadićemo dvostruko ovo što smo sad primorani da trošimo zbog njega."

Osamnaest hiljada. Takođe, bio je svestan da tu nije kraj. Pošto su se njihovi neprijatelji ujedinili, biće im potrebne francuske artiljerijske jedinice. Osamnaest hiljada. Gotovo onoliko koliko je godišnje trošio na ceo vatikanski dvor – plate, ceremonije, hranu i piće, sve redom. Iako njegovi neprijatelji ni trenutka nisu prestajali da kukaju kako je Crkva korumpirana, polovina njih je odbijala poziv na večeru ako smatra da hrana nije dovoljno raskošna. Njegov omiljeni obrok sastojao se od dva jela i bokala jednostavnog korzikanskog vina. Mogao si opremiti samostan uštedom koju je tako ostvarivao. Znam redovnike koji bolje jedu, dođe mu da vikne Burkardu u lice. No nije mu Burkard bio protivnik. Suočen ovih poslednjih godina s Čezareovim beskonačnim zahtevima za još novca, Aleksandra je i samog nešto mučilo, ako ne baš savest, a ono nekakav loš predosećaj u vezi s tim njegovim bezočnim uzimanjem novca od Crkve. Kad sve sabere... ali sada nije hteo da se bavi time. Bez obzira na cenu, isplatiće se kad vidi onu pobunjeničku bagru zgaženu. Koliko vredi imetak kardinala Orsinija? Kad mu te večeri san nije hteo na oči, kratio je vreme sabirajući vrednost njegovih imanja.

U gradiću Imoli, ni trideset milja udaljenom od onoga što je sada bila neprijateljska teritorija Bolonje, Čezare je živeo u jednoj sobi, s nacrtima tvrđava i parapeta na zidovima i s podom prekrivenim naslagama blata spalog sa čizama glasnika. U uglu se nalazio krevet, ali jedva ga je i koristio, jer ko može da spava u tim trenucima? Kad je do njega doprla vest o sastanku u dvorcu Orsini u Mađoneu – uvek, u svakoj zaveri, postoji najslabija karika: čovek koji se plaši prijatelja koliko i neprijatelja – više se obradovao nego uznemirio.

Još otkako je pre dve godine video kako njegovi kondotijeri razrogačenih očiju odmeravaju kese koje im je dobacivao preko stola, bio je svestan da će kad-tad doći do ovoga. Možda bi bilo bolje da je spremniji, još nekoliko meseci učinilo bi ga nepobedivim, ali boriće se onim što ima. Tako je, uostalom, više voleo.

„Ko je?"

Korake je čuo pre kucanja na vrata. Što je manje spavao, čula su mu bila sve izoštrenija.

„Gospodaru, stigao je izaslanik iz Firence. Moli za dopuštenje da vas poseti u vreme kada vama odgovara da ga primite."

„Iz Firence? Reci mu da odmah uđe."

Pored toliko neprijatelja, čoveku dobro dođe poneki prijatelj.

Nikolo ni u snu nije očekivao da će ga primiti odmah. Već ga behu ostavili da čeka na zapadnoj kapiji, pošto su bezbrojni glasnici imali prednost u odnosu na ostali saobraćaj. Iza njega se pružao kao strela prav Rimski drum što je vodio iz Bolonje prema obali. Vojvoda Valentino je pre tri godine došao tim istim drumom, a glavninu njegove vojske činili su ljudi koji su sada namerili da ga sruše. Nikolo se za vreme svog putovanja ne jednom osvrnuo strepeći da ne ugleda oblak prašine uzvitlan točkovima topova i maršem pešadije, zato što su glasine poslednjih dana samo navirale: pobunjenici su u pokretu; spremaju se da opsednu Imolu; skupljaju se pored Urbina; glože se između sebe; bili su istovremeno svugde i nigde, mada je njihov broj sa svakim prepričavanjem postajao sve veći.

Našavši se unutar gradskih zidina, prošao je pored veličanstvene tvrđave sa četiri kule, smeštene na jugozapadnom uglu grada. Primetio je grupe vojnika koje su kopale rovove podalje od šanca, po svoj prilici zato da onemoguće postavljanje neprijateljskih artiljerijskih oruđa. Šta će se dogoditi ako to ne bude dovoljno? Je li moguće da se gospa Fortuna izmigoljila vojvodi iz naručja tako brzo pošto je postala njegova verna ljubavnica?

Ušao je za stražarom u malu sobu pokušavajući da otare dlanovima prašinu s lica i podižući ruke da proceni vonj nakupljen u odeći. Kako ono kažu u firentinskim krčmama? Diplomatija je umeće kamufliranja ružnog zadaha lepim rečima. Koliko god bio umoran, njegovo nestrpljivo iščekivanje bilo je jače od svega. U ovom gradiću se stvarala istorija i, sem druženja s Lukrecijem u starom Rimu, dok ovaj piše svoju raspravu *O suštini stvari*, nije postojalo mesto gde bi ovog časa radije boravio.

„Aha! Čovek čije se lice osmehuje čak i onda kad on tvrdi suprotno. Otišli ste kao sekretar, a vraćate se kao trajni izaslanik. Čestitam."

Za indolentnog, oholog osvajača, čovek koji ga je sada dočekao bio je pun duha, gotovo detinjast u svom dobrom raspoloženju. Pritom, sad nije nosio masku; Nikolo vide da mu je lice još lepo, uprkos rošavoj koži. Energija je naprosto izbijala iz njega svetleći poput bleštavog oreola. „Mora da Firenca drži do vašeg mišljenja, sinjor Osmehu. Doduše, šta god da ste im napisali, meni nije pomoglo."

Premda je uvežbavao desetak uvodnih gambita za ovaj trenutak, Nikolo ih sad sve odbaci. „Rekao sam im šta mislim, gospodaru. Da ste čovek koga valja shvatiti ozbiljno, koga njegovi ljudi veoma vole i koji ima sreću na svojoj strani."

„Što izvesno objašnjava unapređenje koje ste dobili, zato što je sve to tačno. Mada mi nije trebala sreća da obezbedim podršku kralja Luja jer, kao što sam vam rekao, već sam je imao. Pa, kako su biskup Soderini i njegov brat, taj vrli građanin?"

„Dobro su, gospodaru. Obojica vam šalju srdačne pozdrave."

„Hmm. Ne mogu da se otmem utisku da bi crvena odežda veoma lepo pristajala biskupu. Porazgovaraću s ocem kad se sledeći put nađem u Rimu."

Nikolo obori oči da sakrije zaprepašćenje. Promena je bila neverovatna. Čezare mahnu pokazujući prema stolicama, ali on podiže ruke da pokaže da će radije ostati da stoji.

„Previše sati u sedlu, a? Trebalo bi da budete vojnik – to bi vam brzo uštavilo zadnjicu. Ušli ste kroz jugozapadnu kapiju, zar ne?", upita on videći kako pogled sitnog diplomate prelazi preko mapa na zidovima. „Šta mislite o utvrđenjima?"

„Pa... mislim da bi gospa Katerina Sforca, da je ovako postupila, mnogo duže odolevala vašoj vojsci", odvrati Nikolo nastojeći da mu izraz lica bude neprobojan.

„Katerina Sforca, a? Šta vas zanima, ta žena ili njene tvrđave?"

„Bio sam jednom u diplomatskoj misiji kod te gospe."

„Aha! I? Šta mislite o toj muškarači?"

Šta da mu kaže? To mu je bila prva samostalna diplomatska misija i bio je nervozan poput neiskusnog trkaćkog konja. Kakva ju je samo reputacija pratila: robustna i krvožedna kao bilo koji od njenih neprijatelja, jednom prilikom je na parapetu zadigla suknje do pojasa, da pokaže napadačima kako može da rodi još sinova ako ubiju one koje su držali kao taoce. Pre no što će se susresti s njom, sanjao ju je kako izlazi iz šume nalik na ratnicu Amazonku, isturenih nagih grudi. U pregovorima ga je nadigrala tako što je prvo pristala na sve, samo da bi se u poslednjem trenutku predomislila. Bila je to Pirova pobeda: papa ju je pre toga već bio ekskomunicirao i sudbina joj je bila zapisana u cevima Čezareovih topova. Zidovi taverne su se usijali od raznoraznih priča o tome šta se dogodilo između njih dvoje one noći kada je zarobljena; dve škorpije u ognjenom obruču, koje se šepure jedna oko druge pre no što žaoka konačno sune. Avaj, to nije bila tema o kojoj se moglo razgovarati jezikom diplomatije.

„Mislim da bi u bici bila hrabra kao bilo koji muškarac. Možda i hrabrija."

„Tu ste u pravu." Čezare se nasmeja kratko, gorko. „Mada, čim je počela da cvili, odmah se videlo da je žensko. Znači, Firenca mi šalje vojnog stratega koji je ujedno i diplomata!"

„Izučavalac istorije, gospodaru, ništa više", odvrati Nikolo s promišljenom skromnošću.

„U tom slučaju, bićete dobro društvo, pošto je istorija i moj posao", progunđa Čezare. Premda beše odglumio iznenađenje, znao je koga je Firenca imenovala i postarao se da sazna više o lukavom malom diplomati koji je tako vešto igrao u senci za vreme njihovog prošlog sastanka. „Sigurno znate da Rubikon teče nedaleko odavde, te da veličina čeka pravog čoveka koji ga pređe."

„*Alea iacta est*", glatko nastavi Nikolo. *Kocka je bačena.* Cezar, pomisli on. Uvek Julije Cezar. Istorija Rima bila je prepuna velikih ljudi, a ipak, ambiciozni ljudi su najviše voleli da se ugledaju na vojskovođu koji je uništio republiku umesto da je spase.

„Istina. A mi ćemo i te kako imati o čemu da razgovaramo, u to sam siguran, jer bez obzira na prošlost između mene i Firence nema zle krvi. Kako bi i moglo da je bude? Sa sporazumom ili bez njega, spaja nas prirodno prijateljstvo, zato što delimo istu viziju sigurne i stabilne Italije, kadre da se odbrani od juriša bandita i izdajnika."

Tu smo! Konačno je nanjušio trag, miris jedak kao da je pseto podiglo nogu i popišalo ga. Nije časio ni časa. „Veću je bilo veoma žao što čuje za ovu nevolju s vašim doskorašnjim saveznicima."

„Šta? Mislite na onu gamad Vitelija i Baljonija, koji su se udružili s onom bubašvabom Orsinijem i ostalima? Ha! Gomila gubitnika, od prvog do poslednjeg, i uglavnom unapred znam šta će da urade. Na čemu bi Firenca trebalo da bude zahvalna, zato što je ova pobuna za vas opasnija no što će za mene ikada biti. Podsetio bih vas da je pre dve godine, kad sam stajao na vašim granicama, Viteloco Viteli klečao preda mnom i preklinjao me da mu dozvolim da zauzme Firencu. Moje odbijanje je samo podjarilo njegov bes. Da je bilo po njegovom i Orsinijevom, ne biste imali svoju voljenu republiku da o njoj pišete aforizme."

Svaka reč koju je rekao je živa istina, pomisli Nikolo. Međutim, ovaj problem je uticao na obe strane: ako je vojvoda sada potrebniji Firenci nego pre, onda je ovog časa i Firenca potrebna njemu.

„Kako god bilo, gospodaru, tvrde da imaju brojnu vojsku. Ne bojite se za sigurnost Urbina?", upita on kao uzgred, dotakavši se tako jedne od mnogih glasina što su kružile naokolo.

„Čini mi se da ste rekli kako ste maločas dojahali u grad", obrecnu se Čezare.

Na Makijavelijevom licu ne pomeri se nijedan mišić. Mili bože, razmišljao je, vojvoda će izgubiti Urbino. Ovo je zaista novost.

„To što oni *tvrde*, to su obična baljezganja. Imajte na umu da poznajem te ljude i da znam šta mogu, a šta ne mogu. Orsinijevi su balave curice u vojničkoj uniformi, a Viteli nikad u životu nije uradio ništa vredno pomena. Što se tiče Urbina, to tek nije ništa: pobuna nekolicine nezadovoljnih ljudi u utvrđenju nedaleko od grada; nema nikakve veze s ovim izdajnicima, mada sam prilično siguran da će pokušati da je iskoriste. Već preduzimamo određene protivmere."

„Vaš zapovednik, De Korelja?", upita Nikolo, pošto od Mikelota, za koga su svi znali da je vojvodina senka, nije bilo ni traga ni glasa.

„Nije važno ko", vojvoda će osorno. „Ali pošto su informacije vaš posao, sinjor Osmehu, ovu ću vam dati besplatno. Dok mi ovde razgovaramo, sedam stotina novih regruta već maršira prema Imoli, a mogu vam pokazati i pismo u kojem mi je kralj Luj obećao hiljadu topova i švajcarske najamnike. Ovi izdajnici mi čine uslugu. Nisu se mogli pokazati u pogodnijem času, zato što sada znam ko su mi prijatelji, a ko neprijatelji. Izvestite o tome svoje revnosno veće. Sem ako mi nisu dodelili izaslanika kome i dalje nisu raspoloženi da veruju. Aha! Konačno imamo osmeh, ili je to naprosto manir vašeg lica?"

Ko se ne bi osmehnuo, pomisli on silazeći u dvorište. Danas je iskopao pravu zlatnu žicu: napeta situacija u Urbinu, vojnici obećani, ali tek treba da stignu. Sve činjenice ukazivale su da bi zapovednik trebalo da bude u panici, a ipak, nije mogao a da ne bude impresioniran njegovim samopouzdanjem i snagom. Dok je uzjahivao konja, Nikolo je video još glasnika kako jašu pognute glave, s maramom na ustima protiv prašine. Dodao je njihov broj onima koje je već video na kapiji. Obaveštajna služba Bordžija bila je legendarna: neki su je poredili s ogromnom paukovom mrežom razapetom preko Italije, koja hvata sve što joj zaluta na put. Međutim, ova neumorna aktivnost ga je više podsećala na pčele: neprestano u letu, neprestano prelaze s cveta na cvet i donose polen informacija natrag u košnicu. Da li vojvoda stvarno dovoljno dobro zna kako razmišljaju njegovi neprijatelji, pa može da predvidi njihove poteze, a time i njihovu propast, ili je to sve samo hvalisanje, kredo čoveka koji veruje da mu Fortuna još greje postelju?

Sutradan je stigla vest da su jedinice pod zapovedništvom Mikelota - jer on je, naravno, bio zadužen za to - ugušile pobunu i ponovo zaposele tvrđavu pored Urbina. Makijaveli je poslao svoju prvu depešu, trudeći se da što tačnije navede vojvodine reči, ali dodavši i nekoliko svojih zato što mu je jedno već bilo jasno: mada je vojvoda možda usamljen, upravo mu ta njegova usamljenost omogućava da dela brzo i odlučno. Da je ovo nekakva opklada, ipak bi stavio svoj novac na princa Bordžiju.

Ispostavilo se da je ta procena bila preuranjena. Nakon što su ubrzanim maršem doveli svoje jedinice u tu oblast, Čezareovi nekadašnji kondotijeri - Viteli, Da Fermo i dvojica Orsinija - udružili su snage s namerom da zauzmu sam grad Urbino.

Dvadeset treće poglavlje

Vest je stvorila ogromnu gužvu u predvorju vojvodinih odaja.

Kako je odavno ovladao umećem čekanja, Nikolo je izvadio iz džepa svog Livija, ali jedva je stigao da ga otvori, a već su ga pozvali i dali mu prednost nad svim ostalima.

U sobi je gorela vatra – napolju je sad već bilo prohladno – a na stolu su bili ostaci napola pojedenog jela. Čovek koji je stajao pozadi bio mu je već poznat – Mikeloto.

„Sinjor Osmehu." Čezare mu pruži ruku. Izgledao je kao neko ko nije spavao, mada se činilo da ga to nimalo ne usporava. „Poznaješ mog čoveka, zar ne?"

Sada, po danu, bolje ga je video, to lice surovo poput priča o njegovim delima.

„Čestitam na ponovnom zauzimanju Fosombronea, gospodine", vedro mu se obrati Nikolo. „Briljantno pokazana vojna veština." Bio je svestan da zvuči ulizički, ali iskreno je mislio svaku reč. U krčmama Imole, ljudi koji su se vratili iz tog pohoda govorili su samo o tome: kako je njihov zapovednik iskoristio nacrte tvrđave da pronađe stari tunel koji vodi od spoljne strane zidina do donžon kule, kako je pod okriljem noći puzao kroz njega praćen dvanaestoricom ljudi i potom unutra porazbijao glave i prerezao grla branilaca. Na vojvodinoj strani nije bilo nijednog poginulog.

Mikelotovo ćutanje nagoveštavalo je da ga pohvale ne zanimaju.

„Nikad ne priča mnogo kad je umoran", reče Čezare pošto je mahnuo ovome da može da ide.

Kad su se vrata zatvorila, dao je Nikolu znak da dođe u stražnji deo sobe. „Priđite, priđite, imam nešto da vam pokažem."

Na stražnjem zidu nalazila se mapa, s uglovima uljastim od pečatnog voska kojim je bila pričvršćena za kamen. Bila je predivno nacrtana; čovek umetničkih interesovanja svakako bi je smatrao dostojnom drugačije vrste proučavanja, ali ovde je imala praktičnu svrhu. Potrajalo je samo trenutak dok Makijaveli nije shvatio. Gledao je grad Imolu onako kako ga vidi ptica u letu, sa zidinama i odbrambenim strukturama predstavljenim u naizgled savršenim razmerama, sve do kula na tvrđavi, nagiba zemljišta i okolnih drumova.

„Možda prepoznajete ruku?", vojvoda će uzgred. „On je od vaših."

„Da Vinči", odvrati Nikolo, budući da su svi znali da ga vojvoda ima na platnom spisku.

„Tako je. Poslednja tri meseca je u mojoj službi, putuje po Romanji procenjujući mogućnost poboljšanja odbrambenih sistema na svim mojim tvrđavama i bedemima."

„Mapa koja je otkrila postojanje podzemnog tunela u Fosombroneu je njegova?"

„Čija bi bila?", potvrdno klimnu Čezare. „Vredi triput više no što ga plaćam, a ni ovako nije jeftin. Poznajete li ga?"

„Samo po čuvenju." U krugovima gradskih vlasti pričalo se da se on i Buonaroti u toj meri ne podnose da svim silama nastoje da se ne nađu istovremeno u gradu. Gubitak republike je tako postao dobitak svih ostalih.

„Upoznao bih vas, ali već se uputio u Pjombino; reče da mu je puna kapa rata. Vi Firentinci stvarno umete da iznedrite lude slikare. Od vrata naviše liči na neopranog pustinjaka, a opet, ide naokolo obučen u baršun, stalno s nadurenim mladim katamitom[33] za petama." Zurio je u Makijavelija. „Čujem da je Firenca grad koji neguje sodomiju."

Nikolo na to samo sleže ramenima. Skoro svi muškarci koje je znao mogli su da kažu ponešto o tome; bio je to ritual odrastanja isto koliko i urođena sklonost, ali nisu bili ovde da prepričavaju razgovore iz taverni.

„Pa, svi smo se u svoje vreme poigrali i na drugoj strani ulice, a?" reče Čezare i propratí to prostačkim smehom. „Briga mene gde ko voli da ga umoči. Kod čoveka me pre svega zanima mozak. A vaš Da Vinči ima tako mnogo ideja da mu treba deset ruku da bi ih sve nacrtao. Ima plan za povezivanje Čezene s morem i, ako se ne raspadne kao onaj njegov džinovski konj u Milanu, kaže da će mi konstruisati top koji može da ispaljuje više od jednog đuleta istovremeno. Mada, imate sreće. Ostao je patriota. Jednom sam ga upitao šta bi uradio ako mu zatražim da isplanira kako da zauzmem Firencu. Znate šta mi je rekao? Da su zidine njegovog grada više od pukog kamena. Izrecitova mi neke stihove dole na gradskom trgu."

„Kraljevstva padaju zbog raskoši. Gradovi narastaju blagodareći vrlinama", Nikolo će tiho. Nije imao predstavu kuda ovo vodi, ali nije mu bilo druge do da prati pravac. „Te reči su ugravirane oko Donatelove statue Judite, koja ubija Holoferna. Kad je iznesena iz palate Mediči, deo natpisa je izmenjen tako da odražava vlast naroda."

„Ma nemojte?“, odvrati Čezare, na kog ova informacija očigledno nije ostavila naročit utisak. „Vidi ti to. Vi Firentinci baš volite umetnost. Recite, kako napreduje vaš džinovski David? Buonaroti, beše, još zasipa grad mermernom prašinom?“

Inženjeri, vajari, pesnici, katamiti. Sve teme sem one što je bola oči.

On pročisti gušu. „Gospodaru, bilo mi je žao kad sam čuo za...“

„Za Urbino? Da, da. Nekoliko dana će svi pričati samo o tome, mada mene to ni na koji način ne ugrožava. Kao svrake su, ustremili su se na najsjajniju stvar koju su ugledali. A opet, sve što su dobili je ispražnjena palata na brdu. Mislio sam da su pametniji.“ On zaćuta pa nastavi. „Ne verujete mi? Mislite da hoću da manipulišem vama, da vas namamim u savezništvo, zato što mi je Firenca potrebnija sad kad se suočavam s teškoćama?“

Oči su mu bile tvrde kao dijamanti; u njima nije bilo ni najmanjeg nagoveštaja emocija. „Savezništvo bi vam bilo od pomoći, da.“ Nikolo zaćuta. Nijedan diplomata koji nešto vredi ne bi trebalo da kaže sve što misli. Ipak, imao je posla s čovekom koji nikad ne radi ono što svi od njega očekuju. „Bez obzira na to, gospodaru, mislim da je, ako su hteli da vam naude, trebalo da angažuju sve ljude, konje i topove koje imaju, i napadnu vas ovde u Imoli.“

„Zar ne verujete novom odbrambenom sistemu svog zemljaka?“, ovaj će dobroćudno.

„Siguran sam će biti zadivljujuće jak, ukoliko bude blagovremeno završen. Ali zasad su tu samo zidine. A dok ne dođe još vojnika...“ Nikolo sleže ramenima ne završivši.

„Ha! Sinjor Osmehu, traćite svoj talenat u tom veću.“ On zabaci glavu i veselo se nasmeja. Bio je to njegov prvi nehajni gest koji je Nikolo video. „Pa", nastavi, „izgleda da posmatramo situaciju istim očima. Nego, recite, kako biste vi izvadili otrov ovim gujama?"

Makijaveli ne odgovori.

„U džepu vam je knjiga o istoriji Rima, za koju kažu da je stalno čitate. Zar ne pomaže?"

„Ne u ovome, gospodaru." Definicija izdaje bila je široka kao kravlje sapi i s lakoćom bi obuhvatila i davanje saveta neprijatelju, premda se, dabome, bavio razmišljanjem o tom pitanju. „Nema ničega što bih mogao da uporedim s vašom pričom."

Vojvoda nešto progunđa, pa reče: „Pa dobro. Onda mi odgovorite na drugo pitanje, ako imate petlje. Ako vam zajemčim da će ovaj grad za deset ili dvanaest dana vrveti od vojske, da li biste kazali svojoj voljenoj Firenci da sklopi sporazum sa mnom?"

„Gospodaru, vi se bavite ratovanjem, a ja diplomatijom. Ne mogu ja ništa da 'kažem' Firenci", odvrati on nadajući se ga lice ne odaje više no što ga je već odalo. „Moje je naprosto da opišem situaciju i iznesem sugestije."

„Hmm. Ne znam zašto, ali čisto sumnjam da je to sve što radite", vojvoda će tiho, začinivši kompliment prepredenim osmehom.

Politika i umeće zavođenja. Da sam žena, nema sumnje da bih sad klečao pred njim, pomisli Nikolo svesno ispravivši leđa.

Prođe jedan trenutak.

„Ha! Čini mi se da ste viši nego prvi put kad smo se sreli", Čezare će vedro. „Mora biti da je to zbog društva u kom se krećete. Pa" – on odmahnu rukom, kao da bi da mu da do znanja kako se samo našalio – „vaša iskrenost mi je zasad sasvim dovoljna. A sad me izvinite, moram da se pobrinem za tu zaveru."

U ratnoj sobi, sveće su još jednu noć gorele do zore. Premda jeste bio malo slobodniji u procenama što se tiče brzine kojom vojska može da marširа, Čezare nije lagao u vezi s Urbinom. U njegovoj glavi on je stvarno bio samo svetlucava tričarija. Zauzeo ga je jednom, zauzeće ga i drugi put. Međutim, brinulo ga je to što će ovo pružiti onoj gomili đubradi osećaj pobede, što im se nije smelo dozvoliti.

Napisao je niz depeša. Najduža je bila upućena njegovom ocu. Neće mu se dopasti. Međutim, bitke se nisu uvek dobijale borbom. I bilo je jasno kako moraju dalje.

Dvadeset četvrto poglavlje

Polagano, prijatno Lukrecijino ozdravljenje. Mnogo godina kasnije, razmišljanje o tom putovanju iz smrti u život ispunjavaće je podjednakom tugom i zadovoljstvom.

Dobro je odabrala. Premda Korpus Domini možda nije imao svoju levitirajuću redovnicu, u celoj Ferari nije bilo boljeg samostana: plemkinje s pozamašnim mirazom objedinjavale su bogosluženje i život u braku s Isusom Hristom, koji je na svoj osobeni način bio tolerantniji od nekog zloćudnog nasilnika od krvi i mesa koji bi im možda bio sudbina u spoljnom svetu.

Kad se nisu molile, redovnice su vreme provodile čitajući, ilustrujući ili prepisujući rukopise, vezući okovratnike, negujući vrtove, podučavajući mlade devojke poverene im na staranje ili i same bile pod paskom voditeljke hora, koja je izvlačila umilni glas i od onih za koje se nikad ne bi pomislilo da ga poseduju. Na dvoru su žene smele da sviraju i pevaju samo na privatnim druženjima: profesionalne izvedbe su pripadale muškarcima. Ipak, ovde su sačinjavale hor čija je lepota – i reputacija – punila samostansku crkvu o svim praznicima i svečanostima.

Sad im je pak bila ukazana najveća moguća počast: prilika da neguju svoju novu vojvotkinju i povrate joj dobro zdravlje.

Na dan kad su ona i njene dvorske dame stigle, redovnice su obrazovale špalir dobrodošlice, dok su im se glasovi dizali u visinu poput cvetnih girlandi. Ako su i bile preneražene njenom mršavošću, sivilom njene kože i njenim mutnim, neveselim pogledom, to nije uticalo na oduševljenu dobrodošlicu kojom su je dočekale. One starije među njima, koje su upravljale kuhinjom, horom i apotekom, već su pravile plan za njen oporavak.

Zalogaj po zalogaj...

Prve nedelje bile su ispunjene oporavljanjem njenog tela.

Gotovo je pala u očajanje kad su stavili pred nju prve tanjire: dinstane teleće bubrege, golubija prsa u belom vinu i kruške pečene u slatkom likeru. Nadzornica kuhinje dobila je dozvolu da poručuje posebne namirnice, ne bi li bolešću iznurenu vojvotkinju dovela u iskušenje i povratila joj zdravlje.

„Ali previše je. Ne mogu da pojedem sve to“, prostenja ova, umorna pri samom pogledu na toliku hranu.

Njene dvorske dame sedele su za stolom ne dirajući kašike što su ležale pored punih tanjira.

„Šta je bilo?“, upita ona podigavši pogled prema njima. „Šta čekate? Ja ću jesti kasnije.“

Nisu, međutim, htele ni da čuju. Starale su se o svojoj gospodarici koristeći sopstvene veštine: pre svega lukavstvo. Ako njihova vojvotkinja ne jede, neće ni one.

Prvi obrok se netaknut vratio u kuhinju.

Drugog dana, voda im je tekla na usta od mirisa što su se dizali od teletine u slatkom sosu i rečnih jegulja pečenih na tihoj vatri, s prilogom od kapara što su se presijavali u sopstvenom soku.

Mrtva trka se nastavila.

„O, ne mogu ovo da podnesem", reče ona s mrzovoljnim uzdahom. Nabola je srebrnom viljuškom komadić teletine, stavila ga u usta i žvakala tvrdoglavo, poput deteta nateranog na poslušnost. Oči joj se na trenutak zatvoriše kad je osetila ukus bobica kleke u sosu. Otvorila ih je i ugledala četiri široko nasmejana lica. Post je bio gotov.

Sledeći napad došao je iz apoteke. Trećeg dana Lukrecijinog boravka u samostanu, u njenoj gostinskoj ćeliji pojavila se sitna, energična žena neodređenih godina, kože ogrubele i naborane poput pergamenta ostavljenog na vetru i kiši.

„Visosti, ja sam sestra Bonventura i zadužena sam za samostansku apoteku. Spravila sam neke lekove koji vam mogu biti od pomoći. Mada nemam iskustva s porođajima i mrtvorođenjem, lečila sam posledice letnje groznice i poznajem ćudi ženske mesečnice, i iritacije i osetljivost koji mogu da povređuju tajni prolaz do materice."

Njene prodorne plave oči bile su uznemirujuće koliko i njene neuvijene reči.

„Vrlo ste ljubazni", reče Lukrecija suzdržanim tonom. „Ali pre no što sam došla ovde, lečili su me najbolji lekari."

„Može biti. Ali još niste izlečeni", redovnica će otvoreno.

„Verujem da najbolje znam sama", oštro odvrati Lukrecija. „Jednostavno sam umorna."

„Hrana će vam pomoći. Ali neophodno je da bolje spavate. Patite od košmarnih snova, zar ne?"

„Šta vi znate o mojim snovima?" Njena oštrina bila je prožeta strahom zato što je to bilo tačno: njene noćne more su bile strašne. Najgore su bile one kad se budila ne mogući da diše, naprežući se da rodi čudovište, pola životinju a pola ljudsko biće, čije se malo, režeće telo raspadalo u krvave komadiće kada padne na pod kraj njenih nogu.

Redovnica nije obraćala pažnju na njen ton. „Moj zadatak je da lečim najrazličitije boljke, i Bog mi pomaže da vidim ono što drugi možda ne vide." Bila je lukava, ova iskusna isceliteljka. Dok je još pre zore, po mrklom mraku, išla u kapelu na jutarnju misu, čula je vojvotkinjine očajne uzvike iz gostinskih odaja.

Sada je zavukla ruke u široke nabore svoje rize i, poput neke vašarske opsenarke, izvukla prvo jednu, a potom i drugu staklenu bočicu s tečnošću, i lonče od majolike zaptiveno drvenim poklopcem.

„Svetlija tečnost je tonik za telo, koji je najbolje uzimati ujutru pre jela. Ova tamna je za uveče. Osam kapi u malo vina, pola sata pre no što legnete. A ovaj balzam je namenjen da ga nanosite u unutrašnjost vaginalnog prolaza – pomoći će da zacele sve pukotine ili bolna mesta nastala usled siline porođaja."

Lukrecija je zurila u nju. Nijedan od gavranova lekara nikad joj nije tako otvoreno govorio o tim stvarima. No nakon što je redovnica otišla, svetlost onih vodenoplavih očiju i aura ljubaznosti ostali su tu. Ona zateče sebe kako se pita koliko li je devojaka dospelo u Korpus Domini protiv svoje volje, i da li im je možda bilo potrebno više od ritma samostanskog života da im pomogne da se prilagode. Potom uze napitak za spavanje i podiže ga prema svetlosti. Tečnost je imala boju tamnog ćilibara, raskošnu poput odležanog piva. Destilovanje. U spoljnom svetu nije bilo mnogo plemkinja koje teže toj veštini.

„Nema bila. Mrtva sam."

Kako su te reči ovih poslednjih nedelja progonile Lukreciju. Bilo je trenutaka, često u najgluvlje doba noći, kad su joj izgledale stvarnije od sveta oko nje. Kao da nije bila kadra da smogne volje ili snage da ih prevaziđe i krene dalje.

Ali ovde, sad, možda će uspeti da ih se oslobodi. Na njenom pisaćem stolu stajalo je srebrno raspeće veoma lepe izrade, doneseno iz njene lične kapele. Dobro je poznavala to telo: rebra što štrče kroz kožu i žilave ruke što napregnute vise s klinova; čovek koji razume patnju, koji se žrtvovao za čovečanstvo. Ako onda nije umrla, to je bilo samo zato što je Bog želeo da ona živi. A sme li se iko usprotiviti Njegovoj volji?

Te večeri, posle molitava što su trajale duže od reči, progutala je ćilibarsku tečnost i potom sve sanjivija osluškivala Večernje dok se tiho pojanje razlegalo kroz klaustre i izvan njih. San koji je usledio bio je dug, dubok i neuznemiren strahovima.

Gostinske odaje samostana Korpus Domini bile su grupisane oko čipkastog kamenog klaustra. Bio je prisnih, gotovo nežnih razmera, a mlada pinija na sredini unutrašnjeg dvorišta nudila je hladovinu i, u ovo doba godine, širila opojan miris smole. U tišini dugih poslepodneva, dok su redovnice radile i prisustvovale misi, Lukrecija i njene družbenice sedele su družeći se sa svojim vezom. Postavila je sebi u zadatak da izveze albu[34] za svog devera, kardinala Ipolita; namerno je odabrala složeni motiv srebrnog putira, izrađenog dugim omčastim bodom, iz kog se hostija dizala šaljući oko sebe pljusak gusto izvezenih crvenih i zlatnih zvezdica. Oduvek je bila izuzetno vešta vezilja i beše zaboravila spokoj što se rađa iz jednostavnog, višestrukog provlačenja igle i konca kroz platno razapeto na đerđefu. Dok su se preko kamenom popločanog dvorišta pružale kose zrake poslepodnevnog sunca, bilo je trenutaka kad je pomišljala kako nikad neće poželeti da ode.

U međuvremenu, eksperimentisala je i s tapiserijom pesme. Lepota i složenost načina na koji su se preplitali glasovi redovnica takođe ju je fascinirala, i zamolila je za dopuštenje da voditeljka hora daje poduku njenim družbenicama. Takođe je i sama počela da uči. Dvorske glasine su se lako prenosile u sobi za primanje; dozvoljene su česte posete – majke, sestre, rođake, bratanice i sestričine, sve donose sočne tračeve koje razmenjuju za samostanske biskvite i čipkane okovratnike koje redovnice prave i s ponosom šalju u spoljni svet. Svi znaju priče o svadbenim svečanostima: kako je vojvotkinja zasenila ostale dame svojim plesom, ali da je Izabela d'Este bila ta koja je sve očarala svojim glasom i veštim muziciranjem na lauti. Razume se, voleli su kćerku svog vojvode, ali ona je već više od jedne decenije živela u Mantovi i bila je zauzeta darivajući tamošnje samostane. Njihova nova vojvotkinja nepovratno je zadobila njihovu ljubav i odanost (lista čekanja za iskušenice od njenog dolaska se udvostručila). Kad bude imala sopstvene kćeri, koja bi čast bila za Korpus Domini kada bi jedna od njih ušla u njegove klaustre, umesto kroz dveri nekog drugog samostana.

Opatica je dala dopuštenje voditeljki hora da prilagodi reči svete pesme popularnoj dvorskoj muzici, skupa sa psalmima koje je ova već veoma ljupko uklopila u svoje sopstvene kompozicije. Dve žene su svakog poslepodneva radile zajedno, i Lukrecija je počela da ceni slobodu koja dolazi kada ženu podstiču da duboko udahne i otvori usta, i pronađe glas raskošniji no što je ikad i sanjala da poseduje.

Nota po nota, bod po bod, dan po dan, vojvotkinja od Ferare bivala je sve jača i vitalnija.

Dvadeset peto poglavlje

Kad je stiglo pismo od Čezarea, Aleksandar je upravo odslušao jutarnju misu i bio je u relativno dobrom raspoloženju.

„*Svestan sam da ćeš se svim srcem protiviti ovome, oče, ali...*“ Kao da je stajao pored njega i držao slovo.

Ova zavera je poput loše zakrpljenog krova usred zime. Dovoljno je da se otkine nekoliko crepova i sve će da se uruši. Moraš da priđeš kardinalu Orsiniju i pokušaš da sklopiš mir. Kaži mu da naš spor nije s njim, nego s pobunjenicima u našoj službi, te da se potonji već koprcaju na udici. Kaži mu da Bolonja već tajno pregovara sa mnom o sporazumu o međusobnom nenapadanju i da će, čim se to obznani, svi ostali dopuzati preda me. Laskaj mu, pretvaraj se, laži, obećaj mu šta god moraš, samo ga ubedi. Progutaj ponos, oče, i učini mi ovo, a ja ti obećavam da ćeš kasnije dobiti njegovu i sve ostale glave nataknute na kolac. Ali nikom ni reči o tome. Ni reči.

Papa je ko zna koliko puta pročitao pismo, svaki put sve ljući. Ton Čezareovih depeša se poslednjih nedelja menjao: stavljao ga je pred gotov čin isto tako često kao što se dogovarao s njim, manje je molio a više zahtevao. Premila Majko Božja, šta misli, s kim priča? S njim, koji je bio veteran politike u vreme kad je dečko još pišao u prašinu!

On ljutito spusti papir na krilo.

„Nadam se da vesti nisu rđave, Sveti oče?", Burkard će učtivo.

Aleksandar je zurio u njega. Kako bi voleo da mu kaže kako se oseća. Dokle god mu je pamćenje dopiralo, bio je okružen porodicom s kojom je mogao da razgovara bez ustezanja. Godine, ali i navika, napravili su od njega čoveka naviknutog da bez zazora kaže šta misli.

On još jedan, poslednji put pročita pismo. Najviše ga je nervirao ton. Ali ako to ostavi po strani, sama procena zavere bila je dovoljno pouzdana. Poslednjih nekoliko nedelja je i sam došao do istog zaključka. Što se pak osvete ticalo, pa, dovoljno je dugo čekao da se osveti Orsinijevima. Ako sačeka još malo, time neće sebi pokvariti zadovoljstvo. Bacio je pismo u vatru i posmatrao kako se ivice pale, i potom kako plamenovi poput češlja prolaze kroz pergament sve dok se nije raspao. Reči prožete nepoštovanjem neće se preneti do novih pokolenja. Kad budu slavili pobedu, biće manje važno ko je kome šta napisao.

On pozva svog sekretara.

„Pismo kardinalu Svete Marije Gospodnje. Jesi li spreman?"

Dva dana posle toga, kardinala Đovanija Batistu Orsinija uveli su u Dvoranu svetaca,[35] u kojoj su pred kaminom stajale dve prazne fotelje i već se grejao krčag vina. Seo je, a pogled mu privuče dosetljivi *trompe l'oeil*[36] na zidu s njegove leve strane: naslikana polica na kojoj papska kruna, raskošna i optočena dragim kamenjem, stoji u nesigurnoj ravnoteži, čekajući da je uzme bilo ko koga prsti dovoljno svrbe od želje za vlašću. Pinturikio je bio samouveren slikar, ali ne bi dao sebi toliku slobodu da mu nisu naložili da tako uradi. Bordžije su bile nadmena gomila stranih uljeza, gotovo bez imalo plemenite krvi i porodične istorije. No ni slučajno nisu bili glupi. Biće mu bolje da to sad ima na umu.

Proteklih nedelja je i sam često patio od nemoćnog besa: taj „tajni" savez kojim je toliko rizikovao bio je bušan kao sito od momenta kad se mastilo na papiru osušilo. A njihov glavni adut – brzina napada – već je bio ozbiljno ugrožen. Zađevice su počele čim su Viteli i njegovi ljudi krenuli put Urbina. Najnovija vest iz Bolonje glasila je da Baljoni odbija da prepusti komandu ili da je i sa kim deli, pa tamošnje jedinice još nisu ni bile u pokretu, premda je oblast u kojoj su se nalazile imala sve manje volje da ih trpi. Ta nesposobnost mu je, potpuno neshvatljivo, ulila više poštovanja upravo prema onima koje bi najradije video mrtve pred sobom.

„Moj dragi, dragi kardinale, zaista je lepo od vas što ste došli."

Papa je ušao u svojoj ceremonijalnoj odeždi, raširenih ruku i lica pretvorenog u osmeh. Dva ostarela neprijatelja se zagrliše, bleštavom belinom zakrilila je skerlet.

„Đovani, neću vas vređati nepotrebnim rečima ni ljubaznostima", reče on čim su posedali. „Ovo mi pada isto tako teško kao i vama. Ovaj gorak ukus u ustima nam je obojici dobro poznat i priznajem da sam vam poslednjih godina želeo loše zbog nepravdi iz prošlosti. Isto kao i vi meni." Sada je sedeo blago nagnut napred, ozbiljan, posvećen svom naumu, sa zlatnim ribarevim prstenom uočljivim na isprepletenim prstima. „No bez obzira na sva naša neslaganja, nijedan od nas nema nikakve koristi od puštanja ludilu na volju. Da biste se zaštitili od mene, upleli ste se s bandom razbojnika, besnim psima koji ne poštuju nikakvu vlast, koji će srušiti svaki poredak ako to odgovara njihovim interesima. A kada počnu da divljaju, svi ćemo biti gubitnici. Zamolio sam vas da danas dođete, zato da vam pružim ruku, kao vaš papa i kao otac, i da pokušamo da nađemo načina da okončamo ovu neslogu među nama. Da iskreno porazgovaramo o tome šta želimo jedan od drugog i kako da se iskupimo za prošlost, pre no što ova besciljna zavera unese haos u obe naše kuće."

Nasuli su im vino i Đovani, oklevajući samo da bi video kako Aleksandar poteže gutljaj, takođe podiže pehar. U mnoštvu presnih laži bilo je zrnaca istine koji se nisu smeli zanemariti. On pomisli na Da Fermovog ujaka iskasapljenog za trpezom, i na Baljonija kako upotrebljava svoju krv umesto mastila. Čovek ovih dana nije mogao mnogo da bira između prijatelja i neprijatelja. Usiljeno se osmehnuvši, nastavi da sluša.

Kakvo je zadovoljstvo donosio Aleksandru njegov vlastiti glas, srdačan i umirujući poput ulja za poslednju pomast. Možda je bio ljut na svog sina, ali kada je posredi umetnost pretvaranja, Crkva još nije imala boljeg političara od njega.

Nikolo nije bio jedini koji je narednih nedelja primetio promene u bezbednosnim merama u Imoli. Broj stražara na kulama koje su gledale na drum Vija Emilija u pravcu zapada, prema Bolonji, bio je smanjen, a on i ostale diplomate dobili su mesta u prvom redu na svečanom dočeku novih regruta organizovanom na pjaci. Bio je pozvan ceo grad, a narod se gostio sopstvenim utovljenim svinjama, koje je vojvoda pokupovao po velikodušno naduvanim cenama. Da su se građani pitali, doveka bi živeli pod Bordžijinom vlašću jer je bila milostivija od svake koju su dotad imali.

Nije bilo vremena da obuku sedam stotina novih vojnika u uniforme i im tek je predstojalo ovladavanje umećem hoda usklađenim korakom, ali revnosno su se trudili, a upravo je ta njihova neizbrušenost delovala nekako preteće. Nikolo ih je napregnuto posmatrao. To su bili ljudi iz Romanje, sada zaposleni kao branioci sopstvene teritorije, začetak stajaće vojske o kakvoj je sanjao za Firencu još otkako je ušao u gradsku vladu. Kad im se pridruže francuska pešadija i kohorta švajcarskih najamnika, koji su usiljenim maršem dolazili iz Milana, vojvoda će, kao što je i obećao, imati očiglednu vojnu prevagu nad svojim neprijateljima. Neprijateljima koji su mu nekad bili plaćeni prijatelji. Takođe – a po njemu je to bilo gotovo isto tako važno – premda su pobunjenici još držali Urbino, nijedan drugi grad nije ustao i pridružio im se. Temelji moći Bordžija su ostali čvrsti.

Konačno su počele da kruže glasine o ponovnom uspostavljanju prijateljskih odnosa. Bilo je nemoguće ne biti impresioniran, čak zadivljen. Već je bio poslao pismo Bjađu u Firencu, tražeći da mu pošalje primerak Plutarhovih *Uporednih životopisa*, u kom je ovaj poredio velike vojskovođe Grčke i Rima. Sada je seo da sastavi zvaničnu depešu vladi, trudeći se svim silama da natera jezik diplomatije da zapeva.

Po mom mišljenju, ovi pobunjenici su progutali dozu otrova usporenog dejstva. Vojvoda je čovek naviknut da pobeđuje, a kako ga podržavaju i kralj i papa, ima i način i nameru da ponovo trijumfuje. Bez obzira na sve rezerve u pogledu njegovih krajnjih namera, bilo bi u interesu Firence da sada sklopi zvaničan sporazum.

Dane čekanja je iskoristio da još jednom poseti najbolji bordel u Imoli, samo da bi ustanovio kako je dolazak vojske doveo do povećanja cena. Bjađovo pismo, kad je stiglo, nije mu nimalo popravilo raspoloženje.

„*Žao mi je, Mrljo.*" Sobu ispuni vedri glas njegovog prijatelja.

U celom gradu nema ni jednog jedinog primerka tvog Plutarha. Moraćeš da ga potražiš u Veneciji. Mada, svakako ti ne bi pomogao. Oni odozgo kažu da im je, mada se dobro snalaziš sadeći tikve s đavolom, potrebno manje „mišljenja" i više činjenica. I moram ti sasvim iskreno reći da si budala ako misliš da će da potpišu sporazum s Njegovom visošću. Kako ovde stvari stoje, nisu raspoloženi za šurovanje s tvojim vojvodom.

Njegov vojvoda? Manje mišljenja, više činjenica! Molim? Pošalju ga da se zbliži s tim čovekom i onda ga optuže kako nije u stanju da razabere privlačnost od suštine! I da, ima svoja mišljenja! Jedva su zagrebali po površini. Ponovo se seti vojnika na trgu i koliko bi Firenca bila jača da ima vlastitu stajaću vojsku, umesto što papreno plaća profesionalce koji te nasamare isto tako lako kao što te podrže. Blagi gospode, imaće o koječemu da razgovara kada se vrati; on i Bjađo moraće da uzmu sobe u taverni...

U Imoli je, međutim, bilo sve teže doći do zadovoljavajućeg razgovora.

Kad je zvanično odbijanje Firence najzad stiglo, Čezareu Bordžiji taj sporazum više nije ni bio potreban, zato što se zavera raspadala. Kardinal Orsini je na sva zvona ponovo primljen u naručje pape, a starešina bolonjske porodice Bentivoljo lično je došao u Imolu, gde ga je vojvoda srdačno dočekao. Izgledalo je da među njima nema više nikakvog spora, i da je Bolonji zajemčena sloboda. Na svoje ogorčenje, Nikolo je za tu posetu doznao tek iz treće ruke.

Uputivši se da isporuči odgovor Firence, jedva se probijao kroz mnoštvo vojnika na ulici. Ispred vojvodine odaje, prvi put su ga ostavili da čeka. Bilo je važnijih ljudi s kojima je Čezare Bordžija morao da se susretne. Posle nekog vremena, vrata su se otvorila i iz odaje se išunja Paolo Orsini, sav prljav i odrpan. Paolo Orsini! Jedan od njegovih kondotijera! Zar je stvarno toliko lud – ili toliko očajan – da misli kako će mu vojvoda ikad oprostiti izdaju? Nikolo se priseti teksta svoje sopstvene depeše. *Doza otrova usporenog dejstva.* Jedino pitanje bilo je gde će i kada da se nanižu leševi. Šta bi ovog časa dao da ga pozovu da večera za Bordžijinim stolom!

Međutim, kad je Nikolo konačno ušao, vojvoda je sedeo za svojim stolom zaokupljen poslom, i ne podigavši pogled da konstatuje njegov dolazak, pa je ovaj morao da stoji na ulazu poput molioca kakav je ponovo postao.

„Dobro vam jutro, sinjor Osmehu“, on će naposletku, još ne dižući očiju sa stranice. „Šta mogu učiniti za vas?“

„Došao sam da vam čestitam. Vaši zapovednici ponovo zauzimaju tvrđave kroz podzemne prolaze, ali vi ovde s pozdravom dočekujete neprijatelje na glavnoj kapiji.“

„Šta? Bolonja i kenjkava gospa Paolo Orsini, na njih ste mislili?“, odvrati Čezare promišljeno nemarnim tonom dok je podizao pogled. „Da, već nedeljama me gnjave. Vidite kako se ponaša ta kukavička bratija: pišu mi prijateljska pisma, pregovaraju o sporazumima jedni drugima iza leđa, čak mi dolaze u kurtoazne posete. Raspadaju se po šavovima, čini mi se, baš kao što sam vam i rekao.“

Nikolo prebaci težinu na drugu nogu. Ovog puta mu nije bilo ponuđeno da sedne. „A vi, posle tolikog izdajstva, verujete u njihovu dobru volju?"

Čezare ga oštro pogleda. „Ja 'verujem' samo da se ljudi igraju mačke i miša jedni s drugima. Diplomatija je takva, zar ne?" Načas je izgledalo kao da bi se mogao naći u iskušenju da kaže još nešto. Umesto toga, međutim, samo se hladno osmehnuo uzimajući neke papire.

„Kao što vidite, sada sam baš zauzet, a vi i ja imamo neka nezavršena posla. Kad smo poslednji put razgovarali, čekali ste depešu od onih desetak veća što upravljaju vašom čudesnom republikom. Čujem da ste sinoć ugostili glasnika iz Firence. Stoga, recite mi: je li ih vaše poznavanje istorije najzad ubedilo ili su se u međuvremenu navikli na osećaj šiljaka u zadnjici, s obzirom na to koliko su vremena proveli sedeći na ogradi?"[37]

Dvadeset šesto poglavlje

U samostanu Korpus Domini, Lukrecija je ponovo uvela u upotrebu ručno ogledalo, koje je dotada čamilo prognano na dno kovčega.

„Dobro se vratila, vojvotkinjo od Ferare." Ona proba da se osmehne. Pogled joj je uzvraćalo lice zdrave mlade žene punih obraza i sjajne kože. Došlo je vreme da se razmišlja o povratku kući. Bila je spremna. Znala je po tome što je samostanski život, koji joj je tako dugo bio pravi melem za dušu, počeo da biva dosadan u svojoj jednoličnosti. Zimsko svetlo je izvlačilo toplinu iz zidova od opeke, a kako su noći postajale duže, jutra su donosila maglu što se valjala kroz klaustre gutajući zgurene figure redovnica poput mora sivila. Ponekih dana jedva da se uopšte i razilazila, kao da je ceo samostan utonuo u zimski san, dok je za nju proleće bilo u punom jeku.

Svih ovih dugih nedelja, glasnici su joj redovno donosili vesti od kuće i izdaleka o obrtima u ratnoj sreći Bordžija; Čezareova pisma su bila kratka i nežna, ali obazriva, dok je njen otac, kao i uvek, puštao osećanjima na volju, s naglim prelazima između jada, besa i trijumfa kad su najgore pretnje prošle. U međuvremenu, kratki izveštaji koje joj je muž slao sa svog hodočašća duž istočne obale Italije (svetilište u Loretu je, činilo se, odigralo samo manju ulogu na tom putu) najavljivali su sada da se putovanje bliži kraju. Do Božića bi trebalo da se vrati kući. A ona mora biti tamo da ga dočeka.

Posetila je opaticu, koja je na vest o Lukrecijinom odlasku odglumila veću tugu no što ju je zaista osećala. Ako im je svojim dolaskom ukazala jedinstvenu čast, isto je važilo i za trajanje njene posete, koje je uticalo na ponašanje u samostanu, pogotovo na iskušenice koje su živele u blizini grupe žena kojima je više bilo do mode nego do molitve.

Doduše, nije im bilo zameriti. Dvorske dame su se birale rano, među kćerkama koje *neće* biti redovnice, a ono što su u početku doživljavale kao igru već im je odavno dosadilo. Ženama koje su volele boje bilo je teško da nose crninu žaleći za bebom koju nikad nisu videle, ili da se iz jutra u jutro bude znajući da će dan biti isti kao jučerašnji: nije bilo koketiranja s muškarcima da popravi raspoloženje, nije bilo nikakvih intriga da začine život, osim onih sitnih sukoba kakvi umeju da planu između žena koje su povazdan zatvorene zajedno i čiji su se menstrualni ciklusi uskladili s ciklusom meseca. Naročito je potištena bila mlada Anđela, zato što joj je nedostajalo uzbuđenje zabranjenog flerta s vojvodinim nezakonitim sinom, i stalno je zamerala nešto ostalima, koje su pak počele da se glože između sebe.

„Jao, pa mi se sve pretvaramo u redovnice!“, ciknula je jednog jutra, očiju razrogačenih od užasa pri samoj pomisli, postiđeno pognuvši glavu kad se okrenula i na pragu ugledala Lukreciju.

* * *

Datum odlaska utanačen je posle pisma od vojvode glavom.

„Ko bi poverovao?!“ Lukrecija podiže pogled s pisma koje je tog jutra stiglo iz vojvodske palate. „Moj svekar Erkole mi – svojeručno – piše da se bez mog osmeha oseća kao u najdubljem čistilištu, pa nas preklinje, zamislite, preklinje!, da se vratimo na dvor na vreme da pogledamo izvedbu novog prevoda Plautove komedije, koju planira za kraj decembra.“

Dabome, postojala je i zadnja namera.

Vetar iz Imole donosio je svakodnevne vesti o Čezareovom diplomatskom trijumfu nad zaverom. Šta god da je sledilo, sad je već izgledalo sigurno da će se zastava Bordžija zavijoriti još više, i da je u interesu Ferare da Erkole pokaže koliko ceni svoju voljenu snahu.

Ipak, posredi nije bila samo politika. Ponovo okruženom istim starim dvorjanima, nedostajao mu je sjaj što su ga ona i njene dame donosile na njegove skupove. Čemu još jedan spektakl ako prilika nije svečana, ako nema oštroumne publike kojoj će se pohvaliti? Nedostajalo mu je i njeno plesanje. Ne može star čovek sve vreme samo da se moli, a odnedavno je zaticao sebe kako postaje nostalgičan pri pomisli na lepu ženu koja je igrala s jednakom ustreptalošću kao njegova draga Eleonora. Čudno, što je duže mrtva, bila mu je sve draža.

„I! – O...“ Lukrecija prestade da čita pismo, kao da ne može da poveruje u reči pred sobom.

„Šta je bilo? Šta?“ Mole je da nastavi. Nedeljama nije bilo ovako uzbudljivo.

„...pošto je razmislio i pošto ga je Bog prosvetlio, zadovoljstvo mu je da mi ponudi pun iznos moga godišnjeg prihoda. Polovinu ću dobijati u gotovini – pet hiljada dukata

– dok će ostatak pokrivati sve troškove mog domaćinstva. Dakle, ko bi rekao?“

Dame su poskakale na noge, kličući, pocupkujući od sreće, već videći bale svila i damasta kako se razmotavaju bojeći put od Venecije do Ferare svim mogućim bojama.

„Mora biti da ga je pogodilo to što vas je zamalo izgubio“, reče Kamila kad su povratile dah.

„Pre će biti da je u ’čistilištu’ zato što mu je ona njegova lebdeća redovnica rekla da tamo odlaze matore tvrdice“, Anđela će na to. „Šta je bilo?“, upita kad su ostale počele da je utišavaju. „Samo kažem ono što sve mislimo. Uostalom, deset hiljada dukata je pravedna nadoknada za to što ćemo morati da se mrcvarimo gledajući još jednu njegovu predstavu.“

Lukrecija se, međutim, takođe smejala. „Moraš moliti Boga za malo više strpljenja, Anđela. Ili radi ono što i ja ponekad radim ovde u kapeli. Zatvori oči kao da se moliš i razmišljaj o nečemu drugom.“

Njihov smeh je sadržavao notu zaprepašćenja. „Vi, gospodarice? Pretvarate se da se molite?“

„Što da ne? Još se nismo zaredile.“

O, da, vojvotkinja od Ferare se oporavila.

Kovčezi su bili spakovani, a poslednja, oproštajna služba bila je planirana za večernje, pa se Lukrecija izgovorila poslepodnevnim poslom da ode do apoteke i potraži nadzornicu.

Tada je prvi put posetila radno mesto sestre Bonventure. Mala prostorija delovala je još manja zbog zidova obloženih policama na kojima su stajale desetine bočica i tegli, obeleženih sitnim rukopisom, kao da je kolona mrava prošla kroz mastilo i potom prešla preko papira. Koliko je godina rada bilo tu uloženo? Koliko znanja?

Zatekla je redovnicu zgurenu za stolom, kako nešto zapisuje.

„Došla sam da vam zahvalim, sestro Bonventura. Da nije bilo vas, ne bih ovako ozdravila."

Redovnica podiže ruku i lako odmahnu odbacujući hvalu. „Zahvalna sam na tome što sam vam, milošću božjom, bila od pomoći, Vaša visosti."

Lukrecija se osvrte zagledajući mnoštvo lekova poređanih na policama. „Izgradili ste ceo jedan svet u ovoj sobi. Koliko ste već ovde?"

„Ja? Ovde? Da vidim – došla sam pre no što je vojvotkinja Eleonora došla iz Napulja da se uda za vojvodu. Prema tome, pre... trideset i tri, ne, trideset i četiri godine."

„Tako." Čak i u polutami prostorije, njene oči su bile upečatljive. Je li bila lepa kad je bila mlada? Naravno da jeste. „Jeste li se svojevoljno odlučili da se zaredite?"

„Imala sam četrnaest godina", stiže spokojan odgovor.

„Četrnaest? Ha! Imala sam baš toliko godina kad sam se prvi put udala."

Đovani Sforca. Već odavno nije pomislila na njega. Mlitav, tužan čovek koji se plašio sopstvene senke – ili, bolje rečeno, senke njene porodice. Ispostavilo se da mu strah i nije bio tako neosnovan, s obzirom na to kako je završio njihov brak. Četrnaest godina. Šta tada uopšte znaš?

„Sigurna sam da je Bog mudro odlučio za obe."

Koliko je poštovanje u međuvremenu počela da gaji prema ovoj ženi, njenim jednostavnim rečima i mirnoći. Oklevala je. Ne bi volela da ustanovi kako ta aura spokoja skriva previše tuge.

„Podozrevam, sestro, da je razlika između nas u tome što ste vi uvek bili malo mudriji od mene."

Starija žena obori pogled. Iako je uvek govorila šta misli, na sebe nije trošila mnogo vremena, ni da postavi dijagnozu ni da odredi lek.

„Ipak, ne žalite ni za čim. Hoću reći, s obzirom na život koji ovde imate?"

„Ne. Ne žalim baš ni za čim." Ne moraš biti naročito mudar da znaš kako to ne bi imalo nikakve svrhe. Na drvenoj radnoj tezgi čekala je mala kutija, puna bočica i tegli. „Pripremila sam neke napitke i balzame za vas, gospodarice. Za slučaj da vam zatrebaju."

„Jeste li mi spakovali i malo svog spokoja?" Lukrecija se tiho nasmeja. „Život na dvoru ume da bude veoma bučan i uznemirujući."

Plave oči su načas gledale pravo u njene. Ponovljeno pitanje zasluživalo je kakav-takav odgovor.

„Nisu moja posla, gospodarice, ali za sve ove godine negovala sam nekoliko žena koje su se, poput vas, nalazile na pragu smrti. Nisam sigurna da li im je to donelo spokoj, ali videla sam u njima neku vrstu snage, možda čak više duhovne nego telesne."

„Tada ću rado biti jedna od njih", Lukrecija će veselo, najednom uplašena da će, zadrži li se tu još malo, briznuti u plač.

„Kažite mi." Ona se okrete na pragu. Da li je ovo sad nestašluk ili istrajnost? „Pretpostavljam da nemate načina da spravite afrodizijak."

Najzad je imala zadovoljstvo da vidi kako su one plave oči trepnule od vidljivog iznenađenja.

„Ne, naravno da nemate." Ona se osmehnu. „Znate – i bolje je što sam se mlada udala jer od mene ne bi ispala naročito dobra redovnica."

Kad je Lukrecija otišla, nadzornica apoteke stajala je neko vreme pred svojim zidom od lekova, zapisujući njihova svojstva i poreklo. Spavanje, smirenje, afrodizijaci. Kakvu je riznicu Gospod sakrio u prirodi. I kakav bi haos, ako joj se samo prohte, mogla da napravi neka nezadovoljna nadzornica samostanske apoteke.

Dvadeset sedmo poglavlje

Zavera se raspala. Braća Baljoni slala su iz Peruđe ponizne pozdrave, dok su Viteli i Oliveroto da Fermo pregovarali o predaji Urbina, tvrdeći kako je došlo do ogromnog nesporazuma. Ponovo su se zakleli da će verno služiti cilju Bordžija i kazali da čekaju vojvodina naređenja. On je milostivo prihvatio i zajemčio im dalju službu i nezavisnost njihovih vlastitih gradova. Nikolo je takav razvoj događaja posmatrao s divljenjem s kojim je mogla da se poredi samo neverica koju je istovremeno osećao. Kako je moguće da iko od njih govori istinu?

Na grad se spustila zima, donoseći vetar i ledenu kišu, ali na njega samog najnepovoljnije je delovalo diplomatsko zahlađenje. Vojvodina osećanja i, što je bilo još važnije, svaki nagoveštaj akcije, bili su zaogrnuti hladnim oblacima tajnosti. Firenca mu više nije bila ni od kakve koristi; njen mudri izaslanik nije mu doneo jedino što je priželjkivao, stoga je bio skrajnut i zaboravljen. Nikolo je bio svestan da bi na Čezareovom mestu isto uradio.

Međutim, nije samo Firenca bila zanemarena. Činilo se da je vojvoda u potpunosti napustio diplomatsku igru.

Umesto toga, vratio se svojoj staroj navici zamenjivanja dana i noći, pa se tako mogao videti jedino onda kada sav ostali svet spava. Govorkalo se o naizmeničnim napadima letargije i besa, pa čak i o povratku tegoba francuske bolesti. No sve je to bilo samo nagađanje.

„Morate imati na umu da imamo posla s princom koji vlada sasvim sam“, napisao je, ne bez izvesne gorčine spram svojih gospodara. „Stoga, ukoliko ste nezadovoljni zbog izostanka novih informacija, molim vas da ne pripišete to mom nemaru, zato što sam uglavnom i sam nezadovoljan zbog toga.“

Do nekih drugačijih zadovoljstava se takođe nije moglo doći. Vladavina Bordžija je možda ublažila teret nameta, ali rat je rat: dvomesečni smeštaj vojske iscrpio je zalihe hrane u gradu i okolini, i sveo ih na gole stabljike, kosti i kožu. Jedva da se još moglo pribaviti bure pristojnog vina, a čista žena bi zahtevala više novca no što je on mogao da izdvoji, a i tada bi verovatno lagala. Shvatio je da mu Marijeta nedostaje više no što je mario da prizna. Međutim, ni s te strane nije dolazila uteha: posle nežnih i potom nestrpljivih pisama – *„Obećao si da neće trajati duže od nekoliko nedelja, a već si mesecima odsutan“* – usledilo je ćutanje, mada se sticao osećaj da viče dovoljno glasno da je svako voljan da sasluša može čuti.

„Nedostaješ joj, Nikolo, to je očigledno, mada to pokazuje na čudan način“, pisao mu je Bjađo. Mogao je gotovo da vidi svog prijatelja kako duva u prste pokazujući mu da se ona puši od gneva. *„Što sam mogao, ja sam uradio. Za milog boga, pošalji joj novac ili nekakav poklon ne bi li se odobrovoljila.“*

Samo što nije imao šta da joj pošalje. Mesečnu platu i dnevnice je unapred potrošio na hranu, a njegovi pretpostavljeni ostajali su gluvi na molbe da mu pošalju dodatna sredstva. Ko će pametan biti diplomata u Italiji, ako potiče iz skromne porodice? Gradom je harala influenca, i drhturio je ispod tanke ćebadi dok se niz zidove slivala voda. Zaticao je sebe kako razmišlja o svom dosadašnjem životu i priseća se mladalačkih razgovora s ocem o tome koliko je važno da mlad čovek služi gradu koji voli. Umesto toga, međutim, Firenca je potpala pod uticaj fanatika koji je verovao da ga je Bog poslao da stvori nebesko kraljevstvo na zemlji. Sve je bilo zabranjeno – ples, kocka, bludničenje, ali i sve reči vredne čitanja sem božjih reči. Nikolo je tih godina zgrešio dovoljno da ispašta do kraja života, i nije bio jedini. U trenutku kad su novoj vlasti zatrebala nova lica, bio je neka vrsta stručnjaka za ljudsku prirodu, u prošlosti i u sadašnjosti. Ali više nije bio mlad. Sa svojih dvadeset devet godina, u određenom pogledu je zaostajao za drugima. Sada, sa trideset tri, to je još jače osećao.

Kako više nije bilo novih informacija koje bi mogao prikupiti, a sve i da jeste, nije imao novca da ih plati, potkraj novembra zatražio je da ga opozovu. Veće je svoju odluku donelo, a on nije mogao da učini više ništa. *„Nastavi li se ovako, dopremićete me u mrtvačkom sanduku.“*

Gotovo je mogao da vidi gonfalonijera kako se smeška čitajući te reči. No ništa mu nije vredelo. Njegov zahtev je bio odbijen. Uprkos njegovim „mišljenjima“, Nikolo Makijaveli bio je suviše dobar u svom poslu da mu dozvole da se vrati kući. Te večeri je otišao u tavernu u kojoj je znao da se ostali, bogatiji izaslanici okupljaju da kukaju zbog tegobnog diplomatskog života. Narednog jutra se probudio obnevideo od glavobolje i zadovoljan zbog saznanja da niko sem vojvode nema pojma šta će on sledeće preduzeti.

U međuvremenu, ljudi su ispred Čezareovih odaja hodali kao po jajima, da ga ne uznemiri bat njihovih koraka. Noćno bitisanje mu je sasvim izmenilo narav. Ili je možda bilo obrnuto: sa Fortunom tako nepokolebljivo na njegovoj strani, nije bilo potrebe da ikoga šarmira.

Iz Rima su svakodnevno stizale depeše sa zahtevima da javi šta preduzima, o čemu razmišlja. Zavera je bila poražena, neprijatelji spremni da budu pohvatani. Kako i kada namerava da zgazi te prljave vaške koje su ih izdale?

No ako Aleksandar nije trpeo da ga drže u neznanju, Čezare nije trpeo da ga požuruju. Ali nije to bio samo otpor. Starac je bio sve nezgodniji, jezik mu je postao labav kao i rasuđivanje, pa je ponešto smelo da mu se saopšti tek onda kad ta informacija više nije mogla da im naškodi.

Samo je Čezare znao šta radi, i kako i kada će se sve odigrati. Svi zaverenici bili su nepovratno osuđeni na smrt, nedostojni bilo kakvog razmišljanja ili osećanja. U mislima je već imao u posedu njihove gradove i vladao najvećim delom Toskane. No sve to je držao za sebe. Kad ne sme da kaže ni rođenom ocu, kome onda sme? Sigurno ne onom oštroumnom, grozničavom Firentincu; taj čovek ga je podsećao na lovačkog psa koji uvek i nepogrešivo nanjuši trag. Čak ni pouzdanom Mikelotu, koji je o svemu ćutao kao grob. Sada je bio iznad, ispod i daleko od svih njih, čovek zarobljen u veličini sopstvenog uma. Ono što ga je nekad ispunjavalo besom, sada je na jedvite jade pobuđivalo prezir. Što ga je nekad veselilo, sad mu je bilo dosadno. Sposobnost da nadmudriš sve ostale imala je, čini se, svoju cenu.

U prvo vreme je spavao: čovek koji se bori protiv celog sveta zasluživao je malo počinka. Ležao je obeznanjen po dvanaest i više sati u komadu, a kad se probudi, umesto da pršti od energije bivao je klonuo, rasejan, obuzet mračnim raspoloženjem. Satima je sedeo i zurio u ložište kamina, kao da se u lavi njegovog plamena nalazi odgovor na sve. Ako ga za to vreme uznemire, besneo je i urlao kao da je sišao s pameti. Torela, koji se nedugo pre toga vratio s neverovatno teškog zadatka lečenja vojvodine sestre, beležio je sa sve većom zebnjom svaku njegovu promenu raspoloženja. Viđao je već takva mahnitanja i sada se usudio da iznese pretpostavku da vojvodi možda nije dobro. Čezare ga je izbacio psujući ga na pasja preskakala, ali kasnije ga je ponovo pozvao.

„Glava", prostenja on pritisnuvši dlan na čelo, ali ne skidajući oči s vatre ni za tren. „Opet ono čekićanje unutra."

„Možete li da mi kažete nešto više, gospodaru? Kad je počelo?"

„Juče, prekjuče, otkud znam. Udara me iznutra u čelo kao da nešto pokušava da mi pobegne iz lobanje."

„Je li gore nego prošli put?"

„Tako ti svemogućeg boga, Torela. Šta me vazda zapitkuješ? Jeste. Nije. Ne znam. Znam samo da boli i ne samo to nego mi ne da da mislim. Oteraj je nekako!"

Torela je zurio u njega. Za sve ove godine, zakrpio je bezbroj ubodnih rana i posekotina od noža i mača, ubadajući i povlačeći razjapljeno meso, a da nijednom nije čuo da je ovaj čovek zastenjao ili opsovao da prikrije ogromne bolove koje je trpeo. Mada mu je radni sto bio zatrpan beleškama iz čitave Italije o čudnom toku te pošasti, svet je ipak bio prepun i raznih drugih opakih bolesti. Ova nova muka možda je bila rezultat upale izazvane vlagom što je vladala u celom gradu. Video je u svoje vreme ljude spremne da udare glavom u zid ne bi li se rešili tih bolova. Ili... može li biti da se unutrašnjost vojvodine lobanje inficirala na isti način kao što su ranije njegove ruke i noge? Da je zahvatilo čak i mozak? Predložio je parenje vrlo blagim rastvorom žive, uz dodatak lekovitih trava za koje se znalo da ublažavaju glavobolju.

Čezare, koji se sve vreme razgovora goreo od besa, krotko pristade. Toreli sinu kako je vrlo moguće da je, ispod sve te jarosti, možda čak i malo uplašen.

Svake noći, dok su zrnca klizila kroz peščani sat, sedeo je umotan u peškire iznad činija vode što se pušila, režeći od besa ili bola, dok je Mikeloto, taj postojani čuvar, sedeo pred vratima. Posle nekoliko dana preznojavanja i spavanja, on proglasi sebe izlečenim i posla Toreli punu kesu novca.

„*Udara me iznutra u čelo kao da nešto pokušava da mi pobegne iz lobanje.*“

Dok se te večeri nasamo molio, Torela se priseti tih reči. Dobro je što nije njegova dužnost da bude Bordžijin ispovednik. Čak i tako, znao je da je njegov pacijent počinio dela zbog kojih će nečastivi, kada kucne čas, polagati pravo na njegovu dušu. Sem ako se to, na neki način, nije već dešavalo.

Dvadeset osmo poglavlje

„Šta? To je sve?"

U Rimu, Aleksandar je bio u toj meri gladan informacija da je počeo da saslušava iznurene glasnike koji su stajali i drhtali pred razgnevljenim papom, očajnim zbog jednog jedinog lista papira koji su mu doneli.

On podiže pogled obuzet nevericom. „Tri dana si jahao zato da mi doneseš vest kako je vojvoda napustio Imolu i prebacio svoj dvor u Čezenu?"

„To su mi dali, Vaša svetosti." Čoveku je bilo toliko neprijatno da nije znao šta će od sebe. Nisu mu dali vremena ni da se olakša pre no što su ga svukli s konja i doveli pred papu.

„Ko? Ko ti je dao pismo? Vojvoda?"

„Ne, Migel de Korelja."

„I šta je rekao?"

„Ništa, Vaša svetosti", dodade ovaj bespomoćno.

„Šta je sa Sinigaljom? Isporučio si moju depešu, zar ne?"

„Jesam, jesam, Vaša svetosti."

Bilo je trenutaka kad se Aleksandar pitao koliki je deo života protraćio slušajući reči „Vaša svetosti". Ta titula je nekada doprinosila da se oseti uzvišeno. Odnedavno je imao utisak da je koriste kao izgovor za izvrdavanje.

„Kako bilo, ovo nije nikakav odgovor. Gde je vojska? Šta radi vojvoda? Pa valjda si bar nešto video."

Čovek podiže ruke u očajanju. „Vaša svetosti", on će bespomoćno. „Ja sam glasnik."

Bujica psovki na španskom što je pokuljala iz papinih usta nije pokazivala poštovanje prema čoveku ni prema Bogu. Glasnik je prvo užasnuto buljio u njega, a onda pokuša ponovo. „Čini mi se... pa, izgleda da se vojvoda sprema da proslavi Božić."

„Božić! Ču li ti njega šta je rekao, Burkarde? Dok mu se neprijatelji ulizuju pretvarajući se da su mu prijatelji, a od mene muze novac zato da bi imao na raspolaganju najveću vojsku u Italiji, vojvoda slavi Božić. Presveta Bogorodice, ako mu je toliko stalo do Božića, trebalo je da ostane kardinal!"

Burkard, koji beše počeo da pravi kuglice od voska i zadeva ih u uši ne bi li prigušio najgoru viku, strpljivo je stajao pored njega. Papino raspoloženje postalo je primetno gore otkako je bio primoran da se pomiri s kardinalom Orsinijem. I ranije se mirio s neprijateljima, ali tada nije postupao ni po čijim nalozima. Obmana mu je bila druga priroda. Nemoć je za njega pak bila nešto novo. U međuvremenu, godišnje čudo se ponavljalo: Naša Gospa, umorna od puta i težine svog dragocenog tereta, ponovo je stigla u Vitlejem i saznala da ni u jednoj gostionici nema slobodnih soba, pa se, kad je kucnuo čas rođenja Spasitelja, smestila u staju. Burkard je u Vatikanu spao s nogu nadgledajući neophodne ceremonije i sad je na jedvite jade savladavao nestrpljenje:

poglavar Katoličke crkve trebalo bi da slavi čudo Svete porodice, a ne da se izjeda zbog privatnih problema.

Glasnikova procena je bila tačna. Vojvoda i njegova najbliža svita prejahali su trideset i pet milja od Imole do Čezene, gde su se smestili za Božić. Makijaveli, koji je trenutno živeo od pozajmljenog novca, morao je da plati novi stan, u dvorcu koji je dominirao glavnom gradskom pjacom.

Vlast u gradu imao je Ramiro de Lorka, zdepasti Španac krompirastog nosa i brade crne poput mraka što mu je očas posla padao na oči. Beše im izjahao u susret, s izveštačenim osmehom i ulizičkom dobrodošlicom rezervisanim samo za njegovog poslodavca, dok je svima ostalima okretao leđa. Nikolo je pak smatrao svojom obavezom da dozna sve što može o ljudima iz vojvodine okoline, a uz De Lorku su išle veoma ružne priče. Još od rane mladosti bio je u Bordžijinoj sviti i poslednjih godina je brzo uveo red u provincijske krajeve, ali s crtom okrutnosti od koje se većini ljudi okretao želudac. Za najgori primer Nikolo je doznao iz glasina što su kružile za vreme puta: kako je De Lorka, kad je nervozni mladi paž koji ga je služio ispustio poslužavnik, dograbio dečaka i bacio ga glavačke u rasplamsalu vatru, a onda mu zgazio na leđa i držao ga tako, nastavljajući razgovor sa svojim ljudima dok se ovaj bacakao i vrištao, sve dok cela odaja nije počela da zaudara na spaljenu dlaku i meso.

Dok je sedeo i zurio u slabašnu vatru u svom promajnom stanu, Nikolo nije uspevao da izbaci taj prizor sebi iz glave. Dovoljno je znao o istoriji i vlasti da razume kako mora postojati ravnoteža između ljubavi i straha koji se podstiču kod potčinjenih, te da nijedan vladar, pošto silom preuzme vlast, ne može sebi priuštiti da bude gadljiv u pogledu toga kako će nametnuti kontrolu. Kazne moraju da budu zastrašujući primer za sve, a okrutnost nije ograničena na zlikovce. Međutim, da čovek koji je očigledno uživao da nanosi bol drugima živog spali malog slugu zato što je bio nespretan? Šta je takav čin mogao da mu donese sem opšteg zgražanja i novih neprijatelja? Zaudarao je na lošu vladu jednako koliko i na spaljeno meso. Da nije vojvoda, koji je vojsku predvodio sopstvenim primerom, možda nesvestan tih činjenica u vezi sa svojim namesnikom? Kako je to moguće? Zar mu nije stalo? Na osnovu svega što je znao – ili mislio da zna – o Čezareu Bordžiji, Nikoli je to izgledalo nelogično.

S druge strane, sad kad se Čezare Bordžija vratio u javnost, sve je kazivalo da mu je stalo samo do vlastite zabave. Postojalo je još jedno, poslednje osvajanje kome je mogao da se raduje: gradić Sinigalja, nešto niže na istočnoj obali, zaokružiće njegovu vlast u Papskim zemljama u Romanji. Papa je već ekskomunicirao njegovu vladajuću porodicu i izgledalo je da je spremna da se preda bez borbe. A sada je Čezare objavio da će njegovi kondotijeri Oliveroto da Fermo i Viteloco Viteli, uz pomoć Paola i Frančeska Orsinija, nadzirati predaju grada u njegovo ime, navodeći to zaduženje kao dokaz njihove obnovljene lojalnosti. Kakva zapanjujuća velikodušnost!

Pošto su mu svi njegovi neprijatelji ponovo postali prijatelji, više nije bilo potrebe za velikom vojskom zarad čijeg je izdržavanja njegov otac ispraznio svoju riznicu i za koju je još plaćao. Samo što je Nikolo artikulisao tu misao, kad je vojvoda, samo koji dan pre Božića, po kratkom postupku otpustio francuske artiljerijske jedinice. Njihovi zapovednici to nisu dobro primili i dvorac je odzvanjao od podignutih glasova. *Deset dana usiljenog marša da bismo došli ovamo, a sad nas šalje natrag u Milano po najgorem vremenu ove godine!* Nikolo, koji se starao da se dobro slaže s njima, koristeći pijanke kao jeftini način da izvuče informacije, doznao je iz prve ruke: „Zašto? Zato što Njegova visost, kako je blagoizvolela da se izrazi, ima 'višak vojnika' i ne može više da ih plaća! Ha! Čekaj samo dok kralj – i svi ostali – čuju za to."

Što se ticalo troškova vođenja rata bez ijedne bitke, Nikolo je već izračunao. Pored artiljeraca i teške konjice, u Imoli je ostalo nekoliko stotina pešadinaca i hiljadu švajcarskih najamnika smeštenih u obližnjoj Faenci. Đavo i po. Ili papska riznica. S tim što je, kad se pogleda iz tog ugla, sve bilo još nelogičnije. Otkad je to Čezare Bordžija počeo da se zabrinjava zbog troškova? Nešto drugo se valjalo iza brda. Ali šta i kad?

Potpuno praznih džepova, Nikolo je povazdan sanjario o kući: o vedrim firentinskim noćima punim zvezda, rasplamsalom kaminu u taverni i vrčevima kuvanog vina, i o društvu ljudi čiji razgovori rikošetiraju između politike i prostota. Jedina uteha bila su mu Bjađova pisma: priča o partiji karata koja se završila pesnicama, vest da mu šalju odelo specijalno poručeno od njegovog krojača da dopuni svoju oskudnu garderobu, otrcanu posle dva meseca neprestanog nošenja. Uz malo sreće, možda će stići blagovremeno za proslavu Božića; visoki okovratnik i puna dužina smesta će doprineti da izgleda dostojanstveno, da i ne pominje da će delovati malo više, što mu je sada bilo preko potrebno. Takav stil bio je Marijetina zamisao: „Ovakvo odelo si nosio onog dana kad smo se upoznali i baš ti je lepo pristajalo. Nikad nije naodmet da čovek izgleda malčice viši no što jeste." Njeno nežno zadirkivanje vratilo ga je u mislima u prošli Božić, prvi u njihovom braku. Priredila je pravu gozbu, pozvala prijatelje i njegove kolege. Njegov otac i sestra su oboje umrli manje od godinu dana pre toga i, kao njegova žena, bila je svesna da on verovatno bolno oseća njihovo odsustvo. Bila je u pravu. Te noći je zagnjurio glavu među njene dojke, a ona mu je tepala i podstakla ga da vode ljubav. On zateče sebe neočekivano raznеženog tom uspomenom. Šta sada ne bi dao za noć u krevetu svoje žene i onu Plutarhovu knjigu.

Dva dana uoči Božića, najistaknutije porodice u gradu priredile su večeru, a njihova ženska čeljad uspela je da okupi silan svet. Sad kad je nestalo pretnje, morali su da pokažu koliko vole svog vladara. I sam željan malo ženskog društva, Nikolo je očetkao svoje staro baršunasto odelo i zagladio kosu. Nova odeća svakako ne bi mnogo značila, zato što je vojvoda smesta zasenio i njega i sve ostale prisutne muškarce. Iskoračivši iz tame, Čezare je bleštao šepureći se poput pauna u izvezenom i draguljima optočenom dubletu i svilenim čarapama, i privlačeći poglede svojim lepo građenim listovima i dugačkim, mišićavim butinama. Pričalo se da nema tog konja koga vojvoda neće ukrotiti pošto mu sedne na leđa. Takve priče se damama obično dopadaju još više nego muškarcima. Nikolo je znao za apotekarsku radnju u Firenci u kojoj je vlasnik bio spreman da ti proda napitak koji će svaku ženu učiniti lakom, mada je prava doza bila od najveće važnosti jer će joj dejstvo u suprotnom otupeti čula isto koliko i volju, pa će nestati svakog izazova. Međutim, izgledalo je da ovdašnje dame uživaju u napredovanju sopstvene propasti. Tako je veče bilo veoma napeto, pogotovo za muža lepe mlade gospođe za koju se vojvoda najzad odlučio; njih dvoje su sada bili partneri u plesu, pocupkujući i kružeći jedno oko drugo kao da su već na polovini igre među čaršavima.

Nikolo je upravo razmatrao neveliku privlačnost prazne postelje, kada nedugo pre ponoći uđe Mikeloto, sve dotad odsutan sa zabave, i priđe vojvodi. Šta god da mu je rekao, bilo je dovoljno da Čezare smesta napusti svoju plesnu partnerku i ceo skup. Pošto je otišao, dama je sva zajapurena sela i smeškala se, grudi još uzbibanih od naprezanja, razdirana između razočaranja i olakšanja.

Šta može da bude toliko važno da zaustavi muškarca koji se sprema da se zavuče pod suknju lepotice željne da mu udovolji? Posredi je morala biti nekakva bitka. Da se Ramiro de Lorka nije vratio? Poslednja informacija koju je Nikolo uspeo da kupi s ono malo preostalog novca glasila je da je guverner pre dva dana poslat da se sastane sa zapovednicima, koji su bili ulogoreni izvan zidina Sinigalje, kako bi pretresli planove za predaju grada. Šta je doznao? Molim te, Bože, nemoj da to bude nešto zbog čega će ponovo morati da galopiraju na drugi kraj zemlje – ne pre no što iskamči još novca od onog škrtog veća.

Odgovor, ako se tako mogao nazvati, stigao je drugog dana Božića.

Nikolo se probudio nedugo posle svanuća. Prekonoć beše pao mraz i kroz okna od tankog pergamenta dopirao je slabašan beličasti odsjaj. U međuvremenu je počeo da pada i gusti sneg, koji mu je zasipao trepavice i kosu dok je silazio do ruba bedema što se dizao visoko nad glavnom pjacom u Čezeni.

Prvo što mu je upalo u oči bila je lepota prizora: besprekorno beo stolnjak, a okolni krovovi i kule što su se dizale u pozadini nalik na planine pokrivene snegom. Na sredini, pored fontane, nalazio se veliki panj, a na tlu pokraj njega neko duže, pljosnatije obličje, s tamnijom mrljom na jednom kraju. Sve to – šta god da je bilo – mora da je bilo ostavljeno tamo pre no što je napadao sneg, zato što nije bilo otisaka stopala.

Sišao je spiralnim stepenicama s bedema dvorca i izašao kroz vrata što su vodila na pjacu. Vazduh je bio zamrznut kao i tlo, a nedirnuti sneg mu je škripao pod čizmama – jedini zvuk u sablasno tihom svetu. Kad se približio sredini trga, pred sobom je ugledao neverovatan prizor. Veliki oblik bio je mesarski panj, u koji je bila zarivena kasapska satara, duž čije je ivice balansirala tračica snega. Ono na tlu bio je pak leš muškarca, s oreolom od pocrnele krvi što se širio od mesta gde mu je glava bila odsečena od trupa. Međutim, krv nije istekla samo iz vrata; ceo torzo je bio otvorena rana, rasporen od ključnjače do prepona, i potom razjapljen kako bi telo ličilo na prostrto kravlje truplo. A pored je ležala glava, crne kose i brade prekrivene kovitlavim pahuljicama, ali i dalje prepoznatljiva. Ramiro de Lorka, vojnik koji je voleo da baca u vatru žive dečake, bio je iskasapljen kao životinja i ostavljen da ga svi vide.

Sad se već i narod okupljao: muškarci i malobrojne žene umotane u otrcano krzno i ćebad, lica ogrubelih ne samo od godina. Jedno ili dvoje odmahnuli su glavom, neko je i pljunuo u sneg, ali niko ne reče ni reč. Tišina beline sve ih je pritiskala. Bez obzira na to šta je sve zgrešio u životu, ovakva javna, varvarska smrt zorom na Stefandan uznemirila je sve. I tako postigla zamišljeni cilj, pomisli Nikolo. Vrela krv na zaleđenom snegu: poprište izvršene pravde kao protivteža poprištu okrutnosti, i pokazivanje apsolutne vlasti. On ponovo uhvati sebe kako se i protiv svoje volje divi tom neprijateljskom princu.

Kasnije tog dana, gotovo kao da se neko naknadno setio, na vrata gradske većnice prikucan je proglas u kom se bivši guverner optuživao za iznudu prilikom prodaje gradskih zaliha žita. Nikola su, međutim, više zanimale glasine o kricima što su se, prema kazivanju nekih, čuli iz vojvodinih odaja nedaleko odatle, kao da su iz guvernera izvlačili neko mnogo crnje priznanje.

„*Gomila gubitnika, od prvog do poslednjeg, i uglavnom unapred znam šta će da urade.*“

U glavi je sastavljao depešu kad je, vrativši se u stan, zatekao glasnika kako ga čeka: vojvoda Valentino i njegovi ljudi pojahaće sutra ka Sinigalji, gde se grad zvanično predao njegovoj vojsci. Izaslaniku Firence dodeljen je lični pratilac, s pozivom da im se pridruži.

On oseti u utrobi vreli grč uzbuđenja. Šta god ovo bilo, već je počelo.

Dvadeset deveto poglavlje

„Od toga nema ništa."

„U tom slučaju, Viteli, ti smisli nešto bolje. Jer bog zna da niko drugi neće."

Oliveroto da Fermo se besno okrete prema dvojici muškaraca koji su zgrčeni sedeli pored vatre, pogleda prikovanih za plamenove. Kad se mekana ljuska zavere oljuštila skupa s obećanjima o oprostima i zaradi, na videlo je izbilo njeno tvrdo jezgro: oni koji su se pobunili i izgubili, nemaju ništa više da prodaju. Braća Baljoni su podvila rep i pobegla u Peruđu, i zabravila za sobom gradske kapije, ostavivši Vitelija, Da Ferma i onaj otpad porodice Orsini, Paola i Frančeska, da premiru u neizvesnosti pošto ih je kardinal prepustio sudbini. Nedeljama su čamili ulogoreni izvan zidina Sinigalje sa svojom vojskom, pregovarajući po ciči zimi o uslovima predaje. Najamna vojska je naviknuta na teške uslove na terenu, ali ovo je bila kazna, a ne posao: krivci svedeni na nelepe odluke i još manje lepa osećanja; vruće vatre, ledene noći, želudac što se grči od straha koliko i od gladi, dok psuju i češu se zbog vašaka koje su našle utočište u prljavštini na njima. U gradu su barem mogli da dođu do tople vode i pristojne hrane. Nije ni čudo što niko nije želeo da ode.

„Valentinov glasnik kaže da mu je potreban smeštaj samo za njegovo lično osoblje“, navaljivao je Da Fermo. „Manje od sto ljudi.“

„Laže“, ponovo zareža Viteli, gnječeći svoje butine pokretima koji su, činilo se, prešli u nesvesno nastojanje da ublaži bolove koji više nisu prestajali. „Taj nikad ne bi došao nenaoružan. Kopilan negde krije vojsku.“

„Gde?“, obrecnu se besno Da Fermo. „Za milog boga, čuo si reči iz De Lorkinih usta isto tako jasno kao i ja: nova vojska je ostala u Imoli, a on je pre nedelju dana svojim očima video kad su Francuzi izmarširali iz grada. Nema više nikakve ’vojske’. Dolazi da uzme ključeve najnovijeg zauzetog grada. Misli da je pobedio.“

Viteli se mračno nasmeja. „Šta? Ti misliš da nije?“

„Znam samo da još nismo mrtvi. Koliko god se ti ponašao kao da bi voleo da jesi. Ako ti se više ne živi, onda, bestraga ti glava, zarij nož sebi u stomak i predaj mi zapovedništvo nad svojim jedinicama. Ja imam još vremena pred sobom.“

U nekim drugim vremenima, bili bi dobar otac i sin, ova dvojica, jer je između njih postojao taman dovoljan jaz u godinama i iskustvu. Međutim, tempo je sada diktirao mlađi vojnik. Prošla je tačno godina otkako je istranžirao svog ujaka, nevešto poput mesarskog šegrta. Kako se točak sreće brzo okreće. Od mesta na vrhu, odakle je gledao naniže u sve ostale, sada se koprcao na tlu ne bi li izbegao da ga ovaj smrvi.

„Kad ti kažem, moglo bi da upali. Ostavim malu jedinicu u zamku, a onda, kad on i njegovi ljudi uđu, otvorim kapije vama ostalima. U gradu i u tvrđavi ima bar deset mesta na kojima bismo mogli da ga savladamo.“

Bio je to slabašni plan očajnika, koji nije sezao dalje od unakaženog tela Bordžije ubijenog bodežom ili strelom odapetom iz nečijeg luka, i saveznika u liku Ramira de Lorke, koji je bio živ i zdrav kad je uoči Božića otišao od njih.

„A šta ako ne upali?" Glas Paola Orsinija drhtao je od zime i jada koji su se ogledali i na njegovom licu.

Da Fermo se okrete prema njemu, ali Viteli je reagovao prvi.

„Tada ćeš biti previše mrtav da bi brinuo zbog toga", odreza on. Isuse Hriste, ako je ikoga mrzeo više od Čezarea Bordžije, onda je to bio ovaj ženskasti fićfirić koji se, čim je dunuo malo drugačiji vetar, na kolenima odvukao kući. Trebalo je da mu prerežu grlo onog časa kad se vratio s ponudom. Budući da je bio najbliži središtu Bordžijine vlasti, Viteli je bio svestan, daleko više od svih ostalih, da im ono što su uradili nikad neće biti oprošteno; da će svaka varka koju pokušaju da izvedu biti unapred osuđena na propast, kao kad igraš karte s protivnikom koji u rukavu skriva više kečeva nego što ih ima u špilu. No kako god da se završi, nije moglo biti gore od tupih noževa što su mu danonoćno svrdlali kroz noge i utrobu. Nekada su mu mržnja i potreba da se osveti pružali makar trenutno olakšanje, ali više ne. Sada je jedva čekao smrt. Da Fermo je bio u pravu. Bolje je da padne u borbi.

„Znači, dogovorili smo se?", reče on menjajući položaj noge i zarežavši od zadovoljstva. U tišini što je usledila, sva četvorica se primakoše malo bliže vatri.

Bio je trideseti decembar 1502, dan koji je širom Italije doneo vedro plavo nebo i jak mraz.

U Rimu, Aleksandar se probudio i zatekao depešu koju je Čezare poslao pre tri dana, kad je sa svojom ličnom stražom izmarširao iz Čezene. Pošto ju je pročitao, pontifeksovo loše raspoloženje razišlo se poput ranojutarnje izmaglice. Njegovi kapelani i ceremonijar jedva su poverovali rođenim očima i ušima kad je na jutarnju misu u Sikstinskoj kapeli stigao s blaženim osmehom na licu, zagrlio kolege kardinale, pevao što ga grlo nosi i posle ostao da se još ceo sat nasamo moli.

„Ništa nije tako posebno kao ovi dani po rođenju našeg Spasitelja, zar ne, Johane?", reče on sedajući za skromni doručak koji se sastojao od jučerašnje ribe i crnog vina, spreman da primi ambasadore koji su, kao i uvek, stajali u redu pred njegovim vratima. „Znaš, kad sam bio dečak u Hativi – divno malo mesto u provinciji, već sam ti pričao o njemu – jednog Božića sam ostao u crkvi posle ponoćne mise; sakrio sam se iza oltara i bdeo ispred napravljenih jasala i figura oko njih. Bila je to strašna zima, sećam se, godinama nije bilo takve, ali nijednog trenutka mi nije bilo hladno. Bogorodičin pogled i zvezda od sveća grejali su me cele noći. Kad su me ujutru pronašli, zapanjili su se. 'Rodrigo ima sve što je potrebno da bude odličan sveštenik', eto šta su kazali moj otac i mati. I bili su u pravu, a? Svet je pun malih čudesa, zar ne?"

Burkard, koji je ovo već više puta čuo, isto kao i većinu sentimentalnih priča koje je papa ovih dana tako rado kazivao, ne reče ništa. Protekle nedelje bile su pravi košmar i nedostajala mu je sposobnost njegovog šefa da bez napora prelazi iz namrštenosti u vedrinu.

„O, Burkarde, izvini ako ti je moje loše raspoloženje otežavalo posao", reče ovaj. „Kao što znaš, bio sam veoma zabrinut zbog svoje porodice. Ali Lukrecija je ozdravila, moj sin je spasen od zavere, a sad su, izgleda, i njegovi dosadašnji neprijatelji sklopili s njime mir tako što su obezbedili predaju Sinigalje. Sinigalja, Sinigalja..." Ushićeno je pevao tu reč, kao da se jedva suzdržava da ne kaže više. „Da, da, pa dobro... ima o tome još mnogo šta da se kaže. Međutim, ima i mnogo posla. Moramo da podignemo još nekoliko poštanskih postaja između ta dva grada, da obezbedimo slobodan protok vesti. Nego, sad kad je opasnost prošla, valja se da budemo velikodušni prema svojim bližnjima. Kardinalu Orsiniju, na primer. Dokazao je da je veoma častan čovek i smatramo da ga nismo primili natrag među nas onako kako priliči."

„Zajedno ćemo proslaviti pad Sinigalje, zato što su njegovi rođaci u službi mog sina ponovo pokazali svoju vernost. Večera, ja mislim, u čast naše porodice, sutra uveče, ovde u našem stanu: nekoliko dobrih prijatelja i možda nekoliko rimskih 'dama' da nam pripomognu u varenju. Daj, Burkarde, ne sekiraj se, nećeš morati da prisustvuješ. Ne bih da tvoj dignuti nos pokvari bezazlenu zabavu nekolicine starih ljudi. Nego, hajde da primimo našeg prvog ambasadora. Mislim da ćemo danas početi od Mlečanina. Tamo će se naročito iznervirati kada čuju za ovaj trijumf."

Još ne beše svanulo kad su vojvoda i njegovi ljudi krenuli iz varošice Fano na petnaest milja dug put obalom do Sinigalje. Neko vreme su putovali po mraku, a jedini dokazi njihovog prisustva bili su nekoliko gorućih baklji, zveckanje amova i pucanje leda u plitkim barama pod kopitima konja.

Nekoliko milja pre Sinigalje, zaustavili su se. S njihove leve strane, vodnjikavo sunce dizalo se nad Jadranskim morem, koje je na obema stranama prelazilo u predeo obrastao makijom i potom, na zapadu, u pitome brežuljke. Mutna svetlost otkrivala je šaroliku družinu: šezdeset i nešto jahača, među njima dvadeset vojnika, pripadnika lične straže, u teškim kožnim oklopima i s mačevima o boku, dok su ostali bili članovi domaćinstva, bolje opremljeni za kuvanje nego za borbu.

Jedan čovek je, međutim, bio obučen da osvaja: Čezare Bordžija jahao je u punom oklopu. Uskoro će sunce početi da poigrava po tom silnom uglačanom čeliku, glatkoj oblini grudnog oklopa, krljuštastim prevojima štitnika za noge i blistavoj kupoli kacige s crnom perjanicom na vrhu. Sve u svemu, bila je to krajnje nepotrebna sujeta za tako malu vojsku. Ali opet, još ne behu svi stigli.

Konjima je čekanje dosadilo, pa su parali kopitima po tlu, frktali šaljući uvis oblake pare, dok su jahači gurali šake pod miške grejući ih na hladnoći što je štipala. Samo je Čezare spokojno sedeo u sedlu, podignutog vizira, pogleda uprtog u daljinu. Ovih poslednjih noći, otkako su napustili Čezenu, spavao je dugo i čvrsto, u miru sa sobom i ostatkom sveta. Za čoveka koji je vazda cepteo od nestrpljenja i suvišne energije, bilo je to novo iskustvo i uživao je u svakom minutu. Pred njim se prostirao okean vremena, dugačak i otvoren kao drum ispred njega. Ono što započne ovde, sad, odjekivaće i u dalekoj budućnosti. Blagi bože, kada bi svaki dan mogao da bude poput ovog.

Bilo je dogovoreno da se vojvoda i njegovi kondotijeri sastanu u podne, na širokoj okuci na drumu, pola milje izvan zidina Sinigalje.

Viteli i Orsinijevi su na zakazano mesto stigli čak i prerano, dok je Da Fermo, prema dogovoru, ostao u gradu. Sunce beše oteralo mraz i vazduh je bio svetao i vedar. Savršen zimski dan. Najbolje moguće vreme da ubijaš ili da te ubiju, pomisli Viteli dok je svoje napola obogaljeno telo održavao na širokim leđima svoje mazge – pošto više nije bio u stanju da istrpi pod sobom tvrdo konjsko sedlo.

Povukao je mazginu glavu naviše ne dozvoljavajući joj da pase i u taj mah uočio da konji oko njega postaju nemirni, da mašu glavom tamo-amo i povlače đem. S godinama je naučio da veruje životinjama, zato što su uvek prve osećale ono podrhtavanje koje kao da se miljama prenosi ispod zemlje, ono bubnjanje koje ljudsko uvo sada čuje samo kao vetar pomešan sa šumom mora.

Pretraživao je daljinu pogledom. Nije bilo ničega. Ničega. A onda ugleda nešto. Da, sasvim sigurno je nešto ugledao: nekoliko nasumičnih odblesaka svetlosti, sunce što se odbija od metala, nalik na šifrovane signale s druge strane neprijateljskih linija. Dugačka okuka na drumu ispred njega omogućavala mu je da čita svaki element onako kako se pojavljivao na vidiku.

Prva je izbila laka konjica: četiri ili pet njih jahalo je naporedo, u punoj opremi, pred njima figura na belom konju i pored nje stegonoša, upadljivi kontrasti crvene i žute na grbu Bordžija i crvene i bele na grbu vojvodstva Valentino lepršali su na vetru. Za njima su sledili teški konjanici, kojih je bilo toliko da se nisu dali prebrojati. Mora da su pre ko zna koliko dana izmarširali iz Imole i onda se ulogorili negde, čekajući trenutak da se spoje s ostatkom vojske.

Šta se dogodilo? Da nije De Lorka ponovo obrnuo ćurak i doneo im lažne informacije, ili je njegovo ćutanje bilo mnogo zlokobniji znamen? Pa, okrutne ljude stigne okrutan kraj; bilo je besmisleno da sada preispituje igru. Viteli okrznu pogledom Orsinijeve, koji su bili bledi kao krpe, usta razjapljenih od čuda i straha. Kad je ponovo pogledao napred, bilo je to taman na vreme da vidi kako se jedan konjanik i deo lake konjice odvajaju i ubrzavaju u galop.

U prvi mah pomisli da počinje juriš, oseti kako su mu živci zapevali u znak odgovora, ali ubrzo je postalo jasno da su ih samo zaobišli na putu prema gradu. Onaj konjanik na čelu je sigurno bio Mikeloto; malo je ljudi njegovog nevelikog rasta koji jašu isto tako samouvereno kao što ubijaju.

Vojska je i dalje nailazila. Naposletku je razaznao švajcarske najamnike iz snaga kralja Luja, bradate džinove bojnog polja. Gospode, na njih je gotovo zaboravio. Gde li su bili? U Faenci? Forliju? Gde god da su čekali, zasigurno su celim putem dovde marširali isto kao i sad, savršeno ujednačenim korakom, usklađenim sa zvukom doboša, držeći svoje pikete[38] sa čeličnim vrhovima pred sobom tako da su podsećali na pokretnu ogradu od kolja. Ko ne zna, pomislio bi da pred sobom ima krstaše koji su se uputili na obalu s namerom da zaplove ka Svetoj zemlji. I sve to samo da slome šačicu pobunjenika.

Kad se prvi red našao na pedesetak koraka od njih, vojvoda podiže ruku dajući im znak da zaustave konje i, malo-pomalo, metalni orkestar iza njega se utiša.

Dve strane su se dugo samo gledale. Šta čekaju?, pomisli Viteli, pa spusti ruku na balčak mača. Šta bi sada dao za jednu valjanu bitku! Za smrt od veličanstvenih krvavih rana, zadobijenih koliko i zadatih. Samo što je znao da se ovo neće tako završiti.

A onda, kad su vojvoda i njegova straža ponovo krenuli napred, on ugleda Da Ferma i njegove ljude kako dojahuju sa strane s Mikelotom za leđima. Kakav im je izgovor dao da ih namami da izađu iz grada? Šta se kog đavola ovde događa?

Čezare, okretan čak i pod punom opremom, već im je prilazio skidajući oklopne rukavice, sa širokim osmehom na licu, rukujući se i hvatajući za mišice sa svima redom, pozdravljajući se na sav glas. Ali pre svih sa Vitelijem.

„Viteli, druže moj, nadam se da nas nisi predugo čekao na ovoj cići zimi. Ne bi valjalo zbog tvoje bolesti.“ On se okrete. „Da Fermo? Kako si, čoveče? Da, da – znam šta misliš. Kako sam doveo veliku vojsku za ovako mali grad. Ali ona nije tu zbog Sinigalje. Ne, ne. Ovo je početak novog pohoda, pa smo došli da pokupimo vas i vaše ljude. Jer šta je Bordžijina vojska bez njegovih vernih kondotijera, a? Sad kad smo se sastali, hajde da uđemo u grad i proslavimo.“

Kad je okrenuo svoju mazgu i pojahao pored njega – šta mu je drugo preostajalo? – Viteli se osvrte i ugleda ostale, takođe obasute pozdravima, kako se okruženi vojnicima vraćaju odakle su došli.

Na vidiku se pojaviše gradske zidine: glavna kapija bila je širom otvorena, a na mostiću što je vodio do nje već su se nalazila dva reda Čezareove lake konjice; velikog osvajača je na ulazu u grad pozdravljala njegova vlastita garda. Kako je ovo bilo lukavo i glatko izvedeno, podmazano srdačnim osmesima i drugarskim rečima. Dok su prolazili kroz kapiju i nestajali u unutrašnjosti grada, konjanici su se svrstali u poredak iza njih oslobađajući prolaz ostatku snaga i tako nepovratno razdvajajući vođe pobunjenika od njihovih sopstvenih ljudi. Koji vojnik ne bi zapljeskao toj koreografiji?

Farsa prijateljstva morala je da potraje još samo malo. Koliko do unutrašnjeg dvorišta tvrđave, gde su ih, čim su sjahali, Čezareovi ljudi svu četvoricu poveli uz stepenice, grleći ih kao da su najbolji drugovi, tako čvrsto da nijedan nije mogao da posegne za mačem.

Viteli je iza sebe čuo piskavo preklinjanje Paola Orsinija da ga puste, propraćeno gromkim Čezareovim smehom. „A ne, trebaš nam, gospo Paolo. Kako da sednemo pred mapu Italije i planiramo svoj trijumfalni pohod bez tebe?“

Kad su se konačno našli iza zatvorenih vrata, vojnici odstupiše i priključiše se onima što su, isukanih mačeva, već čekali tu.

„Gospodo", Čezare će opušteno, pogledavši prvo Mikelota i potom opet u njih. „Drago mi je što vas sve ponovo vidim. Izvinićete me, moram načas da izađem. Moja bešika je teško podnela šest sati provedenih u sedlu."

Gospode, koje si ti đubre, pomisli Viteli, ne zanima te čak ni da gledaš kako umiremo.

„Upišao se dabogda", uzviknu on dok su odvlačili njega i Da Ferma do dveju stolica. „Nemaš muda ni da sam obaviš ovo."

Čezare zastade na sekund, okrenuvši se na peti, s onim opuštenim osmehom zaleđenim na licu.

„Tako je, Viteli. 'Muda' imam samo onda kada treba da ubijem čoveka. Gamad prepuštam drugima."

„Jebi se. Jebite se svi vi Bordžije", vrisnu ovaj naprežući veze i mahnito se koprcajući. „Videćemo se u paklu."

Jedan veličanstveni trenutak pre ujeda garote nije osećao ni najmanji bol.

Kad su Nikolo i pratnja koja mu je bila dodeljena stigli u Sinigalju, već se smrkavalo. Načas je izgledalo kao da ga neće ni pustiti da uđe, jer je bilo očigledno da život vojnika neće vredeti ni pišljivog boba ako postupe protivno naređenjima. Ali ime mu se nalazilo na spisku, kao što je bilo obećano, i čak mu je i stan bio obezbeđen.

Unutra, grad je bio sveden na neki od krugova pakla. Dim i krici izvijali su se odasvud, a ulicama su urlajući jurili razulareni vojnici, među kojima je bilo pravih džinova. Gomile nameštaja i sanduka tovarile su se u kola, dok su mrtva tela landarala s prozora na spratu ili ležala napola izgažena u uličnim slivnicima. Bordžija obično nije dozvoljavao takvo ponašanje, ali u vazduhu se osećao miris osvete i ko je mogao da zameri vojnicima ako su rešili da se zagreju pomoću malo nasilja? Bio je to njegov prvi susret s ludilom pljačke i veoma ga je potresao.

Zabarikadiravši se u bezbednoj kući, pronašao je pripremljen kamin i vino na stolu. Pošto je zapalio vatru, nasuo je sebi čašu vina i izvadio iz bisaga papir, mastilo i pero. Šta je drugo preostajalo diplomati dok grad gori?

„Mali su izgledi da ću ovu depešu poslati već večeras, jer će se u Sinigalji teško naći iko da je odnese“, pisao je žurno, dok su odozdo s ulice dopirali krici. *„Pobunjenici su zarobljeni, kao i grad, a moje je 'mišljenje'“* – on zastade, jer mu je ova poslednja reč pričinjavala izvesno zadovoljstvo – *„da zarobljenici sutra neće biti u životu.“*

Čak bi i najbržem glasniku trebala dva i po dana da odnese takvu vest s jednog kraja Italije na drugi.

Prvog januara predveče, kardinal Orsini je u Rimu uživao pod paskom svog berberina, koji mu je, pošto ga je glatko izbrijao, upravo potkresivao tonzuru kad se začulo sumanuto lupanje na vrata palate. Svaki crkveni otac koji nešto vredi, i koji je život proveo u kaljuzi rimske politike, poznavao je drhtaj straha koji se javlja kada ti se neočekivani gosti tako bučno najave na vratima tvog sopstvenog doma. Otpustio je berberina i navukao mantiju: sveže opranu za ovu priliku, jarki skerlet opervažen belim. Kao uniforma, leti je umela da bude pretopla, ali predstavljala je savršenu odeću za januarsko veče u Vatikanu.

Uzeo je svoj štap s izrezbarenom drškom od kosti i izašao u hodnik, iz kog se dobro videlo zavojito kameno stepenište i predvorje u prizemlju. Lupanje se u međuvremenu pojačalo. Naposletku će drvo popustiti pod nasrtajima piketa i sekira. On se upita na koliko bi ljudi naišao ako pokuša da se domogne sporednih vrata.

U mislima je ponovo ugledao odaju u svom dvorcu Mađone: sva ona lica oko stola iskrivljena od gneva i želje za osvetom. Jednom puštena s lanca, bila je to pošast koja nikoga nije štedela.

Pa, ionako se nijednog trenutka nije radovao večeri s papom. Bolje bi mu bilo da počne da razmišlja koga sve valja da podmiti, ako hoće da mu njegov lični kuvar isporučuje hranu na novu adresu u Kastel Sant'Anđelu.

ZIMA–PROLEĆE 1503.

U Vatikanu veruju da je papa počeo da se boji svog sina.

Mletački ambasador, 1503.

Da sam anđeo, tugovao bih zbog svakog muškarca koji voli ovako kao ja.

Nepotpisano pismo, naslovljeno na FF (pseudonim Lukrecije Bordžije), Ferara, 1503.

Trideseto poglavlje

Događaji u Sinigalji odjeknuli su zemljom poput serije manjih potresa koji uslede posle velikog zemljotresa. Drama tih zakulisnih igara mesecima je opčinjavala Italiju, a njen rasplet nije mogao ispasti bolji: tajne zavere i protivzavere, varka za varkom, jezive priče o izdajnicima pretesterisanim napola ili vezanim na stolicama leđa uz leđa dok se međusobno okrivljavaju i potom plačući preklinju za milost dok im se garota zateže oko guše. Nikome ih nije bilo žao. Izdajstvo je bilo bolest tog vremena i nije bilo vladara koji nije sanjao da se osveti onima koji su ga u prošlosti izdali. Možda je bio Bordžijino kopile, ali bio je lukav i inteligentan, briljantan, a sreća koja ga je pratila bojila je maštu naroda.

Svega nekoliko dana posle te uspešno izvedene akcije, mračni princ i njegova vojska već su bili na pola puta preko Italije, a gradovi mrtvih pobunjenika sami su im otvarali kapije. Fermo, Angijari, Monterki, Čita di Kastelo, sve su to sada bile Bordžijine teritorije. Braća Baljoni behu pobegla iz Peruđe, a čak se i vojvoda od Sijene („Nikad nisam pristao na njihov plan. Moj predstavnik nije imao nikakvo pravo da potpiše u moje ime!“) borio za svoj politički opstanak. U Rimu je pak Đovani Batista Orsini, kardinal i glava jedne od najmoćnijih porodica u sklopu Crkve, čamio u vlažnoj ćeliji u Kastel Sant'Anđelu. Bordžije su sada bile najmoćnija porodica u Italiji.

Izabela d'Este dobacivala je iz Mantove ekstravagantne poljupce u pravcu Čezarea Bordžije, poslavši mu javno poklon u vidu sto karnevalskih maski – *„zato što čak i najveći vođa mora da uživa u malo slobodnog vremena“*. Karnevalske maske za čoveka koji je imao toliko lica, ali pravo nikad nije pokazivao! Između počasnih topovskih salvi i svečanosti u Ferari, vojvoda Erkole nije prestajao da priča o svemu tome: o pameti i duhovitosti svoje kćeri, o vojnom geniju svog zeta, a najviše o svojoj dragocenoj snahi Bordžiji, koja je blistala od zdravlja i iz večeri u veče iznurivala svoje plesne partnere, bodro pocupkujući i osmehujući se tokom još jednog slavlja.

Kada bi sela da malo predahne, bilo je nemoguće ne primetiti moć njene lepote: sjajnu kožu, sjaj u očima. Vojvotkinja od Ferare nije samo ostavila smrt iza sebe, nego je i s neverovatnom vitalnošću prigrlila život. Ili je možda život prigrlio nju, jer ima onih koji veruju da ljubav tako deluje na ženu. Eto s kakvom je radošću bila dočekana Lukrecija Bordžija.

Samostanski mir obavijao ju je prvih dana poput aure. U zamku su se ložile vatre u kaminima, a jutarnje magle kovitlale su se nad površinom šanca poput pare iz veštičjeg kotla. Lukrecija je uredno prisustvovala dvorskim večerima, posmatrač na paradi mode. Dva godišnja doba su došla i prošla otkako je bolovala od groznice, i posvuda je opažala znake novih krojačkih rešenja: drugačiji oblik vratnog izreza, s kontrastnim šavovima, namenjen da pokaže više kože, pletenice upletene kružno oko ušiju, biserni privesak nasred čela. Baš je čudno, razmišljala je: takve novotarije ne čine nužno privlačnijom ženu koja ih ponese, upadaju u oči samo zato što su nove. No čak je i u tom trenutku shvatala da to iz nje govori samostanska mudrost, koja joj ovde nije bila od koristi. Njoj i njenim družbenicama trebale su nove tkanine za haljine po novoj modi. I konačno je imala novca da za njih plati.

Njen glavni modni savetnik, Erkole Stroci, čije je lickanje išlo vojvodi na živce, beše otišao u Veneciju, ali obećao je da će se vratiti donoseći sve što bi vojvotkinja mogla poželeti. Takođe, obećao joj je i poklon koji, kako je rekao, nijedan novac ne može da plati, mada je napomenuo kako svakako ne bi ni pristao da mu ga plati. *Zato što će dopuštenje da vam ga dam biti vaš poklon meni.* Tu rečenicu je morala da pročita dvaput. Izgleda da i dvorski jezik ume da se promeni s godišnjim dobom.

Dosledan svojoj reči, Stroci se posle nedelju dana vratio s natovarenim mazgama i pozivom na večeru u njegovom letnjikovcu. Dame su prekopavale ormane u potrazi za odgovarajućom garderobom. Stroci im je bio preko potreban. Vojvodina velika premijera bila je zakazana za deset dana, i morale su da se pojave na njoj u najboljem mogućem izdanju.

Dočekao ih je u unutrašnjem dvorištu, hromog tela upadljivog u odelu sa plaštom od baršuna u boji zelene jabuke. Nije mogla a da se ne zabulji u njega. Nebesa, pomisli ona, ako je ovo boja koja se ove zime nosi u Veneciji, tada svakako ne pristaje svima.

Koševi poskidani s mazgi već su bili otvoreni u jednom od salona i dame se poput lešinara spustiše na njih. Stroci ih je dobroćudno posmatrao, a zatim odveo Lukreciju u stranu i, razmotavši svilenu tkaninu, otkrio stalak sa izrezbarenom i obojenom drvenom pticom, ispod koje je visila uzica. Pridržavajući je jednom rukom, on povuče uzicu i ptica zalepeta krilima, a kljun poče da joj se pomera levo-desno, otvarajući se i zatvarajući u nemom cvrkutu.

„Glas joj je tako umilan da samo bogovi mogu da ga čuju. Mada ste ga vi možda načas i čuli. Odmah sam vas se setio. Zamislio sam je kako visi s drveta u vrtu na vašoj terasi."

„O, divna je, zaista." Lukrecija se nasmeja, istinski ushićena. „Mora da je ovo taj poklon koji ste pomenuli."

„A ne, Vaša visosti. Ne, ne, taj poklon je mnogo dragoceniji."

Zaverenički se osmehnuo gledajući joj preko ramena sa, činilo se, veoma loše odglumljenim iznenađenjem, i onda pozdravio nekoga.

„Aha! Bembo! Ja o vuku, a vuk na vratima. Mora da je tvoje pesničko uvo čulo ptičji zov. Gospo, predstavljam vam Pjetra Bemba, sina jedne od najboljih venecijanskih porodica, i jednog od najistaknutijih pesnika i učenjaka novog učenja.[39] Došao je u posetu vašem svekru, vojvodi, koji ga izuzetno ceni, kao i da oda poštu najljupkijoj vojvotkinji koju je Ferara ikad imala; ženi koja obasjava ovaj grad onako kako sunce obasjava zemlju. Hvala bogu na njenom povratku, jer bez nje je ovaj svet bio pustinja."

Uhvaćena između tog komičnog preterivanja i nesvakidašnjosti ovakvog „poklona", Lukrecija nije znala kako da odgovori.

„Moram da se izvinim zbog ovog svog pustog prijatelja." Sada je bio pred njom, visoka i lepo obučena figura podizala se iz otmeno izvedenog naklona. „Bojim se da je sinjor Stroci proveo previše vremena u Veneciji, pa drži suviše strastvene govore. To je poznata boljka kojoj podlegnu posetioci. Mi

Venecijanci verujemo da potiče od aroma prevelikog broja nepoznatih začina. No posle nekoliko tanjira ferarske jegulje marinirane u sirćetu, biće kao rukom odneseno.“

Pjetro Bembo. Naravno da je čula za njega. Međutim, svi pesnici koje je ikad upoznala bili su obdareni talentom na račun izgleda. Umesto toga, sada je pred sobom imala izrazito lepog muškarca – sa visokim čelom, aristokratskim nosom i snažnom, glatkom bradom koja ga je izdvajala od mnogih muškaraca koji su njen nedostatak skrivali tako što su puštali da obraste dlakama.

Čula je iza sebe šuštanje sukanja dok su prilazile njene družbenice. I sam vazduh je postajao lepljiv od ženskog divljenja. Ne i Lukrecijinog. Ne. Suočena s ovim savršenstvom dostojnim jednog pauna, najednom je u mislima ugledala sliku izborane stare sestre Bonventure, smerno pognute nad svojim knjigama i napicima, i taj kontrast ispuni je neočekivanom ljutnjom.

„Sinjor Bembo, u Ferari ste dobrodošli“, ona će hladno. „Vojvodi Erkoleu će biti milo kad vas vidi. Nesumnjivo ste pozvani na njegov najnoviji spektakl.“

„Da, ukazana mi je ta čast. Unapred se radujem. Dugo nisam video neki novi prevod Plauta.“

„U tom slučaju, nadajte se da vam se, kada ga vidite, to vreme neće učiniti i duže.“

Sada se on zagledao u nju. „Niste ljubitelj rimske komedije, Vaša visosti?“

„Možda bih i bila, da sam ikad videla neku koja me je nasmejala.“

Iza njenih leđa, Anđela se piskavo zakikota.

Lukrecija se okrenula da je ućutka, no dočeka je nekoliko pari očiju razrogačenih od zebnje. Dobro, de, znam, pomisli ona iznervirano, nije lepo što sam ovako zajedljiva.

Bembo se, stojeći pred njom, široko osmehivao. „*Zaboravite priče koje ste čuli.*" Stroci se baš potrudio da ga pripremi. „*Lepa je kao zora, njen umiljat osmeh smekšaće i najtvrđe srce.*" Ali bilo je u ovome nečega još zanimljivijeg. Izazova.

„Oprostite mi, molim vas. Izvesno vreme se nisam osećala dobro", dodade ona pažljivo. „Može biti da sam izgubila želju za razonodom."

„Tada ću se moliti da vam se vrati, jednako usrdno kao što se cela Venecija molila za vaš oporavak. A zaista izgleda, Vaša visosti" – on zaćuta, kao da tek traži prave reči – „da ste se... prekrasno oporavili."

„Jesam, blagodareći redovnicama u samostanu Korpus Domini."

„U tom slučaju, koliko večeras ću ih pomenuti u svojim molitvama. Zato što je njihova nega sačuvala toplinu i intelekt bez kojih bi svaki grad ostao ucveljen."

Kompliment je bio ponuđen poput cvetnog venca. Na svoje nezadovoljstvo, ona oseti kako joj se na obraze prikrada blago rumenilo. Ako je ovo snaga koja dolazi pošto pobediš smrt, bilo bi joj bolje bez nje.

„Ah...", on će žurno. „Sad ja vas moram da molim za oproštaj. Izgleda da čak i Venecijanac može da podlegne mirisu nepoznatih začina."

„Ha!" Lukrecija se potom nasmeja. „Mislila sam da se naprosto ponašate kao pesnik!"

„A, ne, gospo." Ton mu je bio oštar. „Ne. Časti mi, moja poezija je mnogo bolja od toga."

Iza njih, Stroci je bio zapanjen. Beše očekivao da njegov „poklon" bude pravi trijumf, i sada nije znao kako da spase situaciju. No bez obzira na sve, kada su im javili da je večera spremna, Bembo joj je ponudio ruku, a Lukrecija je možda na sekund oklevala i onda ju je prihvatila.

„Je li istina što kažu: da u Veneciji ima štamparskih presa koliko i dana u godini?“, čule su njene družbenice kako ga pita dok su išle za njima.

Venecija: čipkaste kamene palate, sjaj sunca na vodi, brodovi pokriveni zlatom, svi mogući luksuzi iz dalekih krajeva sveta. Savršeno što je došao baš odatle. I kako je i sam savršen! Pesnik aristokrata, koji ume da pretoči kompliment u stih, ne zanimaju ga topovi ni prostitutke, i sigurno je ovladao pravilima bezazlenog dvorskog ašikovanja s velikom damom udatom za vojvodu. Baš ono što je trebalo njihovoj gospodarici da joj povrati stari sjaj i unese u život malo veselja. Taj pametni Stroci! Dame se sjatiše oko svoga hromog i drečavog zelenog papagaja, gurajući se oko njega i hvaleći na sva usta njegov ukus. Kako je lepo biti u muškom društvu, tako im je nedostajalo. A pogotovo društvo dvorskih fićfirića koji vole da tračare.

„Znate, smatraju ga najboljim piscem njegove generacije“, reče Stroci šapatom dok su išli prema salonu, dražesno okupanom svetlošću sveća. „U Veneciji su desetine žena zaljubljene u njega. Štaviše, trenutno je zaokupljen pisanjem epskog dela upravo o prirodi tog osećanja. Kad vam kažem, to delo će promeniti tok italijanske poezije. Ferara je idealno mesto da nastavi da ga piše. Siguran sam da će mu biti drago da dâ Njenoj visosti da ga pogleda.“

Tako je započela poetična afera.

„Zamoliću vas da zamislite sledeće: dvorjani sede u vrtu u sumrak, pored osvežavajuće fontane. Tema njihovog razgovora su tri aspekta ljubavi: njene muke, njene radosti i najveća od svih ljubavi, ona koja premašuje čovekovo poimanje. Jedan muškarac iznosi argumente za sva tri slučaja, mada ga žene neprestano prekidaju upadicama. Letnji vazduh u Azolu je blag i prijatan, i razgovor se otegne do duboko u noć...“[40]

Bembo nakratko zaćuta da bi mogli da zamisle prizor. Oni oko njega slušali su ga kao opčinjeni.

„Prvo dvorjanin Perotino kazuje dijatribu protiv ljudske ljubavi kao otelovljenja svekolike izopačenosti i zla.“

„Čekajte!“, prekide ga Lukrecija nestrpljivo. „Ime mu je Perotino, zar ne? Što, ako se izgovori veoma brzo, zvuči vrlo slično kao Pjetrobembo, ne čini li vam se? Svakako više nego – ko ono beše? – Gizmondo, kome poveravate odbranu ljubavi. Prema tome – ubacujete sebe u svoju poemu, sinjor Bembo? U tom slučaju, mora da ste trpeli te muke koje on opisuje.“

Dame veselo zažagoriše slažući se s njom. U potpunosti su se poistovetile sa ženama u poemi i u mislima su se baškarile u letnjem predvečerju, i pored toga što su sedele pored dobro naložene vatre u vili koju je Bembo pretvorio u svoje spisateljsko utočište. Mada će imati lep prijem na dvoru, ozbiljno je pristupao svom radu; po lepšem vremenu, Strocijeva kuća je, sa svojim šumama i vrtovima, nudila savršenu poetičnu pozadinu za pastoralno okruženje u njegovoj poemi. No kako je zimska hladnoća već ozbiljno štipala, trebalo bi da razmišlja o povratku kući.

„Pesnik se oslanja na vlastita iskustva, kako svakako i treba da radi. Ali rekao bih – ili bolje rečeno, moja je nada – da Perotinovi argumenti zadiru i dublje. On povezuje *amore* – ljubav – s *amarom* – gorčinom, pri čemu oni nastaju jedno iz drugog, i potom dokazuje kako vatre ljubavi uništavaju i izopačuju podjarujući mržnju, ljubomoru, zavade i očajanje.“

„Ipak, po mom mišljenju, najstrastvenije govori upravo o svojoj ličnoj patnji“, reče Lukrecija nestašno. „Njegove reči peku nas koliko i njega. To svakako potiče od čoveka koliko i od pesnika."

„Da! Tako je! Tu te je pronašla, Bembo", uzviknu Stroci dok su žene pljeskale. „Bolje bi ti bilo da prebaciš mesto radnje iz Azola u Feraru. Zato što ime te varoši nije ni izbliza tako lepo kad se izgovara, a i jedva da iko zna gde se uopšte nalazi."

Svi se nasmejaše. Ovo je bio treći sastanak nezvaničnog ferarskog udruženja ljubitelja poezije, a Lukrecijine dvorske dame, premda nisu posedovale veliko znanje, pokazivale su želju za učenjem jednaku zadovoljstvu koje su osećale gledajući kako njihova vojvotkinja uživa.

„Imam jedno pitanje, sinjor Bembo." Nikola mahnu rukom, nestrpljiva i nasmejana. „Ako je ljubav zlo, kao što kažete, zašto su onda naši stari imali boga ljubavi? Kako bog može da bude zao?"

„Moje dame - ovo je nepravedno." Bembo podiže ruke u šaljivom porazu. „Već ste pročitale rukopis."

„Nisu, kunem se, bio je samo u mojim rukama", pobuni se Lukrecija. „Govorila sam o njemu, razume se, ali nijednom nisam pomenula Kupidona. Ah, ali zato sad jesam!"

Njegov uzdah je bio pun teatralnosti. „Znači, uzurpiran sam u svakom pogledu. U tom slučaju, prepuštam vojvotkinji da iznese moj argument. Siguran sam da će to uraditi bolje od mene."

„Pa dobro." Ona zauze kitnjastu govorničku pozu. „Naš poeta – kako ćemo ga zvati? – Perotino Pjetro Bembo – vidi Kupidona kao savršen simbol svega zbog čega je ljubav pogrešna. Kao prvo, dete je, i to je ono na šta svodi muškarce. Kao drugo, bestidno je nag, zato što obnaži do kože svakoga ko podlegne ljubavi. Ima krila, baš kao što ljubavnici budalasto veruju kako mogu da lete, i naoružan je lukom i strelom, što kazuje o ranama koje ljubav nanosi."

„Bravo“, on će tiho. „Nemam šta da dodam.“

„Bogme i nemaš.“ Stroci je već ustajao iz fotelje. „Premda će nam sledeći put svima biti draže da čujemo malo više u prilog ljubavi. A sada bih da protegnem malo ove svoje jadne, krive noge. Možda bi neke dame htele da mi prave društvo. Naredio sam da u salonu postave zakusku, da se malo okrepimo.“

Bili su lep par, onako sami i obasjani svetlošću vatre. Za tih nekoliko nedelja otkako su se upoznali, razmenili su nekoliko učtivih pisama, i podeblji rukopis koji ju je držao budnom do kasno u noć. Poezija. Nijedan veliki dvor ne bi trebalo da bude bez onih koji je pišu i dobro je što je našla nešto čime će da prekrati vreme dok čeka muževljev povratak. Barem je tako Lukrecija sebe uveravala.

U stvari, nije dobro spavala pre ovog susreta i sad, kad su bili sami, bilo je teško dokučiti šta bi trebalo da kažu, sem ako to nije još razgovora o ljubavi. Stoga, kad je ponudio da joj pokaže biblioteku koju je doneo sa sobom iz Venecije, ona smesta prihvati.

„Aaah!“ Dok su ulazili u sobu, nešto je projurilo preko popločanog poda, pretrčavši joj preko sukanja pre no što je nestalo u drvenoj oplati na donjem delu zida. Lukrecija naglo ispruži ruku prema njemu, a onda je podjednako naglo povuče.

„Krvi ti Isusove… prokleti miševi! Svud ih ima. Varvari!“ On odmahnu glavom. „Već su se do sita najeli moje Aristotelove *Zoologije*; progrizli su kožu sve do indeksa.“

„Šta kažete? Miševi jedu knjigu o zoologiji? Kao što i priliči. Sinjor Bembo, vašoj biblioteci je potrebna mačka.“

„Čekam da mi je donesu iz Venecije. Egipatsku. Drže ih u svim štamparijama.“

„Što znači kako egipatskih mačaka ima gotovo upola onoliko koliko je dana u godini", reče ona, podsetivši ga na njihov prvi susret. „Sto pedeset. Niste li mi tako rekli? 'Čovek može sakupiti čitavu biblioteku samo jednom šetnjom od Rijalta do Svetog Marka.'" Tu joj glas postade blago zadirkujući.

„Jesam li stvarno tako pompezno zvučao?"

„Niste, nimalo. Samo kao da se ponosite gradom koji poseduje sve ono što je najbolje."

„Ne", reče on gledajući pravo u nju. „Ne sve."

Oborila je pogled i zaokupila se razgledanjem nekih dragocenijih knjiga. Dok je otvarala *Zoologiju*, iz napola pojedenog hrbata izlete oblak čestica kože.

„Smatrajte me svojom učenicom", reče mu ozbiljno. „Zato što ja o tim stvarima ne znam baš ništa."

„Koliko god da znamo, s ovim knjigama smo uvek učenici. A Aristotel je prvi i najbolji učitelj u svemu. Školjke, ribe, biljke, životinje, čovek; nema ničega što ga ne zanima. Ceo ljudski vek ne bi bio dovoljan da ga proučite kako valja."

Kako je Lukrecija volela taj njegov entuzijazam. Učenjak novog učenja, tako ga je opisao Stroci. A opet, kad je govorio, upadalo joj je u oči koliko je toga u poslednje vreme naizgled bez imalo napora proizlazilo iz starog. Ovakav će biti moj dvor, pomisli ona: naladiću načina da spojim staro učenje i novu umetnost.

„...A tu je i Dante."

Sad se već sasvim predao poeziji. Bio je u stanju da od zore do mraka priča o lepoti toskanskog narečja; kao vajar reči, odabrao ga je za svoj materijal – podatan kao istopljeni metal, nežan kao duvano staklo.

„Drugačije se naprosto ne može dalje. Razbijena na tako mnogo državica i narečja, kako će inače Italija da pronađe poetski glas koji joj treba da bi razgovarala sa samom sobom i ostalim svetom? Ipak, dve stotine godina posle Dantea, još smo... ah..." On zaćuta, smejući se. „Ponovo sam podlegao venecijanskim začinima. Bije me glas kako svima dosađujem pričajući o tome. Uhvati li me da govorim duže od dvadeset minuta bez prestanka, vezaće me lancima za krevet i politi ledenom vodom, kaže Stroci."

„Pa, ja vas neću negovati. Bolest mi se suviše dopada."

Kako da ih pretoči u reči, ova osećanja što je obuzimaju kad su zajedno? To kako se vreme trza i zastaje, kako sve izgleda svetlije i kako se samoj sebi čini pametna i dobra, nervozna i smirena, sve u isti mah.

„Gospo." On nakloni glavu u gotovo snebivljivoj zahvalnosti.

„Zaista tako mislim", reče ona sa žestinom u glasu. „Čemu služi život, ako ne zato da ostavimo svoj trag u svetu? Da sam muško... oh" – ona odmahnu, prikrivajući nelagodu tako što se okrenula i uzela drugu knjigu, u povezu od svetle kože i sa sjajno uglačanom srebrnom bravicom. „Pa, recite mi, šta je ovo?"

„A, to je najnovija. Petrarkini soneti. Pravo iz veličanstvene štamparije Alda Manucija u Veneciji."

Kad je otvorio naslovnu stranu knjige, vazduh se ispuni oštrim mirisom kože i svežeg mastila. „O!", izusti ona. „Pa tu stoji i vaše ime."

„Samo kao priređivača Petrarkinog dela", odvrati on s ne naročito ubedljivom skromnošću.

Pažljivo je listala čitajući stihove, prelazeći prstima preko štampanih slova, lepih poput najboljeg krasnopisa – možda čak i lepših.

„O, sinjor Bembo", prošaputa ona. „Ali ovo je prelepo, suviše lepo za miševe."

Ljubav. Čitala je egzgeze, znala je na koje sve načine lekari, ali i pesnici, beleže napredovanje te prekrasne bolesti: kako prvo ulazi kroz oko, zarivši se u njega poput strelice, da bi potom prodrla u krv i raširila se njome, pa kad oboleli priđu jedno drugom suviše blizu, može da prouzrokuje vrelo rumenilo i mahnite damare, kao da živo srce pokušava da iskoči iz grudi. U celom živom svetu nema opojnosti ni slasti koji bi se mogli porediti s njom. Je li to ovo što se sada sa mnom dešava, razmišljala je dok su tako stajali proučavajući reči, a njegov levi dlan ležao raširen pored njenog pod izgovorom da pridržava knjigu da se ne zatvori?

Bembo je pak isuviše dobro znao kako ta bolest napreduje, zato što je bolovao od nje i opisao sve njene faze. Posle slasti dolazi bol, koji se iz srca širi u utrobu i nastanjuje se u njoj poput parazita, uništavajući svaki mir i zamenjujući ga požudom i ljubomorom. Kod kuće u Veneciji imao je pun kovčežić pisama - svojih i njenih - od prepiske s ljubavnicom koja je pre samo godinu dana patila koliko i on. Sa svakim korakom tog plesa, njegova poezija postajala je sve raskošnija. Ipak, jedno je namamiti mladu udovicu da se usred noći spusti merdevinama niz zid pored kanala, a sasvim drugo makar i pomisliti na postelju udate vojvotkinje, pogotovo ako ta postelja pripada porodici Este. Dozvoli li svom pustolovnom duhu da ga upropasti, neće preokrenuti sudbinu italijanske poezije. A opet, kako da odoli?

„Znate, kad sam vas prvi put video, nikako nisam mogao da oteram iz glave pomisao kako ste zamalo umrli. I da se moglo desiti da se nikad ne sretnemo." On načas zaćuta pa nastavi: „Bilo mi je nezamislivo. No onda sam zatekao sebe kako se pitam nije li upravo ta blizina smrti doprinela da sad ovako sijate. Kada bih samo bio kadar da pretočim tu spoznaju u poeziju..."

Ona zatvori oči. „Mislim da već jeste."

„Trebalo bi da se uskoro vratim kući", reče on posle nekoliko časaka. „Hoću da kažem, s obzirom na miševe i ovu hladnoću, tamo bi mi pisanje verovatno bolje išlo."

„Da, da, shvatam."

„Sem ako... sem ako ne dođem na dvor. Stroci me uverava da je njegova kuća u gradu izuzetno udobna."

„Tako je, a i znam da bi vojvoda Erkole voleo da vas vidi."

„A vi, visosti?", on će tiho. „Šta biste vi voleli?"

„Ja?" Ona se nasmeja. „O, kako možete i da pitate? Volela bih da ostanete."

Njen odgovor je bio toliko iskren da njegova ruka nije mogla a da se ne prikrade njenoj, koja se, samo na sekund, nije sklonila.

Trideset prvo poglavlje

U Rimu je te zime u modi bila osveta.

Nikom ko se prezivao Orsini nije bilo drago zbog toga. Pored kardinala, naoružana vatikanska garda došla je po još pet ili šest nadbiskupa i administratora Crkve iz te porodice. Iz njihovih domova je izneseno toliko dragocenosti da je Burkard morao da odredi posebne prostorije u Bordžijinoj kuli u koje će se sve to pohraniti.

Aleksandar nije skrivao radost. Koliko je čekao na ovaj trenutak? Ovo nije bila naprosto kazna za predvođenje zavere protiv Svete stolice, mada bog zna da bi i samo zbog toga bila sasvim zaslužena. Ovo je bilo poravnanje računa koji su se skupljali decenijama: otvaranje rimskih kapija osvajačkoj vojsci, pisanje otrovnih pisama o papi i njegovom sinu i, kao najokrutniji udarac, mahnito izbodeno telo njegovog najdražeg sina. Uopšte nije bilo važno koji je Orsini držao taj bodež. Svi su bili krivi kao greh i nije nameravao da pusti suzu ni za jednim. Hrišćanski svet će bez njih biti bezbedniji.

Međutim, nisu svi tako otvoreno slavili. Čak je i među najodanijim papinim sledbenicima bilo onih za koje je to prolivanje krvi unutar Crkve predstavljalo krajnje neprijatnu situaciju.

„Šta je bilo? Mislite li da smo presrećni zbog toga što jedan kardinal naše Svete matere Crkve čami u zatvorskoj ćeliji?", rekao je kad je nekoliko odvažnijih kolega prikupilo hrabrost i zamolilo za milost za Orsinija. „Da li bi nam bilo draže da nije ispalo ovako? Naravno da bi. No pre no što vam se mozak istopi od tako topla srca, podsetićemo vas da su taj čovek i njegova porodica otvoreno ustali protiv papske vlasti. Ovo što se sad odigrava jeste pravda; ni manje ni više od toga."

„Pomislio bi čovek da sam uzeo sekiru i svojeručno mu odsekao glavu", kasnije je zlovoljno rekao Burkardu. „Orsini je izdajnik, kratko i jasno, i zaslužuje da bude u tamnici."

„Mislim, Vaša svetosti, da se pribojavaju da će skončati tamo, s obzirom na njegova obolela pluća i kužni vazduh."

„Molim? Misliš na vazduh koji dolazi s reke pune životinjskih lešina? One iste reke u koju su bacili telo mog sina kao da je i on crknuto pseto? Neka ga kardinal samo udiše, i neka ga podseća na to."

Burkard više nije insistirao na tome. Ako niko drugi, on je bar dobro pamtio dane posle Huanove smrti, kad je papa bio u toj meri obuzet tugom da su se svi koji su ga čuli pribojavali za njegovu zdravu pamet.

Bez obzira na to, sramota koju su ovi unutrašnji sukobi nanosili Crkvi pogađala je i njega. Ne biva svakog dana da jedan kardinal trune u papskom zatvoru. Izaslanicima i ambasadorima koji su čekali u predvorjima Bordžijinih odaja nije silazio osmeh s lica. Njihov diplomatski profil narastao je i opadao s nivoom skandala sadržanih u njihovim depešama.

Surove hladnoće su se nastavile i zdravlje kardinala Orsinija, zatočenog u Kastel Sant'Anđelu, dodatno se pogoršalo. Burkard je pokušao još jednom. „Vaša svetosti, ako smem da se usudim?"

„Usudiš se ti uvek, čak i onda kad bih više voleo da se ne usudiš", odvrati Aleksandar dobroćudno.

„Kardinalova majka me je zamolila da posredujem i zamolim u njeno ime za dopuštenje da pošalje hranu svom sinu. Strahuje da je ona koja mu se daje..."

„...šta? Otrovana? Neću da trošim novac na otrov za nekoga kao što je on. Razgovaraj s tamničarima. Dobija istu hranu kao i svi ostali."

„Ipak, Vaša svetosti, nije to ono na šta je navikao. Ona moli da plati..."

„Koliko?"

„Dve hiljade dukata, za dopuštenje da mu šalje jelo u zatvor."

„Hmm. Razmislićemo o tome, svakako."

„I..."

„I?"

„Tu je još neko iz domaćinstva Orsinijevih. Još jedna žena."

„Šta – misliš, njegova ljubavnica?"

Burkard sleže ramenima. Izgledalo je nemoguće da on za to ne zna, ali njegov životni zadatak bio je da se pretvara da je tako.

„Šta hoće?"

„Audijenciju kod Vaše svetosti", odvrati Burkard, pa posle trenutka oklevanja nastavi: „Već satima čeka."

„Pa dobro, uvedi je."

Stala je pred njega: kosa crna kao gavranovo krilo, bujno telo i lice zbog koga su muškarci nekad balavili. On pomisli kako nije ni izdaleka tako lepa kao njegova Vanoca ili nežna

Đulija Farneze, ali opet, svi stare, a ona i kardinal Orsini imali su već godinama sporazum koji je oboma odgovarao.

Žena se spusti na kolena. Je li nekad bila kurtizana? Nije mogao da se seti. Da nisam ovako savestan kao što jesam, pomisli on...

Pomogao joj je da ustane, a onda joj pokaza prema stolici pored papskog prestola.

„Draga moja." Potapša je po kolenu. „Kako mogu da vam pomognem?"

Oči su joj bile pune suza. „Donela sam vam poklon, Sveti oče."

„Poklon?"

Izvadila je iz dekoltea smotuljak baršuna u kome se, kad ga je razmotala, pokaza biser veličine prepeličjeg jajeta koji se na svetlosti presijavao kao da je živ.

„O, prelepog li dragulja!"

„Neprocenjiv je", reče ona promuklim glasom.

„Znate li šta kažu za bisere, draga moja? Da nastaju od kapi rose koje upadnu u školjku kad se ova otvori u veličanstveno božje jutro. Što čistija rosa, to čistiji biser. Na nebesima, svih dvanaest rajskih dveri isečene su od po jednog jedinog bisera."

On se ponovo zagleda u biser, s njenim grudima u pozadini. Priroda je imala tako mnogo načina da lepu ženu učini još lepšom. „Siguran sam da je na vama najlepši. Verujem da vam ga je kardinal kupio pre nekoliko godina, zar ne?"

Ona smerno klimnu glavom.

„Sad se sećam. Ja sam takođe bio zainteresovan, zbog njegove jedinstvene krupnoće. Međutim, umešao se u pregovore i dao bolju ponudu." Svako drugi bi odstupio ili bi mu docnije dao taj biser na poklon; krvi ti Isusove, ta porodica je uživala podrivajući ga na sve moguće načine. „Sigurno ste mu veoma dragi, mila."

„Godinama sam ga čuvala pored srca, Vaša svetosti."

Silno je uživao. Zašto i ne bi? Ima li više uopšte trenutaka razonode? Đulija, koja je sad ličila na nepomuzenu kravu, bila je već mesecima izolovana čekajući porođaj koji zvanično nije postojao, zato što nije imala muža, dok se on ovde borio sa svakojakom gamadi. Malo očijukanja bi mu mnogo značilo.

„Pored srca", ponovi on. „Znači da je sad još dragoceniji, zbog mesta na kom se nalazio."

„Vaša svetosti, molim vas, sad je vaš. Molim vas da ga prihvatite."

„O, ne, to nikako ne bih..."

„Ali kad vas molim."

Njegov osmeh joj nije nimalo pomagao. Ona ga zgrabi za desnu ruku. „Celo njegovo domaćinstvo očajava zbog vaše ljutnje na kardinala. Strah me je da njegova majka neće preživeti ovu sramotu. Svakodnevno se molimo da nekako nađete načina da prihvatite pomirenje. Do tada, ako bismo... pa, ako bismo smeli da se bar malo staramo o njemu. Da ga posetimo, možda, odnesemo mu meleme za grudi, toplu odeću, ćebad."

„Draga moja, ako mu treba ćebadi, potrebno je samo da kaže."

Sada je, međutim, plakala bez ustezanja, vrele suze padale su mu na ruku, privučenu na pola puta do njenih grudi. Izgledalo je da joj se srce slama. Ceo Rim je znao da papa ne može da podnese ženske suze.

„Naravno da mu možete dostaviti ćebad. Mada... mada mislim da bi ga vaše prisustvo uzbudilo više no što je dobro za bolesnog čoveka."

Koža joj je bila vlažna, meka. I sama je bila biser. Nesumnjivo bi uradila sve što od nje zatraži. No u ovakvom trenutku, čovek se morao odupreti iskušenju. Štaviše, i samo razmišljanje o tome ga je neočekivano razdražilo, kao da je ovo možda nekakva smicalica namenjena da podrije njegovo uživanje u pobedi. On povuče ruku, utisnu joj onaj biser natrag u šaku i sklopi joj prste preko njega.

Možda starim, pomisli kad joj je rekao da ide, ali ipak ću da nadživim tog bednog izdajnika.

Ćebad i hrana nisu mogli bogzna šta protiv vlage i kardinal je krajem februara izveo poslednji očajnički pokušaj.

„Ha! Nudi nam dvadeset pet hiljada dukata da ga pustimo iz zatvora." Aleksandar podiže pogled sa pisma. „Uh, ala su mu se slova nekako usukala. Možda je to zbog nedostatka prirodnog svetla. Ovo je pokušaj mita, dabome. Kaži, Burkarde, šta bi ti uradio?"

Ceremonijar je ćutao. Šta bi ti uradio, Burkarde? Papa je proteklih meseci rado koristio ovu kitnjastu rečenicu, kao da mu je, pošto mu se porodica razišla, trebao neko s kime će da popriča o svojim odlukama. Ili, bolje rečeno, neko da ih odobri. Na svoje iznenađenje, Burkard začu sebe kako kazuje:

„Milosrđe je božanska osobina čovekova, Vaša svetosti."

„Istina." Aleksandar mudro klimnu glavom. Privukavši pero i papir, na brzinu je napisao nešto, a onda podigao to uvis da se mastilo osuši, pa glasno pročitao:

„*Budi veseo i pripazi na zdravlje, dragi moj kardinale. O svemu ostalom možemo da popričamo kada prezdraviš.* Eto! Ja mislim da će mu ovo obodriti duh, zar ne?"

Dva dana kasnije, Đovani Batista Orsini bio je mrtav.

* * *

„Da budem iskren, ne mogu da kažem da mi je žao. Ali nisam ja ovo izazvao. Ispostavilo se da je Bog bio ljut koliko i ja. Već smo zatvorili njegovu palatu, beše? Dobro. Ništa, postaraj se za njegovu sahranu. Mora biti obavljena po svim propisima, kako dolikuje njegovom statusu."

Pogledao je Burkarda i iznenadio se primetivši da je zadrhtao. Je li potresen? Ili je to maločas bio blesak gneva?

„Kao da si uznemiren, Johane. Da nisi gajio kakvu potajnu naklonost prema tom čoveku?"

Burkard je, međutim, u međuvremenu povratio vlast nad svojim licem i stoga ne reče ništa.

„Pa, kako god bilo, neko se mora postarati za sahranu. Ipak je bio kardinal. Ali – pošto si prezauzet nekim drugim stvarima – možda ću te osloboditi tog tereta."

On se vrati svojim papirima. Smatrajući da mu je dato dopuštenje da ode, Burkard poče da se povlači.

„Johane." Papin glas ga zaustavi u pola koraka. „Ne radim ništa što oni ne bi uradili meni. Štaviše, već su mi to uradili. Nisam ja započeo ove porodične ratove, ništa više no što sam počeo da prodajem crkvene položaje. Sve je to postojalo pre mene i postojaće još dugo pošto me ne bude bilo."

Burkard je ćutao. Još mu nije bilo dopušteno da ode.

„Jasno mi je da sam ti ponekad težak." Izgledalo je da je smrt dovela papu u misaono raspoloženje. „Ali da li bi radije imao ovde nekog namrgođenog, uštogljenog popa koji uvek sve radi po propisima? Kad ti kažem, Johane, da je Đulijano dela Rovere seo u ovu stolicu, morao bi da trpiš njegov smrdljivi dah i ledeni bes. Zar bi ti to zaista bilo draže? Bolje neko ko se smeje koliko i besni, a?"

Te večeri je Burkard izašao iz svojih vatikanskih odaja i otišao preko mosta Sant'Anđelo u Rim, u sopstvenu skromnu kuću nedaleko od Crkve Svetog Julijana Flamanskog. Smestivši se za pisaći sto, uneo je kratku belešku u svoj dnevnik.

Kardinal Đovani Batista Orsini umro je danas u Kastel Sant'Anđelu. Bog mu dao duši lako. Papa je zadužio mog kolegu, don Guterija, da se postara za pokojnikovu sahranu. A pošto nisam želeo da o toj raboti znam više no što moram, nisam prisustvovao misi, niti sam uzeo ikakvog udela u protokolu.

Pročitao je unos još jednom, a onda zatvorio svezak, zaključao bravice i smestio ga u okovani zakatančeni sanduk pod krevetom. U Rimu je trenutno vladala klima nasilja, takva da je bilo bolje da barem neko vreme ne zapisuje svoje misli.

Trideset drugo poglavlje

„Mislim da ti nedostaje sve to."

„Šta? Stenice, rane od sedla i vlada koja se pravila slepa i gluva za sve što sam joj govorio? Kako mogu takve divote ikom nedostajati, Bjađo?"

Proleće je zagazilo u Firencu i sekretari i pisari u Palati sinjorije otkačili su reze i pootvarali prozore.

Nikolo je već nekoliko meseci ponovo sedeo za svojim pisaćim stolom. Nedelje što su usledile posle zauzimanja Sinigalje videle su ga u sedlu, kako žvrlja depeše dok je Bordžijina vojska tutnjala preko Apenina u Toskanu, garotirajući usput preostale izdajnike iz klana Orsini. Potrajalo je do kraja januara dok nije dobio dopuštenje da se vrati, pošto je Firenca konačno bila ubeđena da je bolje da potpiše sporazum s vojvodom nego da se nađe sledeća na spisku njegovih osvajanja. Nikola su pak zamenili diplomatom na višem položaju (s boljim pedigreom i boljom garderobom, ali s lošijom moći zapažanja), koji je imao zaduženje da ispregovara pojedinosti. Međutim, tada je već toliko čeznuo da se vrati kući da je zaključio kako mu to uopšte ne smeta.

Bio je odsutan četiri meseca i dvadeset jedan dan. Žena mu je rigala vatru dostojnu aždaje, veće je zahtevalo hitan, detaljan pismeni izveštaj, a tu je bilo i mnoštvo prijatelja koji su čekali da ga časte vrčem vina, ne bi li prvi čuli priče o krvavim truplima i kasapskim satarama u snegu.

Bjađo je, međutim, sada kao i nekad, bio spreman za dublje razgovore.

„I bio si u pravu. Trebalo je da te oni iz Veća ranije poslušaju. Ali znaš kakvi su. O svemu mora da se raspravlja ko zna koliko puta, da se deset puta izmeri pre no što se preseče. Takođe, činilo im se da si... pa...“

„Nepouzdan. Ili, da citiram tvoje pismo – 'budala si ako misliš da će da potpišu sporazum s Njegovom visošću'.“

„I stvarno si bio budala ako si tako mislio!“, nasmeja se Bjađo. „Samo sam nastojao da budeš u toku. Čuvao sam ti leđa! U svakom slučaju, moraš priznati da si povremeno zaista zvučao poprilično... pristrasno.“

„Pristrasno? Čemu će ti izaslanik na terenu, ako ne da proceni šta se uistinu dešava? Da je Rim imao nekog s druge strane Alpa, možda bi senat znao da je Hanibal nešto više od još jednog varvarina s nekoliko slonova iza sebe. Pisao sam ono što sam mislio. Još mislim isto. Ovo naše vreme još nije videlo čoveka poput njega.“

„Pa, to više niko ne spori. Nego, šta sad biva?“

„Razgovaraćemo za trpezom. Dao sam Marijeti reč da nećemo da kasnimo.“

„Mislio sam na politiku, a ne na večeru!“ Bjađo zaurla od smeha, uživajući u nesvakidašnjem osećaju da je brži od nekoga ko je uvek ispred ostalih. „Znaš li šta pričaju o tebi, Mrljo? Da se najveći ženskaroš u Palati sinjorije zaljubio u rođenu ženu, i nek je bog u pomoći svim ostalim muževima u gradu.“

On mahnu rukama kao da bi da otera tu tako zaraznu bolest.

„Mada te ja branim, kao i uvek“, nastavio je dok su prelazili most idući u južni deo grada. „Kažem im: Čezare Bordžija nije ništa strašniji protivnik od Marijete Makijaveli kad je besna. Bože dragi, sećaš li se onog dana kad si se vratio, i kad sam te ispratio kući pošto sam ti dao onu balu svile i češalj koje si mi rekao da kupim kako bi imao šta da joj pokloniš? Ako hoćeš moje mišljenje – trebalo bi da batališ istoriju. Umesto toga napiši poučnu raspravu o tome kako smiriti razjarenu suprugu. Obogatio bi se, da znaš.“

Sada se i Nikolo smejao. Skupljala je žestinu poput jedne od onih oluja kakve su se leti spuštale nad Firencom, praćene praskanjem munja i zaglušujućom grmljavinom. Čak je bio pomišljao da svrati kod svoje stare ljubavnice, nedaleko od Mosta milosrđa, samo što bi i ona očekivala poklon posle tako duge razdvojenosti. Na kraju je otišao kući, jer bez obzira na oluju koja ga je tamo čekala, Marijeta mu je nedostajala, a osećao je i neodoljivu želju da spava u svom krevetu.

Potrajalo je dok nije ušao u kuću.

„Razlog što ne prepoznaješ glas svog rođenog muža, kako kažeš, jeste to što je proveo tri dana u sedlu i ima reku prašine u guši“, odgovorio joj je takođe vičući. „Otvaraj vrata, ženo, da ih ne bih razvalio.“

Ipak, kad je konačno ušao, preskačući preko sanduka s knjigama koji su stajali pokraj ulaznih vrata, po svoj prilici zato da budu izbačeni zajedno s njim, zatekao ju je kako sedi s prvom propupelom grančicom u upletenoj kosi i dovoljno parfema da ga osetio još s vrata. Žena se sprema da izbaci muža iz kuće, a ovamo se potrudila da ga dočeka sva doterana i namirisana? Blagi bože, šta ti vredi što si diplomata ako ne da pročitaš mešane poruke i dokučiš im istinski smisao? Dao je sve od sebe da suspregne osmeh.

Bacio je onaj zavežljaj na pod, prišao do njene stolice i poljubio je, sve bez i jedne jedine reči. A kad je zinula da nešto kaže, poklopio joj je usta dlanom i rekao, glasom punim žestine (jer da se tada nasmejao, bio bi to kraj njegove karijere političara):

„Pre no što išta kažeš, znaj da sam mesecima sa đavolom tikve sadio. Video sam ljude presečene napola i one s licem poput naprsle ljubičaste smokve nakon što su ih zadavili garotom, i puna mi je kapa besa i nasilja. Živ sam i zdrav, kod kuće sam i umoran sam. A ako tebi to nije dovoljno, onda odoh da nađem neku koja će me lepše dočekati. I daću joj balu crvene svile i češalj od kornjačevine koje sam nosio u bisagama preko pola Italije da ih poklonim svojoj ženi."

Od tada su prošla tri meseca, a sad je bila noseća i trpela je jutarnje mučnine pevajući. Boravak u blizini vojvode razbojnika imao je svojih dobrih strana.

Te večeri, on i Bjađo su jeli sveži bob s odležanim sirom pekorinom i crnim vinom od lanjske berbe – toskansko jelo koje je nagoveštavalo dolazak proleća. Potom, kad je sluškinja odnela hranu sa stola, dok su dvojica muškaraca, uz medenjake i liker od limuna, razgovarala o poslu, Marijeta je sedela i ćutke šila pored očišćenog kamina. Prve nedelje trudnoće su je umorile i bilo je skoro sigurno da će zadremati, ali volela je zvuk njihovih glasova, osećaj doma u kom su prijatelji njenog muža dobrodošli. Šta god joj život kasnije donese, Marijeta Makijaveli je sada srećna žena.

„I? O čemu će se raspravljati na sutrašnjem sastanku veća? Od tvoje zamisli o stajaćoj vojsci nema ništa, je l' tako?

Znaš kako kažu, silom baba u raj ne ide. Smatrao sam da je korišćenje pada Konstantinopolja kao primer majstorski potez. Mnogo bolji od tvojih uobičajenih poređenja sa starim Rimom."

Nikolo sleže ramenima. Poslednjih meseci je zatrpavao gonfalonijerov sto detaljnim, valjano argumentovanim podnescima, zasnovanim na svemu što je saznao; najradikalniji predlog je svakako bilo formiranje stajaće vojske, koja bi zamenila najamnike. Novac je, međutim, uvek predstavljao teškoću, jednako kao i vizija. Nijedna vlada ne želi da povećava porez da bi namakla sredstva za ono za šta se nada da joj možda neće trebati. S tim što je Nikolo zasigurno znao da će im vojska trebati. I premda su odbili njegov predlog, jednom posejano i dobro zalivano, seme te zamisli sada je imalo vremena da izraste. Trenutno je, međutim, mnogo preče bilo pitanje šta se dešava u vojvodinoj glavi.

Bjađo nabode nožem parčence pekorina. „Nelogično je. Dok pola Italije čeka da vidi koji je njegov sledeći potez, on sedi u Rimu, upravlja svojim dvorom i svađa se s ocem."

Čekao je. Jer ako njegov šef ne zna odgovor na ovo, ko zna?

Otac koji je ujedno bio papa. Kad je premotavao u glavi svoje razgovore s Čezareom (mnoge je držao u glavi, upamćene od reči do reči), uvek je primećivao koliko se retko u njima pominjao Aleksandar. Naravno, mladi ljudi više vole kad ne moraju da duguju zahvalnost, ali...

„Mislim da je zauzet poslovima Crkve. Ako papa sada sve brže stari, kao što kazuju izveštaji, tada vojvoda mora imati uticaj na onoga ko ga nasledi, ko god to bio. A za to mu je potrebno..."

„...mnogo više kardinala odanih Bordžijama." Marijeta je još bila zaokupljena krpljenjem kad je promrmljala ove reči sebi u bradu.

„Pričaš u snu, mila“, Nikolo će glasno. „Idi da legneš!“

U Firenci je jedva i bilo žena koje su mogle – ili smele – da se usude da otvoreno pričaju o politici, pa ako je povremeno i umeo da joj ugodi – kao što je radio kad ga je baš gnjavila – bio je svestan da ga neće odati pred drugima. Ona zevnu i pognu glavu bliže tkanini, podelivši osmeh samo s iglom i koncem. Bjađo, koji joj je bio okrenut leđima, kao da je nije čuo. No ipak, on im je bio veran prijatelj.

Muškarac zaljubljen u svoju ženu. Ha! Nikolo se glasno nakašlja.

„Imenovanje novih kardinala doneće mu glasove u konklavi, a zlato kojim za to plate otići će pravo u njegov ratni fond. Papa je upravo ispraznio osamdeset položaja, koji su sada za prodaju unutar Kurije, svaki po sedamsto šezdeset dukata.“ On zastade, kao da izaziva Marijetu da izračuna sumu.

„A kad sve to bude gotovo, krenuće na Areco, Pjencu i ostale gradove u Toskani? I dođavola s Francuzima, je li to to?“

Nikolo se osmehnu. „Daj, Bjađo. Francuzi sami sebe osuđuju na propast. Čitaš depeše što dolaze iz Napulja. Španci dovoze brodove pune vojske. Luj je predugo čekao da napadne. Ono malo tvrđava pod kontrolom Francuza moglo bi se vrlo brzo naći u nevolji. Sve ovo vreme je udovoljavao Bordžijama, zato što su mu, kad pokrene vojsku na marš prema jugu, potrebne papina podrška i vojvodina vojska. Ali šta ako se Španci upute na marš prema severu i papa obrne ćurak? Tada bi Čezare Bordžija mogao da ušeta u Toskanu sa španskim saveznikom za leđima.“

Bjađo odmahnu glavom: radni sto mu je bio zatrpan napola svarenim izveštajima, ali ovaj čovek koji je čitao sve redom poznavao je budućnost jednako dobro kao i prošlost. U ćutanju koje je usledilo, Marijetino tiho hrkanje povratilo je bračni status kvo.

Kada je njihov gost otišao, Nikolo je nežno probudi i ona ustade gotovo nesvesno, pokupi svoje šiće i uputi se u spavaću sobu hodajući poput mesečara. On je pak tada otišao u svoju radnu sobu i izvadio iz kovčega svežanj papira.

Pisao je – kad ima vremena – pripovest o zaveri u Sinigalji, popunjavajući praznine pojedinostima koje u ono vreme nije znao, nije ih mogao znati. Na ramenu mu je sedeo Livije, bruseći mu pripovedanje i negujući suzdržanost, ali jednako vodeći računa da dozvoli da drama govori sama za sebe. Dvojica pobunjenika – Viteli i Da Fermo – behu umrli te iste noći, zadavljeni dok su sedeli vezani za stolice. Ostali su pak otišli iz grada kao zarobljenici, da bi bili pogubljeni kasnije, dok se vojska kretala kroz Toskanu, a njihovi leševi jednog jutra osvanuli s konopcem urezanim duboko u vrat, tako da su svi mogli da ih vide. U oba slučaja se pričalo kako su molili za milost i prebacivali jedan na drugoga krivicu za izdaju. Njihov kukavičluk je upotpunjavao priču, ali kako bi je drugačije pobednik uopšte i ispričao?

Nikolo je, međutim, imao dokaz iz prve ruke. Odmah po zauzeću Sinigalje, beše izašao u ledeno praskozorje u potrazi za jahačem koji će odneti njegovu depešu. Grad je bio tih – čak i razbojnici i pljačkaši ponekad moraju da spavaju – a on je na ulici razgovarao sa svima koje je uspeo da pronađe, kad je vojvoda glavom izjahao praćen odredom teške konjice, nadzirući sprovođenje mira. Krajnje srdačno se pozdravio s njim, kao da je sreo prijatelja kog odavno nije video.

„*Vidite li kako se sve odigralo, sinjor Osmehu!*“, rekao mu je pokazujući oko sebe. „*To je ono što mi je zamalo izletelo dok ste vi i vaš biskup sedeli sa mnom u Urbinu. Tada sam rekao da ću saseći sve ove bedne razbojnike i tirane koji uništavaju zemlju. Trebala mi je samo prilika, a unapred sam znao da će mi se pružiti. Nema u Italiji nijednog čoveka koji ne misli da nam je bolje bez njih. Lažem li kad to kažem?"*

Ah, stvaranje istorije. Bjađo je bio u pravu: počinjalo je da mu nedostaje.

Trideset treće poglavlje

Fortuna: povoljan spoj vremena, mesta i ličnosti, pružene prilike, iskorišćenog trenutka.

Ko zna šta bi se dogodilo da je Alfonso d'Este ranije stigao natrag u Feraru. Da je, na primer, prekratio svoje hodočašće i vratio se pre Lukrecijinog povratka na dvor. Bio bi to baš lep gest: isti muškarac koji ju je pre svih tih nedelja ispratio do ulaza u samostan, sada bi je doveo kući.

No svako putovanje koje se protegne u zimu neizvesna je rabota. Kako je postajalo hladnije, pružila mu se prilika da razgleda još tvrđava, budući da su silni ratni pohodi i zavere ubrzavali unapređenje i obnovu odbrambenih fortifikacija. A kako je njegov šurak jahao na krilima sreće, smatrao je da je logično da produbi svoje znanje o tim stvarima; na taj način će njihov naredni susret, kada do njega dođe, biti podjednako prosvetljujući za obojicu. Alfonsova sudbina bila je da se razume u rat, ali da ne zna ništa o ženama. Ili barem o onoj jednoj u svom životu za koju nije morao da plaća.

Kad se naposletku vratio, prvo je otišao kod oca, javivši ženi da će posle toga večerati s njom.

„Još je nisi video? Čeka te iznenađenje. Da samo vidiš kako blista. Moram da kažem, ona je istinska vojvotkinja“, preo je Erkole. „Čudesa samostanskog života, a? Srećan si ti čovek, sine moj.“

Alfonso je, međutim, spadao među one koji nisu gajili erotske fantazije o časnim sestrama, i zgadio mu se nagoveštaj požude u očevom glasu. Najradije bi odmah ustao i otišao, ali za vreme njegovog odsustva zbile su se određene promene u političkom pejzažu, a državna pitanja su svakako bila na prvom mestu.

Stoga je bilo već pozno veče kad je stigao u spavaću odaju svoje žene.

U braku Esteovih je, prema tome, bilo sve po starom.

Mada ne sasvim.

Potrudio se; ponovo se okupao, kako bi sprao sa sebe svu preostalu prljavštinu od puta, dao je da mu potkrešu bradu i kosu, i namirisao se parfemima.

Lukrecija još nije bila legla. Umesto toga, sedela je pored vatre, s ostacima večere – odavno hladne – pred sobom. Da bi prekratila vreme i sačuvala duševni mir, čitala je – pa, šta drugo do poeziju? – ali kad su joj najavili njegov dolazak, ona brižljivo odloži rukopise.

Izvinio se zbog zadocnjenja i neko vreme su sedeli i razgovarali, dok je veliki krevet u uglu poigravao pod svetlošću sveća. Njegovo putovanje bilo je plodonosno. Pričao joj je o svojim razmišljanjima o trijumfu njenog brata, o tome kako svi kažu kako će još pre no što se sneg otopi postati gospodar Sinigalje. Očigledno zadivljena, pažljivo ga je slušala, obraza ružičastih pri svetlosti plamenova. Videlo se da se čudesno oporavila.

„Otac mi kaže da je odobrio da ti se isplaćuje ceo prihod.“

„Da, lepo od njega.“

Progunđao je nešto. Prokleti licemer, pomisli. Pitao se da li da joj kaže za svoj udeo u tome, ali komplimente nije umeo da daje ni samom sebi.

Zaćutali su. Krevet je mamio. Alfonso je usput pokupio nekoliko ljubavnih trikova, kod žena koje su naplaćivale svoje usluge više no što je navikao da ih plaća i koje su odlično umele da pokažu (ili slažu) da su zadovoljene, jednako kao i da pruže zadovoljstvo. Priželjkivao je da može da zamisli kako će se večeras i ovde desiti isto, ali već nije bio siguran u to. Nije bila reč samo o njemu; izgledalo je da ni s njegovom ženom nije sve u redu. Istina, bila je sva obla i lepa, ali odavala je utisak krhkosti, što ga je uznemiravalo. Pritom su oboje još bili obučeni.

Tog časa ni njemu ni njoj nije bilo lako.

Mada je bilo tačno da se Lukrecija zanimala za poeziju – i da je bila napola zaljubljena u muškarca koji ju je pisao – večeras nije to predstavljalo teškoću. Večeras je teškoća bila to što se, premda je izgledala zdrava, u njenom telu ponovo dešavalo nešto neprijatno.

Sedela je preko puta njega, dok joj se srce bubnjalo. Šta da mu kaže? Da je poslednjih dana ponovo muči ista ona bolna osetljivost koja ju je mučila posle porođaja; u toj meri da je tog poslepodneva, pošto se okupala, odlučila da nanese malo balzama koji joj je spravila samostanska apotekarka? Međutim, čim je gurnula prst u sebe, osetila je oštar bol – toliko oštar da je jauknula i protiv svoje volje. Postoji li tamo nekakva prepreka, ili se ponovo otvorila neka ranica? Zašto? Kako? I koliko će je boleti kad u nju uđe nešto više od prsta?

„*Vojska dečaka*", pomisli ona, pogledajući njegove grube ruke kad je razgovor počeo da zamire. „*Čim prezdraviš, daćemo se na posao da ih napravimo još: pravu vojsku dečaka.*" To su bile njegove reči, dok je ona ležala na pragu smrti. Nije bila dovoljno pri svesti da ga čuje, ali su joj ih njene dvorske dame otada dovoljno često ponavljale jer su, po njihovom mišljenju, bile romantične na najmuževniji mogući način.

Bilo je vreme. Otišao je da se olakša, a ona se uz Katrinelinu pomoć spremila za počinak, odabravši novu vezenu spavaćicu i uvukavši se pod pokrivače.

„Pogasi sveće pre no što izađeš", reče joj ona otpuštajući je.

Tako Alfonso barem neće moći da vidi paniku na njenom licu.

„Hladne su ti ruke", promrmlja ona uz sitan smeh kad se na prvi dodir malčice trgla.

Tiho je progunđao nešto dok je trljao ruke i duvao u njih. Potom se sagnuo i naslonio usne na njene ljubeći ih polako, kušajući ih više puta pre no što je prodro dublje. Načas je išlo dobro. Načas je učestvovala skupa s njim.

Usne su mu prešle na njen vrat i potom na grudi, nežno je uzeo bradavicu među zube. Predigra. Neke žene to vole. (Eto koliko je mislio na nju.) Čuo je kako joj se disanje ubrzava, registrovao ga je zajedno sa svojim. Ali onog časa kad su mu se ruke spustile, potraživši žbun među njenim nogama da nestašnim prstom proveri je li dovoljno vlažna, kao što je video da prija drugim ženama, celo telo joj se ukrutilo i ispustila je tihi jauk.

On se odmače toliko brzo da se činilo da je njega nešto zabolelo.

Na trenutak su teško dišući samo ležali jedno kraj drugog u pomrčini. Kako beše uložio znatan trud da zamisli sasvim drugačiji scenario, sad je bio gnevan – ili razočaran – u meri koju nije razumevao.

„Ti si... ozdravila, zar ne?", zareža on, ljut što ne ume da sroči to malo bolje, ali i zbog toga što ga je uopšte primorala da to kaže.

„Jesam - samo što..." Tu joj glas zadrhta. Blažena Device, pomozi mi, pomisli. „Samo što izgleda... da se - poslednjih dan ili dva - ponovo pojavila bolna osetljivost tamo gde je izašla beba. Nisam shvatila sve dok... Izvini, molim te."

Njeno izvinjenje je bilo iskreno.

S tim što „izvini" nije bila reč koja je delovala na Alfonsa d'Estea u krevetu. Zato što je to bilo sve što je ikada čuo od svoje prve žene. Ne, nije tačno: posle nekog vremena nije govorila više ništa; samo je ležala ukrućena kao mrtvac, dok se miris straha dizao s nje poput tek nanesenog parfema. Dužnost je među njima dvoma bila čin nasilja i čak i u sećanju ju je mrzeo zbog toga.

„Možda, ako malo obratimo pažnju", ona će s oklevanjem.

Ali „pažnja" nije delovala ništa bolje, dođavola. Alatka mu je sada ležala mlitava na preponama.

„Ništa, ostavićemo ovo za neki drugi put", reče on hladno, ustajući iz kreveta. „Javićeš mi kad bude moglo. Poslaću ti tvoje družbenice."

„Ne, molim te, Alfonso, ostani! Možemo da razgovaramo."

Već je bio napola odeven, s mukom zakopčavajući dugmad u ledenom besu.

„Nismo ovde zarad razgovora", odvrati on.

„O, ali... Alfonso, nisam htela da... Tako sam se radovala tvom povratku", reče ona sa žestinom u glasu, takođe ljuta. „Nije trebalo da bude ovako."

On je, međutim, već izlazio.

Njeni jecaji naterali su Katrinelu da ustane sa svog ležaja pred vratima i da upadne u sobu jedva se potrudivši da pokuca.

„Šta je bilo, gospodarice? Šta se desilo?"

„Jaoj, propali smo." Od plača je jedva govorila. Šta nije u redu s njom? Može li biti da joj je silno naprezanje da izbaci ono jadno mrtvo telašce iz materice nekako oštetilo utrobu, pa više nije sposobna da začne? „Pomozi mi. Donesi mi papir i pero. I pronađi glasnika. Ovo mora da ode s prvim svitanjem.“

U apoteci samostana Korpus Domini, redovnica je sedela za svojim stolom za vreme jutarnjeg rada, s pismom ispred sebe.

Ponovo bolna osetljivost, jak bol na dodir. Je li reč o novoj leziji unutar vaginalnog prolaza? Kako je to moguće? Istina, nije imala iskustva s porođajima i mrtvorođenjima, ali postarala se da sazna. Nova ozleda, sada. Bilo je nelogično.

Naslonila je glavu na ruke, kao u predanoj molitvi.

Osim.

Osim ako to nije bio simptom nečega drugog...

Svet je bio pun koječega što nisu bila posla samostanske apotekarke. A ona nije bila sklona ogovaranju. No morala je biti gluva i nema pa da ne čuje priče o toj pošasti što je već godinama besnela Italijom. I dvorom u Ferari.

Kad je to bilo, beše? Smrt prestolonaslednikove prve žene na porođaju, zar ne? Pre četiri, ne, pre najmanje pet godina. Svi sa dvora bili su u crnini i prisustvovali su sahrani. Sem jednog čoveka. Njenog muža. Zvanična priča je glasila da je prestolonaslednika Alfonsa oborila jaka groznica i da je preslab da napušta palatu. Glasine su, međutim, govorile o nečemu mnogo sablažnjivijem: da je, umesto toga, pretrpeo napad francuske bolesti i da je previše unakažen da dozvole da ga narod vidi.

Nije bio jedini bolestan od toga. Izgledalo je da je zaraženo pola grada, uključujući i dva mlađa vojvodina sina. Jedan od njih, Ipolito d'Este, bio je kardinal! Ljudi su pričali da je Rim pun te boleštine. Čak je i papin rođeni sin oboleo od nje, a prištevi su mu u toj meri izjeli lepo lice da je počeo da nosi masku.

Zvanično, takve se stvari u samostanu nikad nisu pominjale, sem posredstvom njihovih opštih molitvi za dobrobit porodice Este. Ako je pošast bila odista božji način da natera svet da spozna sopstvenu pokvarenost, tada će On zacelo biti najmilostiviji prema onima za koje se najusrdnije mole. Pored toliko samostana i crkava u Ferari, izgleda da je Bog uslišio te molitve. Prestolonaslednik se oporavio – mada su neki govorili kako mu se na šakama još vide tragovi rana – i naposletku je to, kao svaki trač, ustupilo mesto nekim drugim glasinama.

Međutim, dok je sada sedela nad Lukrecijinim pismom, sestra Bonventura nije bila tako sigurna u to. Francuska bolest. Šta je znala o njoj? Samo da se začela na jugu, s dolaskom francuske vojske. Da Bog kao svoje oružje koristi posrnule žene, pa svi znaju kad je neki čovek legao s njima, tako što mu se oboljenje pokaže na koži. Ali šta je sa samim ženama? Onima koje je nose u sebi i prenose? Mora da i one pate od njenih strahota, zato što su krive najmanje koliko i muškarci. Šta bolest njima radi? Izbijaju li im prištevi po licu i telu? To sigurno nije slučaj. Nijedan muškarac ne bi legao s tako unakaženom ženom. A ako je tako, kako se kod njih manifestuje? I ako je već toliko zarazna, zašto bi se prenosila samo jednosmerno? Je li Bog odredio da je muškarci mogu preneti samo drugim posrnulim ženama? Jer kako se drugačije tako brzo proširila celom zemljom? Ili... ili, šta može da se desi kada ti muškarci dođu kući, svojoj ženi? Ne, nezamislivo je, valjda nije...

Lezije u vaginalnom prolazu. Može i sto godina da radi u svojoj apoteci, ali u spoljnom svetu će uvek biti onih koji znaju više! Poniznost je bila cenjena osobina u dobrom samostanu, ali nije uvek mogla da zameni osećaj osujećenosti. Šta je sa svim onim lekarima na dvoru, koji su lečili vojvotkinju? Nije li jedan bio lični lekar samog Čezarea Bordžije?

Zamolila je opaticu za razgovor. Ako se ispostavi da je u pravu, trebaće joj dopuštenje da pismo ode iz samostana a da ne prođe kroz ruke nadzornice kapije, koja je čitala i cenzurisala svu prepisku.

Opatica ju je smireno saslušala, jedini znak uznemirenosti bili su prsti koji su klizili jedni iz drugih dok su joj ležali prepleteni na krilu.

„Shvatam vašu zabrinutost, sestro Bonventura, ali to što tražite ne dolazi u obzir. Da sestra apotekarka iz jednog zatvorenog samostana piše nekakvom lekaru u Rim? Ne može."

„Ali – taj lekar – on je ujedno i sveštenik."

„To sad nema nikakve veze. Takva prepiska, postavljanje takvih pitanja – dakle, to može samo da navuče skandal na vrat samostanu i našem redu."

Sedela je i zurila u grubu tkaninu svoje halje, umrljanu od poslovanja u apoteci. Šta je drugo i očekivala? „Časna majko, vojvotkinji je potrebna naša pomoć."

„Tada ćemo uraditi ono što najbolje radimo – molićemo se za nju. Moja odluka je jasna, sestro. Nećemo više govoriti o ovome." Ona je strogo pogleda. „Nego, recite mi – jeste li već napisali to pismo?"

Starija žena izbeže njen pogled. Nije bila vična laganju.

„Shvatam. A imate li ga kod sebe?"

Opatica je čekala, pruživši ruku da uzme ponuđeni paketić.

Ostavši sama, pročitala je ispisane reči jednom, potom i drugi put. Kratko se pomolila i onda otišla do svog stola, pa izvadila list papira, pero i mastionicu. Status odabranog samostana vojvotkinje od Ferare bio je velika čast, ali s tom čašću je dolazila i odgovornost, a o njoj se starala opatica, a ne obična redovnica. Te večeri povela je molitvu za vladajuću porodicu: za nastavak njihove sukcesije i zdravlje i sreću svih njih.

U svojim odajama u Rimu, Torela je raspakivao kovčeg koji je sadržavao njegovu arhivu. Šest godina istraživanja i prepiske širom Italije i nekih delova Evrope. Ako postoji odgovor na neverovatno pismo koje je upravo primio, onda se nalazi tu. No još pre no što je počeo, bio je siguran da neće pronaći ništa.

Nije prisustvovao simpozijumu o novoj pošasti koji je u proleće 1497. bio održan u Ferari (njegov pacijent, Čezare Bordžija, tada još nije bio zaražen), ali čuo je priče o ferarskom dvoru. I primetio je, razume se, Alfonsove ruke; bio je stručnjak za brojne načine na koje se bolest pokazivala na koži muškarca, ostavljajući ružne belege na najteže pogođenim oblastima – delovima koji su se, poput same bolesti, razlikovali od slučaja do slučaja.

Međutim, pošto ga je proučio onoliko brižljivo koliko je mogao, bio je ubeđen da su ožiljci na rukama prestolonaslednika Ferare bili stari ali nadraženi njegovim radom u livnici, zato što je u svakom drugom pogledu delovao zdravo i snažno. Mora biti da je spadao u one koji su preturili tu bolest preko glave bez ikakvih dodatnih posledica. Jer kao što je Torela znao bolje od ikoga drugog, njen tok se od čoveka do čoveka veoma razlikovao.

Od čoveka do čoveka. Često je upotrebljavao tu frazu u svojim spisima.

Međutim, sada su te iste reči poprimile drugačije značenje.

...Pošto je u samostanu pomagala našoj gošći da se oporavi posle bolesti, mojoj sestri apotekarki, u njenoj poniznosti i pobožnosti usredsređenoj na to da u prirodi pronalazi božje lekove, zatrebao je savet koji joj samo vi možete dati... Preklinjem vas za dopuštenje da vam u njeno ime postavim određena pitanja...

Pročitavši ih još jednom, on požele da se zemlja otvori i proguta ga.

Tokom svih ovih godina, razmenjivao je beleške i iskustva s ostalim lekarima, ali svi su oni proučavali samo muškarce. Naravno da su raspravljali i o ženama, ali samo u teoriji, kao o prenosiocima koji se moraju kontrolisati, o potrebi zatvaranja javnih bordela i proterivanja prostitutki s ulica, kako muškarci ne bi mogli da dođu do njih. I sam je napisao takav savet u vezi s javnom politikom. Međutim, nikad mu nije palo na pamet da potraži te žene ili da ih pregleda. Još od prvobitnog Evinog greha u raju, Bog je koristio žene kao oruđe iskušenja kome muškarac mora ali često ne uspeva da se odupre. Problem su sada bili izopačeni humori najrazvratnijih Evinih kćeri. Ako te kćeri padaju kao žrtve sopstvene opačine, to nije bila njegova briga. Zato što to nisu bile – pa, nisu bile žene poput vojvotkinje.

Časna majko, na osnovu znatnog rada uloženog u proučavanje ove bolesti, uveravam vas da su strahovi vaše sestre apotekarke neosnovani, te da teškoće ove pacijentkinje mogu, na ovaj ili onaj način, biti isključivo dodatne posledice poroda mrtvog čeda, koji je pretrpela.

On se priseti svih onih nespokojnih dana i noći tokom kojih se tako veliki broj lekara nadmetao za položaj, a mnogi među njima imali su više iskustva od njega u bavljenju ženskim bolestima. Bio je rastrzan između mišljenja lekara vojvode Erkolea, stručnjaka za groznicu i trudnoću, i suptilnije dijagnoze papinog lekara, biskupa od Venoze, koji je vojvotkinjinu bolest više sagledavao kao neravnotežu njenih humora.

„Gospa Lukrecija je oduvek bila izuzetno emotivno čeljade“, poverio se biskup Toreli jednog dana dok su sedeli i čekali narednu krizu, mašući lepezama ne bi li odagnali ferarsku vrućinu. „Podložna promenama raspoloženja i jakim osećanjima. Redovno puštanje krvi pomoglo bi koliko i svi njegovi topli oblozi na stomaku.“

Promene raspoloženja i jaka osećanja. To je bila porodična crta. On se priseti svog bdenja pored njene postelje dok je groznica posle poroda mrtvorođenčeta još besnela. Kako se probudila i okrenula prema njemu. *„Ne brinite. Nema bila. Mrtva sam.“*

Kakve je lucidnosti bilo u njenoj konfuziji izazvanoj groznicom.

Pacijentkinja je prošla kroz teška iskušenja, a takva trauma može da utiče na duh isto kao i na telo: sasvim je moguće da prolazi kroz živčanu napetost, što bi moglo da objasni pojavu tih „simptoma“ baš sada, kada mora da se vrati „dužnostima“ o kojima govorite. U takvim slučajevima je najbolje pribeći dodatnom puštanju krvi, kako bi se njeni humori ponovo uravnotežili.

Da, da, to će biti dovoljno.

Razume se da je u pravu. Jer ako nije, tada bi valjalo preispitati ceo njegov naučni rad. I kako bi onda glasio zaključak? Da žene kraljevskog ili plemićkog roda širom Evrope, koje su se vaspitavale da ulaze u brak kao device i budu verne supruge, mogu patiti od unutrašnjih prišteva zato što su im njihovi muževi preneli posledice svoga greha? Zamisli kakav bi haos prouzrokovala takva informacija da procuri, a procurila bi. To se naprosto nije smelo dogoditi.

Potpisao se, posuo mastilo peskom i taman je hteo da zapečati depešu, kad se žurno ponovo latio pera.

Ponavljam: nisam naišao na dokaze koji bi potkrepljivali takve bojazni. Međutim, s obzirom na žeđ za znanjem koju ispoljava vaša smerna sestra, navešću ovde nekoliko lekova koje sam, božjom milošću, pronašao u prirodi i načina na koji sam ih krajnje uspešno primenjivao kod pacijenata koje imam čast da lečim...

Kao medicinski učenjak, imao je običaj da sva pisma koja dobije, skupa sa svojeručnim prepisom, čuva u arhivi namenjenoj budućim generacijama. Ovog puta, međutim, nije napravio prepis, i spalio je list pristigao iz samostana Korpus Domini.

Četiri dana kasnije, sestra Bonventura je bila pozvana u opatičinu ćeliju, gde je dobila dopuštenje da poruči ono što nije uspevalo u njenom medicinskom vrtu. Već je znala ponešto o svojstvima žive. Bio je to veoma jak lek i da bi se primenio na tako osetljivom mestu moraće da se oslabi ili razblaži pomoću desetak drugih balzama kojima je već verovala, ali koje je sada morala pažljivo ispitati.

„Poštovana gospo, budite sigurni da ću koliko za nekoliko nedelja imati šta da vam pošaljem, a dotle će moje molitve biti isto tako vredne kao moje ruke.“

Srećom, vojvotkinja je imala poeziju da se njome teši.

Trideset četvrto poglavlje

Sad kad je osvetnički pir bio gotov, Aleksandar je bio umoran, gotovo lenj. Počeo je da provodi vreme u vrtu izvan svojih odaja. Stabla pomorandži, dopremljena pre desetinu godina iz Valensije, behu odavno počela da rađaju plodove i upravo su se spremala da se obaspu cvetovima. Svake godine je jedva čekao taj trenutak i, pripremajući se za njega, dao je da iznesu njegovu papsku stolicu u vrt, kako bi tamo primio nekoliko ambasadora i izaslanika – mada su ga, kada dođe vreme za to, zaticali skljokanog, s glavom oborenom na grudi, očigledno čvrsto usnulog. Satima je umeo da ostane tako, sličan ogromnom pitonu koji leži na suncu i vari plen koji je bio preveliki za njega. Kao da su sada, pošto je progutao pola članova porodice Orsini, svi oni bili zaglavljeni u nabreklom papskom trbuhu.

Međutim, nije sve vreme spavao. Povremeno je sanjario. Pojava pomorandžinog cveta opijala je, njegov snažan, opori miris bio je toliko drugačiji od ukusa voća koji će uslediti. Kakva različita hranljivost: jedna je prolazila kroz nos, a druga eksplodirala na jeziku. Još jedno božje čudo, smerno u svojoj veličanstvenosti. Obožavao je ovaj trenutak, zato što ga je bolno podsećao na Španiju i zavičaj. U Hativi, gde je proveo detinjstvo, bilo je stabala pomorandži, ali njihov miris mu je preplavio čula tek one godine kad se preselio u Valensiju, u palatu svog ujaka, biskupa, gde je vrt bio obrastao njima.

Valensija. Nijedan grad nema toliko draži kao onaj u kom dečak odraste u muškarca. A pored svih bombastičnih priča i preterivanja o divotama Rima, upravo je u Valensiji Rodrigo Bordžija postao ono što jeste: čovek zaljubljen u žene, bogatstvo, pomorandžin cvet i ukus sardela.

Kada zatvori oči, ponovo može da je vidi: zaslepljujuće letnje sunce što se uliva kroz alabasterska okna, dućane prepune svile i filigrana, vazduh ispunjen aromom pečenog mesa i ribe, nove građevine i mračne uličice; sve odreda pravo blago za malog provincijalca iz dobre porodice. Mada je s godinama mogao da bira među najlepšim ženama u Rimu, opčinjen njihovom glatkom kožom bez malja, bledim tenom i vodopadom zlaćanih kosa, prvi stvarni miris ženinog žbuna, njegov miris poput mirisa zemlje, sokove želje – sve je to povezivao sa zamršenom crnom kosom, maljama ispod miške, žućkastom kožom i podrugljivim smehom. *„Dečak iz biskupske palate – kako si porastao. Daj mi nekoliko novčića i pokazaću ti kako da porasteš još veći.“*

Kako je nešto tako čudesno moglo da vređa Boga? Tako je kasnije mislio i, štaviše, otada nikad nije prestao to da radi. Naravno, beše otišao da se ispovedi (još ga nisu bili odabrali za Crkvu), ali zar se mogao istinski pokajati? Seme zavisnosti bilo je posejano još tada, a nisu mogli da ga zaustave čak ni izgledi da će završiti u paklu. Sa svakim narednim grehom, oprost je postajao sve lakši.

Ah, te prve žene u Valensiji. Premda je Đulija bila najveličanstveniji trofej koji je muškarac mogao imati, jedina koja im se ikad istinski približila, koja je imala miris zemlje pomešan sa parfemom, bila je Vanoca. Nije ni čudo što su im deca bila tako prekrasna. Kose su joj padale kao slap preko onih divnih bujnih grudi dok je sedela i prala mu noge kad bi se vratio s višednevnih odsustvovanja zbog crkvenih poslova. Njegova sopstvena Marija Magdalena. Tako su se šalili njih dvoje. I kakav je samo smeh imala: zvučan poput crkvenih zvona, kao da se celim telom unosila u njega. O da, Vanoca bi bila predivna španska kurva. Razmišljajući o njoj, gotovo se osetio ponovo mlad.

„Vaša svetosti! Vaša svetosti!"

Smesta se razbudio. „Šta je bilo? Ne moraš da vičeš, čoveče. Ne spavam, naprosto sedim žmureći."

„Španski ambasador moli da ga što pre primite. Donosi vam hitnu vest iz Napulja. A vojvoda Valentino traži da bude primljen odmah posle njega."

Čezare je posmatrao očevo sanjarenje iz svog stana na gornjem spratu Bordžijinih odaja. Ove poslednje nedelje bile su svedok naglog pogoršanja njihovog odnosa. Koliko god da je zadovoljstvo izvukao iz obračuna sa pobunjenicima u Sinigalji, za Čezarea je to brzo bilo gotovo. Poslao je poruku iz prošlosti u budućnost, da se postara da se takva izdaja nikad više ne dogodi. Orsiniji, iskusni političari, dobiće je dovoljno brzo. Onaj bolešljivi kardinal zaslužio je da umre – bio je svestan rizika kad je stavio svoj potpis na zaveru – ali njegovo javno poniženje i papino neskriveno likovanje bili su, po Čezareovom mišljenju, preterani. Dok je išao sa vojskom prema Rimu, ponovo su bili ukrstili mačeve zbog toga, pošto je Aleksandar svakodnevno slao pisma u kojima je zahtevao od njega da opsedne i zauzme sve tvrđave

Orsinija severno od grada, kao da neće stati dok ta porodica ne bude zbrisana s lica zemlje. Čezare nije obraćao pažnju na te zahteve. Poslednjih meseci izveštio se u tome da oca sluša samo onda kad je ovaj govorio nešto što je on želeo da čuje.

„Imamo mnogo razloga za slavlje, ali moram reći, u poslednje vreme slediš samo sopstvena pravila." Papa ga je dočekao s loše prikrivenim gnevom. „Sam bog zna koliko sam ti depeša poslao za vreme ovog pohoda. Ipak, sve što sam dobio bilo je gromoglasno ćutanje."

„Govorio sam ti sve što je trebalo da znaš, oče. Kada je reč o tračevima, Rim je kao sito. A tajnost je bila od životne važnosti."

„Molim? Ti to kažeš kako ja prelako razvežem jezik?"

„Ne." Mada je, dabome, baš na to mislio. „Samo kažem da je, što se više informacija slalo, veći bio i rizik da ih neko presretne i otkrije naše planove."

„Ma! U tom slučaju, takva opasnost nije postojala što se tiče tvrđava Orsinija. Tada smo već bili u otvorenom ratu s njima. Kad ti kažem, napravio si budalu od mene svojim odbijanjem da ih napadneš."

„Ispao bi još veća budala da smo pokušali i da nismo uspeli. Imamo preča posla nego da gubimo vreme u opsadi tvrđava koje su u stanju da mesecima odolevaju."

„Šta? Šta je to važnije od kažnjavanja onih što su ubili Huana?"

Huan! Ubistvo njegovog dragog Huana! Na kraju se uvek svodi na to.

„Isukrsta mi, oče! Huan je već šest godina mrtav. Koliko ćeš još da stojiš i naričeš nad njegovim grobom?"

„Kako se usuđuješ!", uzviknu papa. „Nećeš bogohuliti u mom prisustvu, niti ćeš mi se obraćati tim tonom! Ni sad ni ikad više, jesi li razumeo?"

Dotad je već najmanje pet ili šest vatikanskih službenika stajalo pred vratima, opčinjeno i prestravljeno u isto vreme, trudeći se da odgonetne erupciju katalonskog. Dok je Čezare bio odsutan, papa je sasvim dovoljno gunđao i besneo, ali niko mu nije odgovarao na ovakav način, ni ovako glasno, niti s ovakvim besom. U nedeljama posle Čezareovog povratka, neke pametnije diplomate počele su da spekulišu o promeni ravnoteže moći u ovom krajnje neobičnom partnerstvu: da li možda papa počinje da se plaši rođenog sina.

Pritom ne bi bio jedini u Italiji koji se tako oseća. Sada su, čak i kad je Aleksandar bio budan, mnogi izaslanici i ambasadori kucali prvo na vojvodina vrata. On se pak jedva mogao videti izvan svojih odaja u Vatikanu. Poređenje sa đavolom već je odavno bilo izlizano, ali kako se drugačije mogao opisati: to neuhvatljivo maskirano stvorenje koje je mahom živelo u tami, stručnjak za ubistvo i prevaru? Čak je i sjaj u njegovim tamnim očima odavao čoveka koji se odrekao osećanja u korist okrutnosti. Jedino što je nedostajalo bio je barem nekakav znak da možda uživa u svemu tome – jer ne bi li trebalo da đavo uživa u užasima koje stvara?

Tog dana kad su se posvađali, Čezare je bio taj koji je napravio prvi korak u pravcu pomirenja, ali samo zato što je dalju svađu smatrao gubitkom vremena. Papina opsednutost porodicom Orsini bila je samo još jedan dokaz sužavanja njegovih vidika. Sve i kad bi mogli da ih zatru do kraja, to bi samo izazvalo zebnju kod ostalih, ne ostavljajući nimalo prostora za vazda promenljiva savezništva, koja s vremenom umeju da primoraju čak i najgore neprijatelje da se ponovo ujedine. Ili obrnuto. Fortuna se ispostavljala kao krajnje zanosna partnerka.

* * *

Njegova ljubavna veza sa Francuskom počivala je, poput svega ostalog, na onome što je od nje mogao da dobije, pa mala nevera stoga nije teško padala.

Napuljsko kraljevstvo. Čak je i on, koga istorija nije zanimala sem ako nije obuhvatala direktno poređenje između njega i drugog Cezara, znao da je to smutno i divlje mesto, u toj meri da gotovo i nije vredelo truda. Trebalo je da su Francuzi u međuvremenu to takođe shvatili: jedino čime su imali da se pohvale posle desetogodišnje okupacije bili su nastanak one nesrećne pošasti i nekoliko strategijski raspoređenih uporišta koja su imala da odolevaju budućoj španskoj agresiji. Francuska i Španija. Poput nekakvog međunarodnog takmičenja u obaranju ruku, dve sile su se već godinama sukobljavale zbog Napulja. No činilo se da više nije tako. Nije trebalo ni šest nedelja – blagi bože, koji izbor trenutka! – da Francuzi shvate kako im se ruka silom primiče sve bliže i bliže površini stola. Više od polovine njihovih tvrđava bilo je sad u španskim rukama. Opasnost je pretila čak i utvrđenim uporištima u samom Napulju i niko, svakako ne Bordžije, najdragoceniji saveznici Francuske, nije mogao da ostane izvan toga.

Čezare je s prozora posmatrao dok se papa, idući za svojim kapelanom, gegao unutra da primi španskog ambasadora. Već je znao koju će mu vest ovaj saopštiti, pošto su svi koji su nešto značili ovih dana prvo dolazili kod njega.

Njegov otac će večeras imati razloga da se smeška dok bude jeo svoje sardele. Ovo dugotrajno savezništvo između Svete stolice i Francuske bilo je bolno za čoveka njegove španske krvi. Skoro sigurno će hteti da prebrzo stupi u akciju – ovaj najnoviji dobitak nalazio se u samom gradu

– ali Čezare je znao da moraju biti obazrivi. Kada je posredi obaranje ruku, poraženi mora vrišteći moliti za milost, a ruka mu mora svom snagom tresnuti o drvo, i tek je onda sve gotovo.

Iza njega u sobi, Mikeloto je stajao čekajući nad grubom mapom Italije već prostrtom na stolu. Tu barem nije bilo opasnosti od razvezivanja jezika.

Sve ove duge mesece diplomatije i osvajanja, Migel de Korelja ostao je u senci svoga gospodara, progovarajući samo kad je upitan. Većina ljudi doživljavala ga je kao krvnika grubog lica, više oruđe nego čoveka, ali oni pronicljiviji prepoznavali su dobrog vojnika s okom za političku strategiju. U vladi kojom upravlja Čezare Bordžija, bio bi njegov ministar rata. Možda to vreme i nije bilo naročito daleko.

„Dakle, ovo su uporišta koja Francuzi još imaju i koja moraju da zadrže“, reče Mikeloto, opisavši prstom krug oko tri ili četiri utvrđena zamka smeštena severno i istočno od Napulja.

„Ako je verovati španskom ambasadoru, još pre leta biće u njihovim rukama“, prekide ga Čezare. „Ali on je diplomata koji nikad nije držao mač u ruci. Ne bi imao pojma kako da zauzme ovo.“

Čezare upre prstom u tačku blizu mora, šezdesetak milja severno od Napulja: tvrđava u Gaeti. Obojica su je dobro pamtila s putovanja u Napulj zvaničnim povodom pre šest godina, kad je Čezare još pripadao Crkvi. Grad ga je dočekao raširenih ruku, pogotovo žene, a među poklonima koje je poneo sa sobom bio je gnojni čir na penisu i napadi prišteva i bolova. Hvala bogu za Torelu. Ne sme zaboraviti da mu kaže kako pristaje da mu ovaj posveti svoju naučnu raspravu. Međutim, čak je i s upaljenim preponama primetio tvrđavu u Gaeti. Ništa iole važno nije moglo da prođe severno – niti južno – od nje bez pristanka onih koji je kontrolišu. A Francuzi su je već godinama držali, delotvorno presecajući put Špancima. Ali ako bi Gaeta pala...

„Koliko bi nam trebalo da je zauzmemo, ako dovedemo artiljeriju ispred njenih zidina?“, reče on. „Dve-tri nedelje?“

Mikeloto odmahnu glavom. „Više, skoro sigurno. Dobro je utvrđena. Ako je leto dovoljno gadno i ako napadači uspeju da nekako otruju izvore, unutra bi popadali od vrućine. Ali isto bi bilo i s onima koji ih drže u opsadi. Ne bih želeo da budem među njima.“

Obojica začutaše. Bili su svesni da je Bordžijina vojska, kada kralj Luj konačno krene u kontranapad na Napulj, prema sporazumu o savezništvu obavezna da mu se pridruži. Južna Italija usred leta. Čovek može da se isprži u oklopu.

„Ako Luj krene, nećemo moći da biramo“, reče Čezare, ne morajući da objašnjava na šta misli. „Da se sad okrenemo protiv Francuza, njegova vojska bi se sručila na pola naših gradova u Romanji. Međutim...“ On ponovo pogleda na mapu. „Ukoliko izgube Gaetu, tada možemo da šutnemo Francuze i obrazujemo novo savezništvo sa Španijom. Krvi ti Isusove, osmeh mog oca bio bi velik poput Sikstinske kapele! Papska vlast dopustila bi španskoj vojsci bezbedan prolaz kroz Rim, a Francuzi bi premrli od straha. A onda“ – on pokaza prema južnoj polovini Toskane – „onda treba samo da pružimo ruku i sve ovo će biti naše.“

Trideset peto poglavlje

U Firenci, osobenost republike je u tome da ljudi izabrani da upravljaju njome moraju da napuste svoj dom i da za vreme trajanja imenovanja stanuju u utvrđenoj gradskoj većnici, Palati sinjorije. Nikolo Makijaveli – kao službenik na plati, a ne izabran – mogao je da stanuje kod svoje kuće, mada je, kao i uvek, pre svih njih dolazio na posao.

Kad je tog jutra, prvog dana juna 1503, stigao na posao, saznao je da depeše kasne. Nebesko plavetnilo bez premca i nagoveštaj vrućine bili su privlačniji od stranica Livija, stoga se, radije no da ostane za stolom, uputio kroz zgradu do zvonika, s kog se pružao lep pogled na grad. Jedini bolji bio je s vrha Duoma. Kao državnom službeniku, nesumnjivo bi mu bilo dozvoljeno da se popne u oplatu čudesnog Bruneleskijevog zdanja, ali nikad ga nije privlačila pomisao na provlačenje kroz vertikalne tunele, ne šire od mrtvačkog sanduka, u kojima je bilo mračno kao u džaku. On se seti Mikelota i kako je kao crv puzao kroz zemlju ispod tvrđave u Fosombroneu. Kada Firenca bude stvarala svoju stajaću vojsku, što će svakako morati da uradi, moraju pažljivo da odaberu njenog zapovednika; neiskusnim vojnicima trebaće, naime, vođa kome će se diviti i koga će poštovati, ali koji će umeti da im utera i malo straha u kosti.

Stepenice što su vodile na zvonik prolazile su pored teskobne ćelije ugrađene u zid, rezervisane za čuvenije zatočenike. Veliki Kozimo de Medići takođe je nekoliko meseci gostovao u njoj, onda kad se njegova ljubav prema državi suviše ispreplela s njegovom vlastitom ambicijom. Da je Nikolo tada radio za vladu, ponudio bi se da mu bude tamničar, jer se zanimljiviji razgovori zacelo ne bi mogli voditi nigde drugde u zgradi. Koraknuo je unutra i nos mu registrova zadah osušene mokraće. Zar vonj muške pišaćke može da traje toliko dugo, ili je ovo produkt nekog zvonara koji se tu olakšao za vreme nekog penjanja ili silaska? Poslednji stanar je otišao pre – koliko, četiri? – ne, sad je već bilo i pet godina. Taj čovek je takođe voleo Firencu, mada ga je više zanimalo da joj spase večnu dušu nego da joj olakša prolazak kroz ovozemaljski život.

Nikolo nikad nije ni najmanje mario za njegove apokaliptične propovedi, ali ipak, bilo je i onih koji su strastveno verovali u Savonarolu. Ovde je bio doveden i zatvoren pošto je rulja upala u Samostan Svetog Marka. Iz jedne ćelije prešao je u drugu. Samo što u kamenu ove nije našao nikakvu utehu. Odavde su ga odvodili na mučenje na čekrku: vezivali su mu ruke iza leđa i onda ga podizali, okačenog za te vezove, na veliku visinu, da bi ga posle naglo spuštali, tako da se trzao i klatio na užetu, dok su mu zglobovi ispadali iz ležišta. Sa svakim narednim spuštanjem optuživali su ga za izdaju države i jeres lažnog proroštva. Njegovi krici orili su se i napolju, preko celog trga, gde je masa klicala kad je objavljeno da je sve priznao. Ali kad su ga doneli natrag u ćeliju, pao je na kolena, slomljen i postiđen, prizivajući Boga, vičući svojim tamničarima da ga je telo izneverilo, ali da će uvek biti istinski božji prorok.

Stoga su ga iznova okačili. I iznova. I iznova. I na kraju se slomio.

Kada je vest stigla do taverne u kojoj su Nikolo i njegovi prijatelji sedeli i pili, sve je to bilo suviše mučno da bi slavili. Niko ne zna koliko će biti jak sve dok se ne nađe na kušnji. Još je razmišljao o tome: da li je Bog napustio Savonarolu da ga kazni za oholost, ili su njegova proročanstva sve vreme bila sumanuta? Šta ako je bio u pravu, i novo učenje je zaista neizmerno iskvarilo Firencu? Možda sve one nove freske po crkvama, pune muškaraca i žena od krvi i mesa, uistinu podrivaju čistotu Svetog pisma? Samo, ko bi mogao da živi slobodno u gradu koji veruje u nešto takvo?

Kad god bi počela da ga more takva pitanja, Nikolo se vraćao veličanstvenom Lukrecijevom delu, tom pomamnoj, mudroj reci filozofije i prirode; viziji sveta kao ključalog mnoštva atoma od kojih je sačinjeno sve živo, uključujući i čoveka: rađanje, razvoj, propadanje, dok se vreme proteže napred i natrag nalik na horizont koji se stalno pomera. Ako se ne sećaš sebe pre svog rođenja, zašto se zabrinjavaš šta ćeš osećati posle smrti? Još je osećao ukus uzbuđenja koje ga je prožimalo dok mu je ta spoznaja ispunjavala um. Ali što je za nekog uzbudljivo, za drugog je jeres. U društvu gotovo i nije pominjao takve ideje, jer čak je i odani Bjađo smatrao ideju o univerzumu bez Boga suviše strašnom da je uopšte i razmotri. Bolje je bilo da se drži politike.

Hladna ćelija beše mu ubila želju za svežim vazduhom i ponovo se uputio stepenicama dole u kancelariju. Kad je sišao, čula se velika pometnja. Dok je on tamo gore prebirao po mislima, depeše behu stigle i najzad su bile takve da ih je vredelo otvoriti. Zvanični dopis iz Vatikana, sa svojeručnim potpisom pape! Predstojalo je uzdizanje devet novih kardinala u konzistoriju, a među njima je bio i firentinski biskup Frančesko Soderini. Kardinalski šešir za njihov grad! Prvi posle Đovanija de Medičija, pre više od dvadeset godina.

Kad su se vrata njegove kancelarije konačno zatvorila, osmeh na licu gonfalonijera Soderinija podmladio ga je za deset godina.

„Kardinalski šešir za mog brata, ništa manje. Ovaj dan će ostati upamćen u istoriji Firence. Velika, velika čast. Kardinalski šešir", ponovi on. „Sve i ako je delom nagrada za to što smo potpisali sporazum, eh?"

Delom, pomisli Nikolo. Mada je moguće i da je posredi mito za nešto što je tek predstojalo.

„Poslao sam Frančesku pismo i opozvao ga sa diplomatske dužnosti, a kad se vrati, izvešćemo celu Firencu na ulice da ga dočeka. Ovaj grad tako dugo nije imao razloga za slavlje."

Sedeo je uživajući u trenutku onoliko koliko je mogao. Još jedna depeša, međutim, takođe iz Rima, zahtevala je njihovu pažnju.

„Potom, tu je i ovo."

Gurnuo je papir preko stola.

Nikolo ga prelete pogledom. Vest je bila važnija od one o kardinalskom šeširu i crnja od nje: pre dva dana, iz Tibra je izvučen leš zadavljenog papskog izaslanika na dvoru kralja Luja.

„I, šta iz ovoga možemo da zaključimo? Godinama je za Bordžije bio čovek od poverenja. Najmanje je deset puta izgladio situaciju između kralja i pape nakon što je vojvoda Valentino svojim postupcima prevršio meru. A ipak, pao je u nemilost, i to kako."

Nikolo je doslovno cupkao u mestu, ali njegova žena nije bila jedina koja se navikla na taj njegov manir. „Možda je njegova dugogodišnja bliskost s kraljem ugrozila lojalnost papi", reče on polako. „Ako Bordžije razmatraju raskidanje sa Francuskom u korist Španije, Luj bi platio koliko god treba da dozna pojedinosti."

„Misliš li da je izaslanik prodao kralju njihove planove?"

„Vojvoda nanjuši izdaju kao lovački pas, a izdajniku presuđuje garota", Nikolo će tiho.

Ponovo se setio dolaska u varošicu Sarteano, istočno od Sijene, osamnaestog januara uveče – zapisao je taj datum u svojim beleškama. Posmatrao je kad su dvojicu preostalih zaverenika, Paola i Frančeska Orsinija, svukli s njihovih konja i odveli u malu gradsku tvrđavu. Sutradan ujutru, njihova tela su osvanula u dvorištu. Ritual krvave ogrlice; nedostajalo je samo vojvodino omiljeno groblje, Tibar.

„Znači, to je Valentinovo delo, ne papino?"

„Mislim da ovog časa tu nema velike razlike."

„U tom slučaju, nek je Gospod na pomoći Crkvi. I nek je Gospod na pomoći Firenci. Jer ako vetar otuda duva, iz Španije, to nam može vrlo brzo natovariti vojvodu na vrat. Čak i s našim kardinalom u konzistoriji. Šta je bilo? Daj – znam taj pogled. O čemu razmišljaš?"

„Nisam siguran da će se tako dogoditi, gonfalonijeru. Poklon u vidu kardinalskog šešira možda je manje nagrada, a više način da osigura našu neutralnost dok on zauzima sve na svom putu. Vojvoda voli da nas vređa, ali zasigurno zna da bi republikanska vlast predstavljala krupniji zalogaj od deset gradova-država pod vlašću jedne korumpirane porodice. Jedno vreme će mu svakako više odgovarati da mu budemo saveznici nego kost u grlu. Takođe..." On zastade, pa nastavi: „Takođe, mora da se nada kako će firentinski kardinal biti još jedan glas u konklavi za njegovog kandidata, ko god to bio, posle smrti njegovog oca."

Gonfalonijer se zavali na naslon svoje stolice. Od povratka sekretara veća iz njegove velike diplomatske avanture, bilo je trenutaka kad se pitao s kim razgovara, s Makijavelijem ili Čezareom Bordžijom.

„Hmm. Koliko ima da si se vratio, Nikolo?"

„Četiri meseca."

„Dovoljno vremena da izvidaš rane od sedla?"

On oseti damare uzbuđenja. Ne bi voleo da propusti rođenje bebe. Ali...

„Pa, hajde da prvo svi malo uživamo u životu. Posle inauguracije mog brata biskupa u Rimu, održaćemo i vlastitu ceremoniju ovde u katedrali. Možda ćeš tada, bude li razvoj događaja tako nalagao, i sam hteti da odeš u Rim. Da se vidiš s nekim starim prijateljima iz dana provedenih na putu."

Rim! Središte mreže, gde se svakog dana ispredalo desetak novih niti istorije.

On pomisli na Marijetino lice.

Možda ne bi bilo loše da joj obezbedi mesto u prvom redu za svečanu ceremoniju u katedrali.

Trideset šesto poglavlje

Plamen raspali u meni sjaj tvoj,
Zbog lepe reči i osmeha tvog
Radost što te vidim ne zna za kraj.
Nagrade nema veće od milog
Lika tvoga i ja rob sam tvoj, znaj,
kô suncokret kad traži sunca sjaj.

Sve jače letnje vrućine u Ferari imale su dostojnog takmaca u vatrenim stihovima.

Sjaj koji raspaljuje plamen... Suncokret koji traži sjaj sunca... Kako je domišljato suprotstavljao paralelne svetove emocija i prirode. Lukrecija je mnogo čitala i bolje je razumevala jezik poezije. Tako je, pored treperenja srca i rumenila izazvanih njihovim susretima, tu sada bio i izazov rasprave. Beše napisala i sopstvenu kratku poemu. On ju je silno nahvalio, ali nije bila toliko zaljubljena da ga ne prozre i da se ne prepire u vezi s tim. Ni u jednom od tri braka njen um nikad nije bio cenjeni atribut. Malo domišljatosti je možda i bilo poželjno u žene, ali samo zato da bi mogla duhovito da odgovori na eventualno nezgodna pitanja; prava borba rečima bila je muški posao. Njena inteligencija im je oboma predstavljala zadovoljstvo. U epskoj poemi o ljubavi koju je Bembo pisao, pametne žene bile su tu da naglase filozofiranja muškaraca, i želeo je da njihovi glasovi pevaju. A zar je mogao bolje zamisliti tu muziku nego slušajući njen?

Ali ne samo to: kad je žena nedostižna – kao što je morala biti Lukrecija – tada reči moraju da odrade najveći deo afere.

U međuvremenu, brak Lukrecije i Alfonsa vratio se u život blagodareći prirodnom ublažavanju bolne osetljivosti, kao i balzamu dobijenom od njene drage samostanske apotekarke. Oboje su bili nervozni, a različit način na koji su to kompenzovali – ona previše brižna, on previše učtiv – delotvorno su zapretali svaku varnicu strasti mnogo pre no što je uopšte mogla da bukne. Čin se obavljao bez bolova, ali i bez nekog naročitog zadovoljstva, pa se tako čitava rabota – povremene večernje posete, pri čemu je on tražio utehu u svojim ženama, a ona u sve većem interesovanju za dvorska pitanja – umnogome nastavila po starom.

Nije dozvolila da joj to pokvari raspoloženje. Predaleko je dospela za proteklih godinu dana – zar je prošla samo jedna godina otkako se njena barža kroz maglu probila do grada okupanog suncem nalik na crvenu pomorandžu? – da bi je sada porazili zahtevi bračne postelje. Možda je to bila ona snaga o kojoj joj je govorila sestra Bonventura; u tom slučaju, bila je više nego zahvalna što je poseduje. Posle prve noći beše izvukla stranice rukopisa gurnute pod dušek i zadubila se u mudri diskurs o ljubavi.

U javnosti, ona i Bembo ostali su vojvotkinja i pesnik kojima se na tom živahnom dvoru povremeno ukrštao put, dok privatno nikad nisu bili ostavljeni potpuno sami. Nikad se nijedno dete nije začelo sjedinjavanjem metafora i, mada su njene dvorske dame s vremenom razvile malo strategijskog slepila – zaostajući za njima dok su šetali vrtom ili odvraćajući pogled kad bi im se ruke spojile skupa s rečima – to nikad nije išlo do nesmotrenosti.

No sjaj kojim je bleštala Lukrecija nije se dao sakriti. Osvetljavao je čitav dvor. Bilo je tako divno imati tako lepu i veselu vojvotkinju, i tako spremnu da uživa u životu, dok je istovremeno podsticala i druge da budu isti takvi. Žuljevi na prstima njenih muzičara otvrdli su od svih onih plesnih melodija koje su svirali, a Trombončino nije stizao da zadovolji njenu potražnju za novim frotolama i motetima. Njegov glas je slašću i jačinom podsećao na karamel. Opojan za čula. Bilo je trenutaka kada, slušajući ga, nije mogla a da ne svrne pogled u pravcu Bemba. Sada je bio redovan gost i njenih i vojvodinih prijema, sedeći sa Strocijem i nekolicinom drugih piskarala, besprekornog ponašanja, prav kao strela i s profilom dostojnim medaljona. Je li osećao na sebi njen pogled? Naravno da jeste. Nevidljiva nit pažnje zatezala se među njima do pucanja i kad god bi je jedno blago povuklo, ono drugo je bilo svesno toga.

Jezik njihovog ponašanja u javnosti beše stvorio sopstveno tajno značenje: određeni gest, buketić prolećnog cveća što joj je visio o pasu, nova odeća, svaki slučajni susret – sve se moglo drugačije protumačiti...

Kao da svakog dana, ne bi li podjarila moj plamen, vešto smišljaš neki novi podstrek, poput one vrpce što ti je danas krasila ozareno čelo...

Reči su dolazile u stihu, ali sad je sve bilo lukavstvo: pesme su bile bez posvete, a propratna pisma bez potpisa. Čak su bila adresovana na nekoga drugog. Ali pod velom anonimnosti, kakvu su samo slobodu sebi dopuštali!

Draga FF,
...Ako radiš sve to zato što osećajući i sama malo žara želiš da vidiš drugog kako gori, tad neću poreći da, na svaku tvoju varnicu, u mojim grudima besne bezbrojne Etne... A ako ti lice ne kazuje po istini što ti je u srcu, nek se ljubav pravedno osveti u moje ime.

Ozarena čela i razbesnele Etne: slike su izazivale uzbuđenje ravno njegovom fizičkom prisustvu.

A ako ti na srcu nije kao na licu, nek se ljubav pravedno osveti u moje ime. Možda bi trebalo da pokaže naklonost prema nekom drugom, samo da vidi kako mu oči blesnu, jer već je umela da primeti koliko uživa da joj izaziva zadovoljstvo. U mislima je prebirala po garderobi, pitajući se šta da odene za sledeći susret. Malo sumnje, malo ljubomore, nagoveštaj da jedno voli više nego drugo? To može samo da podjari plamen.

Razume se, bilo je predivno. Godinama se nije osećala ovako živa. A opet... opet, nije bilo lako: ta pomamna radost, napeti živci između dva pisma, reči koje, kada najzad stignu, miluju i draže u isto vreme. Katkad se pitala ne piše li on to o ukusu patnje; o tome kako se ljubav pretvori u opsesiju. Tih dana je svakako razmišljala o malo čemu drugom.

Pritom, postojalo je još nešto. U izvesnim trenucima, naime, čak i kad je radost pretila da je savlada, naglo joj se vraćala bolna uspomena. Sad je već bila tako davna – vrt samostana na periferiji Rima; zbunjena i lakomislena mlada devojka (jer tako je mislila o sebi) razmenila je malo bezazlenih nežnosti i nekoliko poljubaca s glasnikom u službi svog brata, lepim momkom zaljubljenim u ljubav. Bilo je to sasvim nedužno ljubakanje, nešto tako zanemarljivo u tom svetu ogrezlom u krv. Ali ne za Čezarea. Momak je završio u Tibru, grla prerezanog oštricom ljubomore njenog brata.

A ona je progutala svoj gnev skupa s jecajima, i okrenula se prema drugom braku, koji joj je doneo još goru patnju. Ne, bila je živa istina da je ljubav opasan gost u Lukrecijinom životu, a ona nije bila u toj meri zanesena njome da nije shvatala njene pogibelji.

A sve to najbolje je razumeo neko ko je izvesno najmanje znao o takvim nemirima srca. Katrinela.

Njen položaj se beše promenio od dolaska sve te silne poezije.

Ranije je, u dugim večerima, Lukrecija umela da je pozove da malo pričaju ili da se zabave nekom društvenom igrom do dolaska njenog supruga ili dok joj se ne prispava. Katrinela je, međutim, sada bila isključena. Umesto da bude pored gospodarice, posmatrala je sa svog ležaja pred vratima traku svetlosti koja joj je kazivala da vojvotkinja ne spava već čita tek pristigla privatna pisma i kao cigla težak rukopis, sav o ljubavi. Znala je to, zato što je njen zadatak bio da proveri jesu li sve sveće u sobi propisno ugašene, a više no jednom morala je da skloni stranice s kreveta pošto Lukrecija zaspi. Jednako kao što bi i ona sama zaspala, jer kad je pokušala da pročita ono što je tu pisalo – s godinama beše dobro ovladala slovima – reči su bile čvornovate poput stare cepanice na ognjištu. A ipak, gospodarica kao da nije mogla da ih se nasiti. Kao ni muškarca koji ih je pisao.

Razume se, sluškinja u spavaćoj odaji bila je nedovoljno obrazovana da se razume u kavaljerske stihove. Niti joj je bilo mesto pored dvorskih dama plemenitog roda dok one uzdišu i kikoću se nad lepotama života, ljubavi i poezije. Međutim, nije morala da čuje sve što govore da bi znala da njena gospodarica, ispod sve te vedrine, nije sasvim srećna. I da je za to kriv taj lepuškasti, razmetljivi pesnik, koji je uobičajenu mušku mešavinu pohote i zaljubljenosti umotavao u oblandu od kitnjastih reči.

Bilo je kasno proleće kad je Alfonso jedne večeri po glasniku dojavio da ima posla i da te večeri ipak neće doći kod Lukrecije. Katrinela je iskoristila to kao izgovor da prikupi suknje i hrabrost, i da prekine ono što se dešavalo iza zatvorenih vrata njene gospodarice.

Obasjana svetlošću uljane lampe, Lukrecija za promenu nije čitala već je sedela i zurila nekud ispred sebe.

„Ima posla", ponovi ona tiho kad joj je Katrinela prenela vest. „Pa da, naravno."

U poslednje vreme je davala sve od sebe da neposrednije uključi Alfonsa u svoje dvorske svečanosti: trudila se da muzika bude takva da iziskuje njegovo majstorstvo na violu, a da plesovi zahtevaju pre snagu no otmenost. Nije to bila samo varka. Lukrecija nije bila jedina žena koja je legala s mužem i zamišljala drugog muškarca kako vodi ljubav s njom. Nije to namerno uradila, ali kad se dogodilo, bilo je toliko snažno da sledeći put nije mogla drugačije. Može li nešto takvo biti istinski greh ako doprinosi da telesno opštenje bude manje jalovo? Obostrano zadovoljstvo je, najzad, predstavljalo jednu od varnica što dovode do začeća. A začeće je bilo svrha ovog braka.

Drugi put kad se dogodilo, Alfonso joj je dao kompliment tako što je posle zaspao, prikovavši je za krevet teškom rukom kao gredom. Dok je ćutke čekala dobar čas da se pomeri, misli su joj odlutale do suncokreta i sjaja i desetina drugih nestvarno laganih slika ljubavi. Takva poezija delovala je – pa, takoreći previše plemenita da odslika putenost snošaja, nakiseli vonj muških i ženskih tajnih mesta. Vodi li veliki pesnik ljubav nekako drugačije? Prisetila se sestre Lučije i njenog koščatog, ječećeg radovanja. Svi su znali da je ljubav božja najuzvišeniji vid sjedinjavanja. Tako će se, uostalom, i završavati Bembova poema.

„Gospodarice, je li vam dobro?“ Katrinela joj beše prišla bliže. „Izgledate zajapureno.“

„Mora biti da je od rumenila“, odvrati Lukrecija ne dižući ton, pa poče da ga otire s obraza jer joj sad više neće biti potrebno.

„Neka, nemojte, ja ću.“ Prignuvši se da joj blago, krpicom obriše kožu, devojka primeti kako se gospodaričine oči pune suzama. Možda je Alfonso prozreo njenu varku. Ili mu te druge žene pružaju još veće zadovoljstvo. To što je bila tako voljena i tako nevoljena u isti mah uzimalo je svoj danak.

„O, gospodarice!“

„Nije to ništa. Ništa“, Lukrecija će oštro.

„Mislim da ste se razboleli. Trebalo bi da odemo na selo. Vreme se veoma brzo menja i biće vam mnogo bolje daleko od gradske vrućine.“

„Gluposti. Još nema nikakvih naznaka groznice.“

„Sem te od koje patite“, promrsi Katrinela sebi u bradu.

Lukrecija se okrete prema njoj. „Grešiš, Katrinela“, reče ona blago. „Nemam groznicu.“

„Pa, Anđela i ostale ne kažu tako.“ Potom iz nje samo navre: „Kažu da izgarate od groznice. Ovih dana niko i ne govori ni o čemu drugom.“

„O“, nasmeja se Lukrecija. „O ne, vatra i groznica su samo prizori iz poezije koju čitamo.“

„Poezija!“, ponovi Katrinela kao je reč o grumenu izmeta, a njeno strogo malo lice nije pokazivalo znake odustajanja. „Poezija. A je l’ i ta ’Laura’ takođe poezija?“

„Laura?“

„Da. Sve vreme pričaju o vama i o Lauri, i o još nekoj ženi – Beatriče.“

„Ah – Laura i Beatriče.“ Uprkos malopređašnjoj melancholiji, Lukrecija je bila očarana ovim njenim nerazumevanjem.

„Obe su žene u koje su se zaljubili veliki pesnici i o kojima su napisali prekrasne stihove."

„Kakve? Bolje od onoga što onaj Venecijanac piše o vama?"

„Katrinela..."

„...mogu samo da kažem da se nadam da su smisleniji od onih delova koje sam pročitala. Zato... zato što u kujni i veše-raju svi toroču o dolascima i odlascima pesnika i vojvotkinja."

„Molim?" Lukrecija se malo ukruti. „Šta toroču?"

Katrinela sleže ramenima. Nije joj bila namera da se ovako izlane. „Ma ništa. Kao kad curi pumpa, vazda nešto balave."

„Dovoljno si pametna da ne slušaš takve budalaštine. Govorimo o dvorskom životu. Ljudi poput Erkolea Strocija i Pjetra Bemba su dragocen – i neophodan – ukras na dvoru svake vojvotkinje."

Katrinela je načas ćutala, ali suviše dugo već se pribojavala za svoju gospodaricu i reči samo navreše iz nje: „Nek je tako, ako vi kažete. Ali uklapa se s onim što su mislili kada ste došli ovamo. Vi niste morali to da slušate, gospodarice, ali ja sam bila dole i stalno su mi se rugali. Govorili su mi kako porodica Este ne voli lake žene i kako se nećete dugo zadržati ovde. Ali kad sam pitala na šta to misle, rekoše kako ne mogu da kažu paganki poput mene, zato što crna lica ništa ne razumeju, i kako svi znaju da ste grešnica i bludnica."

„Jao, Katrinela", uzdahnu ona privukavši devojku u zagrljaj. „Trebalo je da mi kažeš."

Koliko je godina imala? Ni punih petnaest. Uz takvu njenu srčanost, bilo je lako zaboraviti koliko joj boja kože možda otežava život.

„Šta si im rekla?"

„Osmehnula sam im se – evo ovako..."

Odmakla se, razvukla usne i mahnito se iskezila, a zubi joj behu nalik na niz blistavih nazubljenih sečiva. „I onda sam jednog ujela. I to žestoko. Pa, tako rade pagani, je l' tako? Otada me ostavljaju na miru."

Lukrecija nije mogla a da se ne nasmeje. Uživala je u devojčinom nesputanom duhu.

„E pa, ako ikad više čuješ da govore nešto protiv mene, bilo šta, kaži ti njima da njihova vojvotkinja stvara takav dvor da će Ferara biti predmet zavisti u celoj Italiji. I da će se, načujem li samo da govore takve stvari, naći na ulici i trpeti ujede neuporedivo gore od tvojih."

Neko vreme su sedele zajedno, sve dok Katrinela, kojoj je sad bilo lakše pri srcu, nije ustala. Smestila je svoju gospodaricu u krevet, udesila pokrivače i lampe namenjene da odvlače komarce, i onda krenula.

Na vratima se, međutim, ponovo okrete prema Lukreciji, kao da se upravo nečega setila.

„Ta Laura i Beatriče o kojima brbljaju. Jesu li i one bile udate za druge muškarce?"

„Jesu, jesu, bile su. Ali za njih se nije vezivao ni dašak skandala. Naprotiv, nadahnule su Petrarku i Dantea da uzdignu svoju ljubav prema Bogu. A baš o tome piše i naš pesnik Pjetro Bembo. Prema tome, vidiš, kad je neka dama muza takvih muškaraca, to svetu može da donese samo dobro."

„A šta je bilo s njima?"

„S Laurom i Beatriče? Avaj, obe su umrle mlade."

„A pesnici?"

„O, pesnici su postali veoma čuveni."

Katrinela na to glasno zacokta, jer, ako se ona pita, to uopšte nije bio zadovoljavajući kraj.

Upravo su tada Izabela d'Este – i njena pozamašna garderoba – došli u posetu Ferari.

Trideset sedmo poglavlje

Za Čezarea, na ulicama Rima bilo je najlepše neposredno pre zore.

Nakon što su noć proveli radeći, on i njegovi ljudi izjahali su preko mosta Sant'Anđelo, kroz tunel od drvenih dućana podignut nad okukom Tibra, u makijom obraslu divljinu što je okruživala grad. Koloseum je još bio obavijen pomrčinom, a njegova monumentalna masa više se osećala nego videla, ali dok su prolazili pored Foruma, naspram mrlje svetlosti na istočnom nebu ukazale su se siluete stubova, pa tog časa uopšte nisu ličili na ruševine, već pre na obris veličanstvenog grada koji će oživeti sa svanućem.

Čezare nije bio sklon uzletima mašte, a ipak nikad nije propustio da primeti to čudo, zato što je stvaralo sliku o razmerama Rima u vreme Carstva. Grada koji je nastao i narastao blagodareći pobedama. Pa i njegova sopstvena pobednička parada bila je omaž tome. Čak se vozio u dvokolicama, za kojima je jahalo stotinu teških konjanika s imenom CEZAR na grudima. Narod je to obožavao – ko ne bi poželeo da živi u središtu carstva? – ali zauzimanje nekoliko gradova-državica nikad nije moglo biti ništa više do bleda senka ere kad je vlast bila suverena, a pravom vođi su se klanjali i narod i vlada. Čak i u trenucima najveće oholosti, Čezare je bio svestan da se rodio u pogrešno doba.

Kod lovačke kuće nedaleko od južne kapije, pozdravilo ga je larmanje njegovih pasa – prepoznali su njegov miris i glas, i već su mahnitali od želje za lovom. Uputili su se u šumu, praćeni upornim kevtanjem pasa koji su njuškali po žbunju u potrazi za mirisom. Nekoliko sati biće slobodan od svih briga. Posvuda su se videli dragulji jutarnje rose. Svet se ovde iznova stvarao, a bitka je bila jednostavna. Ne ulovi se svaki plen: neki pobegnu psima ili mudro utrče u brlog u zemlji, ali uživanje u poteri uvek je tu. U nedeljama što su usledile posle zauzeća Urbina, najveće slavlje se odvijalo u sedlu, dok je za vreme svakodnevnog lova istraživao i označavao granice svoje nove države. Na kraju je sve imao u glavi: brdske prevoje, drumove, obris terena, sve slabe tačke odbrane ili poteze otvorenog prostora gde je mogao okupiti vojsku za bitku – sve je zapamtio.

Tog jutra su ulovili dva vepra, ali prljavi posao ubijanja plena prepustio je psima. Pretpostavljao je da njegov otac u Vatikanu sad ustaje i kupa se, spremajući se da odene ceremonijalnu odeždu za inauguraciju devet novih kardinala. I on je morao da prisustvuje, zato što su to sve bila njegova imenovanja, ljudi koje je odabrao zbog njihove potencijalne lojalnosti, sve do firentinskog biskupa Soderinija, koji će u znak zahvalnosti sigurno održati neutralnost toga grada još neko vreme, kad Čezare bude zauzimao ostatak Toskane.

Kad... Ponekad je bilo teško čekati ispunjenje sopstvene sudbine.

Kad stigne kući, trebalo bi da tamo zatekne najnovije depeše od španske vojske na jugu. Francuzi su se još držali,

ali taj konopac se sve više krzao. Preostale su još samo dve tvrđave: jedna istočno od Napulja i druga u Gaeti. Koliko dugo će mu trebati? Sigurno ne više od mesec dana. Ali Čezare je priželjkivao da bude gotovo i pre toga: ova neizvesnost je svima počinjala da ide na živce.

Pre nekoliko nedelja u Milanu, gde se francuska vojska okupljala pred početak marša, njihov izaslanik na dvoru francuskog kralja najednom je netragom nestao. Koliko dugo je punio džepove izigravajući obe strane, prenoseći Luju vesti o njihovim tajnim pregovorima sa Španijom? Kakva uzaludna pohlepa – jer kom je mrtvacu ikada trebao novac? Mikelotu je trebalo deset dana da mu uđe u trag i dovede ga natrag u Rim. Gde je drugde mogao da završi do u Tibru, sa žicom oko vrata? Koliko glup čovek može da bude? Ipak, leš je prouzrokovao gužvu u papinoj čekaonici, i još jednu gnevnu razmenu reči između oca i sina.

„Bio je izdajnik, odavao je – i prodavao – Francuzima naše tajne. Znao si to isto tako dobro kao i ja."

„Ne osporavam razlog za to što si uradio, Čezare, već način na koji si uradio. Čovek je pobegao na Korziku. Što ga tamo nisi ubio? Napadao si me zbog insistiranja na javnoj osveti, a vidi sad ovo, dao si sve od sebe da izvedeš teatralno pogubljenje. Ovo hranjenje riba u Tibru spektakl je koji na kraju uvek dovede do mene, i to mi se sad već smučilo."

Ne više nego što si se ti meni smučio, pomisli Čezare hladno. U takvim trenucima jedva je podnosio da boravi u istoj prostoriji sa svojim ocem, koji je, činilo se, bio tako kratkovid i razdražljiv. Beše primetno ostario u mesecima tokom kojih su bili razdvojeni. Nije više mogao da pređe hodnik s kraja na kraj bez tuđe pomoći. Znojio se brže no što je stizao da se obriše i jedva bi spustio viljušku pre no što mu creva puste smrdljivi vetar. Gledajući ga, Čezare je ponekad imao osećaj da pred sobom već vidi mrtvog čoveka i pitao se kada će se to dogoditi i kako će izaći na kraj s onim ko zauzme njegovo mesto, ko god to bio.

Da su ga pitali, sigurno bi odgovorio kako voli svog oca, a ipak, ove misli mu nisu izazivale ni stid ni tugu, već samo određeno nestrpljenje zbog svega što se moralo postići pre no što kucne taj čas. A kada kucne? I to je već bio u tančine isplanirao: iznošenje svega vrednog iz Bordžijinih odaja u Vatikanu, vojsku potrebnu da obezbeđuje Kastel Sant'Anđelo kao njegovu utvrđenu bazu, dodatne jedinice stacionirane oko Rima i konačni sastav spiska kardinala, usluge i pretnje kojima će lobirati kod frakcija unutar konklave koja će morati da usledi.

„Šta je bilo? Razgovaram li ja sada sam sa sobom? Postao sam nevidljiv za rođenog sina?"

„Oprosti, oče. Razmišljao sam."

„O čemu?"

„O tome kako se ponašaju kardinali u konklavi."

„U konklavi! Ja još nisam mrtav!"

„Daleko bilo, hvaljen nek je Gospod", promrmlja Čezare sa šturom zahvalnošću.

„Kardinali u konklavi... pa, to bi svakako trebalo da znaš. Kako se ponašaju? Kao životinje, najvećim delom: kao vukovi ili ovce, mada to može da se promeni onoga časa kad se zašipe vrata. Neki koji tvrde kako nikad nisu želeli vlast najednom polude za njom, dok neki drugi tek pošto dođe do klanja shvate kako su im očnjaci tupi."

Sad kad je dobio reč, počeo je da uživa u samom sebi, kao što je često bivalo.

„Srećom, tu su uvek ovce – ljudi spremni da se prodaju, i to samo što im ne piše na čelu. Treba samo da ispregovaraš cenu. Mada se bojim da ti to neće poći za rukom, Čezare. Znaš li zašto? Zato što se ne smeješ dovoljno. Po mom iskustvu, ljudi koji se prodaju vole da ih kupi neko ko ume da se smeje. Tako im je lakše, opuštenije prihvataju sopstvenu pokvarenost."

„Samo što će sva ta moja kupovina i prodaja morati da se obavi pre no što se zatvore vrata, zato što ja neću biti tamo."

„Istina, nećeš."

Ali opet, neće ni on. Kako je tako nešto uopšte moguće? Načas je ostao potpuno nepomičan od ozbiljnosti ove pomisli.

„Znači?", podstače ga Čezare.

„Znači… da će biti potrebno više planiranja, mada to i nije tako teško. S ovom najnovijom grupom trebalo bi da imaš u džepu trećinu konklave, a dogodine ih možemo imenovati još nekoliko. Što se tiče ostalih…" On bez žurbe otpi još jedan gutljaj vina. Ovih dana nije često bio u prilici da drži predavanje. „…Što se tiče ostalih, sa svima se sprijatelji, a ne veruj nikom. I uvek obećavaj više no što možeš da daš. Najlakše je pretiti, ali ako izgubiš, ne možeš sprovesti te pretnje u delo, dok će, pobediš li, uvek biti dovoljno novca da nadoknadiš ono što daješ."

Šest mazgi natovarenih srebrom i pride palata u Rimu. Toliko je njega koštalo da preokrene odlučujući glas u svoju korist. Pa, trošak se isplatio.

„Ali pre no što počneš, sine moj, nemoj ni slučajno zaboraviti da prospeš koju suzu za mnom. Jer šta god ti sada mislio, kad me ne bude, više ništa neće biti ovako lako."

On poče da se pridiže sa stolice.

„Daj, pomozi mi da ustanem, a onda mi ukaži poštovanje i zagrli me. O, znam, znam da ti se to ne sviđa, ali veruj mi, doći će vreme kada će ti moj vonj nedostajati."

Čezare je ušao u dobro poznati zagrljaj, a papa ga je stegao toliko snažno i držao ga toliko dugo da je ovaj naposletku morao da udahne.

Ne, još nije bio mrtav.

Vrativši se posle lova u Vatikan, Čezare je zatekao jutarnje depeše. Kastel del'Ovo, poslednje francusko uporište u Napulju, samo što nije pao. Tako je ostajala samo Gaeta. Zidine jednog utvrđenja između njega i osvajanja Toskane. U glavi je već osećao damaranje krvi. Pošto doveče nahrani i napoji nove kardinale – direktno su mu plaćali za imenovanje; čemu da se gnjavi provlačeći to kroz papsku riznicu kada će ionako doći u njegove ruke? – počeće da šalje jedinice iz Rima, spremne da krenu na Francuze.

Aleksandar takođe nije mogao da dočeka. Ovo je imalo da zaokruži vreme proteklo od dana kad je stigao u Italiju i kad je njegova voljena Španija držala jug, dok su se, s druge strane Alpa, porodične frakcije u Francuskoj još krvile u potrazi za ujedinjenom krunom. Dve francuske invazije nisu postigle ništa sem što su posejale neslogu i nasilje. A sada je on, Aleksandar VI, imao da ode u istoriju kao papa koji ih je izbacio. I to ne jednom, nego dvaput.

Ustao je i odenuo svilene ceremonijalne pothaljine. Nameravao je da odlaže navlačenje teške odežde do poslednjeg trenutka; inauguracija kardinala trajala je podugo i, na ovoj vrućini, predstojalo mu je umiranje polaganom smrću.

Jutarnju molitvu je izgovorio u Sikstinskoj kapeli, zato što je njen veličanstveni prostor dobar deo dana zadržavao svežinu. Kad je ušao držeći kapelana podruku, zatekao je pometnju. Mačka se te noći u neko doba ušunjala kroz jedna vrata i uspela da se sakrije pozadi, pod oltarskim stolom, gde je omacila leglo mačića. Stražari su sada pokušavali da je isteraju, a njihovi ljutiti glasovi smenjivali su se sa siktanjem i mjaukanjem što su dopirali ispod zlatotkanog platna.

Stajao je i posmatrao dok se krupni muškarac izvlačio izgrebanih podlaktica i s dvema krznenim lopticama napola zgnječenim u velikim šakama.

„Ne muči ih, magarče jedan. Sve su to božji stvorovi“, reče on glasno. „De, daj mi ih.“

Oba su stala na dlan jedne ruke, uvijajući se i koprcajući u pokušaju da dohvate sisu. To ga podseti na cičeći mali zavežljaj koji mu je Đulija pre nekoliko meseci stavila u naručje kad ju je posetio pošto se porodila. Još jedan dečak koji voli da viče na svog oca, nasmejao se tada. Još jedan sin koji će povećati vojsku Bordžija. Može Čezare da se raspravlja koliko god hoće, ali on, Rodrigo Bordžija, Aleksandar VI, još je bio glava porodice. Trebalo je samo pogledati Đuliju, bledu i malaksalu, zaogrnutu zlatnom kosom, i odmah je sve bilo jasno. Koji je drugi muškarac od sedamdeset dve godine imao tako prelepu ljubavnicu? Ljuljao je neko vreme svog malog sina, trzajući ga tamo-amo, ali zvuk nalik na besnu osu išao mu je na živce i vrlo brzo ga je vratio majci.

On sada blago gurnu prst u vlažno krzno životinjice. „Kakvu žeđ za životom imaju dok su mladi, a? Naša Sveta majka Crkva nudi utočište svakom čoveku i životinji“, reče on u nastupu nadahnuća Svetim Franjom. „Ne dirajte ih. Uživaću slušajući njihovo cviljenje za vreme jutarnje molitve. Drži – vrati ih majci i ne steži ih prejako.“

Stražari su zurili u njega, ali uradili su kako im je naređeno. Bolje da mu ugode, pa da ih se kasnije otarase. Do tada će on uveliko zaboraviti na njih.

Okrenuo se i zašao dublje u prelepu kapelu. Pogled u njen veličanstveni svod mu je uvek podizao duh. Ovo je bio njegov lovački momenat: savršen spoj osećaja moći i lepote. Do kraja dana, devet novih kardinala biće spremni da zauzmu svoja mesta na klupama kapele. Od njih trideset šest koji su sada sačinjavali konzistoriju, najmanje trećina dugovaće svoje imenovanje direktno Bordžijama. Doduše, uvek je bilo pitanje u kojoj će meri taj osećaj dužnosti opstati do naredne konklave.

Presveta Bogorodice, šta bi dao da može da bude tamo! Pod uslovom da ti ne smetaju hrana i zadah nužnika, to je najčudesnija zabava kojoj čovek može da prisustvuje. Već je video: nizove drvenih ćelija s obeju strana kapele, podignutih tako navrat-nanos da ti se mantija može pocepati o neobrađene daske. Ovog puta će biti više odeljaka, što će značiti manje slobodnog prostora za druženje. Pet puta je to radio, i svaki put je bio u svom elementu. Premda nikada toliko kao pre jedanaest godina, kad je video, gotovo osećao, da se struja kreće kako on želi.

Blagi bože, i tada je bilo vruće. On u mislima vide sebe kako hoda mermernim hodnikom na sredini, prolazeći pored svih vrata redom i prebrojavajući glasove, abak u glavi mu sabira troškove pobede dok visoko iznad njega stotinu zlatnih zvezda zuri sa svoda u brod crkve. Daš li mi ovo, Bože, rekao je tada, zaričem se da ću sačuvati Italiju i pomiriti zaraćene rimske porodice. Nije zalazio u pojedinosti onoga što će možda uraditi za sopstvenu porodicu. Bog je zacelo znao šta mu je u srcu.

I bio je prilično uspešan! Klan Orsinija, vazda najgorih smutljivaca, bio je pokoren, a u naredne dve do tri godine sve će da dođe na svoje mesto: Francuzi će biti isterani iz Italije, Čezareova ujedinjujuća papska država protezaće se od obale Sredozemnog mora do Jadrana, u Ferari će se roditi bar dva muška deteta koja će osigurati Lukrecijin položaj, a za njima će ići njen prvi sin, Rodrigo, i Đulijino potomstvo. To je bila budućnost Bordžija, htedne li dobri Gospod da mu da još samo malo vremena. Ne, možda je bio star i povremeno suviše pričljiv, ali još nije bio gotov, daleko od toga.

On začu iza sebe mjaukanje mačića.

Mladi životi spaseni blagodareći jednom starcu. On odluči da shvati to kao odgovor Boga na njegove molitve.

Sačekali su dok nije otišao, a onda izvukli one gužvice vlažnog, toplog krzna, i sve ih podavili u najbližem buretu s vodom u dvorištu.

Trideset osmo poglavlje

Pokloni, zagrljaji, komplimenti, bujica milošte... prošlo je više od godinu dana otkako su se dve žene videle, a za to vreme su Bordžije uzele sve što im se našlo na putu. Uključujući i Izabelinog rođenog sina, kroz dogovoreni brak.

„O, krajnje koristan savez." Nabrano meso progutalo joj je oči kad se osmehnula. „Mada je mali Federiko, naravno, još veoma mlad, a u svetu se može štošta izdešavati. U međuvremenu, draga snaho, presrećna sam što vidim da izgledaš tako dobro i zdravo, zar ne, Alfonso?", ona će umiljato dok su njih troje sedeli čekajući početak jedne od vojvodinih beskrajnih večernjih razonoda.

„Kakvih smo se priča u Mantovi naslušali o groznici i o tome kako si bila na rubu smrti. A opet, ovde i sad, izgledaš kao da si grozničava od sreće, ne čini li ti se, Alfonso? Moram da te pitam – izvinjavam se oboma – ali da neće biti da si..."

Ona stidljivo ostavi rečenicu nedovršenu.

„Ne", odvrati Lukrecija, poštedevši muža očiglednih muka. „Ne, nisam noseća. Još nisam."

„Pa, uskoro ćeš biti, u to sam sigurna, je li tako, Alfonso?", reče Izabela, stegavši mu mišicu kao da razgovaraju u najdubljem poverenju. „Daj, ne mršti se tako, dragi brate. Nema u celoj Italiji nikoga ko ti ne zavidi na tako... na tako uglednoj supruzi."

Bile su nepodnošljive te duge večeri. Sve i da su on i Lukrecija bili ludo zaljubljeni jedno u drugo, Alfonso ne bi mogao a da se ne namrgodi čim mu Izabela priđe. Lukrecija se trudila koliko je god mogla, ali on se naprosto automatski povlačio u sebe; njegova najstarija sestra kinjila ga je otkako je pamtio. Pritom nije nimalo pomagalo to što je stanje materice njegove žene bilo javno pitanje. Vojvoda prvi nije propuštao da mu utrlja so na ranu. „Tvoja mati je posle godinu dana braka već nosila tvoju sestru. Znam, znam – ali već je mesecima zdrava. Ne pričamo ovde o zadovoljstvu, nego o politici. Šta radite svake noći? Igrate šah?"

Najveći deo naredne nedelje proveo je spavajući u livnici. Gospode, kako je mrzeo svoju porodicu.

Lukrecija je pak od svog oca trpela nešto blaže saslušavanje. Njegova pisma su bila ispunjena čežnjom za još jednim unukom. Kako stoje stvari s njima dvoma? Da li prestolonaslednik redovno dolazi u njenu postelju? Samo nek Lukrecija ne zaboravi koliko je važno da nikad ne odbije muža.

Razume se da ga nije odbijala. Ali njemu je dvorski život i dalje bio dosadan. Gajio je prezir prema hromom fićfiriću Strociju i njegovoj sklonosti da poput pohotljivog pseta njuška oko ženskih sukanja, i nije nimalo mario za poeziju, koja je za njega, činilo se, predstavljala otelotvorenje najgore dvorske izveštačenosti. Je li imao makar nekakvu zamisao šta se dešava? I ako jeste, da li mu je bilo stalo?

No zato je Izabela imala velikih zamisli. Već je znala za veličanstvenu Bembovu poemu o ljubavi i naumila je da ga nagovori da kazuje odlomke na prijemu u njenoj organizaciji, uz muzičku i pevačku pratnju. Razume se, Lukrecija je bila pozvana. I razume se da nije nameravala da prisustvuje. Ona i Bembo još su pre Izabelinog dolaska razgovarali o mogućnosti takvog skupa.

„Ona sakuplja pesnike isto kao što sakuplja statue. Bolje se pripazite, da vas ne spakuje u svoj sanduk i ne ponese kući."

„A zašto bih otišao s njom, kad se sve što mi je važno u životu nalazi ovde?", rekao je, preplevši prste s njenima. Ruke su im tada već neko vreme bile ljubavnici.

„Onda bolje ne dozvolite da se to dozna, po cenu života. Kad vam kažem, ume da nanjuši skandal kao lovački pas, a uradiće sve da me uništi. Ozbiljno vam kažem, Pjetro. Prava je harpija. Moj brat za nju kaže da je ljubomorna gadura."

Zaćutala je pozivajući ga da nakiti napad kakvom tananijom igrom reči, da pokaže koliko mu je dragocenija od ijedne druge žene. Ali on, inače tako brz i spretan u toj igri, nije rekao ništa.

Možda jeste bila gadura, ali je istovremeno i jedna od najvećih italijanskih pokroviteljki umetnosti, a čak je i zaljubljeni pesnik morao da razmišlja o budućnosti. Lukrecija je tada prvi put pomislila na to, a ta pomisao naterala joj je ledenu jezu niz kičmu.

Na dan koncerta, još pre podne se izgovorila ružinom groznicom.[41] „Moje neprekidno kijanje će svima pokvariti užitak", rekla je smejući se, pošto je već danima izduvavala nos, pa joj je bio sav crven i upaljen. Ali to veče je presedela u svojim odajama, baveći se vezom u društvu svojih dvorskih dama, osluškujući kroz prozor muziku i smeh što su se povremeno čuli dok je ljutito zabadala iglu u razapeto platno.

Priča o uspešnoj večeri bila je na svačijim usnama, skupa s glasinama da Bembo razmišlja o komponovanju muzike za svoje poeme, s obzirom na magiju koju su udruženim naporima stvorili on i markiza od Mantove. Međutim,

Izabela i Lukrecija nisu mnogo razgovarale o poeziji. Što je bilo čudno, budući da je Izabelina obaveštajna služba – bilo je poznato da njene dvorske dame imaju nosove kadre da zavrću iza ugla i prolaze kroz zatvorena vrata – zasigurno dobro znala za interesovanje koje je Lukrecija u poslednje vreme gajila za taj vid umetnosti.

U trenucima najveće uzrujanosti, Lukrecija se pitala nije li već samo odsustvo te teme svojevrstan napad.

U trećoj nedelji markizine posete – Izabela je, hvala nebesima, uskoro odlazila – dve žene i njihove dvorske dame provodile su poslepodne u vojvotkinjinim odajama. Izabela je zainteresovano razgledala prostorije preuređene po Lukrecijinim uputstvima. „Ove nove boje su divne. Predivne. Sigurna sam da moj otac nije imao ništa protiv. Kad je dao da se ovo uredi, pre tvoje udaje za mog brata, uradio je to prevashodno sa željom da se ovde osećaš prijatno. Kako ono zovu ovu nijansu okera? Ima gotovo boju sleza, čini mi se. Ja bih izgledala krajnje bolešljivo naspram nje, ali tvom bledom tenu zaista veoma lepo pristaje.“

Naposletku je prestala da govori. Tišina je postajala sve teža. Miris pomorandžinog cveta što je dopirao kroz otvorene prozore bio je sve slabiji sad kad je proleće lagano prelazilo u leto.

„Ipak, još je tako jak! Čudim se da možeš da ga podneseš, s tim svojim osetljivim nosom“, Izabela će s osmehom.

„Najgore je prošlo“, odvrati Lukrecija umilnim tonom. „Sestre iz samostana Korpus Domini poslale su lek koji mi pomaže.“

„A, da, Korpus Domini“, reče Izabela tiho. „Moja majka ga je često posećivala; prekrasni klaustri. Da, dobar je to samostan.“

Lukrecija je zurila u nju. Jedan kratak trenutak, njena protivnica delovala je... gotovo ranjivo.

„Zavidim ti što si odrasla u ovako lepom gradu kao što je Ferara", reče ona velikodušno, zato što je razmišljala o tome. Šesnaest godina. Toliko je imala Izabela kad se udala u Mantovu. Dovoljno za pitomi predeo uspomena. „Sigurno ti je nedostajala kad si otišla."

„Naravno da jeste." Izabela ju je načas čudno posmatrala. Možda se prisećala tuge u očima svoje majke; priča o tome kako je naredila da se odaje njene kćeri zaključaju i da se zatvore kapci na prozorima, kao da je umrla umesto što se udala.

Kako bi izgledalo kad bi našle načina da iskreno razgovaraju, da shvate kako neke od bitaka koje su vodile kao žene i supruge i nisu baš toliko različite? No sada je bilo potrebno više od blede uspomene da smekša Izabelu d'Este. Dinastički snobizam bio joj je usađivan od rođenja, i stoga nije mogla da zaboravi na svoju mržnju prema Bordžijama, tom imenu i ljudima koji su ga nosili.

„Ali Mantova je takođe divan grad i majka mi je dolazila u posetu. Bila je neverovatna žena; najveća vojvotkinja koju će Ferara ikad imati, besprekorna rodom, mišlju i delom."

Za razliku od tvoje majke kurtizane – nije morala ni da doda.

O, Čezare je potpuno u pravu, pomisli Lukrecija. Stvarno si ljubomorna gadura.

„A njena uspomena još živi", odvrati Lukrecija, raširivši lice u osmeh. „Vojvoda, tvoj otac, ljubazno kaže da je se seti svaki put kad me vidi kako igram."

Presveta Bogorodice, ličilo je na tuču među mačkama, nikad nisi znao kada će se isukati kandže. Čarkanje nakratko prestade da bi pregrupisale snage.

Iz daljine je dopiralo tandrkanje taljiga, pomešano s glasovima putujućih pevača.

„Kakva larma. Tebi ne smeta?"

„Ni najmanje, prija mi da osetim taj život koji se napolju odvija."

„Reci, čuješ li ponekad još nešto?"

„Šta to?"

Izabela malo pomeri glavu. Lukrecija je u međuvremenu počela da prepoznaje taj pokret kao nagoveštaj nevolje. „Ispod tvoje kule ranije su se nalazile tamnice. Grozna mesta." Ona se strese.

„Tamo više nema zatvorenika. Premešteni su pre no što smo se uselili."

„Dabome. Ipak, ovde su se desile prave strahote", reče Izabela s izvesnim uživanjem. Iako su sve oči bile uprte u nju, umela je da iskoristi dramatičnost trenutka. „Jedna od najvećih porodičnih tragedija. Sigurno si već mnogo puta čula za to."

„Ne, mislim da nisam."

U njenom prisustvu se nikad nije govorilo ništa loše o porodici Este. Sve i da su ceo protekli vek jeli isključivo malu decu, valjda bi se i to naposletku pretvorilo u trijumf dostojan još jedne freske.

„Šta? Ti ne znaš za vrišteću vojvotkinju?", reče Izabela, prignuvši se malo u pretvaranju da su te reči samo za njene uši.

Lukrecija odmahnu glavom.

„Ja sam je samo jednom čula. U gradu su vladali nekakvi nemiri i majka je odvela nas decu iz vojvodske palate u tvrđavu, da nas zaštiti. Jao, kako je zavijala i kukala, stvarno grozan zvuk."

„Ko? Koja 'ona'?"

„Doduše, tada je već više od pola veka bila mrtva." Markiza uzdahnu. „Draga sestro, zar stvarno ne znaš za ženu mog dede, velikog vojvode Nikola? O, to je nešto najtužnije i najstrašnije što ćeš ikada čuti. Bila mu je druga supruga – imao je tri braka, znaš – i mlada, otprilike tvojih godina. Ime joj je bilo Parizina Malatesta, iz one skandalozne porodice u Riminiju. Tvoj brat je pametno postupio kad ih se u svojim veličanstvenim pohodima otarasio."

Lukreciji nije bilo najjasnije šta se tu dešava, ali znala je da se mora zaštititi. Lepeze dama behu se jedva primetno približile, mada je Izabelin šapat bio dovoljno glasan da ga svi čuju.

„Vojvoda je bio muškarac u punoj snazi i veoma je voleo žene. Ni prvi ni poslednji takav, rekla bih", nasmeja se ona. „Teško nama suprugama, sa čim sve moramo da se pomirimo, zar ne?", dodade zavereničkim tonom.

„Muž joj je u svačijem krevetu sem u njenom." Lukrecija se priseti onoga što joj je Čezare rekao onomad kad je bila bolesna. S tim što ovo što se sad ovde dešavalo nije imalo nikakve veze sa sestrinskom solidarnošću. „Da, čini se da neki muškarci lakše podlegnu iskušenju nego drugi", reče ona ustajući i gledajući Izabelu pravo u oči.

„Baš kao neke žene", smesta dođe oštar odgovor, praćen, kao i uvek, bleštavim osmehom. „Mada pretpostavljam da čovek tu mora imati malo sažaljenja. Jer Parizina mora da je bila... pa, veoma usamljena."

Ah. Tu smo, pomisli Lukrecija. Dakle, spremna sam. Udri.

„Međutim, na dvoru je živeo i mladić koji ju je razumeo i koji joj je poklanjao pažnju. Zgodan, uglađen, priča kaže da je bio pravi zavodnik. I kako to već biva..." Ona podiže ruke kao da poziva Lukreciju da nastavi.

Samo što se Lukrecija sad nečega prisetila. Nečega o čemu se šaputalo pre nekoliko meseci kad je pregovarala o svom prihodu, kako je vojvoda pomilovao jednog od svojih najboljih muzičara, čoveka krivog za ubistvo svoje žene i njenog ljubavnika. A neko je tada pomenuo da je bračna pravda u porodici Este kroz istoriju uvek išla naruku mužu.

„Razume se, na kraju je njihova tajna izašla na videlo. Kad ih je zatekao zajedno, vojvoda je poludeo od besa. Jer...“ Izabela napravi dramatičnu pauzu. „Ne samo da mu je Parizina bila žena nego je njen mladi ljubavnik Ugo bio njegov rođeni sin iz prvog braka!“

Lukrecijine družbenice uzdahnuše kao jedna.

„Vojvoda je cele noći besneo, dok je ona u tamnici vrištala i jecala preklinjući za milost. Ali uprkos njenom preklinjanju, u zoru su oboje bili pogubljeni odsecanjem glave.“

„Strašno!“ Ali još dok je šapatom izgovarala tu reč, Lukrecija pomisli na Katrinelin opis prvih nedelja provedenih u kuhinji i vešeraju. Dugački mračni hodnici i zlobne aluzije. *Porodica Este ne voli lake žene.* Jesu li mučitelji njene sluškinje pominjali i vrišteću vojvotkinju?

Bila je svesna da je ova pripovest ispričana da bi je uplašila, čak i s namerom da bude nekakva groteskna opomena, ali umesto toga, ponovo je probudila u njoj sećanje na njenu vlastitu prošlost: na mladog Pedra Kalderona, lepog i uglađenog, čiji je jedini zločin bio to što joj je ponudio malo romantične utehe dok je bila tako usamljena, ali je time navukao sebi na vrat divlju ljubomoru njenog brata.

„Nije važno šta neka žena radi. Važno je samo šta drugi kažu o njoj“, glasio je njegov razjareni odgovor. *„Tvoj ugled mora da bude besprekoran. Besprekoran, čuješ li me? Bez njega nisi nikome ni od kakve koristi.“*

Ugled: da podmukle li, pristrasne reči. Muškarci mogu da začnu tuce vanbračne dece i svi će im se diviti kako su muževni. Kad Alfonso d'Este bez zazora leže s kojekakvim ženama sumnjivog morala, time ne umanjuje svoj ugled ni za jotu: ali zato će njegova žena biti uništena dozna li se da je makar i pomislila da negde potraži utehu. Bezazleno flertovanje rečima, sakrivena ljubavna pisma, razmenjeni stihovi, i kao da je delo već počinjeno.

„Kako si bleda, sestro. Nadam se da te nisam uznemirila?" Izabela se brižno mrštila. Oduvek je bila najvelikodušnija onda kad dobije ono što želi. „Sigurna sam da je dosad prestala da vrišti. Barem se molim da jeste."

Kad je otišla, Lukrecija je oterala svoje družbenice i ostala da sedi sama u vrtu dok se spuštao sumrak. Disala je duboko, udišući ostatke mirisa pomorandžinog cveta i dima vatri što su se palile na ognjištima dok se grad spremao za večeru i noć. Ferara u svom najlepšem izdanju, kada proleće polako prelazi u leto.

Nedaleko od nje, golub se s mukom spustio na zid vrta i potom na tlo blizu njenih nogu, u potrazi za mrvicama što su tu katkad umele da padnu. Imao je sjajne, sitne narandžaste oči i klimao je glavom napred-nazad dok je hodao na raširenim ružičastim kandžama, kao da mu je telo preglomazno da bi ga glava bez teškoća pratila. Ona pomisli na Alfonsove ljuspaste ruke, debeli Erkoleov torzo i Izabeline hladne, zlobne oči i telo u širokim suknjama što se podrhtavajući vuku za njom. Porodica Este, nalik na jato šepuravih golubova! Dođe joj da se glasno nasmeje.

Ona zabaci glavu i pogleda u nebo. Visoko iznad parapeta pojavile su se čiope, uživajući u letu, obrušavajući se i uzlećući toliko visoko da su ličile na pahuljice pepela nošene vetrom. Poezije ima posvuda u svetu, dovoljno je da se potrudiš da je nađeš. Za ovu godinu dana što ju je provela u tornju svog dvorca, još nikad nije čula krike žene s onog sveta. Ni sad nije nameravala da osluškuje.

LETO 1503.

Vremena se menjaju, pa loša i dobra sreća ne ostaju uvek na istoj strani.

Nikolo Makijaveli

Trideset deveto poglavlje

Kome je po takvom vremenu bilo do ratovanja? U veličanstvenoj tvrđavi Gaeta, između Napulja i Rima, francuska vojska pod opsadom stajala je na parapetima i gledala naniže u svoje španske neprijatelje ulogorene okolo. Oni su unutar zidina barem imali hladovite kamene građevine da u njima počinu. Zamisli kad je prevruće za ubijanje; ne toliko zbog okrutnosti koliko zbog naprezanja koje to iziskuje. Topovi su bombardovali zidine od svitanja pa do malo posle podneva, kad je sunce postajalo prejako, i tada su se svi zavlačili u senku šatora, kola ili drveća, bilo čega što je nudilo kakvu-takvu hladovinu. More je bilo udaljeno jedva pola milje, ali su svakoga ko podlegne iskušenju da u njemu potraži olakšanje obesili po povratku kao dezertera. Da se makar osvajanje moglo odložiti do jeseni. Ali nije. Vreme i rat. Oni su tkali istoriju.

U Firenci, vrućina je bila svakodnevna tema. Trgovac koji je u podne zatvarao svoju tezgu na glavnoj gradskoj pijaci, ispustio je na kaldrmu korpu punu jaja, a belanca su smesta zacvrčala, pa su prosjaci imali besplatan ručak pod vedrim nebom. Zatim, tu su bili mrtvi, čija su tela toliko dugo stajala na vrućini da su počinjala da se nadimaju i da cure, stvarajući odvratan smrad u mrtvačnicama i na grobljima. Kad je na sve to došla i groznica, najgori posao u gradu imali su kopači grobova, koji su morali da rade danonoćno ne bi li održali korak s potražnjom. Čovek što je kopao porodičnu grobnicu, ispustio je ključeve crkve u jamu, a kad je sišao da ih dohvati, isparenja su ga toliko omamila da je, kad su ga ujutru našli, i sam već bio leš. Sam je sebi iskopao grob. Kako je to moglo da ne bude istina, kad je toliko ljudi čulo priču, a svaki drugi ju je prvi put čuo od nekoga ko se kleo kako poznaje nekoga ko je lično poznavao tog čoveka?

U svojoj kući u Vija Gvičardini, Marijeta Makijaveli, sad već u poodmakloj trudnoći, pakovala se za odlazak na selo. Poslednjih nedelja se baš raskrupnjala i kretala se tromo, nalik na pretovareni galeon bez vetra u jedrima, a potkošulja i podsuknje bile su joj natopljene znojem što joj se stalno skupljao pod teškim grudima. Porođaj se očekivao već za koju nedelju, mada su svi znali da je prvo dete, što se toga tiče, uvek priča za sebe. U selu Sant'Andrea in Perkusina već su je čekale spremne babice i dojilje.

U prvi mah nije htela da ide. „Rodiću Firentinca i njegovo prvo putovanje trebalo bi da bude s roditeljima, u Krstionicu Svetog Jovana, da ga tamo krste i prijave. A i kakva to žena ostavlja muža u času kad se svet okreće naglavce?"

„Ona kojoj je do njega stalo gotovo koliko i njemu do nje, što je pre svega i razlog što je šalje iz grada."

Uzdahnula je pomalo ljutito. Koja bi žena poželela da je udata za diplomatu? Uvek je imao odgovor na sve, a ona trenutno nije bila tako brza kao inače. Ako je beba muško, kao što se molila, uskoro će biti u manjini: dva pametna Nikola u kući. Bolje bi joj bilo da požuri i što pre rodi nekoliko devojčica, da poravna račun.

Ali kad je odluka donesena, povinovala se bez pobune. Na takvoj vrućini, umelo je da prija da imaš krevet samo za sebe, a i osećala je potrebu za sigurnošću, kao životinja kad pravi gnezdo. Nikolo je bio zaprepašćen, čak i pomalo uplašen, ovom svojom poslušnom novom ženom.

„Tamo neće biti groznice, a žene iz sela će se starati o tebi. U selima se vazda nešto rađa."

„Siguran si da ćeš moći da se snađeš bez mene?"

„Vodiću računa o sebi, ne brini."

„Ili ćeš pustiti da neko vodi računa o tebi", ona će veselo, bezbrižno povlačeći dlanom po glatkom baršunu njegovog dubleta. Nije joj se narav baš toliko ublažila da je bila slepa za noći kad ga je, kako je tvrdio, veće do svanuća zadržavalo za stolom. „Samo se nadam da će ona to raditi isto tako dobro kao ja."

Napravio je grimasu, a Marijeta se nasmeja.

„O, ne sekiraj se. Nisam ljuta. Naprotiv, za ženu je bolje da zna da joj je muž zbrinut. A mi smo već skoro dve godine u braku, sećaš se? U redu je – ne očekujem od tebe da pamtiš datum. Najzad, nije to istorija Rima. Brak je brak. Ljudi mi kažu da je takav kakav jeste i da bi trebalo da se naviknem. Mada mi kažu i da je bolje da to ne pominjem, ali čuj, trudim se koliko mogu, zar ne?" Ona gotovo stidljivo podiže pogled prema njemu. Lice joj je bilo punačko, okruglo poput meseca. Kad se osmehivala, na obrazima su joj se pojavljivale jamice. Bilo je tačno da mu je njena krupnoća poslednjih nedelja pomalo ubila želju, a drugde je bilo tuđih draži koje su ga privlačile. Previše je dobro poznavao sebe da bi očekivao da bude drugačije. Isto kao i ona.

„Majka mi je rekla da nikad neću naći muža, zato što je kod mene uvek što na umu, to na drumu."

„Sad mi kažeš! Trebalo je da znam za to onda kad smo ugovarali brak."

„O, ipak si dobro prošao." Marijeta se okrete zaokupljajući se svojim torbama. „Oduvek sam znala da si ti čovek kojemu je na pameti još štošta drugo sem supruge. I nek ostane na tome", reče ona i pomisli kako će biti ponosna na samu sebe zbog toga što neke vrlo teške stvari okreće na šalu. „I ne zaboravi da je tvoj zadatak i da čuvaš bezbednost Firence, zbog svoje porodice. Bog zna šta ćemo da radimo ako nas vojvoda Valentino napadne..."

„Već sam ti rekao, šta god da bude, on neće krenuti na Firencu."

„Tako su svi govorili i za Urbino", reče ona jer joj je još pričinjavalo zadovoljstvo da pokušava da mu bude ravnopravan sagovornik. „A šta je sa Sant'Andreom in Perkusina? To je južno odavde. Siguran si da neće napasti selo?"

On se nasmeja. „Ako mu kažem da si prešla tamo, mislim da će ga zaobići u širokom luku. Marijeta, dogovorili smo se da se ne zabrinjavaš takvim razmišljanjima."

„Šta ja tu mogu, kad se ipak zabrinjavam. Ti si za to kriv: sve te misli koje iz tvoje glave prelaze u moju. Pre no što sam te upoznala, nikad se nisam toliko bavila razmišljanjem o svetu."

„I ne moraš ni sad. Samo se seti šta ti je rekao kardinal."

Ona se osmehnu. Bilo je tako divno. Uzdizanje Frančeska Soderinija na položaj kardinala bilo je svečano proslavljeno širom grada, procesijom i specijalnom misom za sveštenstvo u crkvi Badiji, posle koje je novi kardinal lično održao misu za sve. Cela Firenca je pokušala da uđe u crkvu, ali kao supruga čoveka koji je pratio Soderinija na diplomatskoj misiji, ona, Marijeta Makijaveli, imala je rezervisano mesto pored samog prolaza. Presedela je tamo udenuta u svoju najbolju haljinu (sašivenu od one crvene svile, zato što joj ta boja baš pristaje), sa stomakom koji je naprezao šavove i mirišljavim balzamom nanesenim pod nos da ublaži najgori zadah mnoštva tela. Posle joj je kardinal lično prišao i obratio joj se, blagoslovio i nju i dete pod njenim srcem, i rekao joj kako je supruga časnog i zaslužnog čoveka, kome Firenca mnogo duguje. Ona se na to toliko zarumenela da se kardinal osmehnuo i kazao Nikolu da je veoma srećan čovek.

O, svaka žena bi umrla od sreće pošto joj ukažu toliku čast. Samo što se tad ova beba ne bi rodila.

„Hajde, ženo, ako ne kreneš odmah, putovaćeš po vrućini sve dok ne počnu brda."

Gledao je za kočijom dok se udaljavala kaldrmom prolazeći pored palate Piti prema južnoj kapiji, Porta Romana. Kad je sledeći put bude video, imaće dete. Bude li sudbina tako dobra da mu podari dečaka, do njegove desete godine naučiće ga da čita latinski i grčki. Ako republika poživi, možda će uspeti da ga rano ubaci u državnu službu. Ta privilegija je njemu ostala nedostupna, budući da Firenca baš u to vreme beše potonula u haos invazije i pobožne tiranije. Da je imao više iskustva, da li bi sada bio bolji diplomata? Ili su mu sve one godine stajanja po strani i posmatranja kako ludilo narasta omogućile da to sagleda iz drugačije perspektive?

Ako republika poživi... Kad je ušao na sporedni ulaz Palate sinjorije, Marijeta je već bila davno zaboravljena. Svesno joj je prećutao najnoviji razvoj događaja, jer nijedna noseća žena nije morala da zna da se Italija nalazi na ivici ponora.

Pre tri dana stigla je vest da je Čezare Bordžija poveo vojsku – pet hiljada ljudi – iz Rima prema Viterbu, na severnoj granici Papskih zemalja i Toskane. Navodno su posredi bili manevri i namera da se spoje s francuskim trupama, te stoga nisu predstavljali pretnju ni za koga. Nikolo, međutim, nije bio jedini koji nije naseo. Prva jutarnja depeša donela je vest iz Milana. Francuska vojska – dvaput brojnija – marširala je prema Lombardiji.

Sedeo je za svojim radnim stolom i pokušavao da stekne predstavu o udaljenostima i mogućem redosledu dešavanja. Ako Gaeta ne padne za najduže sedam ili osam dana, vojvoda će se naći suočen s krajnje neprijatnim izborom: da održi obećanje da će se priključiti kralju Luju u napadu na Špance, ili da mu se suprotstavi i tako rizikuje sigurnost sopstvenih gradova dok Francuzi marširaju na jug da se sukobe s njim. Nikolo i Bjađo su se već kladili u pola mesečne plate na to šta će da bude.

Mada je tajio pripreme od Marijete, Nikolo je već bio spakovan i spreman. Druga polovina plate zavisila je od toga da li će biti u Rimu pre no što postane otac ili posle toga.

Barem jednu opkladu morao je da dobije, zato što će rođenje deteta sa svim što je uz njega išlo, gozbama i ceremonijama, biti skupa rabota.

Četrdeseto poglavlje

Posle Izabelinog odlaska, atmosfera se na dvoru Estea promenila.

Alfonso se vratio, poput mačora koga je tuđe pseto oteralo od kuće, i češće je prisustvovao svečanostima na dvoru, a Lukrecija je bila uz njega. Nikad nije bio od onih koje su zanimala ogovaranja i, šta god da je mislio o njenoj odnedavnoj posvećenosti poeziji, u društvu njegove naporne sestre uvek je ćutke bila na Alfonsovoj strani. Da je bolje umeo s rečima, možda bi pokušao da joj kaže koliko joj je zahvalan, jer je primetio kako je procvetala u poslednje vreme. Pored livničkih peći i jame za kalupovanje, tu je bila i peć za sušenje, u kojoj je pekao keramičke činije i vrčeve koje je sam osmišljavao i oslikavao. A livci koji su radili s njim behu primetili da se poslednjih nekoliko meseci više zaokuplja time.

Nežnost posuđa: teško da je mogla biti tema epske poezije.

Samo što ta poezija više nije donosila Lukreciji isto zadovoljstvo kao pre. Posle toliko reči, toliko drhtavog očijukanja i drame, šta je još imalo da se kaže? Zatim, tu je bio i nepresušni otrov Izabeline pripovesti. Mada još nije bilo nikakvih krikova koji bi joj remetili san, bilo je trenutaka kad joj se činilo da je dvorjani gledaju nekako drugačije, čekajući da okrene leđa pa da počnu da se sašaptavaju. Možda je napetost njenih družbenica počela da prelazi i na nju. Izvesno su bile nervoznije, više su šapatom razgovarale po hodnicima i izvan odaja. Kao i uvek, ono što se nijedna druga nije usuđivala da kaže izgovorila je Anđela, mada ne u prisustvu njihove gospodarice:

„Šta je bilo s Parizininim dvorskim damama?"

Da li je moguće da i intrige može biti previše?

U gradu je počinjalo da kuva od vrućine kad se Bembo vratio s kraćeg putovanja u provinciju, koje se poklopilo sa završetkom Izabeline posete. Mada je i u prepunoj prostoriji još celim telom treperila zbog njegovog prisustva, Lukrecija shvati da je neodlučna, čak rezervisana. Izbegavala je njegov pogled, nalazila razloge da razgovara s drugim ljudima. Kad su se konačno sreli – izgovor je bila upravo pristigla knjiga koju je poručila iz Venecije – ličilo je na ljubavničku nesuglasicu, i pored toga što nisu bili ljubavnici.

„Posle svakog odsustvovanja, čini mi se da još više blistate", reče on kad su, po običaju, predahnuli uz okrepljenje, dok su njene dame posedale u krug na drugom kraju sobe, pogleda uprtih u svoj vez. „Svi govore samo o tome kako ste izuzetna domaćica."

„Čudno. Sve o čemu ja slušam jeste vaše izuzetno poetsko i muzičko veče."

„Puka razonoda, ništa više. Soba je bila prazna bez vas."

„A markizina ponuda da je posetite u Mantovi?"

On se osmehnu. Mada su u vrtovima Azolana najviše pričali muškarci, kada zaćute, to je skoro uvek bilo zato što su videli da je žena prva stigla tamo.

„Bila je, baš kao što ste predvideli, ljubazno iznesena. I isto tako ljubazno odbijena."

„Kako?"

„Govorio sam o njenom ocu, vojvodi, koji je već godinama veoma velikodušan prema meni i čijem gostoprimstvu nikad ne bih mogao okrenuti leđa." On zastade. „Bez obzira na to koliko je njena ponuda primamljiva." Odnedavno je tesao Perotinova razmišljanja o mnogim načinima na koje ljubav može da boli, i u mislima mu je često bio slatki otrov ljubomore.

„Gospo." On primače glavu njenoj. „Rekao sam vam, nemate razloga da je se plašite. Zasenili ste je isto tako lako kao što Venera svake noći svojim rađanjem zaseni sve ostale zvezde na nebu."

„Tada bi možda bilo bolje da je Izabela Venera utorkom i četvrtkom", ona će zajedljivo. „Život bi mi bio lakši."

Pogledao je prema njenim družbenicama, koje su sedele oborenog pogleda, ali zato brižljivo naćuljenih ušiju. „Ovo je bilo teško vreme za nas oboje. Možemo li načas da ostanemo sami?"

Ona pogleda u krug iza njegovih leđa. Smučilo mi se više da me stalno posmatraju, pomisli.

„Moje dame, sinjoru Bembu su potrebni papir i mastilo. Idite u moju radnu sobu, nađite ih i donesite, molim vas", reče im ona vedrim glasom.

Kamila podiže glavu upitno je pogledavši, ali je Lukrecija bez reči natera da obori oči.

Kad su se vrata zatvorila, jedan čas su samo sedeli.

„O, Lukrecija", reče on, prignuvši se i uzevši je za ruku. „Tako si mi nedostajala."

„Koliko?", ona će tiho.

On se nasmeja. „Trebali bi mi dani da nađem prave reči."

„Pa probaj onda s nekim pogrešnim."

Kako je voleo tu njenu koketnu nestašnost. Predstavljala je postojanu odbranu u trenucima kad je intimnost pretila da ih oboje obuzme. Ali ovo... ovo je bilo malo drugačije.

„Došao sam da te pitam nešto: želim da ti posvetim svoju poemu *Azolani*."

Šta god da je očekivala, ovo nije.

„*Azolani*? Ali nisi je završio."

„Nisam. I neće biti gotova još najmanje godinu dana. Međutim, kad bude..."

„Siguran si da je pametno – hoću da kažem – to je poema o..."

„...Veruj mi, dobro sam razmislio. U njoj nema ničega što nije časno. Poema govori o ljubavi u svim njenim oblicima, istraženim i predstavljenim kroz niz večeri na dvoru. Iz tog razloga, i s obzirom na njene razmere i ambiciju, jedino ispravno i dolično jeste da bude posvećena velikoj vojvotkinji na jednom velikom dvoru. Kome bi drugom mogla da bude?"

U drhtavom ćutanje koje je usledilo, bilo je teško ne osećati kako ime Izabele d'Este visi u vazduhu.

Delo koje će promeniti tok italijanske poezije. Tako je rekao Stroci govoreći o poemi. *Azolani*, posvećeni njoj, Lukreciji Bordžiji, tako dugo klevetanoj da je ubica i incestuozna bludnica.

„Veliki deo tog teksta napisao si pre no što si me upoznao", ona će tiho.

„Može biti, ali poznanstvo s tobom promenilo ga je u nešto beskrajno bogatije.“

„U tom slučaju... kako bih mogla da odbijem?“

Prineo je njenu ruku usnama i nežno ju je poljubio u otvoreni dlan.

Svaki put kad je ponovo pridobije, njegovo zadovoljstvo bivalo je tim veće, jer je svaki put bila sve lepša. Vazduh oko njih postao je nepomičan i on oseti kako mu se crv želje zavlači malo dublje u utrobu. Da, to je bila prava reč, crv. Ona će uvek biti njegova najveća muza, zato ga je svaki susret s njom inspirisao da se bavi svojim idejama.

Samo što je Lukreciji bilo dosta poezije.

Prignula se prema njemu i usne su im se dodirnule, i drhtaj joj prođe celim telom. Briga me za tvoje gluposti, Izabela d'Este, pomisli ona ljutito. Ja sam kćerka pape i sestra vojskovođe. I nećeš me uplašiti svojim zlobnim tračevima. Poljubac se produbio i njihovi jezici počeše da se miluju. Hrabrost Bordžija: uvek je bila najpomamnija onda kad je suočena s najvećom opasnošću. Šta god da se sada desi, desiće se jer je ona tako htela. Nije bila ničija žrtva.

Njegova šaka joj je gnječila dojku, a Etna je počinjala da riga vatru i u njenim i u njegovim preponama, kad on najednom zastenja i odmače se od nje.

„Ah, moja ljupka gospo“, reče šapatom, podmetnuvši joj dlan pod bradu tako da je mogao da je drži blizu ali ipak malo dalje od sebe. „Ah, previše ste lepi.“

Sedela je kao paralisana, poluotvorenih usana, dišući ubrzano.

„Vi ste moja sirena, moja muza...“ On zaćuta, kao da je ovo bilo previše čak i za njegovu pesničku veštinu. „Ali...“

„Ali?“, ponovi ona poput jeke. „Ali ja sam vojvotkinja od Ferare. O tome je reč?“

On odmahnu glavom, kao da mu je i sama ta pomisao previše bolna.

„A da sam sirena udata za nekoga drugog?"

Bembo obori pogled. „Niste", reče samo.

„Ne, u pravu si. Nisam."

Ona začu sebe kako se smeje nekako nehajno, površno. „Naravno, ti znaš za priču o Parizini i Ugu?"

Sedeo je i zurio u nju. Uopšte nije ličilo na njega da ostane bez reči.

„Ženi vojvode Nikola i njegovom sinu?", govorila je dalje. „Oboje su pogubljeni zbog svoje velike ljubavi. Ugo je, kažu, bio veoma lep i uglađen čovek, mada ne bih rekla da je umeo s rečima tako kao ti." Najednom je bila veoma ljuta, premda joj nije bilo jasno zbog čega.

„Lukrecija, ovo nema nikakve veze sa..."

„...s nama, sad? Dabome da nema. Zato što mi nismo preljubnici, je li tako? Ovo među nama je obična dvorska ljubav. Volimo se rečima, ne telom. Da nije tako... ko zna kuda bi nas to odvelo?" Glas joj je bio leden.

On se trže. „Rugaš mi se."

„O, ne, Pjetro. Naprotiv. Potpuno sam ozbiljna. Ja sam žena koja može da uništi svakog muškarca koga zavoli."

I mada je gledala u njega, videla je nekoga drugog; nekoga podjednako lepog, punog života i smeha. Ali slika se promeni i sad je pred očima imala telo svučeno s kreveta na pod, lica nabreklog i pomodrelog od garote u Mikelotovim rukama. Čak ni brak nije spasao Alfonsa od gneva njenog brata.

Ona mu se izmače iz ruku. „Teško ćeš promeniti tok italijanske istorije ako ti zavrnu vrat kao piletu."

Ustala je i krenula prema vratima glasno dozivajući svoje dame. A one su bile odmah s druge strane, stojeći previše, previše blizu – s papirom i mastilom u rukama kao lošim izgovorom za to što su se tek sad vratile. Uznemirenost u njihovim očima natera je da se malo pribere.

„Sinjor Bembo mora da bude sam neko vreme da bi pretočio svoje misli na papir", ona će odlučno. „Upravo odlazi."

Lako naklonivši glavu, ona mu pruži ruku da pokaže kako je audijencija gotova.

Načas je samo stajao, rastrzan između stida i zbunjenosti.

„Draga gospo", reče s gotovo teatralnim dostojanstvom pre no što se okrenuo da ode. „Vreme provedeno u vašem prisustvu dragocenije mi je i od samog života. Moj rad ne može imati veličanstveniju muzu, niti je dražesnija žena ikada kročila svetom. *Azolani* su vaša poema. Nikad neće biti ničija do vaša."

Nije dugo plakala. A kad je sve bilo gotovo, osetila se nekako lakšom, kao da je predugo imala na sebi grudnjak toliko tesan da joj je srastao s kožom i da sada, kad ga je skinula, ponovo može da diše slobodno.

Rano se povukla u spavaću odaju, rekavši Katrineli da ide. Bilo je lepo, prijatno veče, i kroz prozor su iz Erkoleove palate dopirali zvuci trombona i bombardi.[42] Koliko god je bio tvrdica, vojvoda nije štedeo na onome što je voleo. Beše odbila poziv da prisustvuje muzičkoj večeri, pod izgovorom da mora da se pozabavi prepiskom koja se nagomilala od markizinog odlaska, ali sad je priželjkivala da je tamo.

Doboš je udarao u tempu saltarela.[43] Trupkala je stopalom o pod u ritmu muzike, pevušeći ispod glasa. Prošli su meseci otkako je poslednji put igrala uz ovu melodiju. Koliko drugačijim jezikom govorimo kad igramo. Kada telo tako glasno govori, nema mnogo mesta za misli. To je i bio jedan od razloga što je toliko volela da igra.

Pomerila se na sredinu sobe, ispravila kičmu i malo zabacila glavu, spremna, dodavši time čitav palac svojoj visini, toliko da joj se porub široke spavaćice podigao oko gležnjeva. Neopterećena obućom, bosa stopala su joj osećala teksturu drvenog poda. Visoko je podigla ruke, prekrštene na zapešću; dlanovi su joj bili poput dveju ptica što poleću pred njom. Volela je tu igru, saltarelo, zbog te lakoće s kojom se kretala između zemlje i neba – klizeći, provlačeći se, obrćući se i skakućući, iscrtavajući geometrijske šare među desetinom plesača. Ona ih u mislima razmesti označivši svoju putanju. S podignutim ramenom i gracioznim, beskrajno sporim pružanjem ruke u pravcu zamišljenog partnera s njene leve strane, njena stopala počeše da se pomeraju.

Muzika se posle nekog vremena više nije čula, ali ona je i dalje igrala, zamišljajući vesele naredbe trombona i doboša da joj vode korake. S uživanjem se prilagodila lakoći svoje odeće, krećući se slobodnije, s izraženijim naklonima i okretima, skakućući od zemlje više no inače.

„Plamen raspali u meni sjaj tvoj, radost što te vidim ne zna za kraj.“

Bembove reči kovitlale su se s njom, sijajući poput mora na mesečini. Labavo upletene kose su joj se rasplele i sad su igrale s njom. Zabacivala je glavu osećajući kako je teške vitice šibaju po licu. Oni što su u mislima igrali s njom nisu više bili tu, ali ipak, nastavljala je dalje.

Rob sam tvoj, znaj, kô suncokret kad traži sunca sjaj... na svaku tvoju varnicu, u mojim grudima besne bezbrojne Etne...

Nije bila reč o tome da je on ne voli. To je znala. Kako da čoveku čije su oružje reči zameriš ako odluči da se ipak skloni iz dometa topovske vatre? Ona brzo sklopi ruke ubrzavajući tempo koraka. Ples je spirao sve bolno što se dogodilo među njima, šta god to bilo. Ona oseti na koži dobro poznatu koprenu znoja i zatezanje u listovima nogu. Protegnuvši se više, oseti kako joj se prostor ispod rebara širi, i kao da ju je sledeći dah odigao od poda.

„Ah, gospo, ponekad bih se mogao zakleti da ne dodirujete tlo kad igrate."

Tako joj je Štula rekao u Spoletu. Ili je to bilo u Gubiju? Ti gradovi i balske dvorane već su joj se pomešali u glavi. Nije bio prvi koji joj je uputio takav kompliment. Kad je na proslavi zaruka koje je porodica Este organizovala u Rimu plesala sa svojim bratom, cela svita iz Ferare je klicala i pljeskala. Nikad nije bila nesrećnija, uspomena na Alfonsa još je bila živa rana, ali njen osmeh nikome nije dozvolio da to primeti, a ako će biti iskrena, tada je takođe osetila olakšanje.

Izvela je niz završnih, živahnih okreta, zadihavši se, i onda stala, s rukama u početnom položaju, pre no što se duboko, teatralno naklonila praznoj fotelji.

Ko bi drugi mogao sedeti u njoj do njen otac?

Oduvek je bio njena najzahvalnija publika. Najzahvalnija i prva. Tako se jasno sećala radosti koju su joj njegove posete donosile kad je bila dete: kako je veličanstveno ulazio u kuću pozivajući ih da mu se popnu u krilo, dok im je delio poklone sred opšteg smeha. Kasnije, kad bi se dečaci umorili od vike i cike, igrala je za njega; raširila bi suknje i izvela duboki reverans pre no što se razleti po sobi, detinjeg lica stisnutog od usredsređenosti da izvede najnovije korake koje je naučila.

„Bog ti je dao stopala od zlata i gracioznost laste", rekao joj je. „Ali postoji još nešto što moraš da naučiš." Šapnuo joj je tu reč na uvo.

Kad se nedelju dana kasnije vratio, glava joj je bila visoko podignuta, a sunčani osmeh upućen svima koji su je gledali.

„*Brava, bravissima*. Prosci će čekati u redu za tvoju ruku. Ali ja te nikad neću pustiti od sebe.“

Bio je u pravu što se tiče prvog, mada je i to imalo veze više s tim što je postao papa nego s njenim plesnim koracima. Mada je, na svoj način, bio u pravu i u vezi s potonjim. Sledeće zime navršavale su se dve godine otkako su se oprostili, otkako je izjahala u mećavu, a on žurio od jednog do drugog prozora u vatikanskom hodniku da bi joj mahao. Čim se nekako razreši ova suluda trka između Španije i Francuske, možda bi mogli da se dogovore da joj dođe u posetu. Ferara bi mu priredila veličanstveni doček: kao svom papi i ocu svoje vojvotkinje. Kako joj je samo nedostajao...

„*Ona zmija iz Mantove bila je u poseti Ferari*“, napisala je pre no što je legla.

Međutim, nisam dozvolila da mi njeni otrovni zubi probiju kožu. Preuređenje mojih odaja uskoro će biti završeno i upravo poručujem nova izdanja iz Manucijeve štamparije u Veneciji za svoju biblioteku. Zmija smatra da su njegove cene previsoke, ali on je najbolji u gradu, a svi znaju koliko je rastrošna kada je reč o komadima za njene zbirke. Sad kada dobijam pun iznos prihoda, poručila sam više muzičkih komada, a venecijanski pesnik Bembo uživa naše gostoprimstvo na dvoru dok radi na svojim dijalozima o prirodi ljubavi, čije štampanje svi željno iščekuju. S božjom pomoći, nameravam da ovde stvorim dvor koji će moći da se ravna s najboljima koje je Italija ikada videla. Kada dođeš, znam da će ti biti drago zbog toga. Svakoga dana se molim za tebe i ne mogu da dočekam naš ponovni susret. Jer iako sam imenom možda Este i s ponosom nosim titulu vojvotkinje od Ferare, u srcu zauvek ostajem

Tvoja kćerka, koja te voli,

Lukrecija Bordžija.

Četrdeset prvo poglavlje

Bio je avgust, a vrućina u Rimu postajala je sve gora. Još odavno je trebalo da papa i vatikanski dvor pređu u provinciju, ali ko je mogao igde da ode s dvema vojskama u pat-poziciji na severu i s vestima s juga prema kojima je Gaeta mogla odolevati još najviše nekoliko dana?

Prozori u Aleksandrovim spavaćim odajama bili su širom otvoreni, a on pokriven samo svojom noćnom košuljom, ali noć je donosila malo predaha. Mučili su ga grčevi u levoj nozi, creva su mu krčala, a njegov prdež je bio daleko od mirisa pomorandžinog cveta. Zvuk i zadasi staraca; gadio ih se kad je bio mlad, a ni sad nije bilo ništa drugačije. Prebacio se na drugi bok, a stomak mu se sruči pored njega poput brdskog klizišta. Kako se on, koji jede manje od mnogih mršavijih ljudi, tako ugojio?

Ipak, nije bio najdeblji. Rim je ovih dana bio pun korpulentnih prelata, kojima ništa nije bilo milije od sedenja za punim tanjirom i glasnog, zadovoljnog podrigivanja.

Pre samo nekoliko dana večerao je s nekolicinom njih. On i Čezare bili su počasni gosti na večerinki u letnjikovcu jednog od novoimenovanih kardinala, Adrijana Kastelezija. Bio je to banket pod vedrim nebom, prepuna trpeza u hladu lođe – pečene svinje i paste, bogati sosovi i skulpture od šećera i leda što su se brzo topile na vrelom, lepljivom vazduhu. Aleksandar je jedva čekao da ode kući.

„*Nazdravimo najdičnijoj porodici koju su Rim i Crkva ikad videli.*" Sunce beše zašlo i gorele su sveće, mada je vrućina bila nepodnošljiva, kad je njihov domaćin izgovorio zdravicu.

Aleksandar ju je prihvatio s lenjim, usiljenim osmehom, ali u sebi se pušio od besa.

Najdičnijoj porodici koju su Rim i Crkva ikad videli. Šta misle, da ne vidi uvredu sadržanu u njihovom kukavičkom laskanju?

Ljigavi licemeri, svi odreda! Pre petnaest godina ne bi mu dali ni da sedne za ovaj sto. Da ima snage, ustao bi i skresao im šta stvarno misli. *Većina vas godinama nije mogla da natera sebe da izusti ime Bordžija a da odmah potom ne pljune. A vidi ti to, sada smo najdičnija porodica koju su Rim i Crkva ikad videli! Za kakve nas budale smatrate?*

„Nezaboravna zdravica za nezaboravan trenutak, gospodo."

Čezare je bio na nogama, visoko podigavši čašu. Aleksandar ga još nikad nije video tako dobro raspoloženog, kako stalno doliva vino i ne pipa hranu, smeje se i razgovara sa svima kao da su mu braća koju odavno nije video. Umorio se samo gledajući ga.

„Kao glavnokomandujući papske vojske i u ime našeg voljenog pontifeksa Aleksandra VI, dižem još jednu čašu: *U zdravlje Bordžija i njihovih saveznika!*"

„*U zdravlje Bordžija i njihovih saveznika.*" Reči su odjeknule u horu glasova.

„Šta nije u redu, oče?", prošištao je Čezare ljutito dok su se prisutni kucali čašama i nazdravljali. „Ovde smo da proslavimo."

„Šta? S ovim budalama? Sve sama slamnata strašila. Lako se kupe, još lakše prodaju... Nema tu nijednog pravog božjeg čoveka."

„Pa, oče, takva ti je Crkva. Nema svrhe da sereš po onome što si napravio."

Streljao ga je pogledom, dok mu je gnev stezao grudi. Otac i sin. Zar se na to svelo: na prostakluk i drskost? Neće trpeti tako nešto. Na ovoj vrućini, međutim, najednom je bio suviše iscrpljen da se svađa.

„Donesite mi tanjir sardela", zarežao je.

To je bilo pre pet dana i otad se uopšte nije osećao dobro. Juče – na jedanaestu godišnjicu svog stupanja na sveti presto – bio je preumoran da obeleži taj dan. Mora biti da je zbog napetosti iščekivanja ishoda u Gaeti. Po Vatikanu je kružio vic (koji, razume se, nije trebalo da dođe do njegovih ušiju) da bi tvrđava bila smesta pala da su ispalili papu iz topa umesto đuladi. Takvo šta bi ga inače nasmejalo – svi su ga znali kao čoveka koji više voli da bude raspoložen nego neraspoložen – ali umesto toga mu je izazvalo potištenost i mrzovolju. Čovek koji je porazio tako mnogo neprijatelja trebalo bi da više uživa u životu.

On prebaci glavu na drugi, hladan jastuk. Da je barem Lukrecija pored njega. Uvek je umela da nađe nešto čime će ga nasmejati. Čak i posle ovoliko vremena, njeno odsustvo bilo mu je rana na duši. One tvrdice Esteovi! Dao im je dragulj, a oni se prema njemu ophode kao prema parčetu stakla. Njeno poslednje pismo nateralo mu je suze u oči. Dabome da će imati svoj veličanstveni dvor, a ako njen prihod ne bude dostajao, sam će joj slati novac. Njegova kćerka nikad neće morati da se ponižava moleći.

Koliko bi mu značilo da je vidi. U originalnom bračnom ugovoru stajalo je da će se u roku od najviše godinu dana sresti u svetilištu u Loretu, ali su rat i njena bolest to onemogućili. No šta je, tu je, sastaće se dogodine. Dotad će sigurno biti noseća, jer koji bi muškarac mogao da odoli takvoj ženi? I kako će joj to lepo pristajati. Bila je prelepa kad je nosila Rodriga. Isto kao njena mati. On pokuša da prizove u misli i jednu i drugu, ali njihova lica su se stalno rastakala. Godinama nije video Vanocu – mada je sigurno još bila lepa. A Lukrecija – pa, jedina njena slika koju je imao bila je na Pinturikijevoj fresci u Dvorani svetaca, ona kao mlada Sveta Katarina, a tada je bila jedva malo više od deteta, još sva bucmasta i stidljiva. Nikad nije trebalo da dozvolim da ode od mene, pomisli on. Tražiću da urade njen portret. Mada svi kukaju kako u Veneciji nema valjanih slikara, mora da u Ferari još ima onih koji nešto vrede. Da, da, portret bi pomogao.

Mada bi mu san sada pomogao još više. Oko četiri stuba njegovog kreveta, zimske zavese bile su zamenjene mokrim čaršavima, koje su sluge svakih nekoliko sati menjale u pokušaju da malo ublaže vrućinu. Neko vreme je vredelo i bilo je trenutaka kad je čak uspevao da zadrema, ali onda bi začuo ljutito zujanje komaraca. U jutro posle banketa, lice mu je ličilo na jastuk za igle. Ovog leta bili su brojniji i drskiji no ikad, a broj dimilica koje je čovek mogao da istrpi na vrućini zaista je bio ograničen. Zamišljao ih je kako se okupljaju poput leteće artiljerije, spremni da napadnu, a svoje telo kao gozbu sa bezbroj jela postavljenu pred njima. On se povuče malo više na jastuke, osluškujući škripanje i cviljenje dasaka odozgo. Mora da je Čezare imao društvo. Kakva izdržljivost! Ne tako davno, i sam je bio takav: danju je vladao hrišćanskim svetom s istom energijom s kojom je noću ulazio u raj.

Aleksandar, međutim, ovih dana nije žudeo za ženskim telom. Samo za hladnijim mestom na koje će da smesti sopstveno.

U odajama na gornjem spratu, Čezare nije bio u krevetu. Trenutno je bio vojnik, ne ljubavnik, a žene su postale deo posluženja: jelo koje mu donesu kad je gladan i odnesu čim se zasiti.

„Neko vreme neću biti tu", rekla mu je Fjameta dok je uplitala pletenicu i smeštala je pod svilenkasti ogrtač s kapuljačom, kad je pre nekoliko nedelja odlazila iz njegovih odaja. „Vruće je, otići ću na selo."

„Šta ako mi budeš trebala?"

„Ne trebam ti ja, gospodaru; tebi treba samo rupa u koju ćeš ga gurnuti. Mogu da se setim bar desetak drugih koje bi ti isto tako dobro poslužile. Kad ti ukus ponovo postane malo prefinjeniji, možda..."

Nikome ko mu je služio nije bilo lako. Dok je ostatak sveta usporavao ošamućen vrućinom, on je ubrzavao. Noću se bavio Romanjom: čitao je i sastavljao izveštaje za guvernere koji su nadzirali njegove gradove. Održavanje mira je iziskivalo više vremena nego ratovanje, a on je na sve motrio, već nestrpljiv da dobije odgovor na svoju depešu, koja će tek prekosutra stići primaocu.

Zorom je i dalje odlazio u lov, jutarnji vazduh je nakratko odagnavao glavobolje kojima Torelini napici, izgleda, više nisu mogli ništa, pa se potom vraćao vojnim i političkim izveštajima od tog dana. Bio je spreman da napusti Rim čim stigne vest koju je čekao. Ali Gaeta nikako da padne. U najtoplijem delu dana umeo je da prilegne na sat ili dva, mada ne da spava, zato što je bio suviše zauzet razmišljanjem, a onda je na red dolazila razonoda: neko brzo žensko posluženje ili gozba poput one kojoj su on i otac prisustvovali pre nekoliko dana, i potom povratak noćnim depešama. Bio je poput uličnog žonglera koji baca baklje uvis i hvata ih toliko brzo da liče na plameni krug.

Torela ga je pomno motrio sa strane. Već je video tu mahnitu energiju, za vreme mračnih dana zavere u Imoli, i premda je bio dovoljno pametan da se ne meša, u isti mah mu nije bilo drago što ga ostavlja bez nadzora. Naposletku je zatražio audijenciju. Nije mu bila odobrena, samo da bi ga sutradan pre svanuća izvukli iz postelje s vešću da će ga vojvoda odmah primiti.

„Želeo sam da čujem kako ste, gospodaru", reče on, pošto se prethodno polio hladnom vodom ne bi li izgledao budniji.

„Nikad bolje. Zar ne vidiš?"

„S tim što ste skoro nedelju dana pregurali s ne više od nekoliko sati sna. To nije normalno za muškarca. Pitam se kako vam je glava."

„Bistra kao voda, čak i onda kad su talasi prejaki. Trebalo bi da ti je drago. Tvoje lečenje napravilo je od mene dvaput boljeg muškarca no što sam bio. Dozvolio bih ti da ga patentiraš,[44] samo, kome trebaju jači neprijatelji?"

Potom se nasmeja, jer je to sigurno bio najbolji vic na svetu.

„Pravo pitanje ne glasi zašto ja ne spavam, nego zašto drugi ljudi toliko spavaju. To ti meni objasni ako možeš. Zašto nismo sve vreme budni? Neuporedivo više bismo uspevali da uradimo."

„San je misterija koju niko ne uspeva da odgonetne, gospodaru, mada ima onih koji veruju da je čoveku potrebno da sanja, jer snovi, kako se čini, pročišćavaju um i savetuju nas i usmeravaju kako da se ponašamo."

„Gluposti. Snovi su traćenje vremena. Beskorisni! Snovi su beskorisni. Pa i sama ta reč je kriva kao greh. Snovi su ono čime se ljudi teše onda kad ne mogu da dobiju ono što žele. Moja je pretpostavka da su istorijski velikani mogli i bez sna. Shvatićeš to projašeš li jutrom kroz Rim. Dobro gledaj dok sunce prolazi kroz sve one stubove i hramove. Mi smo patuljci u poređenju s njima. Kad ti kažem, Rim nije sagrađen spavanjem i snovima, nego energijom, akcijom, ratom."

Toliko reči od čoveka koji je u nekim drugim prilikama jedva i progovarao. Torela je davao sve od sebe da se ne primeti koliko je zabrinut. On pogleda prema stolu prekrivenom papirima. „Imate baš mnogo posla, gospodaru. Smem li da pitam kako ide dole na jugu?"

„Ma! Nedostaje im osvajačkog žara. Topovi zasipaju zidine Gaete đuladima, a opet, ona nikako da padne."

„To sigurno otežava planove Vašoj visosti."

„Kakvi su to planovi, Torela?", vojvoda će oštro.

Torela sleže ramenima; svi su znali da se vojvodina vojska nalazi na pola puta prema Toskani, spremna da napadne. „Bilo koji koje poželite da mi otkrijete, gospodaru."

Još jedan neveseli smeh. „Istinski si odan, pa ću ti reći. Kralj Luj ovog časa maršira ka jugu, pod izgovorom da ide da napadne Napulj, ali naravno, zapravo hoće da me zaustavi, zato što zna previše o našim namerama, zahvaljujući onom izdajničkom kopiletu od našeg izaslanika. Stoga moramo da malo promenimo plan. Juče sam poslao kralju poruku u kojoj sam objasnio da moje jedinice samo čekaju da se spoje s njegovima, i ponudio svoju večnu podršku njegovoj borbi protiv Španaca. Pitaš se kako ću da iskoristim ovo neplanirano odugovlačenje? Reći ću ti. Kad se približimo Napulju, postaraću se da kralj dobro plati za savez sa mnom ili..." On zastade. „Ili ću da ponudim svoju vojsku drugoj strani. Ha! Briljantan potez, zar ne?"

Torela je sad već bio prestravljen. Ne samo da je Čezare pričao previše i prebrzo nego je govorio ono što je zacelo bila tajna.

„Kad ti kažem, rat je kao ples. Ne, ne kao ples. Ne. Više kao prebacivanje s jednog konja na drugog u punom galopu. Često sam to radio, znaš. I svaki put si mogao da vidiš ljude kako bulje, kao da time prkosim bogovima, zato što je to nešto na šta se oni nikad ne bi usudili. Ali poenta i jeste u tome, Torela. Da se usudiš. Da gurneš ruku Fortuni pod suknje i igraš se s njom sve dok joj svi sokovi ne poteku. Šta je bilo? Da nije moje vojničko izražavanje uznemirilo sveštenika u tebi?"

„Nije, gospodaru. Samo sam pomislio... pa, možda bih mogao da predložim nešto za ublažavanje glavobolje, jer možda će vas..."

„S mojom glavom je sve u redu", viknu on. „Mada ponovo imam bolove u udovima."

„U udovima. Što je..."

„...potpuno nevažno. Činjenica je da je većina muškaraca naprosto slaba. Dok sam ja kao iskovan od gvožđa. Tome si i ti doprineo. I bićeš dobro nagrađen za to. Šta je bilo, Mikeloto?", reče on kad su se otvorila vrata iza njegovih leđa, kao da ima oči na potiljku.

„Došao je francuski ambasador."

„Niko ga nije video kako ulazi?"

„Lično sam ga uveo na sporedni ulaz."

„A moj otac?"

„Još je u postelji. Kapelan kaže da ne spava dobro."

„Eto, vidiš li, u njemu nema gvožđa." On se široko osmehnu, pa mahnu rukom dajući Toreli znak da može da ide. „Dobro, dovedi ga ovamo i hajde da to obavimo."

Vrativši se u svoje odaje, Torela se lati beležaka zapisujući brzo, i sam pomalo drhtavom rukom: *Šesti dan bez sna. Bolovi u udovima. Veoma brzo govori i smeje se. Dobro raspoloženje na granici mahnitosti i blago podrhtavanje šaka i stopala dok govori, kao da poigrava, ali čini se da to ne primećuje. Neočekivana manifestacija francuske bolesti ili nekakav poremećaj u mozgu.* On pogleda šta je napisao i potom dodade na kraj znak pitanja.

ČETRDESET DRUGO POGLAVLJE

Papa je bulaznio. Drugačije se naprosto nije moglo opisati.

Naglo ga je obuzelo. Tog jutra je ustao iznuren i klonuo duhom, uzeo je malo razvodnjenog vina i voća, primio nekoliko izaslanika, i upravo je diktirao pismo za Lukreciju kad ga je spopao siloviti napad povraćanja, koji je trajao još dugo nakon što više nije bilo ničega što bi izbacio. Kad su ga odveli u njegovu spavaću sobu, već je bio obuzet groznicom.

U roku od jednog sata, biskup od Venoze i još pet ili šest drugih lekara zaposeli su sve prostorije – papska spavaća soba, ostale odaje, pa čak i vrata samog Vatikana, sve je zabravljeno.

Do večeri je dobio vrućicu, vičući kako mu telo gori i kako mu moraju dati još vode. Međutim, kad su mu je prineli, toliko se bacakao da im je izbio vrč iz ruku. Silom su ga zadržali da miruje i stavili su mu hladne obloge. Popio je svega nekoliko gutljaja vode kad je ponovo počeo da povraća.

„Ovo je gadan mesec za debele ljude. Znao sam… znao sam…“, uzviknu on kad je naposletku pao nauznak na jastuke, očiju staklastih od naprezanja.

Svi su znali o čemu govori: o smrti svoga nećaka, izuzetno korpulentnog kardinala Huana de Bordžije Lansola, koga je pre manje od nedelju dana oborila ista groznica. Na njegovoj sahrani, dvojica nosača kovčega behu se onesvestila od vrućine – ili možda od težine. Aleksandar je bio primetno neraspoložen dok je posmatrao povorku kako prolazi.

„Jadni Huan. Trebalo je da se više moli, a manje jede. Avgust je gadan mesec za debele ljude."

Upravo u tom trenutku, mlada vrana, pogrešno procenivši svoju putanju leta na vazduhu nepomičnom od vrućine, ulete kao đule kroz otvoren prozor i potom se mahnito zaletala u zidove sve dok se, nalik na malog demona crnih krila, nije sručila pravo Aleksandru pred noge i ostala tako trzajući se. A svaki evropski jezik ume da opiše vesnika smrti.

Letnja groznica; prenosila se kužnim vazduhom što se dizao iz baruština i prolazila gradom poput nevidljive magle.[45] Za svoje sedamdeset dve godine, Rodrigo Bordžija je posmatrao kako mlađi muškarci, fizički mnogo spremniji nego on, padaju oko njega kao muve. Ovo leto je, međutim, bilo drugačije od samog početka – smrt je kosila sve i svakog, ne birajući baš nimalo. Kad su se lekari okupili podno njegovog kreveta, biskup Venoza pretočio je u reči ono čega su se svi već pribojavali: za sve godine što je lečio papu, još ga nikad nije video ovako bolesnog i, ako groznica do sutra ne popusti, moraju da mu puste krv.

Sutradan su mu pustili deset unci krvi,[46] gotovo dovoljno da ubije nekog sitnijeg čoveka. Dok su se pijavice gostile, zalepljene za njegove široke grudi kao crna govanca, papa se povratio. Užasnuto vičući, pokušao je da ih strgne sa sebe. Ponovo su morali da mu vežu ruke remenima.

„To je za vaše dobro, Vaša svetosti."

„Za moje dobro? Dobro?" Zurio je naviše u krug zabrinutih očiju. „Krvopije ste vi, lešinari, svi do jednog. Dozvolite li da umrem, kunem se, sačekaću vas na onom svetu."

„Nećete umreti, Vaša svetosti", reče biskup vedrim glasom. „Samo pustite da humori odrade svoje."

„Lukrecija", promrmlja ležeći sav omlitaveo posle puštanja krvi. „Treba mi Lukrecija. Je li pismo stiglo? Moram imati vesti od nje."

„Pa vaše pismo je tek juče otpremljeno, Vaša svetosti. Potrajaće nekoliko dana dok ne stigne odgovor."

„I Čezare. Gde je Čezare? Odmah pošaljite po njega."

Lekari se samo nervozno zgledaše.

„On je... vojvoda trenutno nije u Vatikanu, Vaša svetosti." Biskup je govorio u ime svih.

„Nije u Vatikanu. Pa gde je onda?" Aleksandar se pribrao dovoljno da se rasrdi. „Je li otišao u vojsku a da me nije pitao? Neka ga odmah dovedu natrag. Kako je smeo!"

Svi su ćutali.

„O, Presveta Bogorodice i svi sveti, taj mali će me u grob oterati."

Kad je sklopio oči, pitali su se da li je čuo sopstvene reči.

Odneli su pijavice i neko vreme je proveo u nemirnom snu. Potom su uveli Burkarda, koji je čekao napolju dok su lekari činili najbolje – ili najgore – što su mogli. Nadali su se da će poznato lice možda ohrabriti papu.

„Kako je Vaša svetost?", upita ga ovaj blago.

„Kad ti kažem, nikad ne veruj lekarima. Zadatak im je da se staraju da budeš bolestan, kako bi imali posao." Aleksandar ga ščepa za mantiju, privlačeći ga bliže. „Blagi bože, Johane, šta ti se dogodilo s licem? Već sam ti rekao da ne bi trebalo da se osmehuješ. Ne pristaje ti."

Svi se malčice nasmejaše. Čak se i Aleksandar, stežući Burkardovu ruku, osmehnu na svoju šalu. Možda je puštanje krvi delovalo. Možda je najgore prošlo.

Te noći je spavao kao top i narednog jutra je izgledalo da je groznica popustila. Oporavio se dovoljno da je mogao da sedi poduprt čistim, suvim jastucima; opuštena koža na vilici visila mu je do vrata, a oči su mu suzile od starosti i bolesti. Tražio je od jednog svog kapelana da odigraju partiju karata, ali nije uspevao da zapamti kad je njegov red i ruke su mu drhtale dok je pokušavao da spusti kartu, pa je ubrzo ponovo zadremao.

„Kako se osećate, Sveti oče?“, upita biskup blagim glasom dok mu je opipavao bilo.

„Šta misliš kako mi je?“, ovaj će razdraženo. „Šta se to čuje? Zvona! Zašto zvone? Misle li da sam umro?“

„Danas je Velika Gospa, Sveti oče. Petnaesti avgust.“

„Velika Gospa! A da, da, naša Blažena Gospa se na današnji dan uznela na nebo.“ Zurio je u tavanicu, a oči su mu se prevlačile ocaklinom. „Na današnji dan… da. Pogledaj, pogledaj kako se uznosi, okružena anđelima. O, kako je lepo. Kad bi barem moje telo bilo tako lagano. Kako bih voleo da budem pored nje.“ Iz očiju mu linuše suze. „Kad bi samo htela da me povede sa sobom.“

Čak je i Venoza osećao knedlu u guši, jer nikad nije upoznao sveštenika koji voli Hristovu majku toliko kao Rodrigo Bordžija.

U međuvremenu, Burkard je napolju pokušavao da umiri gomilu izaslanika i ambasadora, koji su očajnički pokušavali da doznaju šta se događa.

„Nije ništa ozbiljno, gospodo, uveravam vas. Papa je naprosto malo klonuo.“

Klonuo. Bila je to reč koja se tih dana prečesto upotrebljavala. Većina važnih ljudi u Rimu, „klonulih" duže od tri dana, sad je bila mrtva.

„Sveti pontifeks je oboleo od groznice, zar ne?"

„Ne, ne, lekari kažu da je malo nazebao prošle nedelje, na večeri kod kardinala."

Nije teškoća bila samo u tome što Burkard jednostavno nije umeo da laže. Činjenica je bila da nije samo papa loše prošao te večeri. I sam kardinal je ležao bolestan od groznice, kao i još dva gosta. To je zasigurno bila posledica prekomernog jela i pića na velikoj vrućini. Rim se ubrzano pretvarao u mrtvačnicu.

„A vojvoda Valentino?"

„...trenutno ne prima."

To su već znali, pošto su naoružani stražari sprečavali svaki pokušaj ulaska u zgradu. No sa Čezareom Bordžijom nikad ništa nije bilo onako kako je na prvi pogled izgledalo. Bilo bi sasvim svojstveno njemu da prikazuje da je kod kuće mada zapravo nije, a svi su znali za priče o njemu i njegovom voljenom Mikelotu, kako jašu po celoj zemlji prerušeni u prosjake ili u svete vitezove Svetog Jovana Rodoskog.

„Da li je pored oca?"

„Je li otišao iz grada?"

„Je li na putu da se pridruži svojim jedinicama?"

Dok su pitanja letela, Burkard je samo odmahivao rukama, kao da bi da pokaže da je, kada je vojvoda u pitanju, sve moguće.

U odajama iznad papinih, Gaspare Torela je bio na ljutim mukama. Kasnije, kako su godine prolazile, često se pitao je li mu nešto promaklo one noći kad je ponudio govorljivom vojvodi nešto za ublažavanje glavobolje. Nije bilo ni preznojavanja ni jeze, nit ijednog drugog znaka groznice. Zar je bio u toj meri usredsređen na simptome svoje dragocene bolesti da nije primetio pravog ubicu?

Kao u slučaju pape, i ovde je udarilo kao grom. Mikeloto je jednog ranog jutra dremao na stolici pred vojvodinim vratima kad je začuo uzvike i ječanje; utrčao je unutra i zatekao Čezarea na krevetu potpuno obučenog, umotanog u posteljinu i ćebad, kako cvokoće zubima nekontrolisano kao ludak – jer kome bi drugom bilo tako hladno na tolikoj omorini?

Od jeze do vrućice i ponovo natrag. Bio je tako bolestan da nije bilo vremena da se proklinju ni sudbina ni lekari. Dok je vrućica narastala, vikao je i mahnitao govoreći potpuno nepovezano. Pozatvarali su prozore da priguše buku, zbog čega je unutra samo postalo još toplije. On to, doduše, nije ni primetio: do večeri je goreo kao furuna, čelo mu je bilo toliko vrelo da je Torela jedva uspevao da ga opipa nadlanicom. Znoj mu je samo liptao i povratio je svaku kap tečnosti koju su mu dali. Izgledalo je gotovo kao da se taj gvozdeni čovek topi.

Kad na kraju drugog dana nije bilo promene, Torela je odgovorio na Mikelotovo nemo pitanje. „One najjače ponekad najgore pogodi."

Ili se možda naprosto žešće odupiru, reče potom samom sebi. Bog zna da je vojvoda jak. Nikad nije upoznao nikoga jačeg. Ali danima nije ni trenuo, a skoro isto toliko dugo nije ništa jeo. Je li bolest već tada bila na delu, i svlačila mu oklop? Torela se u mislima vrati u Feraru i na Lukrecijinu borbu za život prošlog leta, na to kako se groznica poigravala i s njom i s njima, kako joj je u jednom trenutku bivalo bolje da bi joj se stanje odmah potom pogoršalo. Ali ovde je taj osećaj poigravanja izostao. Ovo je delovalo ozbiljno. Smrtno ozbiljno.

Okupljeni u predsoblju, papini i vojvodini lekari sastali su se s Burkardom i nekolicinom poverljivih komornika. Otac i sin oboreni bolešću u isto vreme – javnost nikako, ni po koju cenu, nije smela saznati za to. Ali dabome, tako nešto se nije moglo sprečiti. Izaslanici i ambasadori svugde su imali svoje špijune i, kada je još jedan lekar primećen kako se ušunjava na sporedni ulaz, zaključci su se nametnuli sami od sebe. Od poslednja četiri pontifeksa, njih trojica umrla su baš u ovo doba godine. A da Čezare nije takođe na samrti, tada bi svakako on kontrolisao saopštenja.

„Nema razloga za uznemirenje, gospodo. Obojica se oporavljaju."

Burkardova uveravanja narednog jutra samo su potvrdila sumnje. Najednom se u Rimu više nije moglo pronaći dovoljno jahača da raznesu depeše: groznica je oborila i Aleksandra i njegovog sina, a šaputalo se i da je vojvodi još gore nego njegovom ocu.

Niko nije ni očekivao da će papa živeti doveka.

Ali Čezare Bordžija...

Šta će biti ako...?

Kad se pročulo i izvan kapija Vatikana, glasine su se množile poput muva. Bordžije umiru od sopstvenog otrova. Ona večerinka u letnjikovcu bila je samo varka, smišljena da okupe dvanaestak kardinala i sve ih pobiju zato da prisvoje njihovo bogatstvo. Ali pobrkali su čaše, pa su sami popili najveći deo otrovanog vina. Pritom nije bilo važno što je otrovu trebalo toliko dugo da deluje. Takva smrt je samo odslikavala oštroumnu surovost Bordžija. Drugima je za to vreme bilo zanimljivije da se bave pričama o mrtvim vranama i đavolu, kao da se u tom prelomnom istorijskom trenutku u Vatikan uselilo nešto više od puke bolesti.

Na drugom kraju zemlje, još jedan oronuli stari vladar sedeo je u gradu kojim je harala bolest. Doduše, groznica je tog leta bila blaga u Ferari, možda zato što se Erkoleova sveta redovnica založila za njega u svojim molitvama. Njen novi samostan bio je gotovo završen i vojvoda Erkole bio se upravo vratio s obilaska zdanja – već se behu svud pročuli po njemu – kad je stigla hitna depeša od njegovog ambasadora u Rimu. Pročitao ju je brzo, žudno, a onda sporije, baveći se svakom pojedinošću: Vatikan ćuti kao zaliven i, mada se sve demantuje, jasno je da su obojica Bordžija na rubu smrti od groznice.

Što zbog izgradnje samostana, što zbog Izabeline posete, u poslednje vreme nije proveo mnogo vremena sa svojom snahom, ali nije nimalo sumnjao da će je ta vest teško pogoditi. Datum i vreme na depeši bili su od pre skoro puna dva dana. Dva dana. Šta se možda u međuvremenu dogodilo ili se, može biti, ovog časa dešavalo? Jahač koji je doneo depešu, pokupio ju je na postaji kod Bolonje. Kad su ga ispitali, kleo se da nema pojma o njenom sadržaju. Takve vesti uvek procure, uprkos tome što je pečat ostao čitav, ali dotle treba da prođe neko vreme. Ovog časa, u Ferari je za njih znao samo Erkole d'Este. Jesi li, upitao je čoveka kao uzgred, sreo nekog glasnika upućenog vojvotkinji? Ovaj je na to odmahnuo glavom. S obzirom na paniku u oba vatikanska domaćinstva i tako neizvestan ishod, bilo je moguće da se niko nije setio da je izvesti.

Kao njenom svekru, bila mu je dužnost da se postara za to. A opet, šta ona može do da se izbezumi od brige kad čuje tako bolnu vest? Bolje da sačeka sve dok ne dobije potvrdu ovakvog ili onakvog ishoda. Jer ako obojica umru...

Lukrecija pak samo što je bila otišla u svoj letnjikovac, a pre polaska je, puna poštovanja kao i uvek, došla da se pozdravi s njim. Nije mogao poreći da je ona veoma uglađena i lepo vaspitana mlada žena. Dvor poput ferarskog mora da nadahnjuje ljude od pera, a ona je davala sve od sebe da se Bembo i drugi poput njega osete dobrodošli. Čuo je samo najveće hvale za Bembovu novu epsku poemu i bio je siguran da će je ovaj posvetiti njemu, vojvodi koji mu je već godinama ukazivao gostoprimstvo. Kamo sreće da njegovi sinovi u toj meri cene kulturu. Umesto toga, izrodio je niz neotesanih, razbludnih i svadljivih dečaka; a najneotesaniji od svih bio je upravo najstariji, taj livac topova. A opet, više nisi mogao naći mlade ljude koji znaju šta je čast. Bio je to odraz ovih vremena - pokvarenost je izjedala Italiju i na kakve su uzore mogli da se ugledaju, sem kojekakvih ratobornih bludnika? Za to nije bio kriv niko drugi do oni što su sedeli u Vatikanu.

Ne, dok ne bude video šta nose naredni dani, zadržaće sadržaj depeše za sebe. Otišao je potom u svoju tek preuređenu kapelu i pao na kolena u usrdnoj molitvi, prizivajući Svevišnjeg i sve svete da se smiluju Ferari i celom hrišćanskom svetu, i oslobode ih kuge i skandala koji behu uhvatili korena u Svetoj stolici - i oca i onog njegovog nasilnog kopilanskog šteneta.

Vojvoda nije bio u pravu u vezi s Lukrecijom. Kad se vratila u letnjikovac, tamo ju je već čekala poruka iz Rima. Sve dotad je bila izuzetno lepo raspoložena. Razgovarala je s vojvodinim najnovijim kompozitorom, Žoskenom Depreom.

Njegova prva kompozicija za dvor, muzika na reči pedeset prvog psalma,[47] bila je jedna od najlepših koje je ikada čula, i želela je da komponuje nešto i za njene muzičare. Čak je imala susret i sa Bembom, oboje su bili pažljivi, ljubazni jedno prema drugom, i osećali su se prijatnije sad kad su osećanja izgubila nekadašnju žestinu

Uz to, stiglo je i pismo iz Rima! Sigurno od oca, čiji je odgovor već danima očekivala. Ali kad ga je uzela u ruke, ona vide da se na papiru, umesto njegovog ličnog grba, nalazi grb biskupa Venoze, očevog lekara.

Njegove reči sastrugale su joj želudac iznutra kao usijanom kašikom.

Bolesni, ali nisu mrtvi. Obojica. *Bolesni, ali nisu mrtvi.*

Pozvala je svog ispovednika, ostavivši sve ostale s druge strane vrata. Kad je došao, bila je na kolenima, zgrčena, poput neke stare redovnice u molitvi. Bembo, Alfonso, Erkole, Ferara, sve je palo u drugi plan.

Bolesni, ali nisu mrtvi. Da li Bog gleda porodicu i sudi joj? Može li biti da je njeno lakomisleno ponašanje nekako doprinelo da se ovo desi?

„Oče, mogu li da se ispovedim?"

Za manje od sat vremena celo domaćinstvo se okupilo u kapeli, na bdenju; glasovi mladih žena dizali su se, nalik na pesmu hora u Korpus Domini, u najusrdnijoj molitvi za živote pape i njegovog sina vojvode Valentina.

U noći koja je usledila, nebrojeno mnoštvo čiopa, u tako visokom letu da su bile nevidljive ljudskom oku, prošlo je iznad desetina gradova u kojima su dotad bile otvorene i pročitane hitne depeše, i u kojima su se molitve takođe dizale ka nebu; pretezale su, međutim, one u kojima se nije pominjalo ozdravljenje, već smrt i osveta.

Četrdeset treće poglavlje

Papino poboljšano stanje nije potrajalo. Šestog dana ujutru, počeli su da se javljaju povremeni gubici svesti. Tu i tamo prevalio bi preko usana poneku reč, zbrkane aluzije na pomorandžin cvet i njegovu voljenu Mariju u zlatu na prestolu, ali Čezarea više nije pominjao, niti je ijednu misao posvetio svojoj voljenoj kćeri. Rodrigo Bordžija beše ostavio svoju porodicu iza sebe.

Pored njega su bili samo biskup, još jedan lekar, papski rizničar i dva komornika. Većina kardinala provodila je leto van Rima, a oni koji su ostali, čak i pristalice Bordžija, bili su previše pametni da bi se tu pojavili. Bilo je nekog govora o tome da mu ponovo puste krv, ali niko nije bio spreman da preuzme taj rizik na sebe. Lica su im rečito odavala strah. Ako vojvoda Valentino nadživi svog oca, niko nije želeo da bude optužen kako je dodatno oslabio papu.

Bolje je bilo da ga ostave u božjim rukama.

U međuvremenu, čovek koji je nekad bio Čezare Bordžija lebdeo je negde između života i smrti. Torela je iscrpio gotovo svu svoju mudrost. Vojvodina težina se posle četiri dana neprekidnog preznojavanja doslovno prepolovila. Ležao je otvorenih usta, ispucalih usana, tiho dahćući, kože tako suve kao što je donedavno bila mokra, dok mu je srce lupalo kao u čoveka koji trči ne bi li spasao glavu. Mikeloto je stajao podno postelje na nemoj straži, posmatrajući, čekajući; pokuša li smrt da prinese svoju kosu, moraće prvo njega da poseče.

Kad su ponovo počeli, napadi grčeva su odizali Čezarea s ležaja, a ruke i noge su mu mlatarale u svim pravcima, kao da se bori s nevidljivim đavolom. Dok su se mučili da ga obuzdaju, Torela je posmatrao. Ne bude li uspeo da mu spusti vrućicu, vojvoda će biti mrtav pre svog oca. Dalje se moglo samo na jedan način, ali tu odluku nije želeo da donese sam. On priđe Mikelotu. Nije bilo nikoga drugog i nikoga boljeg od njega.

Mikeloto ga je saslušao, a izraz na njegovom zastrašujućem licu punom ožiljaka nije se promenio. „To može da ga ubije."

„Tačno", smesta odvrati Torela. „Ali ovo" – on pokaza prema telu što se grčilo na postelji – „ovo će ga ubiti još brže."

Iz podruma je doneseno prazno vinsko bure, kome su testerom odstranili gornji deo, a sluge su se postrojile na stepeništu dodajući iz ruke u ruku pune kofe hladne vode s pumpe u dvorištu. Sve se odvijalo mučno sporo, ali je nivo vode u buretu postepeno rastao. Zatim su doneli led. Šestorica ljudi nosila su uz stepenice gromadu umotanu u grubo platno, dok je voda što je curila ostavljala za sobom tamni trag. Kad su razmotali led, latili su se čekića i dleta. Parom obavijena parčad letela je na sve strane dok su prisutni jurili da je pokupe i ubace u bure.

Da je Čezare bio pri svesti, po svoj prilici bi se osećao kao čovek koji posmatra inkviziciju kako priprema sprave za mučenje. Njemu, međutim, nije bilo stalo. Ležao je trzajući se, sklopljenih očiju, dahćući kao pas. Je li ovo suviše dockan?, pomisli Torela. Da li već umire?

Najzad je bure bilo gotovo puno. Torela je isprobao vodu rukom, držeći je duboko zaronjenu i brojeći do deset dok mu se na licu ocrtavao bol.

On dade znak Mikelotu. „Spremno je. Podignite ga."

Dvojica ljudi su stajala spremna da pomognu, ali Mikeloto ih odgurnu u stranu. Sagnuo se nad postelju pridržavajući Čezareovu glavu među dlanovima i govoreći mu nešto tihim, ozbiljnim glasom. A da li ga je Čezare čuo? To je već bilo mnogo manje važno: prisnost između te dvojice ljudi oduvek je bila dublja od reči.

Potom mu Mikeloto i ona dvojica svukoše ono malo odeće. Dok su ga podizali, Čezare je režao i otimao se, a onda je ponovo klonuo gotovo obeznanjen. Mikeloto ga podiže i nabaci preko ramena kao da je džak treseta ili već leš. Behu privukli drveni sanduk do bureta, zarad lakšeg pristupa, i on se pope na njega, tako da je sada stajao iznad vode. Načas kao da je oklevao.

„Hajde", požuri ga Torela.

Ovaj spusti telo sa svojih ramena u bure.

„Jedan, dva..."

Vojvodini krici zaparaše vazduh kad je telo usijano od vrućice dodirnulo ledenu vodu.

„Tri, četiri", brojao je Torela.

Čezare, kome se od šoka povratila svest, mahnito se bacakao.

„Aaaaaah. Aaaaah." Šok i bol.

„Pet, šest."

Posvuda je pljuskala ledena voda, vojvodini krici nakratko utihnuše kad mu je glava potonula i potom izronila boreći se za vazduh. Prisutni su se zabrinuto zgledali. Hoće li se udaviti?

„Sedam, osam." Torelin glas je drhtao. Trebalo je da tera do deset, ali manjkalo mu je hrabrosti.

„Devet. Vadite ga. Odmah!"

Mikeloto je već bio tu. Uz pomoć ostalih, izvukao je vojvodu iz ledene vode ukočenog i gotovo obamrlog od šoka. Koža mu je bila prošarana ljubičastomodrim mrljama, oči razrogačene i sumanute; bio je suviše ošamućen da oseća bol, suviše ošamućen da bi išta osećao.

„Na postelju. Pokrijte ga", komandovao je Torela poput generala na bojnom polju.

Čezare je sada jedva disao, a izraz na njegovom licu odavao je paničan strah. Možda su te razrogačene oči nešto i videle. Lica ljudi koje je ubio – to ili ognjene jame pakla. Umotali su ga u svileno platno, kao da prepovijaju veliko dete. Drhtao je kao besan pas, ali kad mu je Torela opipao bilo na vratu – više nije bilo ubrzano, i on posle nekog vremena utonu u, kako je izgledalo, dubok san.

Torela bi najradije odmah uklonio povoj, ali nije želeo da remeti lekoviti mir. Naposletku, nežno su ga razmotali; koža je ispod bila pokrivena plikovima i čitavi komadi su se ljuštili, zalepljeni za svilu. To telo, nekad tako savršeno da je moglo biti model za kakvu tek iskopanu rimsku skulpturu, bilo je sad izrovano ožiljcima od francuske bolesti i opečeno ledom i vatrom. Ali nije bio mrtav. Ne još. To je bilo najbolje što se moglo reći.

Kad su otvorili prozore da puste malo svežeg vazduha, Mikeloto začu muške glasove u molitvi koji su dopirali sa sprata ispod. Mada je Čezare i dalje bio bez svesti, njegovom odanom pratiocu nije bilo potrebno ponavljati naredbe. O onome što mu je sada bilo činiti dogovorili su se davno pre ovoga.

* * *

Premda su Čezareovi krici terali jezu u kosti lekara i sveštenika okupljenih oko kreveta, Aleksandra nisu dotakli. U tom ogromnom telu treperio je sada samo slabašan plamičak života. Beše došao sebi tek toliko da se mrmljajući ispovedi – nije bilo prostora za pojedinosti, samo za opštu molbu za oproštaj – i primi oprost grehova, posle čega su ga pomazali svetim uljem dok se nad njegovom posteljom odvijao obred poslednje pomasti.

Svetom će kasnije kružiti kojekakve priče o ovom trenutku: kako je u odaju navrlo sedam raspomamljenih demona, koji su bockali i gurkali telo podsećajući ga da je sklopio pogodbu – da je prodao dušu đavolu za jedanaest godina vladavine hrišćanskim svetom i da već četiri dana kasni s plaćanjem. A on je vrištao i preklinjao za milost, obećavajući svakojake opačine ako mu daju još samo malo vremena. Još vremena...

Međutim, za one koji su bili pored njega, Rodrigo Bordžija je preminuo blago. Kakvi su god računi imali da se poravnaju između njega i Gospoda – ili onoga drugog – to je moralo da sačeka. Biskup je sedeo najbliže, tu i tamo pritiskajući vlažnu krpu na moćno čelo, ali taj gest je prolazio neprimećen.

Malo pred najtoplije doba dana, Rodrigo tiho uzviknu i širom otvori oči, zagledavši se u tavanicu prepunu pozlaćenih grbova s Bordžijinim bikom, koji je divlje protutnjao Italijom. Ali nije bilo naznake da ih je prepoznao, njih niti bilo šta drugo, a kad su mu se kapci sklopili, više se nije pomerao.

Disanje mu je postalo isprekidano i hrapavo, kao da je morao da se bori za svaki gutljaj vazduha i da ga se grčevito drži, iz straha da je možda poslednji, pre no što ga naposletku nevoljno ispusti. Sledila je tišina, dok ne počne iz početka. Vreme je prolazilo. Venoza otpoče molitvu i njihovi glasovi sliše se u melodičan žamor u nastojanju da mu olakšaju odlazak.

Kad je došao, kraj je bio gotovo neprimetan: poslednji grčeviti uzdah, zadržan i zatim ispušten tako blago, u izdisaju tako dugom da je potrajalo nekoliko trenutaka dok nisu shvatili da za njim ne sledi još jedan. Koliko moraju da sačekaju? Venoza naposletku ustade iz klečećeg položaja i iz srebrne kutijice pored postelje izvadi belo golubije pero, pa ga pridrža tik ispod papinog nosa, pomno motreći hoće li se isperci zalelujati na nepomičnom vazduhu. Posle kraćeg čekanja, koje se svima činilo dugo kao čitav vek, on skloni pero i vrati ga u kutiju.

Papa Bordžija, Aleksandar VI, bio je mrtav.

Četrdeset četvrto poglavlje

Vest je zvanično objavljena malo nakon četiri posle podne.

Vojvodino stanje je pak bilo obavijeno grobnom tišinom. Sve kapije i drumovi što su vodili iz Rima bili su zastrti oblacima prašine podizane konjskim kopitima. Uskoro je posvuda imalo da zavlada ludilo, kada svi gledaju samo sebe, pored onih koji su već radili tako. Mada s jednim uvaženim izuzetkom.

Ceremonije: život pape obiluje njima, tim komplikovanim koreografijama tradicije, statusa, starešinstva, detalja. A posle života, valjalo je ispratiti i smrt. Zvona Svetog Petra upravo su obeležavala pun sat, a Johan Burkard je na drugom kraju Vatikana bio zadubljen u svoje knjige, kad je čuo kako se približavaju koraci. Njegova uloga nije bila da prisustvuje smrti pontifeksa i posao mu je omogućavao da se ne bavi mislima kojima bi se inače možda bavio, ali već neko vreme bio je svestan narastajuće buke.

„Pre koliko vremena?“, upita on dvojicu stražara, očigledno zbunjenih i uznemirenih, kad su ušli kod njega.

„Nama je tek sad rečeno da vas pozovemo“, promrmlja jedan.

„U tom slučaju, prekršili ste pravila. Kada papa umre, treba prvo mene obavestiti."

Ozbiljnost i brzina s kojom su ga kroz sporedne hodnike sprovodili do Bordžijinih odaja samo su povećali njegovu zebnju. Posle ovakve smrti uvek je bio prisutan element haosa, pa čak i sitnih krađa u papinom domaćinstvu. Ali ništa nije moglo da pripremi Burkarda za ono što je zatekao.

Sve prostorije u papskom stanu bile su pretresene i opljačkane: stolice, stolovi, jastučad, tapiserije, zavese, razni ukrasi, sve je bilo odneseno. Sanduk u kom su se čuvale specijalne odežde i papski dragulji bio je prevrnut i ispražnjen; sefovi otvoreni na silu ili odneseni; srebrni i zlatni putiri pokupljeni; nije bilo ni jednog jedinog svetog predmeta, nijedne stvarčice od vrednosti. Papski presto! Svetogrđe koliko i anarhija, a nijednog krivca na vidiku.

„Gde su biskup i kapelani? Gde je papski rizničar?"

Za čoveka koji nikad nije podizao glas, njegov je sad bio oštar poput mača.

„Nečuveno! Ko je ovo uradio?"

Dvojica stražara podigoše ruke u znak predaje, kao da ne shvataju kako može da ne zna. „Vojvodini vojnici, velečasni."

Papa je jedva bio proglašen mrtvim kad su Mikeloto i njegovi ljudi razvalili vrata i podmetnuli bodež pod gušu rizničara preteći da će mu odseći glavu ako ne otvori kovčege. Burkard je mogao da zamisli tog starog sveštenika kako nespretno barata ključevima, očiju iskolačenih od straha. Korupcija je rađala kukavičluk. Ali da li bi on išta drugačije postupio da su mu naslonili nož na žilu kucavicu? Burkard se nervozno osvrte po stanu. „A vojvoda?"

Stražari slegoše ramenima.

„Šta vam to znači?", prasnu on.

„Niko ne zna, velečasni. Ubrzo posle toga su otišli. Svi. Bila su tu i nosila pokrivena čaršavom, ali..." Nisu završili rečenicu.

Čaršav kao pokrov za leš ili da pokriju bolesnika koga niko nije smeo da prepozna? Nije morao ni da pita kuda su otišli. Kada papa umre, s njim je umirala i bezbednost Vatikanske palate. Međutim, Kastel Sant'Anđelo bio je tvrđava s barikadama i topovima, a zatvorena pasarela što je vodila do nje bila je zaštićena od spoljnog sveta. Još se sećao panike dok su papa i njegovi komornici žurili njome pre više godina, kad je u grad ušla francuska vojska. U mislima je video nezgrapnu povorku: ljude natovarene ukradenim papskim zlatom i draguljima kako žure održavajući korak s onima što su nosili vojvodu, Mikelota s isukanim mačem na začelju. Gospod će uraditi s njima kako nađe za shodno. Više nisu bili njegova briga.

„A telo Njegove svetosti?", upita on pripremajući se za užas koji je predstojao.

Jedva su dočekali da mu ga pokažu. Poput svih ostalih prostorija, spavaća odaja je takođe bila ogoljena i pusta, a vazduh težak od sve jačeg zadaha smrti; ali barem je telo bilo nedirnuto, a njegovo jedino bogatstvo, prstenje na rukama, zaštićeno nabreklim mesom.

Burkard načas zaneme. Već je viđao pokojnike i nije mu bio nepoznat onaj neopipljivi osećaj gubitka kada duša napusti telo, ali ovo, ovo je bilo nekako strašnije. Nekoliko snebivljivih duša u međuvremenu se vratilo. On se ispravi i poče odsečno da deli naređenja, tražeći da donesu kofe s vodom i sunđere za pranje i pomazanje, i ceremonijalnu odeždu, davno pripremljenu i pohranjenu u drugom delu palate. Kad su doneli nosila, zaključao je vrata, prethodno postavivši vojnike ispred njih.

„Pustite li nekoga, bilo koga..." On zastade, oklevajući. Toliko je pretnji bilo izgovoreno tokom svih ovih godina. „Ako se postarate da niko ne uđe, naći ću vam mesto u sopstvenom domaćinstvu", reče suvim glasom. Bilo je krajnje vreme da se nasilje zaustavi.

U spavaćoj odaji, ljudi su stenjali i psovali sebi u bradu dok su s mukom svlačili i prali to brdo mrtvog mesa. Burkard je zgroženo posmatrao: bilo je očigledno da je mrtvačka ukočenost već nastupila, što je značilo da je papa bio mrtav već satima, i da je ležao tu sam dok su se lešinari gostili svime što je ostalo iza njega. I ako su uopšte mislili da ga pomere odatle, znao je da to moraju uraditi brzo.

Kad je telo bilo obučeno – u besprekorno belu satensku odeždu sa zlatnom stolom – Burkard je okupio dovoljno ljudi da ga gurajući i povlačeći nekako pomere i prebace na nosila. Zatim su ga, na ramenima što su pretila da popuste, odneli kroz papski stan do Dvorane konzistorije. Koliko li su zavera i susreta, gozbi i razonoda videli ovi zidovi za proteklih jedanaest godina? Narednih nekoliko sati, odar će stajati tu, a papski ceremonijar će bdeti pored pokojnika, kako bi članovi porodice, ako žele, mogli da ga obiđu. Zatim će telo biti odneseno u baziliku, gde će biti izloženo pre sahrane. Tako je nalagala ceremonija i tako je imalo da bude, zato što će on, Burkard, u svakom trenutku biti tamo.

Okolnosti su možda mogle biti i bolje, ali bio je zadovoljan što je sada sve bilo onako kako bi i trebalo da bude.

Zauzeo je svoje mesto u uglu odaje i počeo da izgovara molitve za mrtve, prelazeći pogledom po odru da proveri detalje: grimizna satenska tkanina kao ležaj, široka odežda, složeni motiv antiknog persijskog tepiha koji je sada, po tradiciji, bio položen preko tela.

Dok su se latinske reči nizale same od sebe, on se u mislima vrati u trenutak kad je prvi put ušao kod novoizabranog pontifeksa. Dužnost mu je, kao i sada, bila da nadgleda ceremonijalno oblačenje, samo što je Rodrigo Bordžija bio suviše uzbuđen da sačeka. Već je bio u novoj svilenoj odeždi i stajao je sagnut, ogledajući se na površini velike mesingane vaze u pokušaju da namesti najveću – ali na njemu i dalje malu – papsku kapicu na svoju tonzuru.

Kad se okrenuo, široki osmeh na njegovom licu svedočio je o neizmernoj sreći i radosti. Bio je u toj meri izvan sebe da se Burkard na trenutak užasnuo pomislivši kako će ovaj pokušati da ga zagrli, te je stoga pao ničice pred njega i poljubio mu noge. Kao što je ceremonija zahtevala.

Kao što je ceremonija zahtevala.

I tako je to izgledalo proteklih jedanaest godina.

„Imamo ponečega zajedničkog, znaš, Johane. Obojica smo ovde stranci, obojica smo relativno skromnog porekla – mada je tvoje još skromnije od mog – i obojica smo majstori na svoj način: ja za Crkvu u teškim vremenima, a ti za njene obrede i tradicije. Oduvek sam znao da ćemo se dobro slagati.“

Burkard baš i ne bi rekao da je bilo „dobro“. Premda su neke ceremonije bile korektno orkestrirane, neke druge je morao da izmisli: venčanje papine kćeri u Vatikanu, uvođenje papinog nezakonitog sina u zvanje kardinala i onda njegovo izvođenje iz tog zvanja posle nekoliko godina. Nikad u istoriji Crkve... I nikad više, ako bog da.

A sve to vreme morao je da brodi kroz oluju papinih raspoloženja: radost, bes, zlovolja, ljubav, tuga. I to kakva tuga. Kada zatvori oči, još je čuo beskrajni plač što je dopirao iz njegove spavaće odaje, kao da mu nije samo slomljeno srce, nego i utroba rasporena.

Pokvaren, podmitljiv, sujetan, bludan: sve je to važilo za čoveka koji je sada ležao pred njim. Kupio je svoj uspon na vlast i iskoristio papstvo za finansiranje rata, kojim je doneo bogatstvo svojoj porodici i stvorio za svog sina državu od onoga što je trebalo da budu papske zemlje. Nikad u istoriji Crkve...

A ipak, ipak...

Video ga je kako sedi sam za stolom, sa kriškom hleba i tanjirom mariniranih sardela pred sobom, sa čašom oporog korzikanskog vina u ruci i osmehom na rumenom licu, nalik na seljaka što se vratio s njive.

„Izvoli! Probaj, Burkarde“, rekao mu je jednom prilikom, pružajući mu masnim prstima filet. „Najskromnija morska riba. Mislim da je naš Gospod možda ovo jeo kad je sa svojim apostolima išao kroz Galileju. Papa Aleksandar i naš Gospod zajedno obeduju! Preneražen si takvom pomišlju? Znam, znam, nisam čovek bez mrlje. Ali ko jeste? Bi li radije imao ovde nekog namrgođenog popa koji se nikad ne nasmeje i nikad ne pusti vetar? Kad ti kažem, da je Đulijano dela Rovere sad u ovoj stolici, svet bi se valjda smrzao od njegovog ledenog besa. Bolje neko ko se smeje koliko i besni, a?“

Đulijano dela Rovere. Hoće li on biti sledeći? Burkard ponovo ugleda pred sobom kardinala, visokog i mršavog, kako ljutitim koracima izlazi iz Sikstinske kapele, ključajući od besa zbog toga što je poslednji glas otišao protiv njega. Da je mogao, pozavrtao bi im vratove, jednom po jednom, istim redom kojim su se predomislili. Đulijano dela Rovere. Za njegovog pontifikata neće biti nikakvih problema s protokolom ceremonija. Njegov sopstveni život će svakako biti lakši. Samo što ga je pomisao na to sada gotovo potresala, kao da će mu nedostajati ludilo i nemir koji su obeležili protekle godine.

Ponovo je čuo papin gromki glas, video duboke bore od smeha što su mu krasile oči. Čak i kad je besneo, pomisli Burkard, izgledalo je kao da uživa u životu. Bila je to majstorija kojom on sam nikad nije do kraja ovladao. Da li bi možda osećao više da je papa osećao manje? Zurio je u telo na odru. Izgledalo je nemoguće da sva ta silna energija više ne postoji. Tišina u odaji najednom je postala grobna i on ponovo prizva njegov glas.

„Kada do toga dođe, pobrinućeš se i za moju sahranu, zar ne? Neću da se iko drugi time bavi."

„Ništa ne brinite, Vaša svetosti", reče on sad. „Ja ću se postarati za sve." Bi mu neprijatno kad je shvatio da je ovo rekao naglas.

Dublje se zavalio u fotelju. Papa je mrtav, a njegova je dužnost bila da bdi nad njim, a ne da pokušava da ga vrati u život. On se vrati molitvi, ovog puta zatvorivši oči ne bi li se bolje koncentrisao.

Može li biti da je zadremao? Pomisao mu se nije dopadala. Čuje li se to odnekud nekakva buka? Kao da je nešto zašuštalo. Više se nije čulo. Napolju je svetlost bledela. Primicalo se vreme da se odar prenese. On udahnu miris balzama koji je nosio uza se, zato što mu se činilo da se zadah tela na drugom kraju odaje pogoršao.

Proveriće odeždu još jednom, pa će pozvati stražare.

Počeo je od stopala, zagladivši saten ispod papuča od baršuna. Bile su nove, ali veličina više nije odgovarala jer su humčice mesa, poput kvasnog testa pogrešne boje, prosto kipele preko ivica. Nije se više dalo odrediti gde se stopalo završava i počinje gležanj. On povuče naniže rub odežde u pokušaju da sakrije uznemirujući prizor. Brdo svile je dobro sakrivalo ostatak torza, a sama svila je bila pokrivena tepihom. Kao što je ceremonija zahtevala. Bilo bi sasvim u redu da je zima, ali po ovoj vrućini? Ipak, nije se smeo skloniti. On se pomeri prema pokojnikovoj glavi, pripremivši se za šok zbog grimase koju će zateći na njemu, zato što su crte lica umele da se gadno ukrute u ovoj fazi smrti. Ali organizovao je izlaganje jednog pokojnog pape i znatnog broja kardinala, i dosad je već naučio sebe da ne dozvoli da ga takvi prizori pogađaju.

Samo što Johan Burkard nikad u svom veku nije video nešto ovakvo.

Faza mrtvačke ukočenosti beše prošla, a papino lice je izgledalo kao da je razneseno. Meso je bilo boje raspolućene šljive, a svaka crta odvratno naduvena. Vrat i brada su postali jedno, nabrekli nos se raširio u obraze, dok su usne, zadebljane poput jegulja, silom otvorile usta iz kojih je štrčao debeo i modar jezik. Odnekud odozdo je dopiralo tiho brbotanje. Burkard nevoljno ustuknu, užasnut. Rodrigo Bordžija mu se raspadao pred očima. Ako pored njegove samrtne postelje i nije bilo nikakvih đavola, izvesno su mu se u međuvremenu zavukli u telo, ubrzavajući raspadanje kako bi ga što pre uzeli. Nek su im nebesa svima u pomoći.

Žurno se uputio hodnikom. „Odmah pošaljite stražare!“, povika, glasom uzdrhtalim od muke. „Moramo smesta da prebacimo odar u baziliku!“

Običaj je nalagao da papa leži jedan dan izložen u Bazilici Svetog Petra, da ga narod vidi. Ali da li je to bilo moguće? A ako nije, šta mu je činiti? Mora li da skrati proceduru, ne bi li sahranili Njegovu svetost pre no što eksplodira?

Čak i u smrti, ovaj papa nije prestajao da krši sva pravila.

Prvi put u svom dugom životu, Johan Burkard se osećao poražen. Oči su počinjale da ga peku od suza. Vid mu se zamaglio i on pokuša da se pribere, ali suze su nastavljale da teku. Ubrzo je čak i njemu bilo jasno da plače. Da oplakuje. A to je bio suštinski deo ceremonije koja prati smrt jednog pape.

Četrdeset peto poglavlje

Lukrecija je sedela sa svojim družbenicama pognuta nad vezom, oblikujući ubodima igle zelenu stabljiku ljiljana u potrazi za spokojem samostana Korpus Domini. Međutim, izraz na njenom licu kazivao je sasvim drugačije, a sa svakim korakom ili topotom kopita napola je ustajala sa stolice od iščekivanja.

Kad je depeša stigla, pročitala je vest sa glasnikovog lica još pre no što je slomila pečat. Pismo je bilo napisano rukom biskupa Venoze, na brzinu, pre no što je pobegao s lica mesta: jezik sveštenika preuzeo je primat nad lekarom.

Pažljivo je presavila papir, čudno mirna. „A moj brat?“, upita. „Ovde ne piše ništa o njemu.“

Glasnik odmahnu glavom. Sve što joj je mogao reći bilo bi puko nagađanje: to i priča o kricima. Ali ako nije pisalo u depeši, nije smeo da joj kaže.

Kad je otišao, ona se okrete svojim damama.

„Naš dobri otac, i naš sveti pontifeks, preselio se u miru u naručje Gospoda Spasitelja našeg, osamnaestog avgusta posle podne“, reče ona, dok su joj se niz obraze spuštale prve suze. „Baš u vreme našeg molitvenog bdenja u kapeli.“ Potom zastade da povrati dah. Trudila se svim silama. „Ja… verujem da su mu naše molitve olakšale odlazak.“

Pokušavala je da se osmehne, ali suze su ipak bile jače. Dame se stuštiše prema njoj, ali ona ih odgurnu.

„Ostavite me! Ostavite me na miru!“, reče gotovo ljutito.

Stajale su oko nje, bespomoćne.

„Jeste li me čule?“, uzviknu ona najednom. „Latite se svojih dužnosti. Stavite kuću u korotu. Zatvorite kapke, sve zastrite crninom, a meni donesite balu najcrnjeg platna koje nađete. Idite!“

Uradile su kako im je rekla. Kad su se vratile, ona je sedela na podu, u balonu od sukanja, dok su jecaji samo navirali.

„Gospodarice, molim vas. Ne šaljite nas od sebe. I nama se srce cepa“, preklinjala ju je Anđela.

No nije htela ni da čuje. Umotala se u ono crno platno. Tkanina ju je grejala, a od plakanja joj je bilo još toplije, ali nije marila. Papa, njen otac, bio je mrtav. Čovek čije su joj ruke uvek bile širom otvorene, čija ju je ljubav štitila poput zlatne tvrđave, nije više bio živ, a kao da to nije bilo dovoljno, i brat joj je umirao. Od kakve su joj koristi sada bile njene dame? Nisu mogle da je zaštite, zato što su sve bile napuštene. Sa svakim jecajem gutala je sve više žalosti, sve dok joj se na kraju nije učinilo da joj se telo prepunilo njome. Od plača više nije bila u stanju da razmišlja. Možda će se ugušiti u suzama. Zašto ne bi, jer za šta je sad imala da živi? Njen otac i brat, mrtvi. Budućnost bez njihove ljubavi. Bolje da doveka plače nego da se suoči s tim.

Kamila, koja je najduže bila s njom, posmatrala ju je s pritvorenih vrata. Već ju je jednom videla kako se raspada od tuge: pre tri godine, kad su ubili gospodaričinog muža Alfonsa. Tada je danima jecala, ležeći u zamračenoj sobi i odbijajući hranu. Naposletku su, blagodareći njenom malom sinu, uspeli da je nateraju da živne. Ali ovde još nije bilo deteta, tim gore. A bez pape da je štiti...

„Pošaljite po Pjetra Bemba“, reče ona.

Bez obzira na rizik, alternativa je bila još gora.

Konju je trebalo više vremena nego krilima ljubavi, a ni on se još nije bio sasvim oporavio od sopstvenog napada letnje groznice, ali kad je ušao, one se okupiše oko njega kršeći ruke. „Molimo vas. Molimo vas. Vas će poslušati. Razboleće se nastavi li ovako.“

Cela kuća je ječala od njenog plača. Zagladio je odeću i prišao vratima. Tiho ih odškrinuvši, pogledom ju je pronašao u tami: zgrčena figura na podu ljuljala se napred-nazad. Kako je bila obuzeta tugom. Ženske suze – srce ti se cepa kad ih vidiš. Stari su to najbolje znali: plač Andromahe dok su mrtvo Hektorovo telo povlačili po prašini Troje; Faetonove sestre, koje su toliko plakale da su se pretvorile u vrbe, s granama zamočenim u reku suza. Takva je bila moć ženske tuge. Mora da joj priđe.

Video je sebe kako pruža ruke, kako je uzima u zagrljaj, miluje je po kosi spirajući joj poljupcima so s obraza dok i sam lije suze zbog njene žalosti. Dvoje ljubavnika čije se suze mešaju. A onda? Šta onda? Nije smeo da ostane s njom. Ubrzo će doći i drugi, a za njeno dobro, ne smeju da ga zateknu ovde. Ovo što ona trpi nije samo njena lična tuga. Smrt pape je ono što stvara države i ratove. A ona će sada biti izuzetno ranjiva, zato što je izgubila čoveka koji je obezbeđivao njen položaj u svetu.

Bembo nikad nije povezivao Lukreciju, tu milu, blagu dušu, s ljagom pokvarenosti Bordžija. Kako bi mogao? Ali su mnogi drugi verovali da je zlo u krvi. Svi su znali koliko se vojvoda Erkole gnuša te porodice. Kako će gledati na nju sada, kad je nestalo i mamca i pretnje?

Njen plač mu je kidao srce. Mora joj prići.

Ipak, oklevao je. Možda joj ne bi bilo drago da je vidi ovako očajnu, ovako krajnje rastrojenu. I šta ako ne nađe prave reči da je povrati? Ženske suze; može čovek da se udavi u njima.

Pisaću joj, pomisli. Sastaviću najlepše moguće pismo, satkano od povezanosti naših duša i ljubavi jače od bilo čega što ijedne suze mogu da odnesu. A tako ću moći i da je posavetujem. Jer kada suze naposletku presuše, moraće da se pripazi.

On se okrete s vrata i izađe iz kuće tiho, da ga ne primete njene dvorske dame.

Dugo se trudio sastavljajući pismo. Bilo je zaista lepo, prelepo: saosećajno, poetično, mudro.

Platonska ljubav ima svojih granica.

Alfonso je pak tamo u gradu morao da izađe iz svoje livnice da razgovara s vojvodom o politici. Jedan radnik se beše gadno opekao i bio je zauzet baveći se njime, kad je dobio poziv da dođe. Rane tog čoveka još su mu bile u mislima kad ušao u vojvodin salon i zatekao oca kako nešto piše za stolom, euforičan od oduševljenja.

„O, Alfonso! Kakva vest, zar ne? Ovo je veliki dan! Praznik našeg Gospoda i opšteg dobra hrišćanskog sveta. Baš napisah tako, tim istim rečima, u ovom pismu kralju Luju. Da dodam nešto i u tvoje ime? Zato što sad, kad je sotona konačno došao po svoje, možemo da kažemo šta god hoćemo. Priča se da nije od groznice, nego od otrova. Bili su namerili da ubiju novog kardinala, na ručku koji je ovaj priredio u njihovu čast, da bi se dočepali njegovog bogatstva, ali su pobrkali čaše pa su sami popili otrov. Ha! A na kraju su mu đavoli igrali u spavaćoj odaji ubadajući ga trozupcima. Hvala nek je Gospodu, naše molitve nisu bile uzaludne."

Možda tvoje molitve, pomisli Alfonso, jer takva svirepa pobožnost nikad nije ostavljala mnogo prostora za tuđe zalaganje. „Šta je s vojvodom Valentinom?"

„I taj samo što nije umro." Osmeh mu nije mogao biti širi. „Sve i da preživi, bez papinog novca i zaštite, on je niko i ništa. Gotovo je. Završeno. Ostaće bez svega što ima."

„Zna li Lukrecija?"

Erkole sleže ramenima. „Dosad je valjda čula."

„Nisi joj izjavio saučešće?"

Ovaj ponovo sleže ramenima.

„Sigurno je skrhana vešću. Biće u teškoj žalosti."

„U tom slučaju, uvideće da je jedina", odvrati Erkole sa žestinom u glasu. „Na mom dvoru se neće nositi crnina. I neće biti nikakve javne žalosti. To sam jasno i glasno rekao u svom pismu kralju. Ovo je božja volja. I nije se desila ni trenutak prerano."

Alfonso obori pogled. Kako je mrzeo zlobu ovog čoveka. Tolike godine molitava, a ipak, nisu ni počele da smekšavaju to srce od kamena. Čovek je morao da bude svetac pa da zavredi njegovo odobravanje.

„Bez obzira na to, moramo joj dati do znanja da smo svesni njenog gubitka. Idem sada kod nje."

„Samo vodi računa šta govoriš. Ovo je sve promenilo, Alfonso. Od bračnog saveza između Mantove i vojvode više nema ništa, Venecija će uzeti sve njegove gradove kojih bude mogla da se dokopa – i možemo to da iskoristimo."

„A kako to, oče?", upita Alfonso hladno.

„Treba ti naslednik!"

„Lukrecija je već jednom zanela."

„Umrlo je", ovaj će bezosećajno. „A nema naznake da je drugo na putu."

Blagi bože, pomisli Alfonso, je li ovo uvreda namenjena oboma ili samo njemu?

„Još smo u braku."

„Ma! Brak uvek može da se razvrgne. S odgovarajućim papom, to nije nikakva retkost."

„Mislio sam, oče, da Ferara prezire korupciju u Crkvi", reče on, sad već ne skrivajući sarkazam.

„Nemoj ti mene učiti o Crkvi, Alfonso! Da nije mene, bio bi ovo napola bezbožnički grad. Uostalom, zašto bi ti to smetalo? Koliko čujem, još provodiš više vremena sa svojim bludnicama nego sa svojom ženom."

Ne, ipak je njega hteo da povredi. Kad god moj otac zine, to je da bi izgovorio još jednu uvredu, pomisli on.

„Da li je ikad bilo da te nisam razočarao, oče?", promrsi on sebi u bradu.

„Molim? Šta si rekao?"

„Pitao sam možeš li priuštiti sebi da vratiš miraz", odvrati Alfonso ne trudeći se da sakrije gnev.

Rodrigo Bordžija i Erkole d'Este, papa i vojvoda; rođeni iste godine, živeli u istim burnim vremenima, na isti način nerazumni pod stare dane. Kako bi bilo da je groznica ovog leta žešće kosila Feraru, pomisli Alfonso izlazeći iz sobe.

Lukrecijin plač ne beše jenjao. Njene dvorske dame nisu se odmicale od njenih vrata, blede i izgubljene, lica mokrih od suza.

„Zašto nijedna od vas nije pored nje?"

„Ne dozvoljava, gospodaru. Neće nikoga kraj sebe. Već satima, otkako je vest stigla, jednako sedi unutra potpuno sama."

On je pak dojahao pravo iz palate, ne stigavši da se opere ili presvuče, pa se prašina s druma samo zalepila za garež iz livnice. Stoga prihvati ponuđeni lavor i prebrisa mokrom krpom glavu i vrat. Lica dama služila su mu kao ogledalo. Pa, nikad mu nije bila sudbina da svojim izgledom teši žene. Pogled mu skliznu pored njih i pade na zatvorena vrata. Nije imao predstavu šta da uradi ili kaže.

Njeno jadikovanje ispunjavalo je pomrčinu sobe.

„Lukrecija?", izusti on s oklevanjem, idući prema zgrčenom obličju na podu. Činilo se da ga nije čula.

„Lukrecija."

Sada je stajao pred njom, ali mada je glasnije izgovorio njeno ime, još nije bilo naznake da registruje njegovo prisustvo. Mogao je da provede sate pred grotlom otvorene livničke peći i nije mu smetalo, ali sa ženskim suzama nikad nije umeo da se izbori. Ipak, gnušanje prema očevoj bezosećajnosti nije mu ostavljalo izbora.

Seo je na pod, nespretno savivši noge u jednu stranu, tako da su bili u ravni. Čak je i odatle osećao vrelinu što je dopirala od nje. Sad nikako nije mogla da ga ne primeti.

„Veoma mi je žao zbog smrti tvog oca. Rastužila me je ta vest i došao sam da ti izrazim saučešće." Čekao je. „Ako, ako mogu... ako ti ikako mogu pomoći..."

S naporom je utišala jauke, dovoljno da podigne pogled prema njemu. Video joj je lice, zajapureno i gadno podnadulo od poplave suza, s tragom sluzi od nosa do usana, i masu divlje, zamršene kose. Ona crna tkanina beše joj skliznula s ramena, a grudi su joj podrhtavale od siline jecaja. Od prefinjene dvorske lepotice nije bilo ni traga. Više je ličila na neku uličnu ženu.

„Lukrecija..."

„Ne, ne!" Ona sakri lice dlanovima, kao da bi da se skloni od nekakvog nasilja koje joj preti. „Nemoj, idi. Idi, molim te. Ne gledaj me. Potpuno sam rastrojena, ne treba niko da me vidi ovakvu."

„Ionako te ne vidim", slaga on s iznenađujućom lakoćom. „Previše je mračno."

U isto vreme, pogled mu pade na pločice na podu nedaleko od njega, s neravnim sastavom između dva reda. Palata je bila završena na brzinu, kao još jedan raskošni hir njegovog oca. Šteta. Kad bude imao više vremena... I kad bude imao vlast...

U međuvremenu su je jecaji ponovo ophrvali, i ljuljala se napred-nazad. Osećalo se da joj se srce slama od silne tuge. Kako se ta porodica volela! Kao da ih je povezivalo nešto više od krvi. Svi su znali kako je papa danima naricao pošto su mu ubili sina. Ova tuga barem pokazuje koliko si ga volela, pomisli on. Kad moj otac umre, teško da ću ga makar jednom suzom ožaliti.

Samo što je, izgleda, naglas izgovorio sve to jer ga je ponovo pogledala, ovog puta direktnije.

„O da, u pravu si, volela sam ga", reče gotovo sa žestinom. „Mnogo. Niko nikad neće razumeti. Nije bio čudovište kakvim ga svi prikazuju. Prema meni nije. Nikad... Kako mogu da..." Ona okrete glavu i ponovo briznu u plač.

„Ja takođe ne verujem da je bio čudovište", on će odlučno. „Samo sam ga jednom sreo. Bio sam dete, jedva dovoljno star da sam vežem učkur na pantalonama. Ali on je bio veoma ljubazan prema meni; imao je samo najlepše reči za Feraru. Izgledao mi je kao čovek koji je srećan u svojoj koži. Ceo Rim je slavio, procesije su išle gradom, iz fontana je teklo vino. A ti i ona otmena Farnezeova bile ste uz njega poput ličnih sluškinja, obe prekrasne zlatokose lepotice. Svi su bili zadivljeni. Sećam se kako sam verovao da zavidim svom bratu Ipolitu, zbog toga što je postao kardinal u gradu tako punom lepih žena." On se gorko nasmeja. „To je bio jedini put da mi je Crkva delovala privlačno."

Pitao se je li rekao istinu. Da li se stvarno tako osećao? Zar je važno? Ovo je svakako bilo najlepše što joj je ikad rekao. Buljila je u njega zadržavajući suze i šmrcajući kratko, naglo. Zatim šmcrnu mnogo glasnije. Maramica koju je stezala u rukama bila je nakvašena suzama. Iskopao je iz džepa svoju, čistu ako se izuzme uobičajena garež, i pružio joj je. Ona je uze i izduva nos. Zvuk je bio krajnje nepoetičan. Alfonso joj nespretno prebaci ruku preko ramena, svestan da tim gestom sve stavlja na kocku. Na njegovo iznenađenje, nije se oduprla. Privukao ju je malo bliže, tako da mu se naslonila na grudi. Ponovo je plakala, koža joj je bila vlažna i vruća, i odavala je naročit zadah: jutrošnji parfem nadjačan višesatnim naslagama letnjeg znoja. On se pak zbog toga osećao gotovo prijatno jer se žene koje je redovno posećivao nisu trudile da mirišu lepo.

Čvršće ju je stegao, druga ruka mu je lebdela u vazduhu, kao da bi da do kraja opiše krug zagrljaja, ali je naposletku ostavi tamo gde je bila. No izgleda da nije ni bilo važno; nije pokušavala da se odmakne. Sad je malo manje plakala, možda zbog snage kojom ju je pritiskao na grudi, ili zbog toga što je u svemu tome bilo nečega čudno bliskog: nekog podsećanja na sve one trenutke kad ju je otac privijao u snažan, znojavi zagrljaj, držeći je uza se, onako krupan, kao da je nikada neće pustiti od sebe.

Niko je nikad nije tako grlio. Niko.

Podigao je ponovo i drugu ruku i ovog puta ju je pomerio, i sada ju je grlio obema rukama. Njeno telo se opusti i nasloni na njegovo. Kao da ga je zamolila bez reči, a on čuo ne slušajući.

Vreme je prolazilo. Sedeo je trudeći se da ne obraća pažnju na sve bolniji grč u nozi. Sada ni slučajno nije smeo da je pomeri. Ne, ostaće tako, baš kao pred vrelinom livničke peći, onoliko dugo koliko bude potrebno.

Lukrecijine dvorske dame su čekale u predsoblju naprežući uši ne bi li čule neku promenu u njenoj žalosti. Katrinela je sedela zgrčena u uglu, ušiju napola pokrivenih dlanovima da ne čuje jadikovanje.

Naposletku su se vrata otvorila i Alfonso izađe otresajući odeću i namršten, kao da mu je iz nekog razloga neprijatno zbog postignutog uspeha.

„Mislim da sada možete kod nje“, reče im samo, ne pogledavši nijednu pravo u oči, zato što se nikad nije osećao lagodno u društvu tih nasmejanih, koketnih devojaka.

Izašavši, stajao je na tremu i čekao da mu konjušar dovede njegovog konja.

„Gospodaru Alfonso?“

Okrenuo se i zatekao pred sobom Katrinelu, koja mu je, onako sitna i prava kao strela, stajala preblizu da bi to bilo učtivo.

„Moram nešto da vam kažem“, objavi ona glasno, poput prkosnog deteta, a onda žurno uzdahnu i izgovori pre no što je iko mogao da je spreči: „Trebalo bi da joj češće dolazite noću. Sad je to jedini način.“

Zurio je u nju, zanemeo. Dok je smislio nekakav odgovor, već se beše okrenula i ponovo iščezla u pomrčini kuće.

Kasnije, kada pripovesti o papinoj smrti satrunu poput njegovog mrtvog tela, Alfonso će se prisetiti očevog govora o đavolima koji s trozupcima skaču naokolo, i ponovo će u mislima videti Katrinelino sitno, vatreno crno lice, i to će mu izmamiti osmeh. Kakva hrabrost. Ne bi nimalo štrčala u njegovoj radionici, jer tamo su dobro znali koje je boje koža đavola.

Kad je otišao, pristala je da nešto pojede, ali se oduprla svim pokušajima da je izvedu iz sobe, insistirajući, umesto toga, da spava na podu, s glavom na jastuku koji su joj prinele i s Katrinelom, koja je sela u ugao sobe da bdi nad njom. S dolaskom svanuća, dopustila im je da je okupaju i odenu je u crninu, i potom proverila da li je cela kuća u propisnoj koroti. Svaka od tih radnji joj je lako izazvala suze i provela je sate moleći se u kapeli. Ali više nije bila rastrojena.

Pismo od Pjetra Bemba stiglo je već tog jutra. Pročitala ga je jednom, pa drugi put, nasamo, prolila još suza, a onda ga presavila i odložila u kutiju u kojoj je čuvala prepisku sa njim, i zaključala ju je malim srebrnim ključem. Ali nije mu se više vraćala, onako kao mnogim njegovim ranijim pismima.

Kasnije su joj isporučili još nešto. Pomislila je da i to mora biti od njega, nekakav poklon – knjiga, možda, da joj pomogne da preusmeri misli na nešto lepše, samo što oblik paketa nije odgovarao knjizi. Rekla je svojim družbenicama da je ostave nasamo – toliko su se trudile oko nje da joj je postalo nepodnošljivo – i pustila Katrinelu da ga raspakuje.

Unutra se, brižljivo zaštićena platnom, nalazila vaza od majolike, delikatno oblikovana i ukrašena zelenom i plavom bojom: prizor iz lova, muškarac i žena na konjima u poteri za nekom životinjom u šipražju. Premda crtež nije bio preterano vešt, ipak je u likovima bilo određene živosti. Ko god ga je naslikao, znao je kako je to kad si u sedlu.

Pored vaze je bio i presavijeni papir.

Katrinela je čekala stidljivo, prepredeno, ne govoreći ništa. Lukrecija je dugo gledala u onaj papir.

„Od mog muža“, reče naposletku.

Katrinela potvrdno klimnu. „On pravi takve stvari u svojoj radionici“, reče ona kao uzgred.

„Stvarno?“

„Tako kažu.“

„Ko to?“

„Kuhinjski tračevi. Jedna žena dole ima sina koji radi s njim u livnici. Tamo ga svi vole, kaže ona, zato što se ne cifra i ne prenemaže.“

Lukrecija je prstom pratila obris jahačice, čija je svetla kosa bila pokupljena mrežicom. Ona se seti njihovih odlazaka u lov u početku, kad je tek došla u Feraru: hladna supa magle i toplo konjsko telo. Prvi put je sad od njega dobila nešto a da to nije bilo deo unapred isplanirane ceremonije. Samo što nije ponovo zaplakala.

„Pa, moramo negde da je stavimo“, ona će rasejano.

Katrinela joj uze vazu iz ruku, na brzinu okrznuvši pogledom pismo, koje joj je još ležalo u krilu.

„Pita može li večeras da me poseti. Razume se da ne može. U žalosti sam.“ Ona se namršti. „Šta si rekla?“, upita, shvativši da devojka govori.

„Rekla sam da mislim da je ganut vašom tugom, gospodarice. Videla sam mu suze na obrazima kad je odlazio.“ Kao neko ko se nije rodio u hrišćanskoj veri, nikad nije do kraja razumela ispovest – čega to ima u njenom životu zbog čega bi morala da se ispoveda? Ipak, znala je razliku između lakših i smrtnih grehova. A laž poput ove nije, sama po sebi, zasluživala odlazak u pakao. „Mislim da bi mu bilo draže da je njegov otac umro. Svi znaju koliko se loše slaže s tim pobožnim starim jarcem."

„Nemoj! Ne smeš da govoriš takve stvari", reče joj Lukreciја s iznenadnom žestinom. „Ne smeš da ih govoriš, ne smeš čak ni da ih pomisliš. Pogotovo ne sad, čuješ li me?"

Žalost je ne beše obuzela u tolikoj meri da nije bila svesna zamki što su ležale pred njom. Njen prvi brak je poništen iako su svi znali da je bio konzumiran. S odgovarajućim papom i s kraljem da ga podrže, vojvoda je sad mogao da uradi šta je hteo.

„Ali gosp..."

„Zar ne razumeš, budalo mala, da više nismo bezbedne u Ferari? Bez zaštite mog oca, vojvoda Erkole može veoma lako da me se otarasi."

„Ne ako ste noseći, onda ne može", odvrati Katrinela bez uvijanja.

Lukrecija se zagleda u nju. *Noseća.* Tako je. Ako je noseća, neće joj moći ništa. *Kad moj otac umre, teško da ću ga makar jednom suzom ožaliti.*

Malo je intimnih misli podelio s njom, ali jedno je znala a da nije morao da joj kaže: nije želeo još jedan brak. Kako bi mogao da ga želi? To bi značilo da mora da izađe iz svoje voljene livnice, da se dotera i da ponovo presedi kroz čitav niz beskrajnih ceremonija. Sve i ako mu do nje nije ni najmanje stalo, to bi tek mrzeo iz dna duše. Ona spusti dlan na stomak. Lani je u ovo doba nosila pod srcem mrtvo dete. Ali će njih dvoje zajedno napraviti vojsku dečaka. Obećao joj je to kao da je i tada istinski mario za nju.

„Moraš da se postaraš da tvoj suprug svake noći dolazi kod tebe... svake noći. Dočekuj ga raširenih ruku, ali nikad ne prigovaraj kad ode od tebe..."

Činilo joj se da je prošao čitav jedan život otkako je od oca dobila taj savet, izrečen u poslednjem medveđem zagrljaju u koji ju je stegao pre no što je otišla. *„Ti si Bordžija i zaslužuješ da budeš obožavana – ali... pa, muškarci su takvi.“*

Utapajući se u reci tuge, tada ga nije čula: ali sad je bio tu, snažan i jasan u njenom umu, taj gromki duboki glas koji je uvek bio podjednako spreman da se nasmeje kao i da se razgalami.

Ti si Bordžija...

Ako je i Čezare mrtav, onda je sada jedina. Ko će sad održati porodično bogatstvo? Neće biti ništa od udaje njegove kćerkice u Mantovu. Čak će i njen vlastiti sin biti gurnut u stranu – tu je ponovo probode bol – mada bi možda mogla da preklinje da dozvole da on dođe da živi s njima. Ali ne još. Da bi za bilo šta molila, prvo mora da rodi naslednika.

Sudbina porodice ležala je u njenim preponama. Kasnije će oplakivati mrtve.

Ona napisa kratku poruku i žurno je zapečati.

„Postaraj se da ovo odmah ode. I uredi da večera bude postavljena u mojoj sobi.“

Katrinela nije mogla da suzdrži radost. „O, ovog puta će biti dečak, gospodarice, zdrav i prav, sigurna sam. Prvi od mnogih.“

„Sigurna si, je li?“ Nije mogla a da se ne osmehne. „Reci, kako to da najpostojanija devica u Ferari tako mnogo zna o tim stvarima?“

Katrinela sleže ramenima, stisnuvši usne tako da su ličile na najljupkiji, najružičastiji ružin pupoljak na svetu. Nikad u životu nije bila tako zadovoljna sobom.

Lukrecija je zurila u nju. *Suze na njegovim obrazima.* Da li ih je stvarno videla?

„Ja mislim, Katrinela, da si ti najstarija mlada žena koju sam ikad upoznala“, reče ona i raširi ruke prema devojci.

Dok su stajale zagrljene, ona zagnjuri lice u gužvu sitnih crnih kovrdžica. U mislima se vratila na prizor deteta koje je držalo šlep njene venčanice u palati u Rimu, s jezikom među zubima u krajnjoj usredsređenosti. Setila se prestrašenog izraza na devojčinom licu dok ju je prala posle prve bračne noći i ponovo je čula njenu tiradu protiv poezije i sudbine Laure i Beatriče.

Mog oca više nema; možda mi je dosad i brat umro, pomisli ona. Ali neću umreti od nedostatka ljubavi. I neću izneveriti svoju porodicu.

Te noći je Katrinela ležala na svom uzanom ležaju i zurila u pomrčinu.

Poznavala je odranije zvuke koji su dopirali iz spavaće odaje: sve jače stenjanje i dahtanje, i sitni, napola prigušeni krici. Ko zna koliko ih je puta čula: iz ove iste sobe ili iz podruma, gde je jedna pralja dovodila momka koji joj je obećao da će se oženiti njome, ili iz predsoblja u kom se Anđela skrivala s vojvodinim vanbračnim sinom. Neke žene su govorile da im se, kad čuju te zvuke, utroba grči od zavisti, dok su druge tvrdile kako osećaju samo olakšanje zato što to nisu one. Lukrecijin glas se tiho penjao; dahćući, zastajkujući, utišavajući se. Sada je bio njegov red. Kako ga samo razvuče. Svaki dosadašnji i, nesumnjivo, svaki sledeći put. Bilo je teško reći da li mu je lepo ili ga boli. Ne, šta god da je, ne treba joj.

Najzad je bilo gotovo. Nepomično je ležala čekajući da čuje kako on otvara vrata i odlazi. Ako je ikad morala da proveri kako je gospodarica, onda je to večeras. Ali ništa se nije čulo, sem možda tihih, veoma tihih glasova. Katrinela je sačekala još malo. Ništa. Može li biti da će prestolonaslednik noćas ostati sa svojom ženom?

Sklupčala se poput životinjice spremne da zaspi. Koliko će proći pre no što on bude vojvoda kao što je ona vojvotkinja, da zajedno vladaju Ferarom s mnoštvom dece oko sebe? Zato što i najpakosniji starci jednom moraju da umru. Rađanje, parenje, umiranje. Što je više razmišljala o tome, to joj se više činilo da je to sve: točak što se okreće i okreće, tako brzo da katkad i ne razaznaješ paoke. Čudo da se uopšte nađe mesta za poeziju.

DESET GODINA KASNIJE

U želji da izađem pred Vaše veličanstvo s nekakvim zalogom svog najdubljeg poštovanja... Ništa što posedujem nije mi dragocenije od mog znanja o delima velikih ljudi... znanja stečenog dugogodišnjim iskustvom u savremenim zbivanjima i kroz život posvećen proučavanju starih vremena.

Nikolo Makijaveli, Vladalac, 1513.

Epilog

Sant'Andrea in Perkusina
Južno od Firence

Decembar 1513.

Nikolo Makijaveli je uveče obukao čistu potkošulju i tuniku od tamnocrvenog baršuna s izvezenim rukavima. Bila je sašivena naročito za njega, i skupo plaćena – samo je tkanina stajala četiri i po dukata – dok je pre nekoliko godina bio u diplomatskoj misiji na dvoru cara Maksimilijana, u Nemačkoj – i mada se baršun mestimično izlizao, to se pri svetlosti uljane svetiljke jedva i primećivalo, a voleo je da bude dobro odeven kad se nalazi u uglednom društvu.

Dan je proveo isto kao što je sad provodio većinu dana, baveći se onim čime se uvek bavio u selu: šetao se svojim malim imanjem, lovio drozdove, raspravljao o ceni ogrevnog drveta, čitao poeziju i igrao trik-trak u seoskoj taverni preko puta svoje kuće, ali kad je sunce palo, vratio se da večera s porodicom – deca prave tako veselu gužvu. A onda, pošto su svi polegali – Marijeta je vrlo često umela da zaspi smirujući bolešljivo novorođenče – uzeo je lampu i otišao u svoju radnu sobu. Kameni umivaonik uklesan u obližnji zid obeležavao je mesto gde su gosti nekad prali ruke pre večere, ali čovek u političkom izgnanstvu nije održavao večerinke, pa je umivaonik ovih dana mahom koristio da opere s prstiju mrlje od mastila.

Doduše, nije bio usamljen. Sada svakako nije; jer čim bi seo za svoj pisaći sto, sa svojim voljenim knjigama postrojenim ispred sebe poput kohorte vojnika, soba je počinjala da se ispunjava duhovima, ljudima prizvanim iz prošlosti da mu pomognu u sastavljanju kratke rasprave na temu vladanja državama i veštinama koje vladalac mora da poseduje da bi njegova vlast bila postojana i mudra.

Planirao je da delo posveti Lorencu de Medičiju, novom vladaru Firence posle lanjske propasti republike, u nadi – mada nje ovog časa u njegovom životu nije bilo u velikim zalihama – da će se ovaj tako smilovati i vratiti mu posao u vladi, tom raju iz kog su ga tako nasilno izbacili.

Aleksandar Veliki, kralj Darije, spartanske, grčke i rimske vojskovođe, imperatori i filozofi, svi su ga posećivali tokom ovog dugog leta i jeseni, a njihovi podvizi, uspesi i neuspesi stajali su rame uz rame s likovima iz novije istorije: kraljevima, papama, vojvodama i moćnim italijanskim porodicama i frakcijama. Jer mada je prošlost odavno bila njegova učiteljica, Nikolo je nameravao da u svojoj knjizi rasvetli sadašnje teško stanje Italije: delo diplomate kome su njegova politička karijera i posmatranje onih na vlasti omogućili da stvori mnoga vlastita „mišljenja“.

Te večeri je radio na poglavlju o mestu sreće u ljudskom životu. U kojoj meri se gospa Fortuna – jer je kroz celu istoriju oduvek bila ženskog roda – mogla zavesti i koliko je bilo moguće odoleti joj. Kako je, poput mnogih žena, najbolje reagovala na grube nežnosti energičnih mladih ljudi. Ali kako je umela i da se okrene protiv njih, a kad se to desi, nalik je na prirodnu katastrofu: nabujala reka koja ruši sve pred sobom, zato što je suština čovekovog karaktera takva da mu otežava da se prilagodi ili promeni pristup, pa ga ta bujica često nepovratno odnese. Sve te ideje i slike godinama su se kristalisale u njemu. Ironija je bila u tome što je sada, u svojoj četrdeset trećoj godini, Nikolo Makijaveli posedovao i bolno iskustvo iz prve ruke koje je svedočilo o moći Fortune.

Njegov sopstveni pad bio je podjednako brutalan i nezaslužen kao mučenje kojem su ga podvrgli u firentinskom zatvoru Barđelo: čekrk, ista sprava koju su upotrebili na Savonaroli – drveni kran kojim visoko podignu čoveka okačenog za ruke vezane na leđima, a onda ga puste da padne, tako naglo da mu to napola iščupa ruke iz ramena.

Od momenta kad je ostareli papa Dela Rovere okrenuo svoje režeće, ratoborno lice protiv Francuza i njihovih saveznika, podstakavši medičijevsku opoziciju u Firenci, bilo je jasno da je pad republike neizbežan. U sprečavanju takvog razvoja događaja nije pomogla čak ni Mikelanđelova moćna statua Davida, koja je uz veliku gradsku proslavu zamenila Juditu na postolju ispred Palate sinjorije. Nikola su otpustili iz službe. Njegova bliskost sa gonfalonijerom Soderinijem svakako bi ga zauvek kompromitovala u očima nove vlasti, ali ko je sem gospe Fortune mogao znati da će se njegovo ime naći na komadiću papira nađenom u džepu čoveka uhapšenog zbog zavere protiv nove Medičijeve države? Nikolo je bio potpuno nedužan, ali to ih nije sprečilo da ga šest puta puste da padne, okačen za ruke, ne bi li ga naterali da prizna. *Niko ne zna koliko je jak dok ne prođe kroz iskušenje.* Dvojica osuđenih zaverenika otišla su u smrt dok je on sedeo u ćeliji što je zaudarala na njegovo sopstveno očajanje, sa zidovima po kojima su gamizale vaške velike kao leptiri. Spaslo ga je to što je ćutke podneo mučenje i što nije pronađen nikakav drugi dokaz protiv njega. Međutim, od bola u duši koji se javljao uvek kad je razmišljao o svojoj budućnosti, ništa nije moglo da ga spase.

No barem se blagodareći udarcima sudbine našao u zanimljivom društvu, i večeras mu je ponovo predstojalo nekoliko sati s tom tako složenom ličnošću, Čezareom Bordžijom.

Nije to bio prvi put da se susreću u toj sobi. Mada je sam vojvoda bio odavno mrtav (ubijen pre šest godina u jednom okršaju u Španiji, gde je poslednje godine života proveo kao zatvorenik), mnogo toga u njegovom čudesnom uzletu prema suncu izdvajalo ga je kao izuzetnog vladaoca.

Biće i onih koje će to Nikolovo divljenje iznenaditi, zato što je ime Bordžija poslednjih godina postalo još crnje, budući da su ga neprijatelji koji su ih nadživeli provukli još dublje kroz blato. Međutim, večito bolna ramena bila su mu podsećanje – kad zatreba – da je istorija uvek samo priča o ljudskoj prirodi na delu, te da ljudi koji namere da ostave svoj trag u ovom nesavršenom svetu to moraju da ostvare u datim okolnostima, a ne u nekima koje bi im možda bile draže. A na osnovu postojeće situacije, u Italiji koju razdiru nasilje, frakcije i strani zavojevači, smatrao je da je vojvoda Valentino, barem jedno izvesno vreme, bio izuzetan akter, ratnik i vladalac koji je objedinjavao snagu lava i lukavost lisice.

Večeras je, međutim, njihov susret imao da poprimi drugačiji ton. Zato što se, izložen najtežem iskušenju, onda kad mu je ćudljiva gospa Fortuna okrenula leđa, Čezare Bordžija uopšte nije dobro pokazao.

Kažem vam, razmotrio sam baš sve što može da se dogodi u slučaju smrti mog oca; za sve sam se pripremio, sem za jedno - za to da ću se i ja, u tom istom trenutku, nalaziti gotovo na samrti.

Kako se jasno sećao svega što mu je vojvoda rekao prilikom njihovog prvog susreta u Rimu. Bio je oktobar 1503, veče održavanja papske konklave posle papine smrti.[48] Kakvo je to vreme bilo. On sam beše ostavio u Firenci ženu i tek rođenog sina („*beo je kao sneg, ali glava mu je poput crnog baršuna i kosat je poput tebe, i zato mi je prelep, mada se cela kuća ori od njegovog plača*") i uputio se u grad svojih snova. Ipak, nije imao prilike da uživa u njemu, takvi su bili haos i nasilje što su posvuda vladali. Vojvoda Bordžija i njegovi ljudi skrivali su se u Kastel Sant'Anđelu dok su naoružane grupe koje su radile za porodice Orsini i Kolona krstarile ulicama s namerom da proburaze mačevima svakoga za koga makar pomisle da je lojalan Bordžijama.

Nisu se videli još od pohoda na Sinigalju i Nikolo je jedva prepoznao čoveka koji je sedeo pred njim. Napola mrtav od groznice, tako su mu svi rekli. Gledajući ga sada, bio je sklon da poveća blizinu smrti na tri četvrtine, zato što je ta tako muževna figura bila potpuno izjedena. Dugački ogrtač koji je nosio da prikrije mršavost samo ju je još više isticao. Glava mu je izgledala prevelika za telo, kosa i brada neuredne, koža voskastožuta, a oči mutne i upale. Najzgodniji, najstrašniji čovek u Italiji. Gde je nestao?

„Sinjor Osmehu." Glas mu je bio šištav, kao da njegova pluća više nisu uspevala da uvuku dovoljno vazduha.

„Iznenađeni ste što me zatičete ovakvog, zar ne? Ne biva često da čovek ustane iz mrtvih i nastavi da se bori, ali ja sam živi dokaz da je to moguće. Jeste li se dolazeći ovamo mimoišli sa španskim kardinalima? Niste? Sve vreme su bili kod mene, hteli su da čuju kako želim da glasaju, zato što sam ja taj koji vedri i oblači u ovom izboru novog pape."

Samo što je Nikolo u sinoćnjem razgovoru s firentinskim kardinalom Soderinijem čuo sasvim drugačiju priču. Premda vojvoda možda još nije bio poražen do nogu – još je imao vojsku na prilazima Rimu i blago opljačkano iz papskih odaja – nije više imao aduta u ovoj partiji. Mletačka republika je uspostavila svoju vlast u polovini njegovih gradova u Romanji, privučena poput lešinara zadahom mrcine, a oni kardinali koje je imao u džepu – sedam, najviše osam njih – bili su odreda Španci i, poput Francuza, nisu mogli da se nadaju nikakvoj ličnoj koristi.

Posle čitave decenije upada stranih vojski i ratovanja, ni Crkva ni Italija ne bi svarile još jednog stranog papu. To je suzilo izbor na Italijane, među kojima je samo je jedan bio dovoljno bogat i bezobziran da uzme krunu. Đulijanu dela Rovereu bila je potrebna svega šačica dodatnih glasova da ishod glasanja preokrene u svoju korist. A predugo je čekao ovaj trenutak da dozvoli da mu se na putu ispreči oslabljeni Čezare Bordžija.

„Ne može on to bez mene, ali kažem vam, ja se ne prodajem jeftino. U zamenu za glasove mojih kardinala, Dela Rovere mi je obećao da će potvrditi moj položaj glavnokomandujućeg papske vojske i zajemčiti sigurnost mojih gradova u Romanji. Poštena pogodba, zar ne?"

Nikolo je bio toliko zaprepašćen da nije znao šta da odgovori. Ko bi pri zdravoj pameti, pošto dobije ono što je hteo, održao takvo obećanje dato zakletom neprijatelju? Čezare

Bordžija sigurno ne bi. Ni sad, ni nekad, niti ikad. A u tom slučaju, zar je mogao da poveruje da neko drugi hoće?

„Šta je bilo, sinjor Osmehu? Nemate šta da mi kažete na ovo? Možda mislite da nisam u stanju da ponovo osvojim svoje teritorije? Dajte mi šest nedelja i samo polovinu mojih snaga, i sve će ponovo biti moje. Dela Rovereu je potreban ratnik koji će da potisne Mlečane, a zna da boljeg od mene nema."

Niko pri zdravoj pameti...

Slušajući ga, Nikolo je opažao graške znoja što su nicale na vojvodinom čelu. Proveo je šest dana u bunilu vrućice. Tako je stajalo u svim depešama. Šest dana je krv u njemu kuvala pre no što mu je njegov lekar naposletku spasao život zaronivši ga u ledenu vodu. Nasilje poraženo nasiljem. Šta mu je više pomutilo razum, bolest ili lek? Ili je ovo dejstvo udaraca sudbine na um nenaviknut na poraze?

Bila je to najkraća konklava u istoriji Crkve. Vratnice Sikstinske kapele bile su sutradan na vrlo kratko zaključane, pre no što su se ponovo otvorile da propuste Đulijana dela Roverea, koji je iz nje izašao kao papa Julije III. Kako je Kastel Sant'Anđelo sada zvanično bio njegovo vlasništvo, prvo što je uradio bilo je da ponudi vojvodi gostinske odaje u Vatikanu. Pošto su Orsiniji još bili na ulicama, kuda je drugde mogao da ode?

Međutim, da li je bio gost ili zatvorenik?

Pošto je u gradu ponovo zavladao red, Nikolo je dane provodio gurajući se s mletačkim izaslanicima po vatikanskim čekaonicama, budući da su se obe republike svim silama trudile da ubede novog pontifeksa u svoju nepokolebljivu lojalnost.

Prvi susret s novim papom naterao mu je žmarce u kičmu. Visok i mršav kao grana, sa snežnobelom kosom i bradom, papa Dela Rovere sedeo je na tronu pogrbljen, glave pognute u stranu, poput zamišljenog orla, pogleda hladnog kao led. Govorkalo se da je sklon napadima besa, koji eksplodiraju iznenadno, kao kad prospeš rakiju u vatru. U tim trenucima je bilo bolje naći se na bilo kom drugom mestu nego u istoj prostoriji s njim. U tom čoveku nije se nazirao ni najmanji nagoveštaj saosećajnosti. Niko pri zdravoj pameti ne bi od njega očekivao da održi obećanje koje se kosilo s njegovim vlastitim interesima.

Kad nije bio u čekaonicama, Nikolo je napolju pabirčio informacije ili sastavljao epske depeše i slao ih kući. Firentinska veća su morala da znaju sve, a njegov je zadatak bio da nađe logiku u ovoj novoj raspodeli moći. Stoga je, kad ga je nekoliko nedelja kasnije Čezare Bordžija pozvao u posetu, činjenica da je morao da ga pozove bila znak njegove slabosti.

Nikolo se na ulazu mimoišao sa čovekom u svešteničkoj mantiji, suviše zamišljenim da odgovori na pozdrav. Pomislio je tada da je to sigurno vojvodin lekar, jer njegovo domaćinstvo nikad nije spadalo u ona u kojima se držalo do Boga.

Kad je ušao, Bordžija ga je pozdravio zagrljajem – koji je posvedočio o njegovoj koščatosti – i bujicom reči o tome kako je Firenca oduvek bila njegov najveći prijatelj. Sem, razume se, ako mu opet nije postala neprijatelj. I kako je ovaj papa običan ljigavac, zato što iz papske kancelarije nikako nije stizala potvrda njegovog postavljenja, te kako sa svakim danom koji prođe vuci sve glasnije zavijaju pred kapijama još jednog njegovog grada.

„Trebalo bi da sam tamo napolju, na čelu vojske, ali kako da sada napustim Rim? Čujete li išta o tome? Ništa? Sigurni ste? Pa dobro, nema veze. Sad imam drugi, bolji plan, i zato sam vas doveo ovamo.“

U stražnjem delu prostorije, Mikeloto je stražario kao i uvek. Nikolo je nekoliko puta pokušao da mu susretne oči, ali ovome je pogled sve vreme bio prikovan za pod. Ali morao je znati. Kako je mogao da ne zna?

Drugi plan. Nikolo je jedva verovao rođenim ušima.

U zamenu za siguran prolaz za sebe i svoju vojsku na putu u Toskanu, vojvoda će postati zaštitnik Firence, što joj je sada potrebno, budući da je Venecija hijena, a dani francuskog kralja odbrojani, zato što je ovaj novi papa kivan na sve redom. Italija će zažaliti zbog toga što je izabran, i samo još on, Čezare, može da spase što se još spasti da. Koliko brzo mu Nikolo može zajemčiti siguran prolaz, s obzirom na to da nema vremena za gubljenje?

Razmišljajući deset godina kasnije o svemu tome, još se sećao mešavine sažaljenja i uzbuđenja s kojom je te večeri sastavljao depešu i opisivao nestalnog, neodlučnog čoveka čija je sreća prelazila iz loše u goru; nekadašnji savršeni strateg, koji nikad nije otkrivao svoje misli i namere nijednoj živoj duši, pričao je sada svima redom o stvarima koje nije imao izgleda da postigne.

Kako mu je ono Bjađo jednom rekao? Tvoj dragi Valentino. Da li je potpuno pogrešno procenio vojvodin karakter ili je nešto poput ovoga neizbežno snalazilo čoveka opijenog uspehom?

Znao je da će mu Firenca odbiti siguran prolaz, ali im je bez uvijanja rekao kako veruje da će vojvoda svakako poslati svoje ljude, te da bi trebalo da budu na oprezu. Dve nedelje posle toga, firentinske snage zarobile su Valentinove vojnike, njihovo oružje, opremu i zalihe, a povrh svega i Mikelota glavom.

Malo-pomalo, Čezare Bordžija je nezaustavljivo klizio u grob.

Divno sročeno, rekao mu je kasnije Bjađo uz pehar vina, mada ta slika nije priuštila Nikolu baš nikakvo zadovoljstvo.

Sedeći sada u svojoj radnoj sobi, Nikolo se zavali u stolicu. Misli mu behu odlutale, što mu se veoma često dešavalo. Imao je grč u prstima od stezanja pera, a oštećeno desno rame gunđalo je sećajući se čekrka, pogotovo sada kad je zahladnelo. Istorija: svaki čovek stvara sopstvenu. A ovo je, sve dosad, bila njegova.

Vatra na ognjištu beše se gotovo ugasila. Da je leto, mogao bi da izađe i sedne na kamenu terasu što je gledala na sever, prema Firenci, i tamo sačeka zoru, jer je umelo da bude predivno posmatrati povratak boje svetu, tu mešavinu božjeg čuda i Lukrecijeve damarajuće, sveobuhvatne prirode. U prvim mesecima egzila, ta lepota bila mu je melem za dušu. S dolaskom jeseni i ogoljavanjem drveća, ustanovio je da s određenog mesta, tamo na desnoj strani, može da razabere vrh veličanstvene Bruneleskijeve kupole kako se diže iz doline udaljene nekih šest ili sedam milja: nevelika daljina, ali je za njega sada predstavljala dugo putovanje. Odlučio je da je više ne traži pogledom, zato što ga je podsećala na sve što je izgubio.

U njegovoj maloj knjizi neće biti mesta za kraj vojvodine priče, zato što je bio suviše razvučen i gorak: kazivao je kako ga je papa Julije vukao za nos – obećavao mu, obrlaćivao ga, pretio mu i naposletku ga bacio u zatvor. Svaki san o Bordžijinoj državi u Romanji bio je odavno mrtav, a Julije je bio jedan od onih što su čekali da pokupe ostatke, ali neki gradovi ostali su lojalni vojvodi, u znak sećanja na pravednu vlast, i odbijali su da otvore kapije sve dok ne čuju dogovorenu lozinku.

Na kraju, Čezare Bordžija je, u zamenu za svoju slobodu, otkrio Juliju čarobne reči. Samo što nijedno mesto u Italiji nije htelo da ga primi, a kad je naposletku pobegao u Napulj, oslonivši se na obećanje španskog zapovednika da će mu pružiti utočište, usledila je izdaja u vidu dogovora između pape i španske kraljevine. Otpremili su ga u Valensiju, i tako je stigao kao zarobljenik u onu istu luku iz koje se njegov otac pre pola veka pun optimizma otisnuo prema Italiji. Porodica je obišla pun krug.

Poginuo je u pokušaju bekstva iz poslednjeg od mnogih zatvora. Očevici su govorili da je to bilo pre samoubistvo nego bitka: čovek je sam jurišao pravo na grupu vojnika, i bio je sasečen a da nijednog nije odveo sa sobom u smrt. Kada je došla vest o tome, Nikolo je bio na terenu, u inspekciji lokalnih jedinica. Firentinska stajaća vojska! Bilo je to ostvarenje njegove najveće ambicije, mada je i njemu bilo jasno da neprofesionalna vojska donosi svoje specifične teškoće. U prvi mah nije osetio bogzna šta – u njegovom srcu je Čezare odavno bio mrtav – ali u danima što su usledili, uspomene su samo navirale: veličanstveno zauzeće Urbina, prepredeni trijumf u Sinigalji, neodoljiv, gotovo nasilan šarm čoveka koji je verovao kako nikad ne može da izgubi. Da se sada našao tu, ponovo bistrog uma, kakve bi razgovore mogli da vode o strategiji ratovanja.

Ne, bez obzira na nedostojanstvo njegovih poslednjih godina, vojvodina smrt bila je nešto što je trebalo oplakivati. Nikolo je po svoj prilici bio usamljen u tome, s izuzetkom, razume se, Čezareove sestre Lukrecije, koja je, prema izveštajima izaslanika iz Ferare, veoma teško podnela tu vest.

Lukrecija Bordžija d'Este. Premda im se putevi nikad nisu ukrstili, Nikolo je s interesovanjem pratio dešavanja u njenom životu. Posle smrti vojvode Erkolea, ona i njen suprug skovali su čvrsto partnerstvo, kad su vetrovi rata sručili na Feraru prvo Mlečane, a potom i samog naprasitog papu. Dala je porodici Este naslednike koji su joj trebali, a kad je vojvoda Alfonso odsustvovao boreći se za opstanak njihove države, vladala je u njegovo ime, izigravala domaćicu diplomatama, nadzirala rad suda i hrabro održavala privid humanističkog dvora čak i kad se iz daljine jasno čulo gruvanje topova. Glasine su, dabome, kružile: da je u svoje vreme imala strasnu vezu sa vladarom Mantove, mužem sestre svoga muža. Ako je to bilo tačno, tada su bili bezbedni blagodareći obostrano moćnim položajima, premda bi njihova veza izvesno razbesnela njegovu ženu, markizu Izabelu, pošto su svi znali da se dve žene nikad nisu trpele.

Krv Bordžija. Činilo se da snažno teče i u Lukrecijinim venama, i mada su njeni sinovi i kćeri bili D'Este, ipak će nastaviti lozu. To je bilo sve što je ostalo od porodice koja je jednom zamalo zavladala polovinom Italije.

Nikolo zatvori svoju svesku. Kad bude završio ovo delo – a to je imalo da bude ubrzo – neće imati da piše ništa drugo do pisma. Bolje da ga razvlači još malo. Već je znao kako će se završiti. Poslednje poglavlje je trebalo da sadrži neku promišljenu hiperbolu i izraze poštovanja: borbeni poklič novom vladaocu da oslobodi Italiju od zavojevača i povede zemlju u novo zlatno doba. Ko je bio pogodniji za to od novog Medičija koji je vladao Firencom, čoveka iz porodice koja je već okusila veličinu? Da je Bjađo tu, zacelo bi ga zadirkivao zbog ovakvog ulagivanja, ali to je bilo samo neophodna glazura od laskavih reči, još jedan primer kako je ljudska priroda, bilo to dobro ili loše, ishodište svake politike.

A pošto se tako mnogo oslanjao na naravoučenija iz istorije, prepustiće poslednju reč prošlosti – biće to glas

Petrarke, toskanskog pesnika iz četrnaestog veka, u osvrtu na slavne dane carskog Rima:

Srčanost će se dići na oružje
Protiv grube sile, a bitka će biti kratka,
Jer drevna hrabrost
Još nije mrtva u srcima Italijana.

Zvučalo je optimističnije nego što se osećao, ali čovek ponekad mora da se pretvara ako želi da priča ima najbolji mogući kraj. Još je imao nekoliko prijatelja na obodu vlasti: ako uspeju da pomognu da njegovo delo bude primećeno, to bi svakako mogla da bude njegova karta za povratak u vladu. Jer kakav bi mu život bio bez nje?

Pogovor

Pet poslednjih romana koje sam napisala bili su plod dvostruke strasti: prema istoriji i prema pripovedanju. Sa prošlošću sam se prvi put susrela kad sam kao tinejdžerka čitala istorijske romane. Plamen koji su oni zapalili odveo me je u vode ozbiljnog izučavanja istorije, a kad sam završila studije bila sam ubeđena kako nijedan roman (a svakako ne onaj koji bih ja mogla da napišem) ne može da do kraja predstavi svu njenu kompleksnost, istančanost i raskoš.

Kad sam pre šesnaest godina rešila da osporim to svoje ubeđenje, na to su me podstakli italijanska renesansa i njen duboki uticaj na zapadnu kulturu, politiku, religiju i umetnost. Kao dete svog vremena, silno sam želela da otkrijem kakvi su, skriveni čitavim nizom slavnih muškaraca, možda bili doživljaji i ostvarenja žena. Priče na koje sam naišla u svom istraživanju, umnogome u radovima naučnika novijeg vremena, dale su mi izuzetan materijal za trilogiju čiji su zapleti su bili izmišljeni, ali su mnogi likovi, skupa sa teksturom, iskustvima i pojedinostima njihovog života, bili ukorenjeni u istorijskim činjenicama.

Godine 2010, preusmerila sam pažnju na Bordžije. Izazov je bio ogroman. Početkom poslednje decenije 15. veka, ta španska porodica, na čijem se čelu nalazio papa Aleksandar VI, dala se na posao da osnuje dinastiju i novi blok moći u podeljenoj Italiji. Njihove metode su često bile pokvarene i surove, umnogome poput društva u kom su živeli. Kao stranci, bili su predmet uvreda i kleveta, a kad su njihove ambicije doživele neuspeh, istoričari koji su došli posle njih nastavili su na isti način. Želela sam da to ispravim, pogotovo što se tiče Lukrecije, koja je kroz vekove u romanima, operama, filmovima i brojnim televizijskim serijama postala simbol opake zavodnice, krive za incest, pohotu, intrigu, ubistvo i trovanje.

Knjiga *U ime porodice*, poput *Krvi i lepote* pre nje, nastoji da ispriča istinu – ili barem onoliko istine koliko znamo – o ovoj živopisnoj porodici; od papinih političkih manipulacija do njegove ljubavi prema sardelama i Bogorodici; od eksplozivnog genija Čezarea Bordžije do njegove borbe s francuskom bolešću i bliskog susreta sa smrću u buretu ledene vode; od Lukrecijinih rasprava sa svekrom zbog novca do reči koje je izgovorila kad je mislila da umire. U celu priču su utkana svedočanstva iz prve ruke: izveštaji ambasadora, dnevnici Johana Burkarda, lečenje sifilisa koje je praktikovao Gaspare Torela, preživela prepiska između Pjetra Bemba i Lukrecije, brojna pisma Izabele d'Este i pronicljive depeše i spisi Nikola Makijavelija, kome su iskustva u diplomatiji, stečena u tim godinama, pomogla da uobliči svoje poglede na ljudsku prirodu i radove na temu političke filozofije. (Taj izuzetni čovek nikad nije vraćen na posao, ali njegova nesreća je veliki dobitak za istoriju, budući da je tako imao vremena i volje da nastavi da piše, ne samo o politici i ratovanju već i da iznedri dva društveno prosvetljujuća komična komada puna sočnog humora.)

U svim tim slučajevima, veliki sam dužnik raznih prevodilaca i naučnika čije sam radove koristila, a naročito Dijane Šimek, profesorke književnosti na Kalifornijskom univerzitetu, koja mi je dozvolila da upotrebim neke delove novog prevoda odabranih Izabelinih pisama pre no što je ta knjiga uopšte i objavljena.

To su, dakle, bili moji izvori. Postoji, međutim, i nekoliko mesta gde su zahtevi pripovedanja prevagnuli nad onim što znamo iz istorije. Nisu sva pisma u romanu navedena doslovno (jer nisu sva preživela do danas), mada su događaji ili osećanja koja se u njima opisuju ukorenjena u istorijskim činjenicama. Ovo su neke značajnije slobode koje sam sebi dozvolila:

Nemamo direktnih dokaza da je Lukrecija Bordžija bolovala od sifilisa (prepiska između samostana Korpus Domini i Gaspara Torele je u celosti plod moje mašte), ali postoje dokumentovani dokazi da se Alfonso tom bolešću zarazio 1496-97. Do njegovog braka s Lukrecijom došlo je u vreme kad je još bio zarazan, a njene brojne trudnoće koje su završile mrtvorođenjem, bolesti i prerana smrt na porođaju u trideset devetoj godini nagoveštavaju da je i ona postala žrtva te bolesti. Da li je pak i sama gajila sumnje u tom pogledu, to već nikad nećemo saznati. Bolest je tada bila nova i mutirala je, lekari su bili ošamućeni haosom koji je proizvela, a iz dokaza koje imamo vidi se da su bili mnogo zabrinutiji zbog njenog dejstva na muškarce nego na žene.

Posle smrti pape Aleksandra VI u avgustu 1503, nakratko je vladao papa Pije II (bio je star i bolestan, i poživeo je samo dvadeset i šest dana kao pontifeks), i za to vreme se vakuum vlasti u Rimu razrešio. Činilo mi se da bi opisivanje svih mahinacija vezanih za tu konklavu samo unelo nepotrebnu konfuziju, pa sam ga zato izostavila. Takođe, promenila sam vreme rođenja Nikolovog sina, opisano u pismu njegove žene. To je, naime, jedini direktan primer glasa Marijete Makijaveli, koji već u prvom trenutku zvuči toliko prijatno da čovek ne može a da ne oseti kako iz njega isijava njena ličnost.

Naposletku, premda su Makijavelijeve depeše i pisma zaista neodoljivo štivo, uzela sam tu slobodu da mu pripišem jedno opažanje – *„ovi pobunjenici su progutali dozu otrova usporenog dejstva"* – koje pripada nekom drugom: Antoniju Đustinijanu, mletačkom ambasadoru u Vatikanu. Naprosto mi je zvučalo suviše dobro da bih ga propustila.

Sve navedene „greške" su namerne. Sigurna sam da ima i onih koje nisu, i za takve se unapred izvinjavam.

Za kraj, još jedna istorijska činjenica. Mada je Aleksandrova smrt u suštini prekratila ostvarenje veličanstvene zamisli Bordžija, ta porodica je dala još jednu čuvenu ličnost: papinog španskog praunuka, Svetog Frančeska Bordžiju, koji je došao na čelo jezuitskog reda i nedugo posle smrti je kanonizovan. Svetac Bordžija. Možda moja trajna opijenost istorijom i potiče otud što ona često nadmašuje sve što može da smisli mašta jednog romanopisca.

Izjave zahvalnosti

Pisanje knjige traje godinama, a pomoć dolazi u brojnim, različitim oblicima.

Dužnik sam Viki Ejveri, kustosa odeljenja renesansnih bronzi u Ficvilijamovom muzeju u Kembridžu, koja mi je pomogla pojasnivši mi pojedinosti u vezi s livnicama iz šesnaestog veka, svojstvima bronze i izlivanjem topova (i pustila me da uđem u muzejski depo i uzmem u ruke neke bodeže i mačeve).

Kao što sam već pomenula, naročita zahvalnost sleduje Dijani Šimek, za prevod pisama Izabele d'Este; profesorki Lori Stras, muzikologu, za stručno znanje o dvoru Erkolea d'Estea i za to što mi je blagovremeno rekla za dolazak Žoskena Deprea, tako da sam mogla da ga obuhvatim pričom; profesoru i istoričaru Lauru Martinezu za razgovore o prirodi firentinske države; i profesorki Kejt Lou, za koju sa sigurnošću tvrdim da o biskupu Frančesku Soderiniju zna više od bilo koga na svetu.

Karen Gilmon i Ajlin Horn pažljivo su čitale početne verzije rukopisa. Privodeći kraju svoj doktorat na temu papske politike u petnaestom veku, Tim Demeris je utrošio izvesno dragoceno vreme da pročita tekst i ukaže mi na brojne sitne greške, isto kao i Džejms Bredbern, direktor galerije Pinakoteka di Brera u Milanu.

Moja literarna agentica Kler Aleksander bila je uz mene na svakom koraku, a pogotovo kad je bilo povuci-potegni; Leni Gudings u Londonu, Ajris Tapholm u Torontu i Suzan Kejmil u Njujorku bile su kreativne, posvećene urednice. Ako sam ponekad i zarežala na njih, bilo je to samo zato što nam je svima bilo podjednako stalo do romana koji sam pisala.

Naposletku, tu je, razume se, i moj životni saputnik Entoni, čovek koji je o Bordžijama saznao više no što je ikad nameravao, ali zahvaljujući kome sam ostala zdrave pameti i srećna – onoliko koliko je to moguće kada si pisac.

Sara Dunant

Firenca, jul 2016.

Napomene prevodioca

[1] *Palazzo dela Signoria*; nekadašnje sedište vlasti Firentinske republike. Danas je poznata pod imenom Stara palata (*Palazzo Vecchio*) i služi kao gradska većnica.

[2] Oliveroto Eufreduči (1475–1502), poznat i kao Oliveroto da Fermo, kondotijer Bordžija i vladar Ferma za vreme pontifikata pape Aleksandra VI. (Vođe najamničkih vojski u Italiji u 14. i 15. veku bile su poznate kao kondotijeri, od ital. *condottiere*, četovođa.)

[3] *San Pier Scheraggio*; crkva više ne postoji, srušena je u 14. veku, kada je građena Stara palata. Sveti Petar se u Italiji u narodu često naziva San Pjer ili San Pjero.

[4] Godine 1498, francuski kralj Luj XII dao je gradove Valans, Dje i Grenobl, i sve pripadajuće posede, Čezareu Bordžiji, kao vojvodstvo Valentinoa (fr.: *Duché de Valentinois*, ital.: *ducato de Valentino*).

[5] Nalazili su se na tzv. suvom doku ili, kako bismo danas rekli, na remontu.

[6] Temeljno načelo srednjovekovne medicine bila je teorija o telesnim sokovima ili „humorima“. Po njoj, ljudskim telom teku četiri soka ili „humora“ – crna žuč, žuta žuč, flegma i krv – koje proizvode različiti organi i koji moraju biti u ravnoteži da bi čovek ostao zdrav.

[7] Prevod Vuka St. Karadžića.

[8] Eng.: *God's blood* – eufemizam, jedan od mnogih koji su se u to vreme koristili da se opsuje a da se pritom ne prekrši treća zapovest (Ne uzimaj uzalud imena Gospoda Boga svoga). *God's blood* ili *'sblood* odnosi

se na Hristovu krv prosutu kada je razapet i vino čijim se ispijanjem podsećamo na to kad se pričešćujemo.

[9] Gornji deo haljine (renesansna haljina bila je dvodelna), nosio se iznad košulje, a rukavi su se obično pričvršćivali za njega dugmadima ili pantljikama.

[10] Bazilika *Santa Maria Maggiore.*

[11] Imanja (zemlja, zgrade i sl.) koja je neka dijeceza dodeljivala na korišćenje crkvenom velikodostojniku da od njih ubire prihod (na tzv. plodouživanje), a kojima je po njegovoj smrti ponovo raspolagala.

[12] Dante, *Pakao, Treće pevanje,* prevod Dragana Mraovića, izd. *Zavoda za udžbenike i nastavna sredstva,* Beograd, 1998.

[13] Blažena Lučija iz Narnija – papa Kliment XI ju je 1710. beatifikovao.

[14] Današnja Senigalija (*Senigallia*).

[15] Luj XII.

[16] Na osnovu više izvora da se zaključiti da je Čezare kožnom maskom pokrivao deo lica unakažen posledicama sifilisa.

[17] Italijanski mlečni kremovi nazivaju se *rosada.* Ta poslastica je stigla i do balkanskog primorja, gde se zadržala kao rožata.

[18] Pripadnik sinjorije koji je čuvao gradsku zastavu i nosio je na krstu u procesijama prilikom svetkovina.

[19] Palata Skifanoja (*Schifanoia*), od *schivar la noia,* „pobeći od dosade", predstavlja zanimljivo svedočanstvo o obnovi grčke kulture u razdoblju visoke renesanse u Italiji („činkvečento").

[20] Ital.: prostitutka, uličarka, drolja.

[21] Sanča od Aragona bila je supruga Lukrecijinog i Čezareovog brata Đofrea (Hofrea). Navodno je imala afere s oba svoja devera, Čezareom i Đovanijem (Huanom), ali i s mnogim drugim muškarcima.

[22] Građevina je nastala u 2. veku nove ere, kao mauzolej koji je imperator Hadrijan poručio za sebe i svoju porodicu, da bi je pape kasnije koristile kao utvrđenje i dvor. Danas je to muzej.

[23] Kratka sveštenička pelerina koja pokriva ramena i grudi.

[24] Vrsta zlatnog novca, prvi put iskovanog u Firenci u 13. veku, pa se ime zadržalo i pored toga što su takav format kovanica nešto kasnije preuzele i neke druge zemlje, poput Holandije i Engleske.

[25] Posle višegodišnjeg ekstremno strogog posta, naposletku je sasvim prestala je da jede i pije, verujući kako će se tako još više približiti Hristu.

[26] Sveti Antun Padovanski (1195–1231) poštuje se, između ostalog, kao zaštitnik propovednika, putnika, siromaha, budućih majki, ribara, mornara, starih ljudi, ali i onih koji traže bračnog druga.

[27] Nalazi se u sklopu nekadašnjih Bordžijinih odaja u Apostolskoj palati u Vatikanu. Papa Lav XIII potkraj 19. veka dao da se obnove i otvore za javnost.

[28] *Aut Caesar, aut nihil* (lat., *Cezar ili ništa*).

[29] Ital.: vrlina, kvalitet, sposobnost.

[30] Nadimak mu je glasio *Il Macchia*, „mrlja" na italijanskom.

[31] Bjađo Buonakorsi (1472–1526) bio je službenik Republike Firence i pesnik, a u službi svog rodnog grada bio je od 1498 do 1512. Cenili su ga, između ostalog, i zbog izuzetno lepog rukopisa; njegova je zasluga što su rukopisni primerci Makijavelijevog *Vladaoca* bili u opticaju više od deset godina pre no što su prvi put štampani.

[32] Dvorac Viskonti (*Castello Visconteo*), glavna rezidencija milanske vladajuće porodice Viskonti.

[33] U staroj Grčkoj i Rimu katamit je bio dečak, intimni prijatelj odraslog mladog čoveka, kome je najčešće istovremeno služio kao pasivni partner u homoseksualnoj vezi.

[34] Gornja bela haljina od lanenog platna koju katolički sveštenici nose za vreme liturgijskih slavlja.

[35] Takođe jedna od veličanstveno oslikanih prostorija u nekadašnjim Bordžijinim odajama u Apostolskoj palati u Vatikanu.

[36] Fr.: „prevariti oko"; slikarska tehnika koja se služi realističnim tretmanom u stvaranju optičke iluzije da su slikani objekti trodimenzionalni.

[37] Engleski idiom *sit on the fence* (doslovno: „sedeti na ogradi") označava neodlučnost, kolebanje između dveju mogućnosti, nastojanje da se zadrži neutralni položaj. Ovde je preveden doslovno, zbog ostatka rečenice.

[38] Vrlo dugo ubodno koplje (3 do 7,5 m) koje je nekada intenzivno koristila pešadija, glavno oružje nemačkih i švajcarskih najamnika.

[39] Generalno, izučavanje klasičnih spisa, poznato kao „novo učenje": oblikovalo je razvoj renesanse.

[40] Bembovi trotomni dijalozi *Azolani* (*Gli Asolani*), pisani od 1497. do 1504. godine.

[41] Renesansni naziv za polensku alergiju.

[42] Stari bretonski muzički instrument sličan zurli.

[43] Živahni italijanski ples s dosta pocupkivanja, vrlo popularan na evropskim dvorovima u srednjem veku i renesansi.

[44] Patenti su u Veneciji počeli da se odobravaju od 1450. godine.

[45] Nezdrav, kužan vazduh – *mal aria* na srednjovekovnom italijanskom – smatrao se krivcem za „letnju groznicu" (malariju).

[46] Nešto manje od 300 ml.

[47] *Mizerere,* motet za pet glasova, napisan 1503.

[48] Pontifikat pape Pija II, izabranog posle smrti Aleksandra VI, potrajao je svega dvadeset šest dana, od 22. septembra do 18. oktobra 1503, kad je umro od posledica gihta.

O autorki

Sara Dunant, britanska književnica, kritičarka i autorka televizijskih emisija, rođena je 1950. godine. Nakon studija istorije na univerzitetu Kembridž, radila je kao glumica, televizijski producent i radijski voditelj. Kritike objavljuje u novinama *Tajms* i *Obzerver*. Napisala je dvanaest romana i dobitnica je nagrade *Deger* (1993). Romanima *Rođenje Venere* i *U društvu kurtizane* osvojila je simpatije čitalaca širom sveta.